MÖRIKE
CHRONIK

Hans-Ulrich Simon

MÖRIKE
CHRONIK

J. B. Metzlersche
Verlagsbuchhandlung
Stuttgart

!

CIP-Kurztitelaufnahme der Deutschen Bibliothek

Simon, Hans-Ulrich:
Mörike-Chronik / Hans-Ulrich Simon . – Stuttgart .
Metzler, 1981.
ISBN 3-476-00474-0

ISBN 3 476 00474 0
© 1981 J. B. Metzlersche Verlagsbuchhandlung
und Carl Ernst Poeschel Verlag GmbH in Stuttgart
Satz: Bauer & Bökeler Filmsatz GmbH, Denkendorf
Druck: Reclam, Stuttgart
Printed in Germany

Vorwort

Eine Chronik bietet den Lauf der Ereignisse pur: Da sie bloße Fakten in ihrer zeitlichen Abfolge aneinander reiht und das Ergebnis der Addition offen läßt, vertraut sie die Zwischenbilanzen und die endgültige Summe dem Leser an; ihm erst wird Interpretation nötig. Auch die Mörike-Chronik beansprucht nur, das Gerüst einer Dichterbiographie im deutschen (besser: schwäbischen) 19. Jahrhundert zu liefern; sie verzichtet auf Bewertungen im einzelnen und versagt sich eine Deutung der Person, ihres Lebens und ihrer Schriften. – So scheint es.

Vor der Chronik liegen Suche, Sammeln, Sichtung und – Auswahl, nicht im Nacheinander, sondern in einer verzahnten Abhängigkeit: Schon das Suchen ist von der Auswahl mitbestimmt, weil sich bei der Spurensicherung vorurteilsvolle Interessen entwickeln und dann Motive zu weiterem Nachgraben bilden können. Bei allem Verzicht auf die Herstellung von Zusammenhängen (die einem Biographen angelegen sein muß) unterliegen auch die Rekonstruktionen des Chronisten bereits den kausalen Fragen nach dem Wieso, Warum und Wodurch. Mögen die so zutage geförderten Fakten in der Chronik dann auch unvermittelt gereiht sein; ihre Abhängigkeit wird dem Leser doch mindestens suggeriert.

Freilich bedingen die unterschiedlich breit überlieferten Fakten, daß sich manche Lebensjahre besser, andere schlechter dokumentieren lassen; aber selbst der tradierte Umfang kann nicht maßstabgetreu in die Chronik eingehen. So sehr positivistisches Registrieren zu den Pflichten des Chronisten gehört, auch seine detaillierten Aufzeichnungen unterliegen einer Auswahl, die durch sein Wissen um das Ganze, um Ziel und Ende einzelner Handlungen und Geschehnisse bedingt ist.

Diese doppelte Abhängigkeit von Vorurteilen ist offenzulegen, damit der Leser wenigstens teilweise von der Suggestion der hier gegebenen Fakten frei bleibt.

Mörikes ohnehin äußerlich ereignisarmes Leben spielte sich kaum öffentlich ab. Es war ein – im Verhältnis zu anderen Dichterviten – völlig privates Leben, das den familiären Rahmen nur selten verließ; seine geringen Außenkontakte suchte Mörike ins Häusliche zurückzubinden. Dieser Dichter verspürte keinen Publikationsdrang, seine wenigen Schriften haben einen schmalen Umfang, seine Leser rekrutierten sich aus seinem nächsten Umkreis. Mörikes persönliche Ausstrahlungs- und Anziehungskraft brachte ihm Freunde ein, die eng zu ihm hielten. Bekanntschaften scheiterten gewöhnlich da, wo seine Partner einem intensiveren Umgang auswichen. An bloßem gesellschaftlichen Verkehr hatte Mörike kein Interesse; am liebsten kanalisierte er ihn in familiären Bahnen. Entsprechend nahmen seine Gedichte nur zufälligen Bezug auf allgemeine Zeitereignisse; sie waren vielmehr autobiographisch, und zwar im Sinne der Motivation durch seine privaten Begegnungen. Daß an Personen gerichtete Gelegenheitslyrik unter Mörikes späten Schriften schließlich vorherrschte, macht aber auch eine Entwicklung deutlich.

Der junge Mörike benötigte noch nicht den Schutz des Engen; obwohl auf einen knappen Erlebnisbereich verwiesen, erschien er nicht eingeschränkt; zwar schätzte er das Intime, doch wirkte er nicht kontaktarm, keineswegs scheu. Mag die Vielzahl der damaligen weiteren und engeren Beziehungen auch durch Schul- und Studienverhältnisse begründet sein, sie bezeugen jedenfalls kein zurückgezogenes Leben; und Mörikes literarische Versuche, Pläne, die Vielfalt seiner Themen sowie die Dichtungsformen, die ihm bereits zurhand waren, lassen sich nicht nur mit dem ungewissen Suchen des Anfängers erklären. Da gab es vielmehr ein Potential, das in seiner quirligen Lebendigkeit auch vor anarchistischen Elementen nicht scheute. Diese Zeit endete mit Mörikes Rückkehr aufs Vikariat 1829; zugleich war die Rückkehr durch eine bewußte Abkehr von jenem Potential bedingt.

Seitdem gab es in Mörikes Leben nur noch verschiedene Stufen des Rückzugs; seine Dichtung vermochte zunächst zwar noch, Rückbezüge zu bewahren, bis sie die Perspektive verlor und endlich in der anlaßbezogenen Gelegenheitsdichtung gegenwärtig aufgehen konnte. Stationen des Rückzugs waren die unbefriedigende »Vikariatsknechtschaft« auf wechselnden Dörfern, die schließlich ausgereizte Pfarrherren-Rolle im großen Cleversulzbacher Amtssitz, das kleinbürgerliche Honoratioren-Leben am Marktplatz der Landstadt Mergentheim, der Versuch eines neuen Beginns unter alten Freunden mit der die Kräfte übersteigenden winzigen Lehrstelle in Stuttgart, schließlich das in der

Hiob-Attitüde gefristete Pensionistendasein des an seinem Jugendwerk bastelnden Dichters.

Von Mörikes Anfängen ausgehend, ist man geneigt, diese Stationen als Stufen der Domestikation zu deuten. Nur der junge Mörike hätte demnach die Kraft besessen, sich dem hegenden Kreis der Familie zu widersetzen – so schwer er damals auch der Hut der Schwester Luise entging. Nach dem Tod seines Bruders August mitten in einer Berufsentscheidung und nach der langen Sterbenszeit seiner pietistisch mahnenden Schwester machte Mörike plötzlich kehrt, als er gerade einen Ausweg gefunden hatte. Seitdem lebte er fast nur noch unter Frauen, mit der Mutter und der Schwester Klara, mit der Schwiegermutter Rau und deren Töchtern, mit der Witwe Speeth und ihrer, bald seiner Margarethe, in der »Ehe zu dritt« mit zwei eigenen Töchtern. Diese häuslich-weibliche Welt mußte auch deswegen sein Ziel bilden, weil er seine Brüder »draußen« scheitern sah. So verpaßte Mörike schließlich sogar den Anschluß an sich selbst: Als seine Schriften einmal, in den 50er Jahren, eine breitere Öffentlichkeit erreichten, versaß er in seinen vier Wänden den »Ruhm«; die Gäste, die ihm damals das Haus einrannten, empfand er nur als Last – und sie bewunderten ihn wie ein Exponat: Diese Mumie war das Zerstörungswerk weiblichen, bewahrenden Kulturauftrags.

Freilich steckte in Mörike nie ein Mann der Öffentlichkeit, hätte er nie zum oppositionellen Journalisten getaugt wie Lohbauer 1830, wäre er nie der engagierte Abgeordnete geworden wie Zimmermann 1848, auch ist er nicht als parteipolitischer Aktivist denkbar wie Notter in den 60er Jahren. Doch verraten manche seiner frühen Briefe so genaue Beobachtung öffentlichen Lebens und Kenntnis sozialer Zustände wie später nie mehr. Dann erfand er seine »Musterkärtchen« des privaten Daseins; dann mußten schon Ereignisse wie 1848 und 1866 einfallen, um ihm andere als häusliche Bemerkungen abzulocken; und »in Gedanken an unsere deutschen Krieger« rühmte er 1871 schließlich sein Schweigen.

Diese Domestikation auch als eine politische zu begreifen, verlangt nicht erst der Blick auf die Zeit der deutschen Restauration, in der sie stattfand: Während Mörikes Tübinger Jahren sahen sich die Studenten strenger polizeilicher Aufsicht gegenüber; vor seiner Investitur als Pfarrer mußte er den üblichen »Radikalen-Revers« unterschreiben, keiner akademischen Verbindung angehört zu haben; die evangelische Landeskirche unterstand dem König als oberstem Dienstherrn. Doch wurde die Kultur in Württemberg noch von den Theologen getragen, in ihrer Funktion als Kanzelredner, aber auch als Lehrer in den Schulen und Hochschulen, als Wissenschaftler, Publizisten und nicht zuletzt als Dichter. Nichts hatte sich Mörike mit der Ausbildung im Stift verbaut – im Gegenteil. Daß er dennoch mit den fortgeschrittenen Geistern unter seinen Jugendfreunden nicht Schritt halten konnte, lag an der Vorsicht seiner verwaisten Familie, die den geordneten Bahnen vertraute und jedes Wagnis in Analogie zum drohenden Umsturz der Zeit sah.

Bei aller Sympathie für Strauß und dessen entmythologisierende Schriften, trotz seiner engen Vertrautheit mit Vischer und dessen Hegelscher Ästhetik, Mörike sandte seine Schriften an den Hof mit Huldigungsadressen an die hohen Herrschaften; solche Halbherzigkeit führte zu keinem Erfolg. Das geistige und kulturelle Klima seiner Zeit und Umgebung war ohnedies nicht homogen. Da kam beispielsweise der Begriff einer »schwäbischen Dichterschule« auf, aber keiner der einbezogenen Autoren stand zu dieser Gemeinschaft; in einer Epoche, wo jeder zehnte Schwabe gedichtet haben soll, versagten sich die Dichter die publizistische Wirkung eines solchen Etiketts. Ihre Flucht in den Individualismus machte Mörike mit, obwohl er weniger selbständig leben konnte als viele andere. Die Sicherheit, mit der »der Windsbraut Sohn« seine Innenorientierung früh verteidigt hatte (und später noch einmal gegen historische Themen ins Feld führte), war ihm gerade wegen seines Harmoniestrebens geschwunden; bezeichnend, daß er sein Alter damit verbrachte, die Werke anderer zu korrigieren.

Faszinierend bleibt, wie Mörike – auch noch in der späten Versteinerung seiner Person – diesem Leben im Engen und Kleinen große, tiefe Dichtung abgewinnen konnte. Solche Leistung erscheint sich selbst abgetrotzt und der Zeit, geschrieben gegen die Bahnen, in die er gedrängt wurde und sich fügte, mit seiltänzerischer Sicherheit gegen die allgemeine Restauration entworfen. So gewinnt Mörikes Werk, gesehen aus der Perspektive des Chronisten, gerade durch das Unspektakuläre seines Lebens.

Diese Vita sachlich darzustellen, ist die Absicht des Chronisten; wie weit seine hier ausgebreitete subjektive Sicht die Darstellung beeinflußt, entzieht sich seinem eigenen Urteil. Daß die

Chronik auch andere, gängigere Mörike-Bilder reproduziert, müßte jedenfalls die intendierte gleichmäßige Auswertung der Quellen gewährleisten: Dann ließe sich auch der melancholischbehagliche Idylliker Mörike ablesen, der stille, einsame Humorist, der naive, seiner »kindlichen« Innerlichkeit vertrauende Biedermeier oder der »ursprüngliche« Dichter, sensibel für das Geheimnisvolle und Märchenhafte.

Die Chronik beschränkt sich auf Mörikes Leben. Wenn sie die Viten seiner Jugendfreunde stärker berücksichtigt, so will sie Persönlichkeiten wie Mährlen und Lohbauer näher beschreiben, weil sich der Leser über sie nicht so leicht informieren kann wie über Heyse oder Schwind (die für den alten Mörike wichtig wurden). Auch darf am Anfang beispielsweise nicht unberücksichtigt bleiben, wie da ein Dichterkleeblatt seinen Weg suchte, so daß zunächst immer wieder Waiblinger und Bauer einige selbständige Beachtung verdienen. Jedenfalls kann die Chronik nicht sinnvoll den nächsten Umkreis der Mörikeschen Vita sprengen. Andererseits versagt sie sich, den allgemeinen historischen Rahmen der Zeit einzubeziehen; allzuoft erscheinen solche den Jahresringen einer Person angefügte Daten als das, was sie sind: als unvermittelte Anhängsel. Wo dagegen Mörike auf die historischen Entwicklungen reagierte, werden sie selbstverständlich eingebracht; häufig genug sind dies lokale Ereignisse, die selbst erst der Recherchen bedürfen.

Die Chronik geht auf die Quellen zurück, fußt auf den handschriftlich überlieferten Briefen von und an Mörike (sie zitiert sie wenigstens in geringen Partikeln: in der Regel des Dichters Worte), zieht natürlich auch gedruckte Zeugen heran und hat sekundäre Schriften berücksichtigt; sie gibt fast nur überprüfte Fakten wieder. Doch weder die Entstehungs- noch die Druckgeschichte aller Mörike-Texte kann hier erschöpfend dargestellt werden, denn die einen Daten sind nicht fixierbar, die anderen bringen nur Wiederholungen; die ablesbare Intention soll jedenfalls erkennbar sein. Dasselbe gilt für Nachdrucke, Kompositionen und Rezensionen, sowie für Mörikes Rezeption fremder Werke: Die Titel seiner Lektüre werden beim ersten Lesen genannt, bei späteren Erwähnungen nur in Ausnahmefällen (und verkürzt) beachtet; manches läßt sich noch nicht recherchieren, anderes ist in seiner Bedeutung vielleicht unterschätzt – immerhin erscheint der rekonstruierte Kanon beachtlich.

Seit den beiden grundlegenden Mörike-Biographien Karl Fischers (›Eduard Mörikes Leben und Werke‹, Berlin 1901) und Harry Mayncs (›Eduard Mörike. Sein Leben und Dichten‹, Berlin, Stuttgart 1902, 1913[2], 1927[3,4], 1944[5]) hat es nur mehr kurze Abrisse seines Lebens, Erörterungen einzelner Abschnitte, Ereignisse und Beziehungen oder spezielle Untersuchungen seiner Schriften gegeben. Die so verstreut publizierten neuen Funde konnten jedoch nicht mehr in ein Gesamtbild eingebunden werden. Hatten die Ausgaben von Mörikes Schriften durch Fischer (München 1906/08) und Maync (Leipzig, Wien 1909) damals noch den aktuellen Stand der Mörike-Forschung widergespiegelt, so vermochte dies seitdem keine Edition mehr. Erst die »Historisch-kritische Gesamtausgabe« der ›Werke und Briefe‹ Mörikes (Stuttgart 1967 ff) holt jene Übereinstimmung wieder nach.

Die Gesamtausgabe, in Zusammenarbeit mit dem Schiller-Nationalmuseum erstellt, wird im Deutschen Literaturarchiv in Marbach a. N. betreut. Vorliegende Chronik kann unter anderem auf Sammlungen zu dieser Edition zurückgreifen; deswegen weiß sie sich ihren Herausgebern dankbar verpflichtet. Obwohl sie hier in vielen Einzelheiten neue Erkenntnisse ausbreitet, will die Chronik in keine Konkurrenz zu jenem Unternehmen treten; sie versteht sich vielmehr als Ergänzung und weitere Vorbereitung.

Die Berücksichtigung der (seit Maync wesentlich vermehrten) Quellen erfordert in vielen Fällen eine neue Datierung der Handschriften; Hans-Henrik Krummacher hat das in zwei Aufsätzen des ›Jahrbuchs der Deutschen Schillergesellschaft‹ (5. und 6. Jg, 1961, 1962) für die Lyrik nachgewiesen. Im besonderen schlägt sich aber die Datierungsfrage der Briefe auf diese Chronik nieder: Die unzulängliche, vielfach gekürzte Ausgabe durch Fischer und Rudolf Krauss (Berlin 1903/04) wurde 1939 durch Friedrich Seebass (›Briefe‹, Tübingen) zwar auf einen neuen Standard gehoben und 1941 (bzw. 1945[2]) durch kommentierte ›Unveröffentlichte Briefe‹ (Stuttgart) wesentlich ergänzt; doch wegen der Menge an Zeitschriften-Publikationen und Einzelbriefwechsel-Editionen war die chronologische Übersicht noch stark behindert. Welches neue Bild sich für den Mörike bis 1828 ergibt, wird die »Historisch-kritische Gesamtausgabe« mit ihrem ersten Briefband, herausgegeben von Bernhard Zeller, demnächst belegen.

Die Mörike-Chronik macht den Versuch einer Auswahl aus den für die Biographie und Werk-

geschichte relevanten Fakten in diesem neu geordneten Briefcorpus. Sie muß deshalb auf Zi-
tatangaben und Fundstellen verzichten, um
nicht durch den dann so häufig nötigen Verweis
auf die Revisionsbedürftigkeit das Nachschla-
gen zugleich zu erschweren. (Als bisher umfas-
sendste Edition ›Sämtlicher Werke‹ darf auf die
Winkler-Ausgabe, München 1967/70, mit

dem Kommentar von Helga Unger verwiesen
werden; die Forschungssituation resümiert Her-
bert Meyer in dem Mörike-Band der ›Sammlung Metzler‹, Stuttgart 1969[3].) Ergänzungen
und Verbesserungen dieser Chronik sind der
›Arbeitsstelle Mörike-Ausgabe‹ in Marbach
stets willkommen.
Stuttgart, Dezember 1980   H.-U. S.

1804

8. September: M wird um 11.30 Uhr in Ludwigsburg Nr. 113, Obere Kirch-Gasse (= heute: Kirchstraße 2) als siebtes Kind des Oberamtsarzts Dr. Karl Friedrich Mörike und seiner Frau Charlotte Dorothea Beyer geboren.
15. September: M wird getauft auf die Namen Eduard Friederich; unter den 15 Paten befinden sich die Mutter und eine Schwester (Georgii) seines Vaters sowie die Eltern und zwei Schwestern seiner Mutter mit ihren Männern Neuffer und Planck.

1806

1. Januar: Der württembergische Kurfürst nimmt die Königswürde an.
17. Juni: M's Schwester Mariette Augustine wird geboren.
31. Juli: Hermann Hardegg wird als Sohn eines Medizinalrats in Ludwigsburg geboren.
27. Oktober: Luise Rau wird geboren.

1807

Die einzige bezeugte größere Reise in seiner Kindheit führt M nach Beuren, in den Pfarrort seines Großvaters Beyer. – M's »ältester Jugendgenosse« wird der Apothekerssohn Ferdinand Jung. Zu den Freunden tritt bald Ernst Friedrich Kauffmann, Sohn des Irrenmeisters am Ludwigsburger Tollhaus.
11. April: M's Schwester Mariette Augustine stirbt.
30. Juni: Friedrich Theodor Vischer wird in Ludwigsburg als Sohn des Archidiakons geboren.
7. November: M's Bruder August wird geboren.

1808

27. Januar: David Friedrich Strauß wird in Ludwigsburg als Sohn eines Kaufmanns geboren.
April/Mai: M's Familie bezieht das Haus Nr. 125, Obere Markt-Straße, das ehemalige Balinger Amtshaus (= heute: Obere Marktstraße 2), ein Breyersches Familien-Erbe; das Haus wird im Sommer umgebaut.
31. Oktober: M's Großvater Christian Friedrich Beyer, Pfarrer in Beuren, stirbt.

1809

7. März: M's Großmutter Augustine Friederike Beyer geb. Weckherlin stirbt in Beuren.
5. August: M's Schwester Friederike wird geboren.
29. August: M's Schwester Friederike stirbt.
Herbst: Die Witwe des Hauptmanns Karl Philipp Lohbauer (»Theodor Körner Württembergs«) zieht mit ihrer Familie nach Ludwigsburg. M befreundet sich mit dem Sohn Rudolf.

1810

3. November: Einschulungstermin. M erhält Privatunterricht oder besucht die Deutsche Schule.

1811

3. März: M's Bruder Ludwig wird geboren.
Herbst: M's Bruder Karl geht als Lehrling in die Stadt- und Amtsschreiberei Nürtingen zu seinem Onkel, dem Stadtschreiber Gottlob Friedrich Planck. M wird ihn mehrmals dort besuchen.
24. Oktober: Auf einer Reise mit seinem Bruder Karl besichtigt M die Stadt Urach.

1812

28. Februar: Berthold Auerbach wird geboren.
5. April: M hat Zwistigkeiten mit seinem Bruder August; ein deshalb angestrengtes »Verhör« wird von den Geschwistern protokolliert und von M unterschrieben.
23. April: Schulanfang. M tritt in die Ludwigsburger Lateinschule ein. Er befreundet sich mit Christian Käferle, dem Sohn eines Instrumentenmachers, der einen »Einklang der Empfindungen« erkennt, aber unter M's »Anzüglichkeit« leidet. Während der Schulzeit sammelt M Steine und Käfer.
20. Juli: M schreibt: »Im Lateinischen bin ich jetzt so weit gekommen, daß ich tueor conjugiren kann.«
Eine enge Freundschaft mit Hermann Hardegg entstand in diesen »frohen Zeiten, wo wir vom Morgen zum Abend zusammen waren, ich nicht ohne Dich hätte sein mögen . . . jenes gemüthliche Treiben u. Umherschlendern in einem so

ächt poetischen Sonnenschein, wo ichs kaum wußte, wie lieb ich Dich gewonnen.«

1813

In der Schule wird M mit Friedrich Notter, dem Sohn eines Generalstabsoffiziers, bekannt. Lohbauer geht als Zögling ans Königliche Militär-Institut nach Stuttgart.

12. Januar: M's Bruder Adolf wird geboren.
18. März: Friedrich Hebbel wird geboren.
30. November: Hermann Kurz wird geboren.

1814

M besucht mit seinem Vater auf dessen Apothekenvisitation Maulbronn. Seine Schwester Luise wird von dem Porzellanmaler Carl Heinrich Küchelbecker porträtiert.

1815

27. Januar: Seine Großmutter Charlotte Friederike Mörike geb. Breyer, die Witwe des Ludwigsburger Hofmedikus Johann Gottlieb Mörike, stirbt.
Sommer: Nach einem Schlaganfall sucht M's Vater Erholung in Wildbad.
8. September: Zu seinem Geburtstag hat M für seine Eltern das Gedicht ›Dieses Morgens sanfte Stille . . .‹ geschrieben.
17. Oktober: Emanuel Geibel wird geboren.

1816

Als M's »frühe« Lektüre ist nachgewiesen: Justinus Kerners ›Reiseschatten‹ (Heidelberg 1811) und (zusammen mit H. Hardegg) Goethes ›Götz‹.
23. April: Friederike Faber wird geboren.
Sommer: M verbringt »einige Wochen« mit seinen Eltern in Wildbad, wo sich sein Vater einer Kur unterzieht.
11. Juli: Sein Onkel, der Pfarrer Christoph Friedrich Neuffer, bezieht als neuen Amtssitz Bernhausen auf den Fildern. In dem bisherigen Pfarrort Benningen bei Ludwigsburg hatte sich M in seine Kusine Klara Neuffer verliebt; Anspielungen auf dieses Dorf enthält M's (1822 entstandenes) Gedicht ›Erinnerung / An C⟨lara⟩

N⟨euffer⟩‹. In Bernhausen wird M mit der Kusine Comenius' ›Orbis pictus‹ lesen.
10. September: In Stuttgart absolviert M das erste Landexamen, den ersten Teil der Aufnahmeprüfung für eines der Niederen Seminare.
25. Oktober: Johann Georg Fischer wird geboren.
30. Oktober: König Friedrich von Württemberg stirbt; sein Sohn Wilhelm folgt ihm auf dem Thron nach.
10. Dezember: M's Schwester Klara wird geboren.

1817

Rudolf Lohbauer wird Guide beim Königlichen Generalstab.
7. Januar: M unterschreibt mit seinen Brüdern Adolf, August, Karl und Ludwig ein Treuebündnis.
9. September: Er absolviert das zweite Landexamen.
14. September: Theodor Storm wird geboren.
22. September: M's Vater stirbt. Die verwaiste Familie wird von der Verwandtschaft unterstützt: Während M's Geschwister August und Klara in der Nürtinger Amtsschreiberei des Onkels Planck bzw. im Bernhäuser Pfarrhaus des Onkels Neuffer unterkommen, wohnt M seitdem bei seinem Onkel Eberhard Friedrich von Georgii in Stuttgart Nr. 419 am besetzten Weg (= heute: rechte Ecke Büchsen-/Schloßstraße). Georgii war damals Direktor des Obertribunals; sein Haus bildete einen gesellschaftlichen Mittelpunkt Stuttgarts; M lernte hier u. a. den Epigrammatiker Christoph Friedrich Haug kennen. M besucht nun das Mittlere Gymnasium Stuttgarts, wird von seinem Professor Karl Ludwig Roth besonders gefördert (und beeindruckt); Schulfreundschaften entstehen mit Franz Baur, Christian Friedrich Dettinger, Rudolf Flad, Marcell Wilhelm Heigelin, Gustav Hoffmann (mit dem M im folgenden Winter Puppentheater spielt) und Wolfgang von Mögling. (Bis auf Mögling studieren sie später alle Theologie.)
8. November: M's Mutter verkauft das Ludwigsburger Haus.

1818

April: M's Bruder Karl beginnt in Tübingen das Studium des Kamerale.

10. Juni: Margarethe Speeth wird in Mergentheim geboren.

8. September: M absolviert das dritte Landexamen; er erreicht bei der diesjährigen großen Anzahl von Studienbewerbern nicht das Ziel, wird aber wegen der Mittellosigkeit der Mutter und als »gutartiger Knabe« aufgenommen.

20. September: M wird konfirmiert; sein Konfirmationslehrer war Karl Christian von Flatt.

Herbst: Die Mutter verzieht mit der Familie von Ludwigsburg nach Stuttgart, mietet sich an der Spitalkirche Nr. 411 (= heute: Büchsenstr. 36) ein.

27. November: Das neu eingerichtete Niedere theologische Seminar in Urach wird eröffnet; zur ersten Promotion (Seminaristenjahrgang), mit der M »eingeliefert« wird, gehören als seine Kompromotionalen u. a. Ernst Clemens Bruckmann, Georg Wilhelm Heinrich Bürger, Ludwig Buttersack, Christian Friedrich Dettinger, Rudolf Flad, Tobias Beck, Wilhelm Hartlaub, Ferdinand Gottlieb Sammet. Unterricht erteilen der Ephorus (Vorstand) Johann Georg von Hutten, die Professoren Karl Wilhelm Gottlieb Köstlin und Friedrich Ludwig Finckh sowie die Repetenten Wilhelm Heinrich Theodor Plieninger und August Friedrich Pauly (bzw. als dessen Nachfolger ab 1821 Karl August Mebold). Von Urach aus korrespondiert M mit Ferdinand Jung in Ludwigsburg. Bis Herbst 1822 liest M in Urach außerhalb des vorgeschriebenen Kanons u. a. Ciceros ›Oratio pro Milone‹, Goethes ›Faust‹, Johann Peter Hebels ›Allemannische Gedichte‹ (Carlsruhe 1808), Theodor Körners ›Leyer und Schwert‹ (Berlin 1815³), Christian Ludwig Neuffers ›Günther oder Schicksal und Gemüth‹ (Heidelberg 1816), Ludwig Tiecks ›Kaiser Octavianus‹ (Jena 1805). – Von Urach aus besucht M wiederholt die Verwandten in Bernhausen und mit ihnen die Familie Rau in Plattenhardt; dort spielt er »mit Clärchen (Neuffer) u. s. w. Komödie«. Mit der Schwester Luise reist er einmal über Seeburg nach Scheer an der Donau.

9. Dezember: M meldet sich als erster unter seinen Kompromotionalen krank.

12. Dezember: Der Seminararzt diagnostiziert bei M Scharlach. Während seiner Krankheit lernt er den Pfarrerssohn Hartlaub näher kennen.

19. Dezember: M's Fieber geht zurück.

1819

M legt ein Stammbuch an. – Georgii wird Präsident des Obertribunals.

Anfang Januar: M nimmt wieder am Unterricht teil; auf dem Stundenplan stehen Caesar, Homer (›Odyssee‹), Livius (›Aeneis‹), Xenophon (›Kyroupädie‹), das ›Buch Josua‹, das ›Lukas-Evangelium‹.

9. Januar: Katharina Königin von Württemberg stirbt.

9. März: M's erste mit vollem Namen gezeichnete Veröffentlichung, das Gedicht ›Württembergs Trauer seit dem 9ten Januar 1819‹ erscheint in der Zeitschrift ›Der Armen-Freund, ein Unterhaltungs-Blatt für alle Stände‹ (Stuttgart, 5. Jg, Nr. 29). Dort erscheinen weitere Gedichte unter dem Namen Mörike, allerdings auch unterzeichnet von M's Bruder Karl.

7. – 20. April: Osterferien. Chr. F. Neuffer rät M, sich »weniger mit Poesie abzugeben«.

21. – 23. Juni: Wegen Krankheit nimmt M am Unterricht nicht teil.

23. Juli: In einer Charakteristik der Geschwister Mörike schreibt M über sich: »patr⟨i⟩) sim⟨ilis⟩ zornig, eigensinnig, trotzig, stolz«.

24. Juli: M unterzeichnet mit den Brüdern August und Karl ein »Monumentum amicitiae fraternae«.

25. September: Dem Königreich Württemberg wird eine neue Verfassung verliehen.

29. September – 20. Oktober: Herbstferien. M besucht die Familie Neuffer in Bernhausen. Zum Lehrstoff tritt im folgenden Semester Montesquieu hinzu.

24. November: Wilhelm Waiblinger, Sohn eines Revisors in Reutlingen, kommt ans Oberamtsgericht nach Urach zur Vorbereitung auf ein späteres Kamerale- oder Jura-Studium.

25. November: Die Uracher und Blaubeurer Promotion feiern zusammen das Verfassungsfest in Feldstetten; M lernt wahrscheinlich Ludwig Amandus Bauer kennen, der für die Blaubeurer Seminaristen eine Rede hält (unter diesen befinden sich auch Wilhelm Hauff und Karl Wolff, denen M vielleicht begegnet).

28. November – 5. Dezember: In Feldstetten hat sich M erkältet; er nimmt nicht am Unterricht teil.

31. Dezember: Als offiziellen Beitrag zur Neujahrsfeier des Seminars trägt M sein Gedicht ›Ein ernstes Jahr . . .‹ vor.

1820

M führt Tagebuch.

Januar: Johannes Mährlen, Sohn eines Baurats aus Ulm (damals Ludwigsburg) tritt ins Seminar Urach ein.

24. Januar: Wilhelm Waiblinger besucht bis Ende März einige Unterrichtsstunden im Seminar; zwischen ihm und M entsteht noch keine persönliche Beziehung.

10. Februar: M's Bruder Karl bietet Cotta Liederkompositionen zum Verlag an.

24. März — 11. April: Osterferien. M besucht seinen Bruder August in Nürtingen, besteigt mit ihm den Geigersbühl.

7. April: Waiblinger tritt ins Stuttgarter Obere Gymnasium ein.

11. April: Im folgenden Semester kommen zum Unterrichtsstoff hinzu: Homer (›Ilias‹), Plutarch (über Demosthenes), Vergil (›Georgica‹), die ›Bücher Samuelis‹.

1. Mai: M erhält in Urach Besuch von seinem Bruder August.

8. Mai: Georgii sendet an M auf dessen Wunsch einen Teil der Plutarch-Ausgabe von J. G. v. Hutten (Tübingen 1792/1801).

19. Mai: M's Bruder Karl schickt ihm wahrscheinlich den ›Magischen Jugendfreund‹ von J. H. M. Poppe (Frankfurt a. M. 1817).

2. Juni: Bei der offiziellen Trauerfeier für seinen Kompromotionalen Erlenmayer trägt M sein Gedicht ›So ist es wahr! . . .‹ vor.

5. Juni: Er hält vor Hartlaub »eine lateinische Trauerrede« für einige tote Vögel.

Sommer: M freundet sich mit Wilhelm Hartlaub und Ernst Clemens Bruckmann, dem Sohn eines Heilbronner Kaufmanns, an. M liest J. H. Voß ›Loisa, idyllion tribus eclogis absolutum latine vertit B. G. Fischer‹ (Stuttgart 1820) und den ersten Band der Livius-Ausgabe von Chr. F. Klaiber (Stuttgart 1820).

ca 27. September — 18. Oktober: Herbstferien. Hermann Hardegg beginnt mit dem folgenden Halbjahr (bis 1823) den Unterricht am Niederen Seminar in Schöntal. – Zum Uracher Unterrichtsstoff treten hinzu: Cicero (›Academica‹), Horaz (›Oden‹), Plato (›Symposion‹), Plutarch (über Phokion), Tacitus (›Agricola‹), erstes ›Buch der Könige‹.

16. Dezember: In einer Seminaristenaufführung von Molières ›Heirat wider Willen‹ spielt M die Hauptrolle.

1821

M überträgt J. Sannazaros Epigramm ›Venedig‹. Er fühlt sich zunehmend durch seine Kurzsichtigkeit behindert.

2. Januar: Sein Bruder Karl veröffentlicht erstmals im Cottaschen ›Morgenblatt‹ (Nr. 2): das Gedicht ›Theelied‹.

7. Januar: Bei einer Seminaristenaufführung von Kotzebues ›Die gefährliche Nachbarschaft‹ spielt M den Schneidermeister Fips.

12. Januar: Zum Geburtstag seines Kompromotionalen Carl Dietzsch trägt M sein Gedicht ›Wir nahn uns Euch . . .‹ vor.

21. März: Bei einer Seminaristenaufführung von Molières ›Wunderdoktor‹ spielt M die Hauptrolle; er liest einen dazu verfaßten Prolog vor: ›Ich will prologieren . . .‹.

7. April: M's Bruder Karl beendet sein Studium des Kamerale mit »sehr gut« und wird bei der Kameralverwaltung in Stuttgart angestellt.

13. — 31. April: Osterferien. Zum Uracher Unterrichtsstoff kommt im folgenden Halbjahr das ›Buch Micha‹ hinzu.

30. April: Waiblinger besucht die Uracher Freunde.

Juni: M's Bruder August kommt wegen einer (landwirtschaftlichen?) Berufsausbildung nach Stuttgart; er vermittelt in Bernhausen in der getrübten Beziehung zwischen M und Klara Neuffer; M schenkt ihm Friedrich von Matthissons ›Gedichte‹ (Zürich, 1794[3]). In Ludwigsburg wird August Mörike bald mit Johann Georg Schreiner Freundschaft schließen.

30. Juni — 1. Juli: W. v. Mögling und andere Stuttgarter Gymnasiasten besuchen M und die Seminaristen in Urach.

August: Waiblinger nimmt ersten brieflichen Kontakt mit M auf; er empfiehlt die Lektüre von Jean Paul und von Goethes eben erstmals erschienenen ›Wanderjahren‹.

29. September — 20. Oktober: Herbstferien. M ist nur kurze Zeit bei seiner Familie in Stuttgart. Gegen Ende der Ferien versucht er vergeblich, Waiblinger zu besuchen. – Zum Uracher Unterrichtsstoff kommen im folgenden Halbjahr Cicero (›Orator‹), Euripides und Voltaire hinzu. – Ludwig Amandus Bauer tritt als Primus der Blaubeurer Promotion ins Tübinger Stift ein; er korrespondiert mit Hartlaub in Urach.

Herbst: M liest mit Bruckmann ›K. L. Sand. Dargestellt durch seine Tagebücher und Briefe von einigen seiner Freunde‹ (Zwickau 1821).

24. Oktober: Christian Käferle, seit 1819 Seminarist in Maulbronn, bittet M um Zusendung einiger Gedichte.

27./28. Oktober: M schreibt seinen ersten Brief an Waiblinger; er kennt ›Sentenzen aus Jean Pauls und Hippels Schriften‹ (Frankfurt 1801), ›Akkorde Deutscher Classiker über Philosophie des Lebens‹ (Carlsruhe 1802²; vgl. M's Verse ›Wir lesen lieber heut . . .‹) und J. D. E. Preuß ›Alemannia‹ (Berlin 1820/21).

3. November: Waiblinger antwortet M.

11. November: M bekennt in seinem Brief an Waiblinger eine Vorliebe für Hölty und dessen ›Gedichte‹ (herausgegeben von J. H. Voß, Hamburg 1783); er zitiert J. G. Zimmermanns ›Über die Einsamkeit‹ (Leipzig 1785). Mit Bruckmann kann sich M nicht literarisch austauschen.

13. November: Waiblinger sendet die ersten beiden Bände seines Tagebuchs an M.

29. November: Waiblinger veröffentlicht sein erstes Gedicht in der ›Zeitung für die elegante Welt‹ (Leipzig).

Dezember: M leidet an Rheumatismus; er liest ›Dichtung und Wahrheit‹ (Tübingen 1811/14).

Jahreswechsel: M macht einen kurzen Besuch bei seiner Familie in Stuttgart.

1822

M führt ein Tagebuch. G. Chr. Lichtenbergs Werke faszinieren M; er fühlt sich ihm wesensverwandt.

Anfang: M liest Ariost in der Übersetzung von J. D. Gries (Berlin 1804/09) und Klopstocks ›Oden‹.

11.–12. Februar: Waiblinger besucht Urach und lernt M persönlich näher kennen. M schickt ihm anschließend das kurz zuvor »auf eine üble Nachricht« hin entstandene Gedicht ›Was ich lieb . . .‹.

Mitte Februar: Er liest Werke von Novalis, erhält ›The Vicar of Wakefield‹ von O. Goldsmith in einer deutschen Übersetzung zum Geschenk.

Anfang März: M liest O. Goldsmith und J. M. Millers ›Siegwart‹ (Leipzig ¹776), kennt ›Hamlet‹, ›Lear‹, ›Macbeth‹.

29. März–16. April: Osterferien. M besucht seine Familie in Stuttgart, trifft sich mehrmals mit Waiblinger, vielleicht auch mit Ferdinand Jung und in Ludwigsburg mit Christian Käferle. Das Stuttgarter Museum, eine Lesegesellschaft, benützt M ausgiebig. Er sucht »durch Zerstreuungen aller Art« Ablenkung von dem »Be-

wußtseyn, verloren zu haben, was mir sonst mein Liebstes war.« Seine Verbindung mit Klara Neuffer hatte sich durch deren Hinwendung zu Christian Schmid getrübt; damals dürfte das Gedicht ›Erinnerung‹ entstanden sein. M's Schwester Luise wird zu seiner engen Vertrauten. – Sein Bruder Karl macht beim Finanzdepartement Examen und wird Referendar im Kgl. Finanzministerium.

29. März: M besucht Neuffers in Bernhausen, wird dort von Waiblinger überrascht; sie gehen zusammen zu dessen Eltern nach Reutlingen.

30.–31. März: Waiblinger liest M sein fast fertiggestelltes Trauerspiel ›Liebe und Haß‹ vor.

1.–2. April: Nach intensivem, persönlichem Austausch in Reutlingen meint Waiblinger, keinen besseren Freund finden zu können, während sich M nicht ganz verstanden fühlt.

17. April: M reist von Stuttgart nach Urach, ohne sich von Waiblinger zu verabschieden. – Zum Unterrichtsstoff in Urach kommen im folgenden Halbjahr hinzu: Horaz (›De arte poetica‹), Tacitus (›Historiae‹), die Bücher ›Hiob‹ und ›Jona‹.

Mai: M schreibt das Gedicht ›Ich will euch Kunde tun . . .‹.

1. Mai: Mit seiner Uracher Promotion ist M erstmals in Tübingen; sie besichtigen das Stift und die Burgruine Lichtenstein bei Honau.

24. Mai: Ins Stammbuch Hartlaubs trägt M die Verse ›Wie sollten wir der frühen Zeit vergessen . . .‹ ein.

7. Juni: M schreibt das Gedicht ›Unschuld‹.

28.–29. Juni: Waiblinger besucht zusammen mit Moriz Rapp Urach: Er versöhnt sich mit M, liest den Seminaristen sein Lustspiel ›Die Frösche‹ vor.

3. Juli: Waiblinger besucht zum ersten Mal den kranken Hölderlin in Tübingen.

19. September: M reist vorzeitig und eilig in Urach ab.

23. September: Hartlaub kommt zu M nach Stuttgart.

25.–26. September: M unterzieht sich mit seiner Promotion (und mit Waiblinger) in Stuttgart dem Konkurs, der eigentlichen Aufnahmeprüfung für das Tübinger Stift.

28. September–23. Oktober: Herbstferien. M bleibt bis zum 10. Oktober bei seiner Familie; in Stuttgart bespricht er eingehend mit Waiblinger dessen Roman ›Phaëthon‹.

17. Oktober: M trägt sich ins Stammbuch von Ernst Friedrich Kauffmann ein.

23. Oktober: Waiblinger und M sind zusammen

im Stift; Waiblinger liest seinen Roman ›Phaëthon‹ vor.

25. Oktober: Beginn der Kollegien. M hört in seinem ersten Semester bei Karl Haug Universalgeschichte, bei Gottlieb Friedrich Jäger Proverbien und Jesus Sirach, bei Andreas Heinrich Schott Logik, bei Heinrich Sigwart Anthropologie und bei Gottlieb Tafel Enzyklopädie der griechischen Literatur.

November–Dezember: M kommt selten mit Waiblinger zusammen, schließt sich enger an Johannes Mährlen an.

28. November: M immatrikuliert sich an der Universität.

24. Dezember: Mit Waiblinger und anderen Studenten wandert M nach Stuttgart; er verbringt die Feiertage bei seiner Familie. Während eines Besuchs bei Hardegg in Ludwigsburg vermag M eine »lang vorher« entstandene Entfremdung nicht aufzuheben. In Stuttgart vermeidet M Kontakte mit Waiblingers Freund Albert Rheinwald (obwohl ihm M Einblick in sein Tagebuch gestattet hatte).

27. Dezember: M besucht mit seinem Bruder August und Waiblinger in Stuttgart ein Café; die beiden korrespondieren später miteinander.

Ende Dezember: Lohbauer wird Zeichner im topographischen Bureau der Kataster-Kommission des Generalstabs in Stuttgart.

1823

M begegnet in Tübingen wieder Friedrich Notter, der nach Jura nun Medizin studiert; sie treten in keine näheren Beziehungen. M's neue Bekanntschaften im Stift und an der Universität drängen die emotionale Verbindung mit Hartlaub (nach dessen Meinung) zurück; M fühlt sich deshalb schuldig. Kauffmann beginnt, Lieder von M zu vertonen.

erste Hälfte Januar: Waiblingers ›Lieder der Griechen‹ erscheinen im 1822 gegründeten Stuttgarter Verlag von Friedrich Franckh.

23. Januar: Mit Waiblinger wandert M nach Reutlingen.

Februar: In Tübingen trägt sich M mit einem Lavater-Zitat in das Stammbuch von Klara Neuffer ein.

21. Februar: M überreicht seinem Kompromotionalen Chr. F. Dettinger zum Geburtstag das Gedicht ›Wenn das Feld und jede Nixe . . .‹.

6. März: Albert Rheinwald, der mit M korrespondiert, kennt dessen Gedichte ›Nächtliche

Fahrt‹, ›Bist du, goldner Frühling . . .‹ (und ›Tag und Nacht‹?).

20. März — 9. April: Osterferien. Bis zum 26. März trifft M in Stuttgart mehrmals mit Waiblinger zusammen, dessen Roman ›Phaëthon‹ eben bei Franckh erscheint. M hört eine Predigt von Wilhelm Hofacker, einem Hauptvertreter der Erweckungsbewegung. Er hält sich verschiedentlich in Ludwigsburg auf, trifft häufig mit Lohbauer zusammen und lernt Johann Georg Schreiner kennen. – In Ludwigsburg begegnet er erstmals Maria Meyer, die seit kurzem als Schankmädchen in einem Wirtshaus (heute: ›Zum Holländer‹) arbeitet und bei der Familie Lohbauers wohnt. Die durch ihre Schönheit und Bildung auffallende Schweizerin, die ein unstetes Leben geführt hat, fasziniert M und Lohbauer. Die beiden Freunde wechseln nach den Ferien Briefe mit ihr. M's Liebe zu dem Mädchen und sein Schwärmen für Lohbauer bilden seitdem einen Komplex, gegen den M's Schwester Luise mit immer eifernderen moralisierenden Argumenten Einwände macht. – Mit Hardegg vermeidet M jeden Kontakt, obwohl der um ein Treffen gebeten hatte.

April: M's Familie erwägt erstmals einen Umzug nach Nürtingen.

Sommersemester: M hört bei Haug Geschichte, bei Jäger Jesaja, bei Schott Metaphysik und bei Karl August Eschenmayer Normalrecht.

15. April: Waiblinger schließt mit Ludwig Amandus Bauer einen Freundschaftspakt.

17. April: Waiblinger bezieht für das Sommersemester am Tübinger Österberg ein Gartenhaus, das dem Archidiakon Johann Gottfried Pressel gehört (Presselsches Gartenhaus, Chinesischer, Orplidischer Turm). Waiblinger darf sich hier tagsüber aufhalten, führt hierher auch Hölderlin. Für M und die Freunde wird das Gartenhaus (in dem nach damaliger Legende Wieland seinen ›Oberon‹ dichtete) zum Refugium in ein poetisches Leben; literarische Diskussionsrunden, Lesekränzchen und Abenteuerspiele wechseln einander ab.

22. Mai: M verbringt sechs Stunden wegen mangelndem Fleiß im Karzer.

1. Juni: Begleitet von Hartlaub, wandert M zu einem Treffen mit Lohbauer und Schreiner nach Waldenbuch.

27. Juni: M führt Lohbauer und Schreiner zu Hölderlin, die den kranken Dichter porträtieren.

Sommer: M schließt sich enger an Ludwig Bauer an; er erneuert brieflich die Freundschaft mit

Franz Baur. M's Bruder August beunruhigt die Familie erstmals mit seinem Plan, Medizin zu studieren. Der Bruder Karl hält sich nach beendeter Volontärzeit in Nürtingen auf; wegen einer beabsichtigten baldigen Heirat sucht er eine Anstellung. M's Jugendliebe Klara Neuffer verlobt sich mit Christian Schmid.

27. September: M begleitet mit dem Bruder Ludwig seine Kusine Charlotte Neuffer nach Bernhausen, trifft sich am Abend mit Lohbauer. – M's Bruder Karl schließt einen Vertrag mit dem Fürsten von Thurn und Taxis; er wird Amtmann auf dessen Gut in Scheer an der Donau; er fährt abends zur Braut nach Oberensingen.

Abb. 1 Bleistift- und Kreidezeichnung
von J. G. Schreiner. 1823.
78 × 66 mm.

1. August: M's Bruder Karl macht Dorothea Bezzenberger einen Heiratsantrag.
15. August: M korrigiert im Presselschen Gartenhaus Waiblingers Roman ›Feodor‹, dessen Niederschrift am Tag zuvor beendet wurde.
September: M schreibt das Gedicht ›Der junge Dichter‹.
1./8. September: Im Presselschen Gartenhaus treffen sich eines Abends M, Bauer, Waiblinger, Rudolf Flad und andere, um die Beendigung von Bauers Schauspiel ›Agis‹ zu feiern. Waiblinger greift Bauer tätlich an; Bauer wird von M »gerettet«. Bauer datiert seitdem seine Freundschaft mit M.
26. September: M wird von seinem Bruder Karl nach Stuttgart begleitet.
27. September — 24. Oktober: Herbstferien. Wilhelm Waiblinger bereist die Schweiz und Oberitalien.

28. September: M nimmt Abschied von Lohbauer, der ein weiteres Treffen wünscht; M sagt ab.
Herbst: M korrespondiert mit Ferdinand Jung. – Sein Bruder August wird Apothekengehilfe in Ludwigsburg; er freundet sich mit Rudolf Flad an.
nach 2. Oktober: M besucht Dorothea Bezzenberger und deren Familie in Oberensingen, fährt anschließend vielleicht zu dem Bruder Karl nach Scheer.
Wintersemester: M hört bei Eschenmayer Moralphilosophie, bei Haug Geschichte, bei Jäger ›Buch der Weisheit‹ und bei Tafel Mythologie.
18. November: Hardegg, der zur Zeit viel mit M's Bruder August in Ludwigsburg verkehrt, antwortet auf einen ersten Brief M's und ermöglicht damit die Erneuerung ihrer Freundschaft.
13. Dezember: Waiblinger lernt Julie Michaelis kennen und lieben.

23. Dezember: Hartlaub drängt M, sich von Schreiner porträtieren zu lassen.

Weihnachten und Jahreswechsel: M wollte die Feiertage in Nürtingen oder Tübingen verbringen; da ihm hier aber eine Begegnung mit Klara Neuffer droht, fährt er zu seiner Familie nach Stuttgart. M weiht die Schwester Luise in sein Verhältnis mit Maria Meyer ein (die kurz zuvor aus Ludwigsburg verschwand; mindestens eines der ›Peregrina‹-Gedichte dürfte seit Ostern entstanden sein). M empfiehlt der Schwester Jean Pauls ›Titan‹ (Berlin 1800/03). Schreiner porträtiert M (Abb. 1).

1824

Anfang Januar: Maria Meyer taucht in Heidelberg auf, wendet sich brieflich an M, der nicht antwortet; in seiner Korrespondenz mit der Schwester Luise versucht M eine Rationalisierung der Liebe zu M. Meyer. Er schreibt das Gedicht ›Wenn ich dich, du schöne . . .‹.

26. Januar: M teilt seiner Schwester Luise mit, daß er im Sommer ein Trauerspiel schreiben wolle, um seine Begegnung mit M. Meyer zu verarbeiten.

31. Januar—1. Februar: Während eines Besuchs bei der Familie in Stuttgart trifft M keine Freunde; Schreiner, Kauffmann, Hardegg sind zusammen mit M's Bruder August in Eglosheim bei Ludwigsburg.

3. Februar: An die Schwester Luise sendet M Waiblingers Zeichnung von Isola Bella und Jean Pauls ›Titan‹; er verweist sie auf charakterliche Ähnlichkeiten zwischen der Figur Roquairol und Lohbauer.

18. Februar: Bauer lernt auf Hohenurach Marianne Rommel, seine spätere Frau, kennen.

20. Februar/15. März: M erhält in Tübingen Besuch von seinem Bruder Karl, dessen Hochzeit verschoben wird. Sein Bruder August möchte auf der Ackerbauschule in Hohenheim Landwirtschaft studieren.

vor 21. Februar: M schreibt wegen M. Meyer an den Maler Christian Köster nach Heidelberg, der sich ihrer angenommen hat. Köster besucht Lohbauer in Stuttgart und informiert M brieflich.

Frühjahr: M leidet unter Depressionen, ausgelöst durch die komplizierten Beziehungen zu K. Neuffer und M. Meyer.

6. April: Mit seiner Promotion unterzeichnet M eine Bittschrift ans Inspektorat des Stifts, das Protokoll über den Kollegien-Besuch aufzuheben.

vor 8. April: M eröffnet Bauer seine Liebe zu M. Meyer; Bauer berichtet von seinen Begegnungen mit M. Rommel; sie besiegeln ihre Freundschaft in einem Tübinger Brunnenstübchen. Bauer schreibt anschließend das Gedicht ›Geheimniß‹. Damals dürften sie auch heimlich eine Nacht in Urach verbracht haben.

8.—28. April: Osterferien. M trifft sich wahrscheinlich in Stuttgart mehrmals mit Lohbauer, besucht mit ihm Karl Friedrich Freiherrn von Uxkull-Gyllenband wegen dessen Gemäldesammlung, fährt vielleicht mit seinem Bruder August nach Urach. – Waiblinger unternimmt eine Reise nach Bayern.

14. April: M besucht mit der Familie von Stuttgart aus die Neufferschen Verwandten. (Die Kusine Klara ist nicht anwesend.)

15. April (Gründonnerstag): M macht einen »ersten Versuch auf der Kanzel«, er predigt über »die würdige Feyer des Abendmahls«.

16. April: Flad trifft in Bernhausen ein und darf auch predigen; er ist in M's Schwester Luise verliebt. M zeichnet den Kirchturm von Bernhausen.

17. April: M's Familie fährt nach Stuttgart zurück.

18. April: M folgt seiner Familie nach.

20. April: Er zieht sich mit seiner Schwester Luise in ein Gartenhaus zurück.

21. April: Er liest ihr Herders ›Cid‹ vor (Tübingen 1806).

4. Mai: Sie erhält sein Porträt von Schreiner.

13. Mai: M's Bruder Karl heiratet Dorothea Bezzenberger; M nimmt an der Hochzeitsfeier vermutlich nicht teil, obwohl seine Furcht vor einer Begegnung mit K. Neuffer ausgeräumt wurde.

20. Mai: Hardegg immatrikuliert sich in Tübingen als stud. med.; M und Bauer ziehen ihn zunächst in ihren Kreis.

1. Juni: M unterhält Waiblinger, der 24 Stunden Karzer absitzen muß, weil er sich der Stifts-Ordnung widersetzte und nicht richtig studierte.

7. Juni: Lohbauer fordert M auf, zusammen in den griechischen Freiheitskampf zu ziehen; Kauffmann müsse mitkommen. – Bauer verlobt sich mit Marianne Rommel.

22. Juni: M muß (wegen mangelndem Fleiß im letzten Semester) zwölf Stunden Karzer absitzen; Waiblinger assistiert ihm. (Vier Stunden Karzer wegen Rauchens an einem öffentlichen Ort werden M offensichtlich erlassen.)

Sommer: M schreibt in Tübingen beim Philosophenbrunnen die Romanze ›Der Feuerreiter‹. Er erfindet die Figur des ›sichern Manns‹, entwirft Zeichnungen dazu und beginnt die Niederschrift eines Trauerspiels.

2./4. Juli: Sein Bruder August kommt von Bernhausen nach Tübingen. M versucht, ihm den Plan eines Medizinstudiums auszureden, »der unsre geliebte Mutter in ein Meer von Sorgen stürzt.« August berichtet M von seinem Aufenthalt bei Neuffers und übermittelt eine Nachricht der Kusine Klara, die M bestürzt. Nach dem Besuch des Bruders erhält M eine von diesem zusammen mit K. Neuffer gebrochene Rose und wird »wehmüthig an Entschwundnes und an das Vorüberfliegen irdischer Gestalten an einander erinnert.« Kurz darauf erfährt M, Maria Meyer sei in Tübingen, »sei ohnmächtig niedergesunken im Angesichte der Stadt. Sie, die er gerade jetzt nur als heilige Reliquie in seinem Herzen trug, erschien wieder vor ihm mit allen Zeichen der Wirklichkeit – gemeine Menschen wurden durch Zufall in ihre Nähe gebracht.«

5. Juli: Waiblinger besucht den kranken M.

6. Juli: M schreibt das Gedicht ›Peregrina III‹.

bis 9. Juli: M wendet sich wiederholt an seine Schwester Luise, bittet sie zuletzt, wegen M. Meyer Tübingen verlassen und zur Familie nach Stuttgart kommen zu dürfen. – M. Meyer ist krank; angesehene Tübinger Familien nehmen sich ihrer an; sie wird vor den Studenten abgeschirmt, nur Flad darf zu ihr – einmal in Begleitung von M.

9. Juli: M's Schwester Luise schreibt um Rat an Bauer.

10. Juli: M. Meyer beruft sich auf M; eine Freifrau von Tessin will sich ihrer annehmen, bittet deshalb M um Auskunft. – Bauer befürwortet in seinem Brief an M's Schwester dessen Entfernung von Tübingen und gibt entsprechende Ratschläge.

13. Juli: M's Schwester Luise verschafft ihm ein ärztliches Attest, das ihn nach Stuttgart beordert, und schickt es an das Inspektorat des Stifts.

15. Juli: M's Mutter, die von seinen Schwierigkeiten wegen M. Meyer noch nichts weiß, fährt von Stuttgart nach Nürtingen.

16. Juli: Bauer und Mährlen begleiten M nach Stuttgart; er hat zwei Wochen Urlaub für eine Kur erhalten. Auf dem Rückweg nach Tübingen lernen Bauer und Mährlen Heinrich Brutzer kennen, der in Tübingen ein Pädagogik-Studium beginnt.

18. Juli: M berichtet der Schwester Luise im Stuttgarter Gartenhaus ausführlich von M. Meyer.

26. Juli: Der Hausarzt, Dr. Karl Eberhard Schelling, ein Bruder des Philosophen, der M zunächst Abführmittel und Bäder verschrieben hatte, verordnet jetzt eine längere Kurzeit.

27. Juli: M sendet an Bauer ein Manuskript, das dieser ›Lymamünster‹ nennt, möglicherweise sein Trauerspiel, das die erste Begegnung mit M. Meyer verarbeitete.

28. Juli: Waiblinger verbringt eine Nacht mit Julie Michaelis und wird von deren Verwandten entdeckt.

31. Juli: M läßt seinen Urlaub um vier Wochen verlängern; die Eingabe wird am 2. August genehmigt.

1. August: Waiblinger muß schwören, J. Michaelis zwei Jahre lang weder zu sprechen noch ihr zu schreiben.

3. August: Bauer erbittet von M Bücher Mährlens zurück: Thomas Moores ›Memoiren des Hauptmanns Rock‹ (Breslau 1824) und Karl Philipp Lohbauers ›Gedichte‹ (Leipzig 1798).

4. August: Seiner Schwester Luise liest M Goethes ›Wahlverwandtschaften‹ vor.

6. August: Er nimmt in Bad Berg bei Stuttgart das zehnte Bad; es zeigt sich noch kein Erfolg.

11. August: Bauer berichtet M von M. Meyer und fordert ihn zur Weiterarbeit am Manuskript auf.

12. August: M's Familie zieht innerhalb Stuttgarts um, aus der Wohnung an der Spitalkirche in das Haus des Zimmermeisters Wilhelm Heinrich Bertrand in der Gartenstraße am Bollwerk (= heute: Fritz-Elsas-Str. 37). – Flad schreibt M von M. Meyer und legt seine Korrespondenzen mit ihr bei.

14. August: Bauer besucht M.

15. August: M sieht mit den Geschwistern August und Luise sowie mit Bauer und Hardegg im Stuttgarter Theater Mozarts ›Don Juan‹.

16. August: Bauer und Hardegg kehren nach Tübingen zurück.

18. August: Bauer berichtet M über M. Meyer.

19. August: M's Bruder August stirbt am Morgen in der Ludwigsburger Apotheke an einem Nervenschlag; er hat vermutlich Selbstmord verübt. M begleitet seine Mutter nach Ludwigsburg.

20. August: Bei Kauffmann in Ludwigsburg schreibt M über den Tod seines Bruders an Flad und die Tübinger Freunde. Er liest ein unvollendetes Drama seines Bruders.

21. August: Zur Beerdigung in Ludwigsburg kommen außer den Verwandten auch Kauffmann und Schreiner sowie Bauer und Hardegg aus Tübingen.

22. August: M ordnet zusammen mit Hardegg die Hinterlassenschaften seines Bruders.

26. August: M. Meyer wird nach Schaffhausen abgeschoben. (Sie heiratete 1836 den Tischler Andreas Kohler.)

29.–30. August: Hartlaub besucht M.

31. August: M läßt seinen Urlaub nochmals um vier Wochen verlängern; bis zu den Herbstferien erhält M am 4. September Dispens.

Ende August: Seiner Schwester Luise liest M Kerners ›Reiseschatten‹ vor.

4. September: M besucht das zum Geburtstag der Königin veranstaltete Feuerwerk.

14. September: Seine Tübinger Freunde bereiten für den 23. September eine Gedenkfeier für seinen Bruder August vor und fordern ihn auf, dazu einen passenden Text nach der Melodie des Priesterchors aus Mozarts ›Zauberflöte‹ zu schreiben.

15. September: Hardegg kehrt nach Tübingen zurück. Lohbauer, der ein Studium der Philosophie, Philologie und Geschichte beabsichtigt, gibt um einen Freitisch am Stift ein. Hardegg ist Lohbauer näher gekommen und hat sich entsprechend von M und Kauffmann entfernt.

18. September: Mährlen und Ludwig Buttersack besuchen M.

20. September: Bauer ist vielleicht bei M.

27. September–23. Oktober: Herbstferien. Waiblinger bereist Oberitalien.

27. September: M schenkt Ferdinand Jung das Exemplar von Matthissons ›Gedichten‹, das er früher seinem Bruder August gewidmet hatte. M fährt mit Flad und seiner Schwester Luise nach Bernhausen, begegnet gerade noch der abreisenden Kusine K. Neuffer. Zu den Verwandten kommen auch M's Geschwister Adolf und Ludwig.

nach 27. September: M besucht mit Flad und der Schwester Luise seinen Bruder Karl in Scheer. Hier entsteht wahrscheinlich ›An euch noch glaubt . . .‹.

21. Oktober: Im Tübinger Oberpostamt, der Wohnung der Familie Michaelis, wird Brand gelegt.

24. Oktober: M ist wieder im Stift. Mit dem folgenden Wintersemester beginnt Louis Hetsch sein Theologie-Studium.

28. Oktober: Bauer kommt aus den Ferien zurück, besucht M.

13.–23. (oder 14.–20.) November: Bauer schreibt das Trauerspiel ›Finrod‹.

14. November: Waiblinger besucht M.

16. November: Im Tübinger Klinikum, der Notunterkunft der Familie Michaelis, wird Feuer gelegt. Wegen der wiederholten Brandstiftung leitet das Gericht eine Untersuchung ein.

19. November–28. Dezember 1826: In das Gerichtsverfahren gegen den Brandstifter und (wegen unerlaubter Verbindung als Zeuge zu dem Angeklagten sowie wegen außerehelicher Beziehungen) gegen den Professor Adolf Michaelis wird Waiblinger durch Verleumdungen verwickelt. (Adolf Michaelis ist der Bruder von Waiblingers Freundin.)

20. November: M verbrennt das Manuskript seines Trauerspiels, weil es seinen ästhetischen Maßstäben nicht genügt.

21. November: M liest Bauer die Reste seines Trauerspiels vor.

23. November: Bauer liest M seinen ›Finrod‹ vor.

27. November–1. Dezember: Waiblinger schreibt die Verserzählung ›Ykelula‹.

4. Dezember: M trifft sich mit Waiblinger und Hardegg.

5. Dezember: Mit Hardegg begeht M den Todestag Mozarts im Andenken an den Bruder August.

9. Dezember: Bauers Brief an Waiblinger, der einen Bruch der Freundschaft ankündigt, wird von M übergeben.

10.–21. Dezember: Waiblinger liest M seinen Roman ›Lord Lilly‹ vor.

13. Dezember: M und Mährlen erhalten auf ihren Wunsch die Genehmigung, eine Stadtwohnung zu beziehen. – Bauer schreibt auf Drängen von Mutter und Braut seinen Abschiedsbrief an Waiblinger.

16. Dezember: Mit Waiblinger geht M zu dessen Familie nach Reutlingen.

Weihnachten: M bleibt mit Freunden in Tübingen. Zusammen mit Bauer liest er Calderons ›Das Leben ein Traum‹, Shakespeares ›Richard III.‹ und Herders ›Cid‹.

25.–27. Dezember: M unternimmt vielleicht mit Bauer und Mährlen eine Wanderung nach Kirchheim und auf die Teck.

Jahresende: M schreibt ›Die Elemente‹.

1825

Januar: M trifft häufig mit Waiblinger zusammen. Lohbauer nähert sich M wieder an.

1. Januar: M's Bruder Ludwig wird Notariatsgehilfe in Nürtingen.

3. — 12. Januar: M's Schwester Luise besucht mit ihrer Freundin Charlotte Späth die Verwandten in Bernhausen; sie vermittelt für M.

3. Januar: Waiblinger beendet seinen Roman ›Lord Lilly‹.

Februar — März: M teilt seine Stadtwohnung mit Ludwig Buttersack.

2. — 4. Februar: Mit ihm ist M bei seiner Familie in Stuttgart.

4. Februar: Am Abend stört M eine von Universitätsmusikdirektor Friedrich Silcher in Tübingen geleitete Veranstaltung mit Werken von Mozart, Johann Christoph Vogel u. a.

14. Februar: M's Vetter Carl Christian Friedrich Mörike stirbt als Student in Tübingen.

15. — 16. Februar: Er hält Nachtwache an der Leiche seines Vetters. – Er kennt Werke des Naturphilosophen Gotthilf Heinrich von Schubert.

nach 16. Februar: Seine andauernde Freundschaft mit Waiblinger führt zu Schwierigkeiten mit Bauer; M schlägt Bauer eine Trennung vor.

18. Februar: Schreiner besucht M in Tübingen; sie gehen wahrscheinlich zu Hölderlin, wo Schreiners zweites Hölderlin-Porträt entsteht.

18. März: M liest mit Buttersack, Hardegg und Hartlaub E. T. A. Hoffmanns ›Serapionsbrüder‹, anschließend allein Lichtenbergs ›Daß du auf dem Blocksberge . . .‹ (in: ›Vermischte Schriften‹, Bd 5, Wien 1817). Von Bauer, der frühzeitig in die Ferien fährt, verabschiedet sich M nur kurz; auch seine Begegnungen mit Waiblinger verlaufen in letzter Zeit nicht ohne Spannungen.

19. März: Die Tante Klara Neuffer besucht M und versucht, seine Haltung gegenüber ihrer Familie zu entkrampfen.

23. März: Lohbauer reicht um Unterstützung seines Studiums ein; für zwei Jahre wird ihm ein Freitisch im Stift gewährt.

24. März — 13. April: Osterferien.

Frühjahr: M liest Casanovas ›Memoiren‹ (Leipzig 1822 ff) und ›Zoegas Leben‹ von Friedrich Gottlieb Welcker (Stuttgart, Tübingen 1819).

8. April: M schreibt seinen Abschiedsbrief an Waiblinger, behält ihn aber zurück.

9. April: Er trifft in Stuttgart Mährlen, den Lithographen Franz Theodor Malté und Kauffmann (der sich im Umgang mit Lohbauer angeblich verändert hat).

10. April: Mit seiner Schwester Luise und Kauffmann sieht M im Stuttgarter Theater das Vaudeville ›Der politische Zinngießer‹ von Georg Friedrich Treitschke; dort begegnen sie Malté.

11. April: M trifft Hardegg und Kauffmann in Stuttgart; mit seiner Schwester Luise liest er ›Romeo und Julia‹.

12. April: Flad und Hardegg (der auch in der »Macht« Lohbauers stehen soll) verabschieden sich von M. Mit seiner Schwester Luise liest er ›Othello‹. – Bauer trifft in Ludwigsburg bei Hardeggs mit Lohbauer zusammen.

13. April: M kehrt nach Tübingen zurück. Im folgenden Semester lernt er Karl Friedrich Schnitzer kennen, schließt er mit Flad Freundschaft.

14. April: M bezieht zusammen mit Buttersack eine neue Stadtwohnung in der Walkmühle am Neckartor. Während der ersten Nächte beunruhigt ihn ein Klopfgeist.

15. April: Bauer besucht M; die Versöhnung wird besiegelt.

25. April: Die seit dem erneuten Aufenthalt in Tübingen gebrauchten Schwefelpulver führen zu einer gesundheitlichen Besserung M's.

28. April: Lohbauer immatrikuliert sich als stud. phil. Während der beiden folgenden Semester wohnt er in einem stets gespannten Verhältnis mit Hardegg zusammen.

30. April — 2. Mai: M nimmt an der Konfirmationsfeier seines Bruders Ludwig in Stuttgart teil; die Kusine K. Neuffer weicht einer Begegnung aus.

Mai: M liest mit Mährlen, der Buttersack als Stubengenosse M's ablöst, Hölderlins ›Hyperion‹.

17. Mai: M's Bruder Ludwig wird Schreiber bei seinem Bruder Karl in Scheer.

21./24. Mai: M reist an Pfingsten mit Hartlaub nach Urach.

26. Mai: Er schreibt wegen seines Augenleidens einen ersten Brief an Justinus Kerner.

26. Juni: M's Schwester Luise verläßt Stuttgart für eine sechswöchige Kur in Nürtingen; sie wohnt bei den dortigen Verwandten. Die Mutter bringt sie über Bernhausen hin.

Sommer: Mit Flad liest M täglich im Neuen Testament. Flad macht ihn mit Albert Knapp bekannt, führt Christoph Blumhardt in M's Freundeskreis ein; durch Blumhardt lernt M die ›Geistlichen Erquickungsstunden‹ von Heinrich Müller (Ratzeburg 1823) kennen. – Kerner antwortet M, der dessen Rat befolgt und Besserung seines Augenleidens empfindet. M schenkt Kerners ›Reiseschatten‹ an Hartlaub. – Das Gedicht ›Auf einen Klavierspieler‹ entsteht.

vor 19. Juli: M läßt sich von Ernst Zimmer (dem

Kostherrn Hölderlins) eine Armbrust schreinern für seine Abenteuerspiele, die er zusammen mit Bauer am Österberg (im Presselschen Gartenhaus) treibt. Er zeichnet für den Freund Szenen aus den ›Sichern Manns‹-Phantasien.

19. Juli: M erhält Besuch von seiner Mutter und Schwester Luise. Mit Bauer liest er im Shakespeare: ›Troilus und Kressida‹ u. a. (M besitzt zumindest den 1. Band der ›Dramatischen Werke‹, übersetzt von Schlegel und Tieck, Berlin 1825.)

vor 25. Juli: M liest regelmäßig mit Bauer morgens in der ›Odyssee‹. Das Gedicht ›An einem Wintermorgen, vor Sonnenaufgang‹ entsteht vielleicht in dieser Zeit.

nach 25. Juli: In Phantasie-Unterhaltungen mit Bauer bildet sich die Vorstellung von ›Orplid‹ als einem Kulturmodell; die Freunde zeichnen eine geographische Skizze des Inselstaates und ein ›Orplid‹-Bild.

Anfang August: Waiblinger beginnt historische Studien zu einem Drama über Anna Boleyn.

7. August: Im Stuttgarter Theater besucht M eine ›Figaro‹-Aufführung.

8. August: M's Schwester Luise kehrt nach Stuttgart zurück; sein Bruder Karl begleitet sie von Nürtingen bis Urach.

vor 15. August: M liest den ›Sommernachtstraum‹ in der Schlegelschen Übersetzung. Lohbauer schenkt ihm eine eigenhändige Zeichnung zum ›Nibelungenlied‹.

28. August: M predigt im Stift über Eph. 4.14.

September: Er schenkt Flad die ›Nachtgedanken‹ von Edward Young (Frankfurt 1825).

8. September: Hartlaub und andere Freunde führen zu M's Geburtstag auf einer Stifts-Stube den ›Don Juan‹ auf.

11. September: Bauer gewinnt mit seiner Predigt einen Preis und unternimmt eine Reise ins Engadin.

28. September — 24. Oktober: Herbstferien. M hält sich ausschließlich bei seiner Familie in Stuttgart auf. – Waiblinger ist im Breisgau.

Herbst: M besichtigt zum ersten Mal (mit Rheinwald) das Kloster Bebenhausen.

23. Oktober: Vorzeitig kehrt M nach Tübingen zurück; er notiert eine Stelle in Christoph von Schmids Erzählung ›Der Weihnachtsabend‹ (Landshut 1825). – Im folgenden Semester wohnt er zusammen mit Blumhardt u. a. auf der Stiftsstube ›Bärenloch‹, wird er mit Wilhelm Nast, David Friedrich Strauß, Friedrich Theodor Vischer und Wilhelm Zimmermann bekannt (die jetzt ins Stift eintreten); mit Nast bil

det sich bald eine engere Freundschaft; Zimmermann schließt sich dem Kreis um M, Waiblinger und Adolf Schöll an.

26. Oktober: M besucht mit Lohbauer eine Studentenaufführung des ›Don Juan‹. Bauer kommt von seiner Reise zurück und schläft bei M.

27. Oktober: Bauer scheidet von Tübingen: Er wird in seiner hohenlohischen Heimat (Ernsbach bei Öhringen) Pfarrer. M trifft sich mit Brutzer, Lohbauer und Rheinwald.

28. Oktober: M liest Byrons Tragödie ›Werner‹ und faßt den Plan zu einer tragischen christlichen Dichtung.

1. November: Lohbauer besucht M. Er bemüht sich (auch an den folgenden Tagen) intensiv, M's Freundschaft wiederzugewinnen.

7./24. November: In großen psychischen Schwierigkeiten weist M die Werbung Lohbauers zurück. Eines Nachts im Klostergang des Stifts kommt es zu einer leidenschaftlichen Begegnung zwischen M und Hardegg (der wohl für Lohbauer plädierte); Hardegg trennt sich von M.

11. November: M's Schwester Luise fährt für einige Tage nach Tübingen, um ihm psychisch beizustehen.

13. November: M's Mutter hält sich bei ihrem Sohn Karl in Scheer auf, in dessen Amtsgeschäften Unregelmäßigkeiten festgestellt wurden.

19. November: Mit dem Auftreten eines Hochkommissars beginnen strenge Überwachung und Untersuchung gegen Studenten und ihre Verbindungen. Die Verlegung der Universität in die Residenz- (und Garnisons-)Stadt Stuttgart wird ernstlich erwogen – und bekämpft.

22. November: Hardegg wird von der Universität relegiert; er studiert weiter in Würzburg.

24. November: Mit Blumhardt wandert M nach Waldenbuch.

25. November: M verabschiedet sich von Hardegg.

30. November: Sein Bruder Karl und die Mutter besuchen M.

Dezember: M schließt sich enger an Blumhardt an.

5. Dezember: Waiblinger erhält das Ultimatum, die Androhung der Dimission aus dem Stift.

7. — 9. Dezember: M geht mit Blumhardt nach Stuttgart zu Bauer, der dort sein Dienstexamen absolviert. M trifft auch Schreiner (der nun in München die Kunstakademie besucht).

11. Dezember: Waiblinger schließt sein Drama ›Anna Bullen‹ ab.

18. Dezember: M predigt im Stift.

19. Dezember: Brutzer hat Tübingen verlassen und erhält die Erlaubnis, im Niederen Seminar Schöntal einige Unterrichtsstunden zu besuchen. (Er bleibt somit in der Nähe Bauers.)

Weihnachten und Jahreswechsel: M schreibt in Stuttgart die dramatischen Szenen ›Schicksal und Vorsehung‹, »worin unser phantastisches Orplider Leben«, Bauers »nächtliche Eruptionen aus dem Stift u. s. w. verherrlicht werden sollten«. In diesem Zusammenhang dürften die Gedichte ›Jung Volker‹, ›Elfenlied‹ (vielleicht auch ›Begegnung‹) entstanden sein.

24.—25. Dezember: M versucht eine Übersetzung von Heinrich Meibaums ›Somne levis‹ und schreibt für seine Schwester Luise das Gedicht ›Wenn sich die Sonne . . .‹.

27. Dezember: Lohbauer fordert Waiblinger (seinen Rivalen bei einem Mädchen) in Stuttgart auf Pistolen.

1826

Januar: M's nächste Freunde sind Christoph Blumhardt und Rudolf Flad.

30. Januar: Wegen mangelndem Fleiß zu Beginn des Semesters muß M für 10 Stunden in den Karzer.

Ende Januar: M schickt ›Schicksal und Vorsehung‹ an Bauer.

7. Februar: Seiner Schwester Luise schenkt M eine alte Homer-Ausgabe (vielleicht ›Ilias und Odyssee, übersetzt von einer Gesellschaft gelehrter Leute‹ 2 Bde, Frankfurt 1754).

9. Februar: M's Schwester Luise verweist ihn auf sein Lieblingslied ›I und mein junges Weib‹ in der Vertonung von Carl Maria von Weber (›Schwäbisches Bettlerlied‹).

10. Februar: Bauer plant ein Drama ›Orplids lezte Tage, oder die Jugend des alten Königs, den Thereile verzauberte‹.

15. Februar: M's Familie verzieht von Stuttgart nach Nürtingen; die neue Wohnung befindet sich am Kirchplatz (= heute: Kirchstr. 17); sein Bruder Adolf besucht nun die Nürtinger Lateinschule.

11. März: M's Vetter Karl Mörike stirbt als stud. med. in Tübingen.

15. März—5. April: Osterferien.

15. März: M fährt mit Blumhardt und Nast zu seiner Familie nach Nürtingen. Nast bleibt bis zum 17., Blumhardt bis zum 18. März. Sie spielen zusammen mit und für M's Geschwister Puppentheater: ›Der kranke König und Bajazzo der

Königsmörder‹; beabsichtigt waren auch Aufführungen von Tiecks ›Prinz Zerbino‹ und ›Leben und Tod des kleinen Rothkäppchens‹ – dieses Stück wird einige Tage später nachgeholt. M's Gedicht ›Wir sind Geister, kleine Elfen . . .‹ entsteht.

19. März: M liest seiner kranken Schwester Luise Tiecks ›Dichterleben‹ vor (im Taschenbuch ›Urania‹ 1826 publiziert) und einige Tage später dessen ›Gemälde‹ (im ›Taschenbuch zum geselligen Vergnügen auf das Jahr 1822‹ veröffentlicht); geplant war auch die Vorlesung von Gottlob Leopold Immanuel Schefers Novelle ›Der Zwerg‹ (wahrscheinlich in der fünfbändigen Ausgabe, Leipzig 1825).

Ostern: Waiblinger beschließt, am Ende des Semesters nach Italien aufzubrechen und eine Reihe von Staufer-Dramen zu schreiben.

Sommersemester: M wohnt in der Stadt bei Schneidermeister Johann Werner. Lohbauer mietet eine Wohnung an der Ammer; in der zugehörigen Laube entsteht das Gruppenporträt der Freunde (Abb. 2). M, Blumhardt und Hartlaub kaufen gemeinsam eine Homer-Ausgabe in der Vossischen Übersetzung.

25. April: Maria Meyer kommt überraschend nach Tübingen und wendet sich schriftlich an M, der jedoch jede Begegnung vermeidet.

27. April: Kauffmann immatrikuliert sich in Tübingen; er will Reallehrer werden.

vor 11. Mai: M's Brüder Ludwig und Adolf sowie sein Ludwigsburger Freund Ferdinand Jung besuchen ihn in Tübingen unabhängig voneinander.

Ende Mai: Bauer schließt das Manuskript von ›Orplids lezte Tage‹ ab.

Anfang Juni: Fast täglich gehen M und Blumhardt am Tübinger Schloßberg spazieren.

4. Juni: M predigt im Stift.

15. Juni: Er trägt seinen Namen ein in die zweibändige Ausgabe von Lichtenbergs ›Vermischten Schriften‹ (Wien 1817). – Nach einem besonders vertraulichen Gespräch vereinbaren M und Blumhardt, ihre Beziehung vor den gemeinsamen Freunden zu verheimlichen; anschließend entsteht ein intensiver und umfangreicher Briefwechsel.

18. Juni: Am Waterloo-Fest nehmen unter anderem Bruckmann (deswegen bald relegiert), Lohbauer und stud. theol. Gustav Pfizer teil; Notter stellt sich der Polizei. – M besucht einen theologischen Repetierkurs.

21. Juni: M fährt nach Reutlingen. – Bauer plant das ›Orplid‹-Drama ›Der heimliche Maluff‹ und

Abb. 2 Tuschzeichnung von R. Lohbauer.
Von links nach rechts: Edmund Sigel, Rudolf Lohbauer, Mörike,
ein Unbekannter, Ernst Friedrich Kauffmann. 1826.
205 × 160 mm.

fordert M auf, sein ›Orplid‹-Stück nun auch niederzuschreiben; er entwickelt sein altes Vorhaben eines Dramen-Zyklus über die Staufer und bittet M – trotz Waiblingers entsprechenden Plänen – um Mitarbeit. – M antwortet Bauer vor dem 27. Juli positiv; nach Beendigung des Studiums wolle er Friedrich von Raumers ›Geschichte der Hohenstaufen‹ (Leipzig 1823/25) lesen.

24./25. Juni: M geht mit Flad nach Nürtingen zur Familie.

27. Juni: Auf einem von Studenten gegebenen Musik-Abend hört M die Ouverture zu Glucks ›Iphigenie in Aulis‹, ein Beethoven-Quartett u. a.

Sommer: M liest Kerners ›Gedichte‹ (Stuttgart, Tübingen 1826); ihm gefällt besonders ›An Ludwig Uhland‹. – Bauer schreibt seinen ›Heimlichen Maluff‹.

Anfang Juli: Den Plan, ein zusätzliches Semester zu studieren, gibt M auf.

8. Juli: Er erhält Besuch von seinem Bruder Ludwig und begleitet ihn (zusammen mit Mährlen) bis Rottenburg.

9./10. Juli: Wegen einer Magenverstimmung liegt M auf der Krankenstube.

16. Juli: Zu Blumhardts Geburtstag überbringt Flad Verse von M (vielleicht das Gedicht ›Mit dem Fernglas konnt ich . . .‹); die drei Freunde feiern den Abend.

vor 17. Juli: Mährlen fährt wegen der Krankheit seines Vaters zur Familie nach Ulm.

21./27. Juli: M liest L. Tiecks ›Fortunat‹ (Berlin 1815/16).

10./14. August: Er erhält Besuch von seinem Onkel Neuffer, der von einem zusätzlichen Semester abrät; sie besprechen auch die beabsichtigte berufliche Veränderung von M's Bruder Ludwig.

13. August: M predigt im Stift.

14. August: Brutzer schreibt auf der Heimreise nach Riga einen Abschiedsbrief an M.

Mitte August: Mit Blumhardt berät M seinen Zwiespalt zwischen der Neigung zur Poesie und Verpflichtung zur Theologie.

19. – 20. August: Nachts begeht M mit Kauffmann den Todestag seines Bruders August.

20. August: M besucht mit seinem Bruder Karl (der sich seit dem 15. in Tübingen aufhält) die Familie in Nürtingen.

28. August: Er trifft wieder Verabredungen mit Lohbauer.

5. September: Bauer heiratet Marianne Rommel.

15. September: Lohbauer tritt eine vierwöchige

Karzerstrafe an; er hat das Ultimatum erhalten.

25. September: Wegen der Anhäufung kleinerer Strafen kommt M für 24 Stunden in den Karzer. – Waiblinger wird aus dem Stift verwiesen.

27. September: M erhält sein Abgangszeugnis vom Stift.

28. September – 23. Oktober: Herbstferien. M besucht seine Familie in Nürtingen. Er berät Nast in dessen Freundschaftskrise mit Strauß.

Ende September: Die Mutter erreicht bei der obersten Kirchenbehörde, daß M nicht unmittelbar nach dem Examen auf ein Vikariat geschickt wird.

Herbst: M kennt Jean Pauls ›Schulmeisterlein Wuz‹.

9. Oktober: Waiblinger reist nach Italien ab. Kurz darauf schreibt Strauß sechs Gedichte ›Erinnerungen an Waiblinger‹.

11. Oktober: M erhält in Tübingen Besuch von Flad.

17./19. Oktober: Er absolviert in Stuttgart das Kandidatenexamen u. a. mit einer Predigt über Matth. 5.44,45, erreicht nur ein Zeugnis dritter Klasse; er bleibt noch mindestens eine Woche in Stuttgart.

7. November: Hartlaub wird Vikar bei seinem Vater in Wermutshausen.

28. November: Das Reskript, das M als Vikar nach Oberboihingen bei Nürtingen bestellt, wird ausgefertigt.

Anfang Dezember: M tritt sein Vikariat an; es ist ihm aber zu beschwerlich, so daß er sofort um eine Versetzung einreicht.

12. Dezember: Ein neues Reskript wird ausgestellt, das M als Vikar nach Möhringen bei Stuttgart beordert.

18. Dezember: Seine Mutter und sein Bruder Ludwig begleiten M an die neue Vikarsstelle. Hier hat er hauptsächlich den Stiefsohn seines Pfarrers Christian Gottlieb Gmelin zu unterrichten. In Möhringen unterhält M eine Menagerie von 16 Vögeln.

19. Dezember: Frau Gmelin schenkt Heinrich Claurens ›Meine Ausflucht in die Welt‹ und ›Ein Scherz und tausend Folgen‹ (Stuttgart 1819/20) an M.

27. Dezember: Nast besucht M; sie gehen zusammen nach Stuttgart und sehen im Theater Kotzebues ›Kreuzfahrer‹.

Ende Dezember: Nast verläßt das Stift eigenwillig.

1827

Januar—April: M verkehrt in Möhringen häufig bei Baron Ludwig Friedrich von Jan, dem ehemaligen Präsidenten des Herzogl. Württ. Geheimen Kabinetts.

Januar: M schreibt die ›Verlegungsposse‹, die Fragment bleibt (und posthum unter den Titeln ›Spillner‹ und ›Die umworbene Musa‹ veröffentlicht wurde); der ›Gesang zu Zweien in der Nacht‹ wird hier eingearbeitet (obwohl er vielleicht schon in Tübingen entstanden war); in diesem Zusammenhang entsteht wahrscheinlich auch das Gedicht ›Charis und Penia‹.

12. Januar: Waiblinger verfaßt in Rom seinen letzten Brief an M, auf den dieser nicht mehr antwortet.

vor 14. Januar: Nast erhält mit einer Bedenkzeit bis Ostern seine Entlassung aus dem Stift.

21. Januar: M besucht die Verwandten in Bernhausen und liest seine ›Verlegungsposse‹ vor.

22. Januar: Mit seinem Onkel Neuffer fährt M zur Familie nach Nürtingen und liest auch hier seine ›Verlegungsposse‹ vor. Mit der Schwester Luise bespricht er seine Haltung im Fall Nast.

23./25. Januar: M muß in Stuttgart teils amtlich, teils privat zum Fall Nast Stellung nehmen.

Februar—März: M arbeitet an der (bereits früher begonnenen) Oper ›Ahasverus‹, von der offensichtlich nur das Gedicht ›Chor jüdischer Mädchen‹ erhalten ist.

vor 7. Februar: Er schreibt an Nast einen Abschiedsbrief, vollzieht die Trennung aber nicht.

Ende Februar: Nast will nach Griechenland fahren, um am Freiheitskampf teilzunehmen.

März—Mai: Gerüchte über seine belanglose theologische Praxis, die sich unter den Freunden verbreiten, belasten M; er ist selbst mit seinen bisherigen Predigtversuchen nicht zufrieden.

3. März: M schreibt das Gedicht ›Unser Fritz‹ (auf seinen Möhringer Zögling Friedrich Löchner).

9. März: Er besucht die Familie seines Studienfreundes Karl Nagel in Vaihingen.

11./17. (am 14.?) März: M erhält Besuch von Bauer, dessen Frau Marianne und Schwester Elisabeth, die er beide jetzt persönlich kennenlernt.

12. März: Nast meldet sich wieder im Stift.

ca 21. März: M wird wegen des drohenden Todes seiner Schwester Luise nach Nürtingen gerufen; sie diktiert ihm ihr Testament.

26. März: Bauer veröffentlicht mit dem Gedicht ›Selbstgespräch einer Quelle‹ seinen ersten Text im Cottaschen ›Morgenblatt‹ (Nr. 73).

31. März: M's Schwester Luise stirbt in Nürtingen an Tuberkulose. Die Tage zuvor führte sie mit M Glaubensgespräche.

Frühjahr: M unternimmt Wanderungen mit Ludwig Buttersack, der nach einem zusätzlichen Semester Vikar in Degerloch bei Stuttgart geworden ist.

Anfang April: M besucht die Verwandten in Bernhausen und begegnet der Kusine K. Neuffer (die ihre Abwendung von M zu bereuen scheint).

1. April: Er trifft sich mit Blumhardt in Altenburg bei Reutlingen.

2. April: M's Schwester Luise wird in Nürtingen beerdigt.

3. April: Mährlen, der auch ein zusätzliches Semester belegt hatte, wird zum Vikar in Zell unter Aichelberg bestimmt; seine Bitte, in München eine Hofmeisterstelle annehmen und Philologie studieren zu dürfen, ist abgeschlagen.

4. April: M sendet gemäß der testamentarischen Anordnung seiner Schwester Luise deren »Papiere über Marie Maier« an ihre Freundin Charlotte Späth (die sie später vernichtet); wahrscheinlich legt M das Gedicht ›Aufs neue kehrte der geliebte Tag . . .‹ bei. M geht nach Möhringen zurück in Begleitung seines Bruders Ludwig, der (mindestens) bis 14. Mai dort bleibt.

5. April: Am Beginn der Osterferien besuchen M möglicherweise die noch in Tübingen studierenden Freunde Blumhardt, Käferle und Strauß.

8. April: M erhält Besuch von Nagel, den er zu dessen Familie nach Vaihingen begleitet.

Mai: Im Kalender notiert M einen literarischen Plan (zu einem Lustspiel?) über Alkibiades.

7.—10. Mai: Er besucht die Familie in Nürtingen.

10. Mai: Buttersack sucht M in Möhringen auf. Pfarrer Gmelin zeigt amtlich an, keinen Vikar mehr zu benötigen.

12. Mai: M schenkt Blumhardt zur Erinnerung an die Schwester Luise eine ›Odyssee‹-Ausgabe.

14./16. Mai: In Stuttgart trifft M vielleicht Flad.

Mitte Mai: M entwickelt den Plan zu einem Almanach.

15. Mai: Das Reskript, das M von Möhringen abberuft, wird ausgestellt.

17./18. Mai: M geht zu seiner Familie nach Nürtingen.

18. Mai: Die Kirchenbehörde beordert M als

Vikar nach Kirchentellinsfurt bei Tübingen. Schmid, der Bräutigam von M's Kusine K. Neuffer, bislang Vikar in Köngen (bei Nürtingen), wird Pfarrer in Dagersheim.

20. Mai: Der Köngener Pfarrer Renz fordert beim Consistorium M als Vikar an. Die Bittschrift kreuzt sich mit dem Reskript vom 18. Mai; M tritt deshalb den Dienst in Kirchentellinsfurt nicht an.

22. Mai: M besucht für ein paar Tage Mährlen in Zell; sie unternehmen gemeinsame Wanderungen, aber nicht einen geplanten Besuch in Urach.

25. Mai: Das Reskript, das M als Vikar nach Köngen beruft, wird ausgestellt. Sein dortiger Aufzugstermin ist nicht bekannt; möglicherweise kam er bereits an diesem Tag dort an. Unter demselben Datum sendet M aus Köngen an Hartlaub das Gedicht ›Besuch in Urach‹ sowie ein Blumenaquarell seiner Schwester Luise und die Kopie eines Scherenschnitts von L. Duttenhofer (aus Chr. G. Vischers ›Lautentönen‹, Frankfurt 1821).

Juni—August: M und Mährlen treffen sich häufig, zeitweise jeden Mittwoch in Kirchheim. Sie diskutieren den Plan, während eines Urlaubs von den Pfarrgeschäften Hofmeisterstellen anzunehmen, und besprechen M's Vorhaben eines Almanachs, der wohl den Namen ›Esperanza‹ erhalten soll; sie fordern Nast, Schöll und Strauß zur Mitarbeit auf und bitten Kerner um Protektion (eine Einleitung?). Mährlen und M entwerfen bereits ihre Beiträge und legen sie sich gegenseitig zur Kritik vor. M will wahrscheinlich auch die ›Verlegungsposse‹ hier veröffentlichen.

Juni: M hält sieben Predigten.

9. Juni: Louis Hetsch will sein Theologie-Studium aufgeben und sich nur der Musik widmen; er bittet M um den Text zu einem Singspiel. Bis zum 7. August sendet M das Konzept und einige ausgearbeitete Teile unter dem Titel ›Das blinde Mädchen‹; er stellt die Bedingung, daß sein Name als Librettist ungenannt bleibe.

18./23. (oder 25./28.) Juni: M geht mit Mährlen nach Tübingen; sie besuchen Nast und Blumhardt (aber nicht Lohbauer). Anschließend entsteht wahrscheinlich die Ballade ›Des Schloßküpers Geister‹.

Ende Juni—Mitte Juli: M schreibt die theologischen Aufsätze ›Ist es dem Christen erlaubt, zu schwören?‹ und ›Quid ex Novi Testamenti effatis statuendum sit de nexu peccatum inter malum physicum intercedente?‹.

Sommer: Er liest den ›Deutschen Dichterwald‹ von Uhland, Kerner u. a. (Tübingen 1813), Herders ›Cid‹, Lichtenbergs ›Ideen, Maximen und Einfälle‹ (Leipzig 1827) sowie eine Bearbeitung des Masaniello-Stoffes. Er schickt an Kerner als Geschenk eine Beschreibung des Straßburger Münsters. – Bauer verfaßt das Drama ›Alexander und Memnon‹.

Juli: M liest ›Epigrammata selecta‹ von John Owen (Leipzig 1813).

17. Juli: Für den Theologie-Studenten Johann Friedrich Ostertag schreibt M die Stammbuchverse ›Öfter, als du geahnet . . .‹.

6. August: M's Kusine K. Neuffer heiratet den Pfarrer Christian Schmid.

25. August: M's »Verdruß über das Predigtwesen« eskaliert.

vor 27. August: Buttersack, Wilhelm Hoffmann und Nast besuchen M.

29. August: M geht für einige Tage zur Familie nach Nürtingen.

1. September: Auf Bitten von Mährlen schreibt M wegen dessen todkranker Mutter an Kerner in der Erwartung, durch Somnambulismus Heilung zu bewirken; M weiß nicht, daß die Frau am Tag zuvor gestorben ist. – Kerner nimmt sich der Sache an; Friederike Hauffe (die »Seherin von Prevorst«) erleidet Konvulsionen.

3./8. September: Notter besucht M; die Verabredung zu einem gemeinsamen Theaterspiel sagt M ab. (Notter hat sein Studium abgeschlossen, wird Journalist.)

8. September: Lohbauer wird relegiert, geht wieder nach Ludwigsburg.

10. — 12. September: M besucht in Tübingen die Freunde Blumhardt, Hoffmann, Nast und Schöll. Anschließend hat er ein entscheidendes Gespräch mit seinem Pfarrer über eine Beurlaubung von den Vikarsgeschäften mit dem Ziel, nach einer einstweiligen Beschäftigung als Hofmeister Bibliothekar zu werden.

Mitte September: Nast verläßt erneut das Stift und wendet sich in Dresden an L. Tieck.

27. September: Blumhardt besucht M und übernimmt für ihn eine Predigt.

Oktober: M versucht, seinem Onkel Georgii die Notwendigkeit einer Beurlaubung von den Pfarrgeschäften verständlich zu machen. Er wendet sich wegen einer Bibliothekarsstelle an den Tübinger Bibliothekar Johann Friedrich Immanuel Tafel und wegen einer Verlagsarbeit an die Brüder Franckh in Stuttgart. Blumhardt und Schöll sprechen in Stuttgart für M bei Georgii und dessen Schwager, Gottlob Ludwig Abel, sowie bei Gustav Schwab vor. – M verliert sein Interesse an dem Almanach-Plan. – Mährlen erhält von Cotta das Angebot einer Korrektorsstelle in Augsburg.

3. Oktober: M besucht eine theologische Disputation in Kirchheim. Er schickt an Mährlen das kurz zuvor entstandene Gedicht ›Um Mitternacht‹.

18. Oktober: M schreibt das Gedicht ›Septembermorgen‹.

vor 28. Oktober: Kauffmann besucht M; sie gehen nach Stuttgart.

Ende Oktober: M beschäftigt sich wieder mit dem früher bereits aufgegebenen Staufer-Drama ›Enzio‹.

November: M möchte durch schriftstellerische Arbeit seine Befähigung zur redaktionellen Leitung einer Literatur-Zeitschrift beweisen; er hofft auf Cotta und dessen ›Morgenblatt‹. – Nast kehrt aus Dresden zurück.

11. November: Hardegg promoviert in Tübingen zum Dr. med.

18. November: Blumhardt gibt eine Sammlung von M’s Gedichten zurück und fordert M auf, sie Schwab vorzulegen – diese Aufgabe übernimmt Nast.

29. November: M reicht aus Gesundheitsgründen um Urlaub auf unbestimmte Zeit ein; das ärztliche Zeugnis spricht von »Griesbeschwerden« und »Störungen im Pfortadersystem«.

erste Hälfte Dezember: Er schickt eine seit Herbst entstandene »Geschichte« an Mährlen. – M korrespondiert mit Dettinger, der zu einer Bewerbung bei Cotta rät.

1. Dezember: Mährlen, seit dem Tod der Mutter nicht mehr auf seinem Vikariat, beantragt einen einjährigen Urlaub für eine Tätigkeit bei Cotta in Augsburg.

3. Dezember: Mährlen schlägt M vor, die Korrekturarbeiten bei Cotta gemeinsam auszuführen.

9. Dezember: M teilt Bauer mit, auf die Ausarbeitung eines geplanten Romans vorerst verzichten und zunächst ein Schauspiel schreiben zu wollen; er bittet um den Vorschlag eines passenden Stoffs.

10. Dezember: Schöll sendet M einen Band von Raumers ›Geschichte der Hohenstaufen‹. – Schöll veröffentlicht in diesem Jahr bei Cotta ein Trauerspiel ›Dido‹, hat 1827 am ›Maehrchenalmanach‹ W. Hauffs (bei Franckh) mitgearbeitet.

11. Dezember: Urlaub von zwei Monaten wird M genehmigt.

vor 16. Dezember: Er verläßt Köngen und geht zu seiner Familie nach Nürtingen; er beginnt neue literarische Arbeiten.

19. Dezember: Mährlen erhält Urlaub für ein Jahr und tritt seinen Dienst als Korrektor bei Cotta in Augsburg an.

27. Dezember: Bauer rät M zu einem Drama über Don Juan d’Austria.

31. Dezember: Bauers Sohn Alexander wird geboren.

Ende Dezember: M’s Bruder Adolf beginnt eine Schreinerlehre in Stuttgart.

1828

Eine lange Reihe von Gedichten entsteht, darunter ›Auftrag‹ und ›Der Liebhaber an die heiße Quelle zu B.‹.

Anfang: Schwab, der M noch nicht persönlich kennt, setzt sich für seine berufliche Veränderung ein und bekommt deshalb Schwierigkeiten mit M’s Onkel Georgii.

Anfang Januar: Der Stuttgarter Verlag der Brüder Franckh beginnt den Druck von Bauers Drama ›Der heimliche Maluff‹.

zweite Hälfte Januar: M kündigt Hetsch die Mitarbeit an dem Singspiel ›Das blinde Mädchen‹ auf, weil sie nicht anonym geblieben ist; er fordert sein Manuskript zurück.

10. Februar: Wegen Gliederschmerzen noch in Nürtingen, bittet M um Verlängerung seines Urlaubs; am 19. wird er bis Ostern dispensiert.

bis Mitte Februar: Buttersack und Schöll besuchen M.

20. Februar: Er ist inzwischen geneigt, »die geistloseste Sekretairstelle, etwa beim Consistorium oder meinethalben gar ein Kanzelisten-Pult« anzunehmen. – Er fährt zu seinem Bruder Karl nach Scheer und bleibt dort bis Ende Mai. Hier entstehen unter anderem die Gedichte ›Frage und Antwort‹ und ›In der Frühe‹.

25. Februar: Mährlen rät M, Cotta die Redaktion einer neuen ästhetischen Zeitschrift für Bayern anzutragen: ›Bavaria barbara‹.

Ende Februar/Anfang März: Auf M’s Wunsch, Mährlens Korrektur-Arbeiten zu teilen, schickt ihm der Freund ein entsprechendes Ersuchen an Georg von Cotta; er empfiehlt ihm aber ein offenes Gespräch mit Schwab und verweist überdies auf eine mögliche Hofmeisterstelle bei Thurn und Taxis. Mährlen sendet M einige Bogen des Vorabdrucks von ›Faust II‹ in Goethes ›Vollständiger Ausgabe letzter Hand‹ (Bd 12).

Mitte März: M erneuert seine Bekanntschaft mit

Hofkaplan Karl von Grüneisen, um dessen Beziehungen zu Cotta nützen zu können.

21. März: Er schreibt seine Bewerbung bei Johann Friedrich von Cotta und schickt den Brief an Grüneisen.

22. März: M bittet Schwab um Vermittlung bei Cotta.

25. März: Grüneisen und Schwab sprechen nacheinander bei J. F. v. Cotta vor, erreichen aber nichts; Cotta äußert, keine weitere Angestellten zu benötigen.

31. März: M sendet Mährlen den ›Heimlichen Maluff‹ von Bauer.

Frühjahr: Er schreibt das Gedicht ›Man sagt, und freilich . . .‹. – Lohbauer publiziert bei Cotta eine ›Serie di quindici contorni all' opera Don Giovanni‹.

4. April: Mährlen rät M, vorerst für den Verlag der Brüder Franckh Novellen zu schreiben oder zu übersetzen; M lehnt den Vorschlag am 15. April ab.

6. April: M reicht aus Gesundheitsgründen um eine weitere Verlängerung seines Urlaubs ein.

11. April: Mährlen bietet M erneut eine Teilung seiner Korrektorsstelle an; sie wollen das für den Lebensunterhalt notwendige zusätzliche Geld als Privatgelehrte verdienen.

13. April: Mährlen ruft M vergeblich nach Augsburg, um Ferdinand Jung, der sich derzeit dort aufhält, zu einem Darlehen zu bewegen. (Jung ist Kaufmann geworden.)

15. April: M setzt seine ganze Hoffnung auf die Neigung zum Dramatischen.

18. April: M's Urlaub wird um drei Monate verlängert.

Ende April/Anfang Mai: Jung besucht M in Scheer; er sieht sich zu einem Darlehen nicht imstande.

Mai: M schreibt Liebesbriefe (an ein nicht näher bekanntes Mädchen). – Er gibt die Arbeit an seinem ›Enzio‹-Drama auf.

1. Mai: Nasts Verwandte schieben ihn in die USA ab. (Er wird dort bedeutender Prediger und angesehenes Oberhaupt der Methodisten.)

2. Mai: Das Gedicht ›Nächtliche Fahrt‹ ist M's erste Veröffentlichung im Cottaschen ›Morgenblatt für gebildete Stände‹ (Nr. 106). – Seine Hoffnung auf eine Anstellung durch Cotta steigt wieder.

5. und 12. Mai: Grüneisen zeigt in Cottas ›Kunst-Blatt‹ die ›Don Giovanni‹-Zeichnungen von Lohbauer an.

13. Mai: M schreibt das Gedicht ›Im Frühling‹. Zum 23. Geburtstag seiner Schwägerin D. Mö-

rike schenkt ihr M ein Manuskript mit 23 Gedichten, darunter ›Jung Volkers Lied‹, ‹Peregrina I–IV›, ›Du stehest groß . . .‹ und ›Hörst du die Winde . . .‹ (sog. ›Grünes Heft‹).

Mitte Mai: Die Familie berät sich erstmals wegen der Eheschwierigkeiten von M's Onkel Gottlieb Johann Mörike, Obertribunal-Prokurator in Stuttgart.

18. Mai: M besteigt mit seinem Bruder Karl den Bussen.

23. Mai: Das ›Morgenblatt‹ (Nr. 124) bringt M's Gedicht ›Um Mitternacht‹.

28. Mai: In Scheer wird M's Neffe Friedrich geboren. M wohnt (seitdem?) bei seinem Vetter Heinrich Gottlieb Karl Mörike in Buchau am Federsee; der Vetter ist dort Thurn und Taxisscher Bezirksamtmann. Hier entsteht unter anderem das Gedicht ›Die traurige Krönung‹.

Ende Mai: Schwab setzt sich für M ohne dessen Wissen beim Stuttgarter Metzler-Verlag ein.

Juni: M liest ›Die Neckarseite der Schwäbischen Alb‹ von Schwab (Stuttgart 1823).

3. und 6. Juni: Adolf Schöll rezensiert in Cottas ›Literatur-Blatt‹ (Nr. 45/46) Bauers Drama ›Der heimliche Maluff‹. – Schöll promoviert 1828 zum Dr. phil.

7./12. Juni: Bauer unterhält sich in Stuttgart mit Grüneisen, Schwab und Uhland über M; die beiden letzten meinen, M solle in den Pfarrdienst zurückkehren. M sieht darin aber keine Lösung; er erhofft sich innerhalb des nächsten Halbjahres eine feste Anstellung bei einem Verlag.

19. Juni: M schenkt der Frau seines Buchauer Vetters ein Heft ›Neue weltliche Lieder‹, die in »den Zußammenhang einer Novelle« (›Nolten‹) gehören und in Buchau entstandene Gedichte enthalten: ›Die Herbstfeier‹, ›Josephine‹ (›Das Hochamt war . . .‹), ›Heimweh‹, ›Peregrina V‹, ›Die traurig' Herberg‹ (später: ›Wo na, Franz . . .‹ und ›Lieb' in den Tod‹), ›Sind doch ganz verdammte . . .‹, ›Erstes Liebeslied eines Mädchens‹.

21. Juni: Ein »Heftchen mit neuen, größtentheils Liebes-Gedichten« geht an Schwab ab.

Ende Juni/Anfang Juli: M wird Gesellschafter und Sekretär seines Onkels Gottlieb Mörike, der sich derzeit in Diensten des Fürsten Thurn und Taxis in Oberschwaben aufhält.

3. und 5. Juli: Das ›Morgenblatt‹ (Nr. 159, 161) publiziert ›In der Frühe‹ und ›Frage und Antwort‹.

7. Juli: M schickt das ›Erste Liebeslied eines Mädchens‹ zur Komposition an Kauffmann.

10. Juli: Im ›Morgenblatt‹ (Nr. 165) erscheint M's Gedicht ›Josephine‹ (›Das Hochamt war . . .‹).

12. Juli: M reicht um etwa einjährige Verlängerung seines Urlaubs ein; er gibt als Gründe seine Gesundheit an, seine Stelle als »Hauslehrer« bei dem Onkel Mörike sowie die Hoffnung auf einen Vertrag mit Cotta. – Die beiden Onkel Georgii und Neuffer erheben dagegen Einwände.

13. – 19. Juli: M fährt mit Gottlieb Mörike nach Polling bei Weilheim/Oberbayern, um dessen Frau zur Rückkehr zu bewegen. In München halten sie sich zwei Tage auf, doch M findet keine Zeit zu Besichtigungen; er bemerkt »das unangebaute Feld hinsichtl. der Zeitungs u Journal-Cultur für Kunst und ästhet. Unterhaltung« und erwägt ein literarisch-kunstkritisches Blatt für die Stadt. In München lernt M möglicherweise die spätere Komponistin Josefine Lang kennen.

17. Juli: Das ›Morgenblatt‹ (Nr. 171) bringt M's Gedicht ›Im Frühling‹.

20. – 24. Juli: M ist beim Bruder Karl in Scheer.

25. Juli: Mit seinem Onkel Mörike fährt M nach Ulm; unterwegs, in Obermarchtal, entsteht das Gedicht ›Eberhard Wächter‹.

26. Juli: Seit der Rückkehr nach Stuttgart wohnt M im Haus des Onkels, Königstraße 18. Hier entstehen die Gedichte ›Der Jäger‹, ›Mein Fluß‹, ›Nimmersatte Liebe‹, ›Liebesvorzeichen‹ und (auf einer Reise mit dem Onkel nach Neresheim) ›Antike Poesie‹.

29. Juli: Kauffmann heiratet in Ludwigsburg Marie Lohbauer, eine Schwester des gemeinsamen Freunds.

4. August: M gibt an Schwab die Aushängebogen von dessen ›Gedichten‹ zurück und legt das eigene Gedicht ›Entschuldigung‹ bei. – Das Reskript wird ausgestellt, das M ein weiteres Jahr Urlaub gewährt.

5. August: ›Besuch in Urach‹ erscheint im ›Morgenblatt‹ (Nr. 187).

20. August: M hört zusammen mit Pauline und Rudolf Lohbauer sowie Ernst Friedrich und Marie Kauffmann im Stuttgarter Theater den ›Figaro‹; anschließend schreibt er das Gedicht ›Seltsamer Traum‹.

25. August: Im ›Morgenblatt‹ (Nr. 204) erscheint M's 1828 entstandenes Gedicht ›Auf der Reise‹.

Ende August: M fährt mit dem Onkel Mörike nach Bad Teinach.

September: In Stuttgart trifft M häufig mit Schwab zusammen, verkehrt er viel bei seinem Onkel Georgii; er hat einigen Kontakt mit

Kauffmann und begegnet wieder Hetsch (der das Theologiestudium aufgegeben hat); sein Bruder Ludwig besucht M von Nürtingen aus; M verabredet sich mit Flad; Buttersack kommt nach Stuttgart und sieht nach M. Im Oberen Museum versorgt sich M mit literarischen Neuerscheinungen; Lohbauer und M lesen gemeinsam Heines ›Reisebilder‹ (Hamburg 1826/27).

erste Hälfte September: Schwab und Mährlen raten M wiederholt, sich an Cotta zu wenden; Mährlen schlägt den Weg über Gustav Kolb, den Schriftleiter von Cottas ›Allgemeiner Zeitung‹, vor.

3. September: Im ›Morgenblatt‹ (Nr. 212) erscheint M's Sonett ›Eberhard Wächter‹.

12. September: ›Septembermorgen‹ erscheint im ›Morgenblatt‹ (Nr. 220).

Mitte September: M nimmt die Arbeit an seinem Staufer-Drama wieder auf; er bittet Schwab um Ernst Münchs ›König Enzius‹ (Ludwigsburg 1827).

20. September: M sendet an Mährlen das »neulich« entstandene Gedicht ›Fußreise‹.

24. September: Im ›Morgenblatt‹ (Nr. 230) erscheint ›Mein Fluß‹.

Anfang Oktober: M und Friedrich Gottlob Franckh treten in Verhandlung. Der Verlag bereitet eine ›Damen-Zeitung. Ein Morgenblatt für das schöne Geschlecht‹ vor (erscheint 1829/30), plant ein ›Sonntagsblatt‹ (nicht erschienen) und sucht deswegen Mitarbeiter; Wolfgang Menzel, der Schriftsteller Karl Spindler und der Journalist Ludwig Storch sagten bereits zu. M erwartet, für unterhaltende und kritische Beiträge oder für die Korrespondenz verpflichtet zu werden.

6. Oktober: Franckh sucht M auf; er erhält »die Skizze« als ersten Beitrag.

8. Oktober: Grüneisen verspricht M, sich in die Verhandlungen mit Franckh einzuschalten.

8. – 11. Oktober: M begleitet seinen Onkel Mörike nach Tübingen, wo dieser wegen seiner Ehescheidung den Rechtswissenschaftler Karl Georg von Wächter konsultiert.

12. Oktober: Grüneisen teilt M mit, daß Franckh zu einem Vertrag über literarische Beiträge bereit sei; er könne zwischen einem fixen Jahresgehalt und einer monatlichen Vorauszahlung auf seine Arbeiten wählen (600 fl bzw. 50 fl).

14. Oktober: Das ›Morgenblatt‹ (Nr. 247) publiziert ›Liebesvorzeichen‹.

Mitte Oktober: M zieht bei Menzel Erkundigung über dessen geplantes ›Taschenbuch der neuesten Geschichte‹ (bei Cotta ab 1830) ein; Mährlen will sich an dem Unternehmen beteiligen; Menzel ist nicht abgeneigt. M verständigt sich mit Spindler über die eigene Mitarbeit bei Franckh.

22. Oktober: Über die Verhandlungen mit Franckh informiert M den Onkel Georgii persönlich, bespricht er sich mit Onkel Mörike (der die Fortsetzung von M's Arbeit in seinem Hause wünscht), schreibt er an den Onkel Neuffer.

nach 22. Oktober: M schließt mit Franckh ab: Er hat die ›Damen-Zeitung‹ regelmäßig mit »erzählenden und andern ästhetischen Aufsätzen« zu beliefern. Die Aufgabe widerspricht zwar seiner Neigung zum Dramatischen, doch hofft M dadurch auf eine raschere Karriere. Er beginnt mit der Arbeit am ›Maler Nolten‹.

31. Oktober: M bezieht zwei Zimmer bei Stukkateur Heinrich Hoffmann in der Stuttgarter Sophienstraße (= heute: Nr. 12). Hier entsteht unter anderem das ›Lied vom Winde‹.

Ende Oktober: M trifft Hardegg und Jung, der eine finanzielle Unterstützung in Aussicht stellt.

November: Bauer beendet seine ›Alexander‹-Trilogie, die Franckh übernimmt; wegen des verzögerten Drucks kommt es bald zum Zerwürfnis.

6. November: Das ›Morgenblatt‹ (Nr. 267) publiziert M's ›Fußreise‹.

Mitte November: M verspürt einen Widerwillen gegen die Produktion von Erzählungen für die ›Damen-Zeitung‹, »ärger als je vom Predigtmachen«. Er fühlt sich für solche Art von Prosa nicht geeignet und durch den Vertrag beengt; lieber möchte er Gedichte und Dramen schreiben. M entwickelt »eine Gattung von tragischen und komischen Schauspielen phantastischer Natur«. Doch kündigt er bei Franckh aus Angst vor der »Blamage bei meinen Verwandten« noch nicht.

Anfang Dezember: M reist nach Nürtingen, um seine Mutter in die Situation bei Franckh einzuweihen. Er schreibt an Spindler »die Gründe die mich bestimmen könnten mein Engagement wieder aufzulösen«. – M's Bruder Adolf setzt seine Schreinerlehre in Böblingen fort.

ca 10. Dezember: M sucht Rat bei Schwab. Anschließend (bis 15.) entsteht das ›Gespräch zwischen mir (nemlich dem Candidaten E. Mörike) und Herrn Prof. Schwab‹.

14. — 16. Dezember: M hält sich in Bernhausen auf; er rechnet mit der Auflösung seines Vertrags bei Franckh bis Weihnachten.

15. Dezember: Bauer empfiehlt, die Arbeit am ›Enzio‹ wieder aufzunehmen. M sieht dies für

die Zeit nach der Vertragskündigung auch vor.

ca 20. Dezember: M führt ein für die Kündigung entscheidendes Gespräch mit seinem Onkel Georgii; er will in den Pfarrdienst zurückkehren.

Jahresende: M kündigt den Vertrag bei Franckh (ohne die Vorauszahlungen abgeleistet zu haben) und begibt sich nach Nürtingen.

1829

erste Hälfte Januar: Cotta ist zu Verhandlungen mit M bereit; Dettingers Vermittlungen waren letztlich erfolgreich, doch kann man M nicht mehr informieren.

1. Januar: In der ›Damen-Zeitung‹ (Nr. 1) erscheint M's Gedicht ›Leben und Tod‹.

2. und 5. Januar: Die ›Damen-Zeitung‹ (Nr. 2, 3) bringt unter der Rubrik »Stoffe« M's Beitrag ›Ein Dampfschiff‹; weitere anonyme Publikationen M's befinden sich möglicherweise unter derselben Sparte im ersten Halbjahr der Zeitung.

3. Januar: M teilt Bauer und Mährlen seine Kündigung mit; er bittet sie um ihren Besuch, den beide absagen müssen. M fährt in der zweiten Januar-Woche zu Mährlen nach Ulm (der seine Familie nach dem Tod des Vaters unterstützt).

5. Januar: In der ›Damen-Zeitung‹ (Nr. 3) erscheint M's Gedicht ›Die Geister am Mummelsee‹.

10. Januar: Das ›Morgenblatt‹ (Nr. 9) bringt M's Gedicht ›An einen Liebesdichter‹.

13. Januar: M reist von Nürtingen nach Urach und am

14. Januar über Riedlingen weiter nach Mengen; hier berät er mit dem Bruder Ludwig die Schwierigkeiten des Bruders Karl (in Amtsgeschäften und Ehe) und begibt sich zu diesem nach Scheer. M bleibt bis Mitte Februar in Oberschwaben.

17. und 23. Januar: Im ›Morgenblatt‹ (Nr. 15, 20) erscheinen ›Antike Poesie‹ sowie ›Tag und Nacht‹.

3. Februar: M bewirbt sich um das Pfarrvikariat Pflummern.

4. Februar: Im Stadttheater Mengen fehlen für die Aufführung von ›Kabale und Liebe‹ einige Schauspieler; M und sein Bruder Ludwig übernehmen die Rollen des Hofmarschalls Kalb bzw. eines Kammerdieners.

9. Februar: M erhält in Scheer die Berufung als Pfarrverweser nach Pflummern. – In Augsburg läßt Mährlen seinen Urlaub wegen der Dienste für Cotta verlängern.

10. Februar: Das ›Morgenblatt‹ (Nr. 35) bringt das 1828 entstandene Gedicht ›Die schlimme Greth und der Königssohn‹. – M bittet seine Mutter, ihm für die erste Zeit in Pflummern den Haushalt zu führen.

17. Februar: Der Bruder Karl und seine Frau begleiten M nach Pflummern.

21. Februar: M hält seinen ersten Gottesdienst in Pflummern.

23. Februar: Sein Bruder Ludwig besucht ihn. – ›Peregrina V‹ erscheint im ›Morgenblatt‹ (Nr. 46).

28. Februar: Im ›Morgenblatt‹ (Nr. 51) steht M's Gedicht ›Begegnung‹.

9. März: M schreibt das Gedicht ›Er ists‹.

zweite Hälfte März: Er zweifelt erneut an seiner Tauglichkeit zu kirchlichen Diensten und sieht nach Möglichkeiten, sich von ihnen zu befreien. Er ersucht um Anstellung als Pfarrer in Pflummern.

Ende März: Seine Mutter zieht für vierzehn Tage zu M.

9. April: Mährlen schickt M literarische Neuerscheinungen, u. a. ›Wilhelm Meisters Wanderjahre‹ und Platens Lustspiel ›Der romantische Ödipus‹ (Stuttgart, Tübingen 1829); auch Zeitungsberichte über die politischen »Bewegungen der neuesten Zeit« legt Mährlen bei. Sein Vorschlag eines Dramas mit nationalem Stoff trifft M in der Entscheidung zwischen historischen und phantastischen Dramenplänen; er will zwar endgültig das ›Orplid‹-Thema aufgeben, doch kein Ereignis aus der bayrischen Geschichte als Vorlage wählen.

12. April: M's Mutter fährt nach Nürtingen zurück; in Stuttgart erfährt sie, daß M keine Aussicht auf die Pfarrei Pflummern hat.

14. April: M bittet Mährlen um den ›Briefwechsel zwischen Schiller und Goethe‹ (Stuttgart, Tübingen 1828/29). Er kennt Oden von Platen (aus dem ›Morgenblatt‹ oder aus dessen ›Gedichten‹, Stuttgart und Tübingen 1828).

17. April: ›Wo find ich Trost?‹ erscheint im ›Morgenblatt‹ (Nr. 92).

22. April: Mährlen empfiehlt M, sich jetzt wieder an Cotta zu wenden; er erinnert an die ›Deutschen Chroniken‹ von Menzel und erwägt Übersetzungen für Franckh. Er schickt eine Ausgabe von Goethes ›Faust‹. Zu M's Dramenplänen meint Mährlen, die Zeit sei für den Staufer-Stoff »noch nicht« reif; er legt ihm wieder die bayrische Geschichte nahe.

30. April: Mit seinem Bruder Karl fährt M nach Zwiefalten; sie besprechen Mährlens Dramen-Konzept: M meint, bevor er einen historischen Stoff bearbeiten könne, müsse er sich von seinen subjektiven Tendenzen durch die Niederschrift eines phantastischen Stücks befreien, das »lediglich keine Verwandtschaft mit der Orplidischen Periode haben« dürfe. – M liest den zweiten Band des ›Briefwechsels zwischen Schiller und Goethe‹.

erste Hälfte Mai: Nach der Lektüre der ›Kinder- und Haus-Märchen‹ der Brüder Grimm schreibt M für Mährlen die ›Wald-Idylle‹. Auch ›Das verlassene Mägdlein‹ entsteht noch in Pflummern. M erkundigt sich auf Vorschlag Mährlens bei Bauer vergeblich nach einer Pfarrei in dessen Nähe. – G. v. Cotta bittet M im Namen seines Vaters um weitere Beiträge fürs ›Morgenblatt‹; M reicht vorerst keine Texte ein.

1. Mai: M kehrt nach Pflummern zurück.

4. Mai: Die Kirche in Pflummern wird abgerissen; M muß nicht mehr predigen.

7. Mai: M liest Wielands ›Oberon‹.

15. Mai: Das Reskript, das M als Pfarrverweser nach Plattenhardt beordert, wird ausgestellt. M hat schon früher davon erfahren; sein Onkel Neuffer hatte vermittelt.

19. Mai: M besucht mit der Mutter die Familie des verstorbenen Pfarrers Rau in Plattenhardt.

25. Mai: M reist in Pflummern ab und tritt seinen Dienst am

27. Mai in Plattenhardt, einem Pfarrdorf im Oberamt Esslingen, an. Die Witwe Rau hat mit ihren Töchtern Friederike, Luise und Henriette noch Wohnrecht im Pfarrhaus; eine weitere Tochter, Wilhelmine, ist im nahen Grötzingen mit dem Pfarrer Christian Gottlieb Denk verheiratet; zwei Söhne sind in Ausbildung.

31. Mai: Bauer empfiehlt M den Vorschlag Mährlens, einen bayrischen Stoff für sein Drama zu wählen, und erinnert an den alten gemeinsamen Staufer-Plan: »die Welfen waren ja auch bayrische Herzoge«.

erste Hälfte August: Die Familie Rau will nach Tübingen verziehen und beginnt zu packen. Mit der drohenden Trennung wird M seine Liebe zu Luise Rau bewußt.

2. August: Zum Geburtstag von L. Raus Schwester Wilhelmine Denk schenkt M das Gedicht ›Nannys Traum‹.

14. August: M verlobt sich mit Luise Rau in der Gartenlaube des Plattenhardter Pfarrhofs.

16. August: M und Luise Rau teilen in Nürtingen der Mutter die Verlobung mit.

17. August: L. Raus Schwager Denk kommt nach Nürtingen.

18. August: M geht mit Denk nach Plattenhardt zurück. Am Nachmittag besucht er die Verwandten in Bernhausen und holt sich die nachträgliche Erlaubnis zur Verlobung. Am Abend besiegeln M und Luise Rau in Plattenhardt ihre Verlobung vor der Familie durch einen Kuß.

26. August: M geht mit L. Rau, deren Mutter und Schwester Friederike nach Bernhausen; sie verabreden das öffentliche Du.

31. August: Denk kommt mit seiner Familie nach Plattenhardt.

2. September: L. Rau geht für eine Woche zu M's Mutter nach Nürtingen (wo seit kurzem M's Bruder Ludwig Gehilfe des Amtsnotars ist); M begleitet sie bis Bonlanden. Zurück in Plattenhardt, schreibt M seinen ersten Brief an L. Rau; er bittet sie u. a. um ›Die vier Bücher der Nachfolge Christi, verfaßt von Thomas von Kimpis‹ (Reutlingen 1821).

29. September: Bauer kommt zu Besuch nach Plattenhardt. (Er hatte sich mit Hartlaub verabredet, der jedoch absagen mußte.) Er lernt L. Rau kennen.

30. September—1. Oktober: Bauer und M gehen nach Tübingen und suchen die von der gemeinsamen Studentenzeit her vertrauten Orte auf: Schloß, Schloßküferei, Presselsches Gartenhaus und die Kneipe ›Beckbeckei‹.

2. Oktober: In Plattenhardt lesen Bauer und M das im Sommer erschienene Trauerspiel ›Anna Bullen‹ von Waiblinger.

3. Oktober: M's Bruder Ludwig kommt zu den Freunden nach Plattenhardt.

4. Oktober: M geht mit Bauer und seinem Bruder Ludwig nach Bernhausen und dann zur Mutter nach Nürtingen.

5. Oktober: M und Bauer lesen gemeinsam eine Schiller-Biographie.

6. Oktober: Mit Bauer geht M nach Bernhausen; sie treffen dort M's Kusine K. Schmid und ihre Familie. M begleitet Bauer nach Stuttgart, wo sie sich trennen.

8. Oktober: M ist wieder in Plattenhardt.

Mitte Oktober: Die Amtsschwierigkeiten von M's Bruder Karl in Scheer eskalieren.

Ende Oktober: In Stuttgart wird eine Gewerbeschule (später Polytechnikum; heute Universität) eröffnet.

3. November: Die Pfarrerswitwe Rau verzieht mit ihren Töchtern von Plattenhardt zu ihrem Schwiegersohn Denk nach Grötzingen. M geht für vier Tage zu seiner Mutter nach Nürtingen.

5. November: M's Onkel Georgii schickt ihm Eschenmayers ›Einfachste Dogmatik aus Vernunft‹ (Tübingen 1826).

8. November: M liest Eschenmayer.

ca 11. November: L. Rau besucht M's Mutter in Nürtingen und kommt vielleicht nach Plattenhardt.

17. November: M feiert mit der Braut in Grötzingen den Geburtstag von deren Schwager Denk; aus diesem Anlaß entstand das Gedicht ›Theodors Traum‹ als Privatdruck.

23. November: Zum Geburtstag von L. Raus Schwester Friederike schenkt M das Gedicht ›Fern von euch . . .‹.

24. November: Mährlen, der in Hoffnung auf eine Stelle bei Thurn und Taxis seinen Vertrag mit Cotta gekündigt hat, bittet M um Vermittlung durch seinen Bruder Karl. Möglicherweise würde Mährlen auch ein Vikariat in der Nähe M's annehmen.

26. November: Nach einem Besuch bei der Braut in Grötzingen schickt ihr M neben einigen älteren eigenen Gedichten auch Kerners ›Was macht dir, Herzliebster . . .‹ aus dessen ›Reiseschatten‹. – Das Reskript, das M als Vikar nach Owen bestellt, wird ausgefertigt.

vor 30. November: M erhält von L. Raus Schwager Denk eine Horaz-Ausgabe.

Ende November/Anfang Dezember: Mährlen kündigt M ›Dichtung und Wahrheit‹, Menzels ›Rübezahl‹ (Stuttgart, Tübingen 1829) u. a. an, berichtet von Christian Dietrich Grabbe und Waiblinger, dessen ›Taschenbuch aus Italien und Griechenland‹ (Bd 2, Berlin 1829) er kritisiert; Mährlen gibt »die 2 Novellen« von M zurück und fordert ihn auf, sie dem ›Morgenblatt‹ anzubieten.

erste Hälfte Dezember: In Plattenhardt zieht ein neuer Pfarrer auf.

3. Dezember: Die Familie Rau und Denk besuchen Plattenhardt.

7. Dezember: M vollzieht seine letzte Amtshandlung in Plattenhardt.

14. Dezember: Nach einigen Tagen in Nürtingen bei seiner kranken Mutter (die von L. Rau gepflegt wird) tritt M seinen Dienst in Owen an. Er erhält 75 fl Gehalt.

zweite Hälfte Dezember: M reist ab und zu nach Kirchheim, erhält Besuch von seinem Bruder Ludwig, liest Werke Lichtenbergs.

23. Dezember: Mährlen bewirbt sich vergeblich bei Thurn und Taxis. Auch eine durch M und Bauer vermittelte Bewerbung in Öhringen schlug fehl.

24. Dezember: M schickt an L. Rau das Gedicht ›Hat jemand ein liebes . . .‹.
Jahresende: Er besucht seine Familie in Nürtingen.

1830

M trägt ›Eine Vers-Tändelei‹ in seine Lichtenberg-Ausgabe ein.
3. Januar: In Owen macht er die Bekanntschaft des Pfarrers Christoph August Klett; sie sprechen über Napoleon, den M zu rechtfertigen sucht.
7. Januar: M zeichnet die Vikarsstube von Owen.
17. Januar: Waiblinger stirbt in Rom.
18. Januar: M geht für zwei Tage zu L. Rau nach Grötzingen. Anschließend schreibt er ihr über Lichtenberg.
30. Januar: Mährlen bittet Cotta vergebens um finanzielle Unterstützung einer Reise nach München.
2. Februar: Eine Visitation bei M's Bruder Karl in Scheer bringt eine Reihe von Dienstverfehlungen an den Tag, die er der Familie gegenüber einem Aktuar anlastet.
9. Februar: M geht zur Mutter nach Nürtingen, von dort mit der Schwester Klara nach Grötzingen zu L. Rau und deren Schwester Friederike: Ihr Bräutigam, der Pfarrer Ferdinand Schütte, wird noch nicht aus dem Gefängnis entlassen. (Er hat seit 1824 Festungshaft wegen Mitgliedschaft in einer »hochverräterischen« Studentenverbindung.) Nach einem Besuch bei seiner Schwägerin Dorothea in Oberensingen kehrt M mit seiner Schwester Klara zur Mutter zurück.
10. Februar: M besucht mit seiner Mutter die angeheirateten Verwandten in Oberensingen; sie erhoffen sich Hilfe für Bruder Karls Lage durch den Einfluß von dessen Schwiegervater, den Rentamtskammerdirektor Friedrich Bezzenberger.
vor 11. Februar: M liest Knapps ›Christliche Gedichte‹ (Basel 1829) und nochmals die ersten beiden Bände des ›Briefwechsels zwischen Schiller und Goethe‹. Er ist über gehässige Nachrufe auf Waiblinger bestürzt.
Mitte Februar: L. Rau wohnt bei M's Mutter.
18. Februar: M schickt C. M. v. Webers ›Schwäbisches Bettlerlied‹ an die Braut.
20. Februar: M's Bruder Ludwig holt ihn in Owen zu Mutter und Braut nach Nürtingen ab.
23. Februar: M kehrt nach Owen zurück.

28. Februar: L. Rau besucht M in Owen.
12. März: Mährlen, der in Augsburg bei Cotta vorübergehend aushilft, hat sich gegen »das Verbauern« auf einer Landpfarre ausgesprochen; M plädiert für das Landleben, weil sich »wenige aber starke Eindrücke von außen« nur »im ruhigen bescheidenen Winkel« verarbeiten ließen. M äußert seinen »Eckel« vor Heinrich Heines »politischem Wischiwaschi«; von Mährlen wünscht er sich ›Wilhelm Meister‹, ›Iphigenie‹ oder ›Tasso‹ in der ›Ausgabe letzter Hand‹.
15. März: M, L. Raus Schwager Denk und ihre Brüder Fritz (Theologiestudent) und Carl (Schüler) besteigen gemeinsam die Teck. – Paul Heyse wird geboren.
13. April: M's Onkel Georgii stirbt. – Hartlaub wird Pfarrer und Nachfolger seines verstorbenen Vaters in Wermutshausen.
18.–19. April: M hat Besuch von L. Rau.
20. April: Er begleitet den Nürtinger Oberamtsarzt Samuel Benjamin Härlin, einen Freund Uhlands und Kerners, auf einer Fahrt nach Linsenhofen; sie unterhalten sich u. a. über Schillers Gedicht ›Die Künstler‹.
21. April: M besucht mit der Familie seines Pfarrers Karl August Brotbeck die Ruine Sulzburg.
22. April: In der gleichen Gesellschaft macht M einen Ausflug auf die Teck; dort liest er eine passende Erzählung von Washington Irving vor.
23. April: Im Brief an L. Rau zitiert M ›Tasso‹.
27.–28. April: Er besucht sie bei ihren Verwandten in Grötzingen; er liest Goethes Elegien ›Alexis und Dora‹ sowie ›Euphrosyne‹ vor. Seine Schwester Klara holt M und L. Rau zur kranken Mutter nach Nürtingen.
27. April: Lohbauer, der seit 1829 für die im Verlag der Brüder Franckh erscheinende ›Stadtpost‹ Theaterkritiken schreibt und bereits einige Sensationen verursacht hat, erhält ein vierwöchiges Theaterverbot.
28. April: Schwab veröffentlicht ohne Lohbauers Wissen im ›Morgenblatt‹ (Nr. 101) dessen Gedicht ›Der Todtengräber‹.
29. April: M kehrt nach Owen zurück.
30. April: Er schreibt das Gedicht ›Zu viel‹.
Anfang Mai: M's Bruder Adolf übersteht eine Krise in seiner Berufsausbildung als Schreiner. – M schickt an Bauer für dessen Sohn Alexander eine Ausgabe der ›Kinder- und Haus-Märchen‹; er erbittet seine ›Orplid‹-Szenen ›Schicksal und Vorsehung‹ zurück. Danach reist M (wegen der Affaire seines Bruders Karl?) nach Stuttgart. Er begegnet dort auch Lohbauer; sie verabreden eine gemeinschaftliche Arbeit: einen Almanach,

zu dem M literarische und Lohbauer hauptsächlich zeichnerische Beiträge beisteuern wollen.

3. Mai: M verfaßt die Gedichte ›Am Walde‹, ›Nur zu!‹, ›Wahr ist's, mein Kind‹, die er am *4. Mai* an L. Rau schickt.

7. Mai: Er schreibt das Gedicht ›An die Geliebte‹.

12. Mai: M geht nach Nürtingen.

13. Mai: Hier wird der Maientag gefeiert: M trifft sich mit L. Rau (die kränklich ist) und deren Grötzinger Verwandten, begegnet auch Neufferschen Familienmitgliedern, u. a. der Kusine K. Schmid.

zweite Hälfte Mai: M's Mutter und Schwester reisen nach Stuttgart zum Besuch der Witwe Georgii.

19. Mai: M rekapituliert im Brief an L. Rau die Geschichte ihrer Bekanntschaft und Liebe.

20. Mai: Er schickt der Braut seine Tuschzeichnung ›Ophelia im Wahnsinn‹.

21. Mai: Er signalisiert Mährlen, daß sich nun sein Bruder Karl für ihn bei Thurn und Taxis verwenden könne.

27. Mai: Bauer sendet M's ›Schicksal und Vorsehung‹; er teilt mit, seine literarische Produktion aufgegeben zu haben unter dem Eindruck, »das Poetastern sey eine Epidemie«. (Er publiziert derzeit ästhetisch-politische Aufsätze im ›Morgenblatt‹.)

erste Hälfte Juni: M hat in Nürtingen einen Zusammenstoß mit Vischers Freund Heinrich Kern, der für L. Raus Schwester Henriette schwärmt. – Pfarrer Brotbeck ist ungehalten über M's häufige Reisen.

Anfang Juni: Mährlen entwickelt Bauer seine Vorstellung »eines patriotischen polit. Journals«.

11. Juni: M bittet Mährlen, der seine Reise nach München realisiert, um Nachrichten über Schreiner (der sich dort als Lithograph niedergelassen hat) und um eine Charakteristik der Werke von Peter von Cornelius, weil er sich für dessen »Verwandtschaft mit Eb. Wächter« interessiert.

Mitte Juni: M fährt zu seiner kranken Mutter nach Nürtingen.

zweite Hälfte Juni: In Owen erhält M vielleicht Besuch von Lohbauer.

21. Juni: Jung kommt auf einer Reise durch Nürtingen; M sucht ihn dort wahrscheinlich auf und trifft auch L. Rau.

Ende Juni: M erwartet den Besuch von L. Rau in Owen. Mit Mährlen plant er die Edition einer wohlfeilen, für ein Damenpublikum berechneten »Bibliothek der ästhetischen Tagesliteratur des Auslands in monatlichen Heften zu 10–12 Bogen« mit Übersetzungen aus dem Französischen, Englischen und Italienischen in Auszügen.

Sommer: M schreibt am ›Nolten‹: »Ein Stück aus dem Leben eines (imaginirten) Malers«.

8. Juli: L. Rau kommt für eine Woche nach Owen.

13. Juli: M wandert mit ihr und der Familie seines Pfarrers auf die Teck; das Gedicht ›Hier ist Freude . . .‹ entsteht.

15. Juli: Mährlen kommt zu Besuch nach Owen; L. Rau geht über Nürtingen nach Grötzingen. Mährlen bleibt etwa einen Monat; die Freunde diskutieren literarische Pläne (den mit Lohbauer verabredeten Almanach) und besprechen intime Fragen, sie nehmen sich »sehr fruchtbare wissenschaftliche Lektüre« vor, erwägen einen gemeinsamen Aufenthalt in München und wandern in der Gegend (u. a. auf die Ruine Sulzburg); Mährlen übernimmt kirchliche Geschäfte M's (mindestens eine Predigt), ist nicht abgeneigt, wieder in den Pfarrdienst zu treten. Zum Lesen bringt Mährlen die ›Tag- und Jahreshefte‹ mit in Goethes ›Ausgabe letzter Hand‹ (1830). – Flad stirbt in Stuttgart.

23. Juli: M schickt an Hartlaub u. a. die Gedichte ›Karwoche‹ und ›Liebesglück‹.

27. Juli: In Paris bricht Revolution aus.

30. Juli: Mährlen schreibt an Bauer mit der Bitte um Vermittlung einer Repetentenstelle am Niederen Seminar in Schöntal.

Anfang August: Familiäre Fragen belasten M zunehmend: die Trennung des Onkels Mörike von seiner Frau, die Amtsverfehlungen des Bruders Karl, die eigene Verbindung mit L. Rau, die schwere Krankheit der Mutter.

9. August: Louis Philippe wird als König proklamiert.

Mitte August: M ist wegen des Zustands der Mutter besorgt; er besucht die Verwandten in Bernhausen.

zweite Hälfte August: M's Mutter hat die Krise ihrer Gesundheit überstanden. – Mährlen nimmt wieder eine Arbeit bei Cotta in Augsburg an: Er schreibt für dessen ›Allgemeine Zeitung‹.

28. August: Das Manuskript des ›Maler Nolten‹ hat bereits einen Umfang von 25 Bogen.

30. August: M liest Gedichte von Carl Philipp Conz.

Ende August/Anfang September: Mährlen schickt aus Augsburg die Fortsetzung des ›Briefwechsels zwischen Schiller und Goethe‹, die M sofort liest; das von Mährlen beigelegte Preisausschreiben des Verlags Brockhaus interessiert M: Bis Ende März 1831 ist für die beste »Erzählung oder Novelle«, geeignet für das Taschenbuch ›Urania‹, ein Preis von 10 Louisdor pro Druckbogen ausgesetzt. – Der Onkel Mörike bittet M, nach Stuttgart zu kommen und ihm in seinen Eheangelegenheiten zu raten. – Ferdinand Schütte trifft in Grötzingen ein.

Anfang September: In Leipzig, Kassel, Braunschweig, Dresden brechen revolutionäre Tumulte aus.

7. September: Aus Nürtingen schreibt M einen Brief an Mährlen mit der Bitte um eine Vorrede zu seinem ›Taschenbuch ohne Jahresschild‹; für die Publikation will er sich um Beiträge von Kerner, Schwab, Tieck und Uhland bemühen. Der ›Maler Nolten‹, der in diesem Zusammenhang veröffentlicht werden soll, würde etwa 37 handschriftliche Bogen umfassen.

8.—9. September: M besucht eine Disputation in Kirchheim; dabei erneuert er die Bekanntschaft mit Studienkollegen.

13.—14. September: M besucht L. Rau in Grötzingen und reist wegen der Ankunft der Bernhäuser Verwandten vorzeitig ab.

15. September: Er ist bei seiner Mutter in Nürtingen.

Mitte September: M liest zum fünften Mal den ›Briefwechsel zwischen Schiller und Goethe‹ und beginnt, Italienisch zu lernen. Die Abschrift seines Romans umfaßt bereits 25 Bogen.

17. September: Er bittet Bauer um Prosa-Beiträge für seinen ›Almanach ohne Jahresschild‹, für den er bereits ›Schicksal und Vorsehung‹ verändert und ergänzt hat; in den Almanach wird Lohbauer Kupferstiche liefern. M erinnert Bauer an Mährlens Anfrage wegen einer Repetentenstelle in Schöntal; die Vorstellung, daß Mährlen damit in die Nähe Bauers käme, erscheint auch für M verlockend. (Das Projekt scheitert.)

19.—20. September: M geht nach Nürtingen, weil sich L. Rau dort aufhält; sie bringt ›Dichtung und Wahrheit‹ mit und händigt M ihr Tagebuch aus.

21. September: Mährlen rät M, seinen ›Almanach ohne Jahresschild‹ (den Titel lehnt er ab) mit ausschließlich eigenen Texten herauszugeben; er macht dazu detaillierte Vorschläge. Der ›Maler Nolten‹ könne auch selbständig erscheinen; M möge ihn beim Brockhausschen Preisausschreiben mit eigenen Zeichnungen einreichen. Mährlen bezieht Stellung zu den politischen Ereignissen und äußert u. a.: »Was mich am meisten freut sind die Revolutionen.«

26. September: M lehnt in seiner Antwort die Vorschläge Mährlens ab; wegen des »geringen Begriffs«, den er von der »Würde« seines ›Maler Nolten‹ hat, möchte er an der »leichtfertigen Almanachsgestalt« festhalten; er bittet den Freund erneut um eine Vorrede. Auf Mährlens politische Vorstellungen reagiert er u. a.: »Die Begebenheiten in Frankreich haben mir mehr als einmal den freudigen Schauder den Rücken hinaufgejagt«. M wünscht sich den ›Briefwechsel zwischen Schiller und W. v. Humboldt‹ (Stuttgart 1830).

30. September: Lohbauer wird mit dem Advokaten Friedrich Rödinger, den Verlegern Samuel Liesching, F. G. Franckh u. a. wegen angeblicher Verbindung zu französischen »Emissären« unter polizeiliche Aufsicht gestellt.

Oktober: Vischer wird Vikar in Horrheim; M trifft mit ihm in Stuttgart zusammen, wo er sich wiederholt wegen der Eheangelegenheiten seines Onkels Mörike aufhält. Er übergibt Vischer seinen ›Maler Nolten‹, der zur Hälfte ausgeführt, zum andern Teil im Konzept fertig vorliegt; Vischer berichtet M von seiner Novelle ›Ein Traum‹. – Bauer bietet M für den ›Almanach‹ nur Gedichte an.

November: M führt eine »demagogische Jünglingsverbindung« als Motiv zur Gefangensetzung Larkens im ›Maler Nolten‹ ein – ohne zu wissen, daß gleichzeitig sein Bruder Karl die ersten »demagogischen Mystifikationen« anzettelt: In Nachbarorten von Scheer hängt er aufrührerische Plakate aus; er »entdeckt« sie selbst und meldet sie den Behörden; er möchte seinen Ruf bei den Vorgesetzten verbessern. – Die Stuttgarter Advokaten Rödinger und Gottlob Tafel gründen die oppositionelle Parteizeitung ›Der Hochwächter‹, die Wilhelm Zimmermann (der nach neunmonatiger Vikarszeit jetzt seinen Dienst quittiert) und Lohbauer (bis 31. März 1831 verantwortlich) redigieren; Mährlen, vorübergehend angestellt bei M's Onkel Mörike in Stuttgart, erwartet seine Mitarbeit; vorerst ist er an der Edition des ›Schwäbischen Wörterbuchs‹ aus dem Nachlaß von Johann Christoph Schmid beteiligt (Stuttgart 1831).

3. November: Vischer kritisiert am ›Maler Nolten‹ den nicht eingehaltenen Charakter einer »Künstler-Novelle« und einige Motivationen; das ›Orplid‹-Zwischenspiel hat ihn »erquickt«. Vischer bietet für M's ›Almanach‹ seinen ›Traum‹ an.

27. November: Vischer bietet auch Gedichte für M's ›Almanach‹ an und schickt sein ›Rauchtabakslied‹.

30. November: M verteidigt sich gegen Vischers ›Nolten‹-Kritik und bittet um dessen ›Traum‹; die Texte, die nicht notwendig in einem Almanach (und auch nicht mit Kupfern) erscheinen müßten, will M dem Verlag von Georg Reimer in Leipzig einreichen.

Anfang Dezember: M liest die ersten Nummern des ›Hochwächters‹. Er studiert gemeinsam mit Mährlen die neueren Philosophen anhand von Taddeus Anselm Rixners ›Handbuch der Geschichte der Philosophie‹ (Sulzbach 1829²).

7. Dezember: M rät Mährlen ab, sich um das Vikariat Owen zu bewerben.

9. Dezember: Er gibt vergebens um die Pfarrei Erpfingen bei Reutlingen ein.

22. Dezember: M's Bruder Karl wird nach Stuttgart bestellt; seine Machenschaften sind durchschaut.

27. Dezember: M bittet Schwab (und über ihn Uhland, Grüneisen) um Mitarbeit an seinem geplanten Periodikum ›Schwäbischer Phantasus‹, das er »vaterländischen« Dichtern mit »nationalen« Themen (wenigstens »in lokalen und historischen Beziehungen« zu Schwaben) öffnen will; obwohl »der gegenwärtige politische Horizont« für »die poetische Muse« ungünstig sei, glaubt er, »daß man sich mit Lust an ihrem liebevollen Schein erhole«.

28. Dezember: Vischer schickt Gedichte und seine Novelle ›Ein Traum‹ an M mit der Bitte, sie unter dem Pseudonym Robert Scharf zum Brockhaus-Preisausschreiben einzureichen; er rät M von Reflexionen im ›Maler Nolten‹ ab und gemahnt an den Charakter einer Künstlernovelle.

31. Dezember: M verbringt den Jahreswechsel in Stuttgart.

1831

Anfang: M schreibt das Gedicht ›Sehnsucht‹.

erste Hälfte Januar: In Hannover, Kassel und Göttingen gibt es wieder revolutionäre Unruhen.

2.—3. Januar: M besucht seine Mutter in Nürtingen.

2. Januar: M schickt Hexen- und Teufelsfratzen, einen »Zauberhaspel« an Vischer.

11. (?)—13. Januar: Er besucht L. Rau in Grötzingen und geht mit ihr zu seiner Mutter nach Nürtingen, wo sie einige Tage bleibt.

13. Januar: In Owen rät Pfarrer Brotbeck M zu einer Lehrstelle an der ›Erziehungsanstalt‹ zu Stetten im Remstal, die am 3. Mai eröffnen soll. (Im Gegensatz zu M bewirbt sich später Bauer.) – M liest Vischers ›Traum‹, identifiziert sich teilweise mit der Selbstmörder-Figur; er schreibt Vischer seine Kritik an der Novelle.

Mitte Januar: M plant, sich vom Kirchendienst beurlauben zu lassen und einige Zeit in Stuttgart zu wohnen; wegen eines Logis verhandelt man bereits mit der Tante Dorothea Mörike.

zweite Hälfte Januar: Mährlen arbeitet für den ›Hochwächter‹; er schreibt auch an einem aktuellen kirchenpolitischen Aufsatz für das Consistorium.

17. Januar: M teilt Vischer mit, daß er seinen ›Traum‹ im ›Almanach‹ nicht zu veröffentlichen wage: »Ich bin diese Vorsicht meiner Pastoralischen Existenz schuldig«.

18. Januar: M's Bruder Karl wird in seiner Wohnung unter Arrest gestellt.

vor 25. Januar: Schwab schlägt eine Mitarbeit an M's ›Almanach‹ aus.

25.—26. Januar: M ordnet und revidiert seine Texte für eine Sendung an Georg Reimer (schickt sie aber zunächst an Mährlen).

28. Januar: Vischer drängt M zur Aufnahme seines ›Traums‹ in den ›Almanach‹; er deutet M's Angst davor als Rücksicht auf die Familie.

Ende Januar: Mährlen plant mit Rödinger ein neues, als Aktiengesellschaft betriebenes Buchhandels-Unternehmen.

Anfang Februar: ›Maler Nolten‹ beginnt unter M's Freunden zu zirkulieren. M übergibt Vischers ›Traum‹ an Mährlen, der das Pseudonym vor Zimmermann lüftet.

1. Februar: Mährlen rät, den ›Almanach‹ Cotta anzubieten; er will ihn dort als »ein patriotisches Repertorium für vaterländische Poesie« empfehlen.

2. Februar: M fährt wegen ungefährer Gerüchte über seinen Bruder Karl nicht nach Grötzingen.

vor 5. Februar: Dem ›Hochwächter‹ wird die Anklageschrift gegen M's Bruder Karl zugespielt; Mährlen verhindert ihre Veröffentlichung und informiert M.

7. Februar: M's Bruder Karl wird seines Amts enthoben. – M erhält Mährlens Brief über seinen Bruder (sowie über Vischers ›Traum‹) und eilt nach Nürtingen.

8. Februar: M fährt nicht nach Scheer, weil in Nürtingen ein Brief des Bruders eingetroffen ist, der »viel Gewissensruhe« verrät; M geht zu Karls Schwiegereltern nach Oberensingen.

nach 8. Februar: Er unterhandelt wegen seines Bruders wahrscheinlich in Stuttgart.

14. — 16. Februar: Er hält sich mit der Mutter bei seinem Bruder Karl in Scheer auf, der seine Machenschaften nicht aufdeckt.

17. Februar: M informiert L. Rau in Nürtingen.

18. Februar: L. Rau begleitet M nach Owen und geht nach Nürtingen zurück.

Ende Februar/Anfang März: M muß vor dem Oberamtsgericht Kirchheim unter Eid im Verfahren gegen seinen Bruder aussagen: Gutgläubig hat er einmal einen von Karl geschriebenen und an Karl adressierten Brief aufgegeben, dessen Inhalt er aber nicht kannte. Auch M's Bruder Ludwig wird verhört; er ist inzwischen Amtsskribent in Köngen. — M fährt nach Stuttgart, berät sich u.a. mit Mährlen über Vischers ›Traum‹ und Publikationsmöglichkeiten bei Reimer.

3. März: M rechtfertigt sich schriftlich vor den Bernhäuser Verwandten, die den Brief L. Rau mitteilen. — Sein Bruder Karl und dessen Frau beantragen Gütertrennung.

zweite Hälfte März: Durch die Machenschaften seines Bruders Karl glaubt M auch die eigene Zukunft in Frage gestellt; er erwartet Verzögerungen seiner beruflichen Laufbahn und verwirft seinen Plan, sich für ein Jahr ins Ausland beurlauben zu lassen (seit Herbst 1830 war mit Mährlen für die Zeit nach Ostern eine Italienreise projektiert); selbst sein Glück mit L. Rau sieht M gefährdet. — Albert Zeller, seit 1829 praktischer Arzt in Stuttgart (später Leiter einer psychiatrischen Anstalt), liest ›Maler Nolten‹ und beurteilt »den psychologischen Gang« als »zugleich richtig u. schön«. Der Roman ist inzwischen so weit fortgeschritten, daß er für ein Taschenbuch nicht mehr geeignet erscheint; M will ihn als selbständiges Buch publizieren, möchte deswegen aber nicht seinen ›Almanach‹ aufgeben. M liest den ›Musenalmanach für das Jahr 1831‹ (Leipzig); er schätzt vor allem die Beiträge Kerners, auch die von Goethe, Mayer und Rückert.

8. April: M bittet Hartlaub um ein Darlehen.

9. April: Pfarrer Brotbeck stellt ein Zeugnis für M aus, der sich für eine Kur beurlauben lassen will.

18. April: Ab Mai beurlaubt, verläßt M Owen; er besucht für einige Zeit seine Verwandten in Bernhausen. Während der folgenden Tage entsteht des Gedicht ›Zu den altgewohnten . . .‹.

23. April: Hartlaub überweist 100 fl.

2. Mai: Bauer lädt (gemäß einer Verabredung vom Januar) Mährlen und M zu einem Treffen mit ihm, Brutzer (zufällig auf der Durchreise) und Hartlaub auf den Hohenstaufen ein.

5. Mai: L. Rau hat M besucht; sie geht von Nürtingen zurück nach Grötzingen.

6. Mai: M reist zu einer mehrmonatlichen Sauerbrunnenkur nach Stuttgart. Hier wohnt er zunächst in Mährlens Gartenhaus, zwischenzeitlich »im ehemals sogenannten Römischen Wirthshaus« des heutigen Exotischen Gartens in Hohenheim bei Stuttgart. Auf Anraten von Dr. Schelling nimmt M keine Bäder, sondern Arznei; er trinkt Molke. — M überarbeitet ›Maler Nolten‹ und schließt mit dem Stuttgarter Verleger Wilhelm Emanuel Schweizerbart einen Vertrag; er erhält für den Roman 150 fl Honorar. M liest (auch auf dem Oberen Museum) u. a. die ›Wahlverwandtschaften‹, besucht seine Verwandten, vermeidet Kontakte mit dem ›Hochwächter‹ und trifft sich häufig mit Albert Zeller.

7. Mai: Beim Stuttgarter Schillerfest, das M mit Mährlen besucht, trifft er Zimmermann, Strauß und Hetsch (dessen Kantate nach einem Text von Zimmermann aufgeführt wird). Hetsch ist Leiter des Stuttgarter Liederkranzes.

8. Mai: Bauer, Brutzer und Hartlaub warten vergebens auf M und Mährlen, die in Stuttgart wegen Regens nicht aufbrechen. — Auch ein weiteres Treffen in Ludwigsburg wird verpaßt.

11. Mai: M sieht im Stuttgarter Theater Rossinis ›Barbier von Sevilla‹.

13. Mai: Mit seinem Bruder Ludwig, dem Onkel Mörike und dessen Sohn Theodor besucht M die Stätten seiner Kindheit in Ludwigsburg.

13. Juni: Für Albert Zeller trägt M das Gedicht ›An einen Freund‹ ein in den zweiten Band einer Hans-Sachs-Ausgabe (Nürnberg 1560), der auch eine Version der Hamlet-Chronik enthält.

15. Juli: In Nürtingen schreibt M sein Gesuch um eine Pfarrgehilfenstelle; er reist wieder nach Stuttgart zu Mährlen.

16. Juli: Das Urteil (vom 23. Juni) gegen M's Bruder Karl wird in Biberach eröffnet: ein Jahr Festungshaft wegen »grober Täuschung der Staats-Regierung« aus »sträflicher Ehrsucht«.

16. — 21. Juli: M begleitet seinen Onkel Mörike auf einer Geschäftsreise, am ersten Tag bis Ulm.

17. Juli: M besichtigt das Ulmer Münster und entdeckt ein Marionettentheater; sein Onkel versucht, für M's Bruder Karl zu vermitteln.

18. Juli: Die Reise geht über Öpfingen (wo M wieder ein Marionettentheater vorfindet) nach Obermarchtal; sie wohnen im Schloß.

20. Juli: Die Heimfahrt führt über Honau: Station auf dem Lichtenstein.

26. Juli: M hat sich mit L. Rau bei den Verwandten in Bernhausen getroffen. Die Brautleute fahren über Tübingen (Begegnung mit M's Bruder Adolf) zur Kusine K. Schmid nach Dagersheim. – Das Reskript, das M als Pfarrverweser nach Eltingen bei Leonberg beordert, wird ausgestellt.

28. Juli: M begleitet L. Rau von Dagersheim über Böblingen (erneutes Treffen mit M's Bruder Adolf) nach Grötzingen, wo er das Reskript erwartet. – In Bernhausen heiraten Karl Schmidt und Charlotte Neuffer, eine andere Kusine M's. M schreibt aus diesem Anlaß das ›Hochzeitlied‹.

Ende Juli: M zieht in Eltingen auf, begleitet von der Braut.

3. August: L. Rau fährt von Eltingen ab.

4. August: M's Onkel, Hauptzollamtskontrolleur Heinrich Mörike, ruft ihn nach Leonberg: Er steht mit Eberhard Wächter wegen eines Bilds zum ›Maler Nolten‹ in Unterhandlungen.

8. August: In Stuttgart besucht M (während eines Ausflugs nach Cannstatt) L. Raus Schwager Denk, der dort eine Kur gebraucht. M begegnet unter alten Bekannten auch Wolfgang von Mögling. Er übernachtet bei seinem Onkel Heinrich Mörike. – Vischer wünscht seine Gedichte zurück, um sie mit dem ›Traum‹ dem ›Morgenblatt‹ anzubieten. (Im November erscheinen dort zwei Texte von ihm.)

9. August: M sucht Wächter auf und sieht eine »geistreiche jedoch noch äußerst rohe Skizze von dem künftigen Bild« zum ›Maler Nolten‹. Er trifft seinen Bruder Adolf und Mährlen.

Mitte August – Mitte September: M ist häufig mit Mögling in Leonberg verabredet. Louis Hetsch, mit dem sich M in Stuttgart trifft, komponiert ein Lied für ›Maler Nolten‹, wahrscheinlich das in Eltingen entstandene Gedicht ›Agnes‹. – Über die Aufnahme des von M vorgesehenen Wächterschen Bilds in den Roman hat Schweizerbart noch nicht entschieden. – Den Plan eines Almanachs gibt M auf. Er liest den fünften Band des ›Briefwechsels zwischen Schiller und Goethe‹. – Bauer erhält seine Berufung als Lehrer für klassische Philologie an die ›Erziehungsanstalt‹ nach Stetten. – Hartlaub lernt Constanze Kretschmer kennen.

8. September: An Vischer schickt M »eine phantastische Sudeley«, deren Inhalt Vischer bereits bekannt ist (›Nolten‹?).

24. September: M's Bruder Karl tritt seine Haft auf dem Hohenasperg an; seinen Einspruch gegen das Urteil hat er zurückgezogen, sein Gnadengesuch wird der König am 4. November ablehnen.

1. Oktober: M's Bruder Ludwig beginnt eine Ausbildung an der Ackerbauschule in Hohenheim bei Stuttgart.

25. Oktober: In Stuttgart kauft M für L. Rau einen Band von Karl Spindlers Taschenbuch ›Vergiß mein nicht‹ (Stuttgart 1830 ff). Er schickt ihr Aushängebogen des ›Maler Nolten‹.

27. Oktober: Die Zensurbedingungen werden per Gesetz verschärft.

November/Dezember: M verhandelt mit Schweizerbart wegen der Musikbeilage zum ›Maler Nolten‹ und schickt als Probe die Komposition seines Bruders Karl zu ›Die Geister am Mummelsee‹.

November: M will ›Maler Nolten‹ an Karl von Kerner widmen, der sich als einflußreicher Geheimer Rat für seine Brüder Karl und Ludwig eingesetzt hat. (Die Dedikation kommt nicht zustande.) – M legt sich wieder eine Vogel-Menagerie zu.

Anfang November: M bittet Zimmermann um eine Rezension von Karl Stockmeyers ›Gedichten‹ (Essen 1831).

3. November: M's Onkel Planck stirbt in Nürtingen.

10. November: M läßt sich von einem Silhouetteur porträtieren. Er kennt Zimmermanns ›Gedichte‹ (Stuttgart 1832) im Manuskript.

16. November: Vischer (seit kurzem Repetent in Maulbronn am Niederen Seminar) schlägt M wiederum eine gemeinsame Publikation vor, schickt ihm seine Novelle ›Cordelia‹.

Ende November: Für M ist die Zeit zu Vischers geplantem Unternehmen nicht günstig; als denkbaren Beitrag greift er auf sein Singspiel ›Das blinde Mädchen‹ zurück. – ›Maler Nolten‹ ist zur Hälfte gedruckt.

Anfang Dezember: M liest ›Wilhelm Meister‹. Er fühlt sich nicht wohl, konsultiert deshalb den Arzt in Stuttgart. Dort besucht er den Bildhauer Louis Mack. – M hält einen Spitz.

4. Dezember: M wird zu seinem Onkel Mörike nach Stuttgart geholt, übernachtet dort.

10. Dezember: M will seine Gedichte sammeln und revidieren.

ab 27. Dezember: Er verbringt das Jahresende in Stuttgart, gibt Vischers ›Cordelia‹ an Mährlen weiter (der für die dort erscheinende ›Deutsche Allgemeine Zeitung‹ schreibt).

1832

Anfang Januar: In Ludwigsburg gründet der Leutnant Ernst Ludwig von Koseritz eine revolutionäre Vereinigung; sein Schulfreund Lohbauer, auch Kauffmann schließen sich an.

1. Januar: M kehrt krank nach Eltingen zurück.

2. Januar: Das Reskript wird ausgestellt, das M als Pfarrverweser nach Ochsenwang beordert.

5. Januar: Mährlen und M's Bruder Adolf besuchen ihn.

6. Januar: M muß sich in den Pfarrgeschäften vertreten lassen.

12. Januar: Von seinem Bruder Adolf, der in Eltingen geblieben ist, wird M nach Stuttgart gebracht; er wohnt dort bei seinem Onkel Heinrich Mörike. M besucht die Tante Georgii.

14. Januar: Mit seinem Bruder Adolf fährt M auf den Hohenasperg zum Besuch des Bruders Karl.

17. Januar: M's Bruder Adolf bringt ihn (vielleicht über Bernhausen) zu L. Rau nach Grötzingen.

20. Januar: M fährt mit der Mutter von Grötzingen nach Nürtingen.

21. Januar: Er tritt seinen Dienst mit einem Gehalt von 400 fl in Ochsenwang an; seine Mutter und Braut wollen zu ihm ziehen – die Ankunft der Mutter verzögert sich wegen Krankheit, L. Rau sagt ganz ab. In Ochsenwang entstehen 1832 u. a. die Gedichte ›Verborgenheit‹ und ›Mausfallensprüchlein‹. – Er absolviert zunächst zwar einige Dienstgeschäfte, fühlt sich aber erst am

30. Januar zu einem Ausgang stark genug.

Februar: M liest noch Korrektur am ›Maler Nolten‹, beschäftigt sich mit J. G. Sulzers ›Allgemeiner Theorie der Schönen Künste‹.

5. Februar: Er geht erstmals auf den Breitenstein.

10. Februar: Sein Bruder Adolf kommt überraschend zu M; er hat die Lehre abgebrochen.

22. Februar: M schickt ›Jesu benigne‹ von Venantius Fortunatus mit Übersetzung (später unter dem Titel ›Seufzer‹) an seinen Bruder Karl mit der Bitte um Vertonung für den ›Maler Nolten‹; die Musikbeilage steht im übrigen in Frage, weil Hetsch seine Kompositionen noch nicht gesandt hat. M kennt den von Friedrich Haug herausgegebenen ›Poetischen Lustwald‹ (Tübingen 1819; seine Abschrift des Lieds ›Unter den Linden . . .‹ von Walther von der Vogelweide hat sich erhalten).

26. Februar: M empfiehlt Vischer die Publikation seiner ›Cordelia‹ und beurteilt die Novelle; er bittet ihn um Übersetzung von ›Jesu benigne‹.

2. März: L. Rau, M's Mutter und Bruder Ludwig kommen nach Ochsenwang. Seine Mutter bleibt und führt ihm den Haushalt. (M's Schwester Klara wohnt bei den Verwandten in Bernhausen.)

3. März: M wandert mit seiner Braut und seinem Bruder Ludwig auf den Breitenstein.

bis 14. März: Mit L. Rau spaziert M nach Schopfloch, nach Bissingen und auf die Ruine Rauber (dahin mit einem Werk von Tieck).

14. März: In Begleitung der Braut geht M nach Kirchheim zu einer Disputation; dort trifft er Albert Knapp, ist er mit Franz Baur verabredet (der im nahen Gruibingen Pfarrverweser wurde).

15. März: Baur begleitet M nach Ochsenwang zurück und bleibt hier über Nacht.

Mitte März: An den vier letzten Druckbogen ›Maler Nolten‹ liest M Korrektur.

zweite Hälfte März: M's Bruder Adolf will nach Amerika auswandern und kommt nach Ochsenwang, um sich Rat zu holen.

16. März: M fühlt sich wieder krank.

20. März: M begleitet L. Rau von Kirchheim nach Grötzingen.

22. März: Auf dem Rückweg von Nürtingen nach Ochsenwang entsteht das Gedicht ›Rat einer Alten‹. - Goethe stirbt.

25. März: M schreibt das Gedicht ›Das ist nur Märzenschnee . . .‹; er hat noch Korrekturbogen des ›Maler Nolten‹.

27. März: Vischer schickt seine Novelle ›Freuden und Leiden des Skribenten Felix Wagner‹, die das ›Morgenblatt‹ ablehnte. Er widerlegt M's Einwände gegen seine ›Cordelia‹, zitiert Karl Rosenkranz und will M in die Hegelsche Lehre einführen; er legt seine Übersetzung von ›Jesu benigne‹ bei.

Ende März—Anfang April: M geht häufig auf den Spitzen Fels. Sein Bruder Adolf nimmt in Stuttgart eine Stellung bei Schreiner Schweickle an. – Hetsch besorgt den Druck der Musikbeilage zum ›Maler Nolten‹.

6. April: M trifft sich mit Baur in Neidlingen; sie spazieren nach Hepsisau.

7. April: Nach der Rückkehr mit Baur schreibt M in Ochsenwang ›Erinnerungen an Erlebtes‹.

8. April: Im Brief an L. Rau zitiert M Friedrich von Logaus Sinngedicht ›Sterben‹.

16. April: Er geht über Reußenstein nach Neidlingen zu einem Treffen mit Baur.

erste Hälfte Mai: M leidet an Rheuma.

Anfang Mai: Er liest wieder Hölderlins ›Hyperion‹.

13. Mai: In Kirchengeschäften muß sich M erneut vertreten lassen.

14. Mai: Er schreibt an Vischer über dessen ›Felix Wagner‹ und entwickelt die Idee, »neben dem eigentlichen Roman und der Novelle ein besonder Genre aufzustellen«. M hat noch Aushängebogen von ›Maler Nolten‹ und legt Vischer eine Rezension des Romans nahe.

15. Mai: Ferdinand Schütte und Friederike Rau heiraten in Grötzingen.

Mitte Mai: Mährlen berichtet, daß ›Maler Nolten‹ wegen des starken Umfangs in zwei Teilen erscheinen müsse; Textänderungen werden deshalb nötig. M liest ›Maß für Maß‹ in der Tieckschen Übersetzung, die ›Lebensgeschichte der Giftmörderin Gesche Margarethe Gottfried‹ (Bremen 1831) und Gustav Pfizers ›Gedichte‹ (Stuttgart 1831).

17. Mai: Vischer meldet seine Skrupel wegen einer ›Nolten‹-Rezension an.

vor 21. Mai: M's Onkel Mörike rät zur pseudonymen Publikation des ›Nolten‹, damit die dienstliche Laufbahn M's nicht weiter gefährdet werde. – M wird mit Lektüre von der C. Hoffmannschen Lesebibliothek versorgt; er hat u. a. zwei Bände Spinoza.

21. Mai: M erwägt die Edition eines Almanachs (mit dem ›Blinden Mädchen‹ und Vischers ›Felix Wagner‹) bei Schweizerbart. Er plant ein Drama, fragt Mährlen um Rat bei der Wahl des Stoffes und bittet ihn um Johannes Daniel Falks ›Goethe‹ (Leipzig 1832).

23. Mai: M bittet Vischer erneut um eine Rezension des ›Maler Nolten‹, die unter Chiffre in Menzels ›Literatur-Blatt‹ eingerückt werden könnte.

vor 26. Mai: Er beauftragt Mährlen, bei Menzel oder Hermann Hauff, dem Redakteur des ›Morgenblatts‹, wegen Vischers ›Nolten‹-Rezension zu vermitteln.

26. Mai: Mährlen berichtet vom Druck der Notenbeilage, die die Auslieferung des ›Maler Nolten‹ verzögert; bei der Lektüre des Romans gewann er den Eindruck, daß M nun ein Drama schreiben müsse – er rät zu einem historischen Stoff. Mährlen kennt Zimmermanns ›Masaniello‹ (Stuttgart 1833) im Manuskript; er arbeitet an den beiden anonym erschienenen Supplementbänden des Reihenwerks ›Die Geschichte unserer Tage‹ (Stuttgart 1832) und legt drei Teile bei. (In den folgenden Jahren publiziert er sie

unter seinem eigenen Namen.) Mährlen schickt u. a. Falks ›Goethe‹ und empfiehlt Ausgaben von Goethe, Schiller, Herder und Johannes von Müller.

27. Mai: Am Hambacher Fest nehmen auch Lohbauer und F. G. Franckh teil.

Ende Mai/Anfang Juni: M entwirft »eine neue poetische Erzählung«, wahrscheinlich ›Die geheilte Phantastin‹ (als sogenannter »religiöser Roman« in Fragmenten erhalten). – Er hat Halsschmerzen.

1. Juni: Vischer stellt eine ›Nolten‹-Rezension in Aussicht, ist von dem Roman begeistert; er verweist M auf ›Die Zerrissenen‹ von Alexander Frhrn. v. Sternberg (im ›Morgenblatt‹).

4. Juni: M liest Falks ›Goethe‹.

5. Juni: An Mährlen schreibt er eine Liste mit Pseudonymen für ›Maler Nolten‹; er bittet um eine Rezension im ›Schwäbischen Merkur‹ oder ›Hochwächter‹. Der Freund soll den Roman nach Erscheinen an die ›Blätter für literarische Unterhaltung‹ und ›Jenaer Literatur-Zeitung‹ senden. M will Widmungsexemplare an Uhland, Kerner, Lohbauer, Hardegg, Schwab und Grüneisen verteilen.

9. Juni: M gibt Mährlen Werke Spinozas, Falks ›Goethe‹ und Zimmermanns ›Gedichte‹ zurück.

13. Juni: In seinem Pfarrbericht anläßlich einer dekanatamtlichen Visitation gibt M an, in den beiden letzten Jahren folgende Werke gelesen zu haben: Christian Friedrich Schmid ›Christliche Sittenlehre‹ (im Manuskript), Eschenmayer ›Einfachste Dogmatik‹, Gottlieb Jakob Planck ›Pastoraltheologie in Form einer Geschichte‹ (1823), Spinoza ›Ethik‹, mythologische Schriften von Schelling.

19. Juni: Pfarrer Felix Buttersack und M's Kusine Friederike Neuffer heiraten.

ca 11. Juli: L. Rau und M's Schwester halten sich einige Tage in Ochsenwang auf.

18.(?)–29. Juli: M reist mit der Braut, seiner Mutter und Schwester über Nürtingen nach Grötzingen. Bauer verfehlt M in Ochsenwang und sucht ihn in Grötzingen auf. Die beiden Freunde gehen zusammen nach Stuttgart: M spricht beim Consistorium vor; wegen des rauhen Klimas in Ochsenwang, das die Ursache für sein Halsleiden sei, bittet er um Versetzung ins Unterland. M fährt über Ludwigsburg auf den Hohenasperg zu seinem Bruder Karl; mit Mährlen begleitet er Bauer von Stuttgart nach Stetten i. R. M geht nach Grötzingen zurück und bleibt noch einige Tage; er bewirbt sich um die Pfarrei Sülzbach bei Weinsberg.

August: F. G. Franckh schließt sich der Koseritz-schen Verschwörung an.

Anfang August: M besucht den kranken Baur in Gruibingen und bleibt dort über Nacht. – Er erwägt eine Eingabe um Böbingen an der Rems, da er keine Hoffnung auf Übernahme der Pfarrei Sülzbach hat.

4. August: An Vischer schreibt M wieder wegen der ›Nolten‹-Rezension; er will nicht Strauß als Rezensenten, weil dessen philosophischer Standpunkt »ein Gemächte der Phantasie« nicht richtig zu beurteilen erlaube. (Strauß hörte im Wintersemester 1831/32 in Berlin Hegel und Schleiermacher.)

10. August: ›Maler Nolten. Novelle‹ wird in der ›Schwäbischen Chronik‹ angezeigt. Das Buch ist demnach erschienen; es kostet 4 fl 30 x kartoniert und 5 fl gebunden. – Der Roman ist konstitutiv mit Gedichten durchzogen; sie werden hier zum Teil erstmals veröffentlicht, so z. B. die frühe Fassung des ›Gebets‹.

13. August: M schickt ein Exemplar des ›Nolten‹ an seinen Onkel Neuffer.

zweite Hälfte August: Er arbeitet an einem »neuen, rein poetischen Gegenstand in Versen«.

18. August: M bittet bei Übersendung des ›Maler Nolten‹ an Schwab um dessen Urteil.

24. August: Menzel rezensiert den ›Nolten‹ im ›Literatur-Blatt‹ (Nr. 86).

27./31. August: M besucht L. Rau in Grötzingen; mit ihr, seiner Mutter und der Frau seines Bruders Karl fährt er in dessen Angelegenheiten nach Stuttgart; er spricht wegen seiner Versetzung auch bei Prälat Klaiber vor.

31. August: M's Bruder Adolf sucht über die ›Schwäbische Chronik‹ Anschluß an eine Gesellschaft von Amerika-Auswanderern, um im nächsten Monat dorthin aufbrechen zu können.

Ende August: Karl Grüneisen, an den M den ›Nolten‹ geschickt hat, antwortet »kurz, aber fast enthusiastisch«; auch der Stuttgarter Mathematik-Professor Ernst Friedrich Hochstetter (der als Freund der Familie M's Dichtung seit 1820 verfolgt) und Strauß (inzwischen Repetent am Stift) äußern sich positiv. – Mährlen schreibt an M einen langen Diskurs über die Notwendigkeit einer objektivierenden Bibel-Übersetzung, den Stillstand der Philosophie u. ä.

September: Brutzer kehrt nach Schwaben zurück und wird Lehrer an der ›Erziehungsanstalt‹ in Stetten i. R. – Malté beginnt, für Koseritz revolutionäre Aufrufe zu drucken und zu verbreiten; auch Rödinger und Gottlob Tafel haben sich der Verschwörung angeschlossen.

7. September: M trifft sich mit L. Rau in Oberensingen bei seiner Schwägerin Mörike. Er fährt über Bernhausen (Besuch bei den Tanten Neuffer und Planck) und Hohenheim (Verabredung mit dem Bruder Ludwig) nach Stuttgart, wo er den Onkel Neuffer aufsucht, um mit ihm über seine Versetzung zu sprechen. Den Abend verbringt er mit seinen Brüdern Ludwig und Adolf, mit Mährlen und dem Onkel Mörike. – Lohbauer flieht nach Straßburg (lebt ab 20. April 1833 in der Schweiz); er hat Ende August die von der Zensur im ›Hochwächter‹ gestrichenen Stellen gesammelt herausgegeben (›Der Hochwächter ohne Censur‹, Pforzheim) und wird deshalb verfolgt. – Einzelheiten darüber erfährt M noch während des Sommers von Kauffmann, der ihm in Ochsenwang auch eine eigene (abgebrochene) Oper nach einem Text von Lohbauer vorspielt.

8. September: M spricht bei Prälat Flatt vor, der zu einer neuen Bewerbung rät, M's baldige Anstellung als Pfarrer andeutet und deshalb eine Beurlaubung für unzweckmäßig hält. – M kehrt nach Ochsenwang zurück.

15. September: Vischer bittet M um Vermittlung seiner Novellen ›Cordelia‹ und ›Felix Wagner‹ an Schweizerbart.

24. September: M's Bruder Karl wird aus der Haft entlassen. – Er wohnt seitdem bei M in Ochsenwang, zunächst in der Hoffnung auf Wiederanstellung durch Thurn und Taxis; er hilft M bei schriftlichen Amtsgeschäften, übernimmt Singstunden.

Ende September: M schickt den ›Nolten‹ an Hartlaub.

Herbst: Er liest Werke von Goldsmith, Grabbe, Kotzebue und Rousseau sowie den ›Wandsbekker Boten‹.

Oktober: M arbeitet wieder an dem Singspiel ›Das blinde Mädchen‹, das sein Bruder Karl vertonen will. Er gibt um Versetzung ein, hat aber keine Hoffnung auf Erfolg. – Die Leute um Koseritz beginnen ihre Propaganda unter Bauern.

10. Oktober: M wird krank und kann bis Februar 1833 kaum mehr das Haus verlassen.

21. Oktober: Hermann Kurz, noch Theologiestudent in Tübingen, besucht eine Kinderlehre M's; sie lernen sich nicht persönlich kennen.

24. Oktober: Mährlen wird an die Gewerbeschule in Stuttgart als Lehrer für deutsche Sprache, Geschichte, Geographie und Religion berufen.

10. November: Bauer schreibt M über den ›Maler Nolten‹.

18. November: Kauffmann schildert M seinen

Besuch bei Lohbauer in Straßburg, wo die Flüchtlinge M's ›Feuerreiter‹ sangen. Er bittet M um Ergänzung des Librettos zu seiner Oper nach Ernst Schulzes ›Cäcilie‹ (Göttingen 1813) und legt die Vertonung eines M-Gedichts bei. (Auch das Gedicht ›Er ists‹ wurde von ihm bereits komponiert; später zusammen mit dem ›Gärtner‹ in Stuttgart publiziert.)

Ende November: L. Raus Schwager Denk wird Pfarrer in Deckenpfronn; ihre Mutter zieht mit der Familie nach Tübingen. M lehnt eine Bewerbung um die Pfarrverweserei Grötzingen ab.

Dezember: M's Bruder Adolf wird Klavierbauer bei Franz Anton Kaim in Kirchheim.

3. Dezember: M erkundigt sich in Havelberg nach genealogischen Daten des brandenburgischen Zweigs seiner Familie; er will eine Stammtafel anlegen.

20. und 21. Dezember: Mährlens ›Nolten‹-Rezension erscheint im ›Hochwächter‹ (Nr. 301, 302).

29. Dezember: J. Fr. v. Cotta stirbt.

zum 31. Dezember: M schreibt das Gedicht ›Jesu, teures Licht . . .‹.

1833

Januar: Die Koseritzsche Verschwörung wird entdeckt, einige Mitglieder geraten in Haft.

zum 1. Januar: M schreibt das Gedicht ›Zum neuen Jahr‹.

9. Januar: Der Verleger Heinrich Brockhaus, durch Schwabs ›Nolten‹-Rezension auf M aufmerksam geworden, bittet Schwab für sein Taschenbuch ›Urania‹ um Vermittlung eines Prosa-Beitrags von M.

14. Januar: M's Bruder Karl bewirbt sich bei Cotta um eine beliebige Stelle.

Mitte Januar: L. Rau zweifelt an Redlichkeit und Treue M's, weil sie ihn in letzter Zeit nicht mehr besuchte. (Sie wußte nur wenig von M's Krankheit und seiner Arbeitsüberlastung.)

19. Januar: Schwab gibt die Brockhaussche Bitte an M weiter; gleichzeitig ersucht er selbst für den von ihm und Adalbert von Chamisso herausgegebenen ›Deutschen Musenalmanach auf das Jahr 1834‹ um einen Liederzyklus.

20. und 21. Januar: Schwabs ›Nolten‹-Rezension erscheint in den ›Blättern für literarische Unterhaltung‹ (Nr. 20, 21).

22. Januar: M verspricht Schwab eine Novelle für Brockhaus bis Mai, sagt ihm aber Beiträge für den ›Musenalmanach‹ ab.

Anfang Februar: M arbeitet an seiner Novelle ›Die geheilte Phantastin‹.

5. Februar: Er bewirbt sich um die Pfarrei Tamm bei Ludwigsburg.

8. Februar: Schwab schickt seine ›Nolten‹-Rezension an M.

10. Februar: M bittet Schwab um Unterstützung seiner dienstlichen Bewerbung. Trotz der Schritte, die Schwab unternimmt, wird M bis zum 24. Februar abgesagt.

17. Februar: Gegen Schwabs Kritik am ›Nolten‹ verteidigt sich M brieflich. Für den ›Musenalmanach‹ schickt er ihm einige ältere Gedichte zur Auswahl, bietet er ihm ›Der Schäfer und sein Mädchen‹ in der Vertonung seines Bruders Karl an.

20. Februar: M sendet den ›Nolten‹ an Ludwig Tieck, der durch A. Zeller eine Rezension in Aussicht gestellt hat.

23. Februar: Mährlen entwickelt zur Reform des ›Kgl. dramatischen Bildungs-Instituts‹ den Plan einer »Kunst- und Gewerbeschule« (mit Internat und eigener Zeitschrift) unter Leitung des Schauspielers Karl Seydelmann und fragt M nach seiner Bereitschaft zur Mitarbeit.

Ende Februar/Anfang März: Auf Anraten seines Onkels Neuffer bewirbt sich M um die Pfarrei Gebersheim.

März: Gegen Kauffmann wird ein Verfahren wegen Beteiligung an der Koseritzschen Verschwörung in Ludwigsburg eröffnet.

29. März: Bauer ist mit M und dessen Bruder Karl in Kirchheim verabredet; er bleibt in Ochsenwang bis 14. April.

Anfang April: In Gesprächen mit Bauer entscheidet sich M, aus der ›Geheilten Phantastin‹ für die ›Urania‹ einen Teil auszusondern (der später den Titel ›Miss Jenny Harrower‹ erhält).

2.—4. April: Notter rezensiert ›Maler Nolten‹ in der von ihm herausgegebenen Zeitung ›Der Unparteiische‹ (Nr. 2–4). Notter hat Teile der Kritik M bereits vorgelegt, schickt den Schluß am 2. April.

8. April: Mährlen besucht (wahrscheinlich) M und Bauer in Ochsenwang; danach geht er für M zu Prälat Flatt.

Mitte April: M liest Giovanni Battista Guarinis ›Treuen Schäfer‹ und Swifts ›Mährgen Von der Tonne‹ (Altona 1737).

21. April: Bauer teilt M Gedichte mit, die an die ›Urania‹ weiterzuleiten sind.

23. April: In seinem Pfarrbericht gibt M für die beiden letzten Jahre folgende Lektüre an: Paulinische Briefe, Johann August Wilhelm Neander

›Allgemeine Geschichte der christlichen Religion und Kirche‹ (Hamburg 1825/30), Tacitus, Aristoteles ›Poetik‹, Montesquieu ›Considération sur les causes de la grandeur des Romains et de leur décadence‹, J. Ch. Fr. Burk ›Johann Albrecht Bengel's Leben und Wirken‹ (Stuttgart 1831).

vor 4. Mai: Bei Brockhaus liefert M für die ›Urania‹ ›Miss Jenny Harrower‹ als »eine skizzierte Zwischen-Erzählung« aus der Novelle ›Die geheilte Phantastin‹ ab; das Ganze will M im Sommer ausführen und dann ebenfalls bei Brockhaus einreichen; für den Teil wählt M den Gattungsbegriff »Skizze«.

4. Mai: M schickt an Schwab eine Abschrift der »Skizze« und legt für die ›Urania‹ auch Bauers Gedichte sowie zwei revidierte ältere von sich bei.

8. Mai: M schenkt Mährlen eine Montesquieu-Ausgabe. – Er wandert mit seinem Bruder Karl auf den Reußenstein. – Hetschs Oper ›Ryno‹ wird in Stuttgart uraufgeführt.

18. Mai: Schwab gibt die ›Harrower‹-Abschrift zurück und teilt M mit, daß Chamisso zwei seiner Gedichte in den ›Musenalmanach‹ aufnehme.

22. Mai: Hartlaub und Constanze Kretschmer heiraten in München.

Ende Mai: M besucht wahrscheinlich die Verwandten in Bernhausen und geht vielleicht nach Stuttgart: Berufliche Probleme seiner Brüder Adolf und Karl sowie die Krankheit seiner Mutter belasten ihn.

Juni: Vischer wird Repetent am Stift in Tübingen.

9. Juni: M sendet die ›Harrower‹-Abschrift an L. Rau.

Mitte Juni: M erhält vielleicht Besuch von Schwab, trifft sich möglicherweise mit Mährlen; er reist zu L. Rau nach Tübingen.

Juli: M's Bruder Karl wird Assistent bei der Abgeordnetenkammer in Stuttgart.

4. (?) Juli: Auf Wunsch seines Onkels Gottlieb Mörike und wegen seiner Versetzung geht M nach Stuttgart, trifft den Onkel aber nicht an.

6. Juli: Mit Mährlen holt M seinen Bruder Ludwig in Hohenheim, um zu dritt nach Ochsenwang zurückzufahren. (M muß am nächsten Tag einen Gottesdienst halten.)

7. Juli: M regelt seine Vertretung in Ochsenwang und fährt mit den beiden Begleitern wieder nach Stuttgart.

8. Juli: M stattet Besuche ab, lernt Mährlens damalige Braut Auguste Süskind kennen und

spricht bei Prälat Flatt wegen eines anderen Vikariats vor; er übernachtet bei seinem Onkel Heinrich Mörike.

9. Juli: M fährt nach Bad Teinach, wo sein Onkel Gottlieb Mörike kurt, um ihn in Eheangelegenheiten zu beraten; er bleibt dort etwa eine Woche.

18. Juli: Nach einem kurzen Aufenthalt in Ochsenwang geht M wieder; er trifft sich in den nächsten Tagen mit Mährlen.

24. Juli: Er kehrt wahrscheinlich nach Ochsenwang zurück.

August: Zur Vermittlung eines Verlegers gibt M an Notter die Novellen ›Cordelia‹ und ›Felix Wagner‹ von Vischer. L. Rau kommt vielleicht zu Besuch nach Ochsenwang.

8. August: In Bernhausen bespricht M mit den Verwandten erneut die Notwendigkeit seiner Versetzung; er fühlt sich deswegen »seit Wochen wie ein gehetztes Wild«.

September: ›Urania. Ein Taschenbuch auf das Jahr 1834‹ erscheint in Leipzig bei Brockhaus mit M's ›Miss Jenny Harrower. Eine Skizze‹; die Publikation enthält keine Gedichte. – M's Bruder Ludwig beendet seine Ausbildung an der Ackerbauschule in Hohenheim und wird dort Kanzleigehilfe; der Bruder Karl hat erneut Schwierigkeiten im Dienst.

erste Hälfte September: Mit den Geschwistern Klara und Ludwig sowie mit Franz Baur unternimmt M eine Albwanderung.

10. September: M leiht der Frau seines Bruders Karl den ›Briefwechsel zweier Deutschen‹ (Stuttgart, Tübingen 1831) von Paul A. Pfizer.

12. September: Trotz einiger Unsicherheit, ob der Ort seiner Gesundheit zustatten komme, bewirbt sich M um die Pfarrverweserei Kalmbach.

13. September: Vischer plant, den ›Nolten‹ zusammen mit Sternbergs ›Zerrissenen‹ zu rezensieren.

zweite Hälfte September: M's Bruder Adolf will sich in Göppingen selbständig machen; M leiht ihm dazu Geld.

16. September: Die Kirchenbehörde entspricht M's Eingabe um Kalmbach.

Herbst: Der von Chamisso und Schwab herausgegebene ›Deutsche Musenalmanach für das Jahr 1834‹ erscheint u. a. mit M's Gedichten ›An einem Wintermorgen, vor Sonnenaufgang‹ und ›Scherz‹ (›Einen Morgengruß ihr . . .‹; 1829 entstanden); er enthält auch drei Gedichte von Vischer. – Kauffmann wird verhaftet, amtsenthoben, gegen Kaution freigelassen.

1. Oktober: Schwab und Notter besuchen M. Sie

empfehlen ihm Sternbergs ›Zerrissene‹; M bittet Schwab, Vischers ›Cordelia‹ und ›Felix Wagner‹ zu lesen.

2. Oktober: M beantragt bei der Kirchenbehörde, die Stelle in Kalmbach mit der vakanten Verweserei in Weilheim bei Kirchheim tauschen zu dürfen.

5. Oktober: Er will erneut gemeinsam mit Vischer publizieren; er eröffnet dem Freund, daß einige Stellen seiner ›Cordelia‹ anstößig wirken könnten. M bittet ihn um den neuen ›Musenalmanach‹.

11. Oktober: M erhält die Diakonatsverweserei in Weilheim zugesprochen.

18. Oktober: Er verläßt mit seiner Mutter Ochsenwang.

22. Oktober: Vischer skizziert seine Tübinger ›Faust‹-Vorlesung und bittet um M's Reflexionen dazu; er wünscht sich Hermann Friedrich Wilhelm Hinrichs ›Ästhetische Vorlesungen über Goethe's Faust‹ (Halle 1827). Vischer plant eine Bearbeitung des Agnes-Bernauer-Stoffs; er hat die ›Cordelia‹ bereinigt.

23. Oktober: M tritt seinen Dienst in Weilheim an; er schreibt das ›Wanderlied‹. – In Weilheim nimmt M für seinen Bruder Adolf Geld auf (das er bis 1846 nicht zurückzahlen kann).

27. Oktober – 17. November: ›Miss Jenny Harrower‹ erscheint in der Kölner Zeitschrift ›Die elegante Welt‹ (1. Jg, Nr. 43–46).

27. Oktober: Zum Geburtstag von L. Rau schenkt M das Gedicht ›Nichts, o Geliebte . . .‹.

Anfang November: M leiht seinem Bruder Adolf erneut Geld (inzwischen eine Summe von etwa 800 fl); dessen Geschäftsgründung kommt wahrscheinlich nicht zustande.

6. November: M schreibt seinen letzten Brief an L. Rau nach Tübingen. Die Verlobung wird »durch eine äußere Veranlassung« gelöst: »eine für mein ganzes Leben wichtige Katastrophe, deren schmerzhafte Entwicklung alles Übrige mir verschlang«. (L. Rau heiratete 1845 den Pfarrer Ernst Heinrich Schall.)

11. und 12. November: Die einzelnen Beiträge der ›Urania‹ werden in den ›Blättern für literarische Unterhaltung‹ (Nr. 315, 316) rezensiert.

12. November: M schenkt seiner Schwester die ›Urania‹; er ist enttäuscht von Tiecks dort abgedruckter Novelle ›Eine Sommerreise‹.

20. Dezember: Im Brief an Vischer geht M auf Gedichte des Freunds ein; er äußert sich auch über Beiträge von Mayer, G. Pfizer, Rückert, Schöll u. a. im letzten ›Musenalmanach‹. (Schöll hat sich in Berlin habilitiert.) Vischers Gedicht ›Wunder‹ will M an Kauffmann zur Komposition senden.

24. Dezember: M's Onkel Gottlieb Mörike stirbt; M hat kurz zuvor einen Traum, den er später in dem Aufsatz ›Aus dem Gebiet der Seelenkunde‹ anführt.

26. Dezember: M dankt Zimmermann für die Übersendung seines ›Masaniello‹.

29. Dezember: Vischer wünscht, daß M seine Novellen von Notter zurückfordere. Er fragt nach Bearbeitungen des Agnes-Bernauer-Stoffes und kritisiert den Schluß des ›Maler Nolten‹. ›Zur Geschichte der neueren schönen Literatur in Deutschland‹ von Heine (Paris 1833) bewertet er negativ.

1834

14. Januar: In Stuttgart bewirbt sich M persönlich um die Verweserei in Owen.

16. Januar: M's Antrag wird ohne Angabe eines Termins für den Dienstantritt genehmigt. M zieht von Weilheim ab und hält sich in Hohenheim bei seinem Bruder Ludwig auf.

Februar: M schreibt für den Stuttgarter Hofkapellmeister Ignaz Lachner die Oper ›Die Regenbrüder‹ zur Komposition und Aufführung.

19. Februar: Da eine definitive Entscheidung über die Verweserei in Owen aussteht, reicht M um das dort ausgeschriebene Diakonat ein.

4. März: M wird die Verweserei Owen endgültig zugesprochen.

14. März: Er tritt seinen neuen Dienst an.

April: M's Bruder Karl verläßt seine Stuttgarter Stelle ohne Kündigung.

erste Hälfte April: Von der eben gegründeten Stuttgarter Verlagsbuchhandlung Balz wird M zur Mitarbeit an einem Jahrbuch ›Novellen‹ aufgefordert; Vischer hat seine Zusage bereits gegeben.

13. April: M bewirbt sich um die Pfarrverweserei Jesingen bei Kirchheim.

16. April: Das Reskript wird ausgestellt, das M als Pfarrverweser nach Ötlingen bestimmt.

18. April: M fordert Vischer auf, ›Cordelia‹ und ›Felix Wagner‹ an Paul Tobias Balz zu geben; er selbst sagt ab, weil seine nächste Novelle für Brockhaus vorgesehen ist. (M denkt dabei offensichtlich an ›Die geheilte Phantastin‹.)

21. April: M tritt seinen Dienst in Ötlingen bei Kirchheim/Teck an.

26. April: M bewirbt sich um die Pfarrei Cleversulzbach.

14. Mai: Die Kirchenbehörde entspricht der Bewerbung: M wird definitiv als Pfarrer angestellt mit einem Gehalt von 600 fl.

26. Mai: Um die Kosten der Beförderung und des Umzugs mit der Familie nach Cleversulzbach bestreiten zu können, bittet M bei Cotta um ein Darlehen von 600–700 fl und bietet u. a. seine künftige literarische Produktion als Bürgschaft an.

28. Mai: Vischer erbittet seine ›Cordelia‹ zur Umarbeitung für Balz zurück und fordert M auf, dort Gedichte einzureichen; den ›Felix Wagner‹ dürfe er Balz sofort zugehen lassen.

Ende Mai/Anfang Juni: M schickt seine Ballade ›Die traurige Krönung‹ an Zimmermann, der das bei Balz geplante Jahrbuch redigiert.

nach 7. Juni: Zimmermann besucht M zur Absprache über das geplante Jahrbuch; M wird Mitherausgeber. Als Titel ist nun ›Frühlingsgabe‹ vorgesehen. Balz bittet Kerner, Schwab und Uhland um Beiträge. Bei dem Maler Julius Nisle wird ein Titelbild in Auftrag gegeben.

Mitte Juni: M verläßt Ötlingen.

3. Juli: Er tritt seinen Dienst in Cleversulzbach an, nachdem sich der Termin wegen des Umzugs mehrmals verzögert hat. Seine Mutter führt den Haushalt; seine Geschwister Klara und Karl wohnen bei ihm. Seine kirchlichen Geschäfte versieht M zunächst regelmäßig und korrekt; eine zur Disputation eingereichte Arbeit findet »rühmliche Anerkennung«. – Die erste Fassung von ›Meine werten Herrn . . .‹ entsteht.

27. Juli: M's Bruder Karl reicht sein erstes (erfolgloses) Gesuch um Wiederanstellung im Staatsdienst ein.

3. August: Anläßlich seiner Investitur trägt M der neuen Gemeinde seinen Lebenslauf vor.

5. August: M kritisiert den Entwurf für das Jahrbuch-Titelblatt von Nisle; er will neben Kerner, Schwab und Uhland auch Mayer und Lenau um Beiträge bitten. (M besitzt Lenaus ›Gedichte‹, Stuttgart, Tübingen 1832.)

19.–30. August: Im Cleversulzbacher Pfarrhaus zeigt sich erstmals ein Geist.

9. September: M lehnt Zimmermanns Vorschlag ab, öffentlich um Beiträge für ihr »halbpatriotisches« Jahrbuch aufzufordern. Er hat Zimmermanns Novelle ›Fürstenliebe‹ (Stuttgart 1834) erhalten.

13. September: M's Bruder Karl bewirbt sich von Cleversulzbach aus beim Innenminister (vergeblich) um eine interimistische Tätigkeit.

Herbst: M schreibt an dem Märchen ›Der

Schatz‹. Auf dem Cleversulzbacher Friedhof richtet er das Grab von Schillers Mutter her; er pflanzt eine Trauerweide. – Die Korrespondenz mit Vischer bricht M wegen dessen angeblicher Äußerungen über ihn ab.

9.–15. Oktober: Während der vierten Geistererscheinung ist auch Mährlen anwesend.

30. Oktober: M bittet Schwab um Beiträge für das ›Jahrbuch‹; zugesagt haben bereits Bauer, Vischer und einige weniger bekannte Autoren; vielleicht beteiligt sich auch Grüneisen.

12. und 30. November: M und Zimmermann unterzeichnen in der ›Schwäbischen Chronik‹ einen Aufruf an »Alle Dichter Schwabens« um Beiträge für ihr ›Jahrbuch schwäbischer Dichter‹ bis Ende Februar.

zweite Hälfte November: M leidet an einer schweren Unterleibsentzündung; die Krankheit zieht sich bis Ende des Jahres hin.

24. Dezember: M's Bruder Karl, inzwischen Klavierlehrer in Stuttgart, reicht das Manuskript seines Lustspiels ›Des Vaters Geburtstag‹ bei der Hoftheater-Intendanz ein. (Das Stück liegt erst 1838 im Druck vor.)

1835

Ende Februar: Zum Redaktionsschluß des ›Jahrbuchs‹ bestehen keine Aussichten auf Beiträge von Schwab und Uhland, der gegenüber Balz den Mitherausgeber Zimmermann als Grund für die Absage angeführt hat. (Dennoch nimmt Schwab in seine Ausgabe ›Fünf Bücher deutscher Lieder und Gedichte‹, Leipzig 1835, M's Gedicht ›Mein Fluß‹ auf.)

bis Anfang März: Das Märchen ›Der Schatz‹ ist fertig. Das ›Morgenblatt‹ bittet M um Prosa-Beiträge. Mährlen schlägt M eine Übersetzertätigkeit vor.

2. März: M empfiehlt seinen Bruder Karl bei Cotta für eine beliebige Anstellung.

4. März: M bittet Mährlen, sich bei Ignaz Lachner nach dem Stand der ›Regenbrüder‹-Komposition zu erkundigen. Er erwägt, den Text Wilhelm Kirchhoff, derzeit als fürstlich-sondershäuser Kapellmeister in Öhringen, zur Vertonung zu überlassen, der wiederholt darum gebeten hat. M plant einen dritten Akt zur Oper; zwei fertige Akte hat Lachner in Abschrift. – Cotta antwortet ausweichend.

Frühjahr: Der Verleger Balz gibt M einen Vorschuß von 140 fl auf die nächste Arbeit. – M's Bruder Karl wohnt wieder in Cleversulzbach;

die Verwandten machen M deshalb Vorwürfe.

6. April: Ein Nachtrag zu M's Anstellungsge-
bühren wird fällig; er bittet deshalb Mährlen
um ein Darlehen von 100 fl.

12. April: Mährlen überweist das Geld.

zweite Hälfte April: Mährlen besucht M; er vermittelt seinem Bruder Karl eine Stelle an der
Redaktion des ›Württembergischen Landboten‹
in Stuttgart.

Mai: M schreibt das Gedicht ›Auf das Grab von
Schillers Mutter‹.

5. Mai: Kirchhoff besucht M, um ein zur Komposition bestelltes Gedicht abzuholen: ›Auf eine
hohe Vermählung‹; seine Vertonung behandelt
er als Kantate für 56 Stimmen.

8. Mai: M's Bruder Ludwig erhält in Hohenheim ein Leumundzeugnis; offensichtlich ist seine Tätigkeit als Kanzleigehilfe beendet. Er wird
Gutsverwalter bei Carl Graf von Normann-Ehrenfels.

29. Mai: Erbprinz Günther von Schwarzburg-
Sondershausen und Prinzessin Mathilde zu Ho-
henlohe-Oehringen feiern ihre Hochzeit; M's
Gedicht ›Auf eine hohe Vermählung‹ wird zu
Beginn der Traufeier in der Öhringer Stiftskir-
che gesungen.

Juni: Bauer wird unter Verleihung des Profes-
sor-Titels an das Katharinenstift nach Stuttgart
berufen; er lehrt Literatur und Geschichte. Bauer schreibt Lustspiele und den Roman ›Die
Überschwänglichen‹. – Brutzer ist in Stuttgart
als Dolmetscher der Königin Pauline angestellt.

Sommer: Strauß verliert wegen der Publikation
der Schrift ›Das Leben Jesu‹ (Tübingen 1835)
seine Repetentenstelle in Tübingen; er wird
Professoratsverweser in Ludwigsburg.

10. Juli: M erkrankt. Allgemeine Nervenschwä-
che und Blutandrang nehmen in den folgenden
Wochen zu.

3. September: Die Gesundheit tritt in eine kritische Phase: »Rückenmarks-Schlaganfall«. M
wird arbeitsunfähig, muß sich von Kollegen vertreten lassen. Der Arzt kuriert mit Quecksilber.
(M läßt sich einen Bart stehen.)

30. September: M's Vorgesetzter, Rudolph
Friedrich Wilhelm Andler, beantragt in seinem
Auftrag einen Vikar für Cleversulzbach.

1. Oktober: ›Auf das Grab von Schillers Mutter‹
und ›Die Herbstfeier‹ erscheinen im ›Württembergischen Landboten‹.

6. Oktober: Der Bitte um einen Vikar wird statt-
gegeben.

13. Oktober: Wilhelm Friedrich Romig kommt
als Vikar nach Cleversulzbach.

16. Oktober: Balz rückt eine Anzeige in die
›Schwäbische Chronik‹: ›Jahrbuch schwäbischer
Dichter und Novellisten. Herausgegeben von
Eduard Mörike und Wilhelm Zimmermann‹ ist
erschienen; es enthält von M folgende Beiträge:
›Der Schatz. Mährchen‹, ›Erstes Liebeslied ei-
nes Mädchens‹, ›Die Herbstfeier‹; das letzte Ge-
dicht druckt Zimmermann ohne die Zustim-
mung M's in einer frühen Fassung. Von Vischer
sind neben Gedichten auch die Novellen ›Cor-
delia‹ und ›Felix Wagner‹ aufgenommen. Weite-
re Beiträge lieferten Bauer, Carl August Fezer,
Adolf Helfferich, Friedrich Heiler, Christian
Gottlieb Hölder, Heinrich Kern, Julius Krais,
August Lebret, Heinrich Loose, Friederike
Märklin, Karl Mayer, Ludwig Mezger, Ernst
Rapp, Friedrich Richter, Ludwig Seeger, Heinrich Wagner und Wilhelm Zimmermann. Das
Buch kostet 2 fl.

17. Oktober: Im ›Beobachter‹ (Nr. 850) steht eine
Rezension des ›Jahrbuchs‹.

28. Oktober: Um wieder verantwortliche Tätig-
keiten übernehmen zu können, benötigt M's
Bruder Karl eine formelle Restitution. Er hat
deswegen (vergeblich) Hermann Hardegg um
Vermittlung gebeten, der in Stuttgart königlicher Hofarzt geworden ist. Mährlen schlägt jetzt
eine direkte Eingabe an den König vor.

31. Oktober: Der ›Württembergische Landbote‹
rezensiert das ›Jahrbuch‹.

November: Cotta gewährt M erneut einen Vorschuß (50 fl). – Kauffmann wird zum zweiten
Mal für mehrere Wochen verhaftet.

9. November: Dekan Andler und Prälat Fried-
rich Märklin beantragen an Stelle von M einen
Zuschuß zur Besoldung des Cleversulzbacher
Vikars (die den Pfarrern persönlich, nicht der
Kirche obliegt).

12. November: Die Kirchenbehörde will den Zuschuß höchstens nachträglich gewähren.

25. November: Vischer wird Privatdozent in Tübingen.

8. Dezember: In der Frankfurter »Frühlingszei-
tung« ›Phönix‹ (Nr. 290) erscheint eine Rezension des ›Jahrbuchs‹.

21. Dezember: Das ›Jahrbuch‹ wird in der ›Zeitung für die elegante Welt‹ besprochen.

24. Dezember: Justinus Kerner besucht M in
Cleversulzbach.

1836

Die Gedichte ›Zur Warnung‹ und ›Alles mit Maß‹ entstehen.

12. Januar: Der 1835 gegründete S. G. Lieschingsche Verlag in Stuttgart macht M (nach Vermittlung durch dessen Bruder Karl) ein Verlagsangebot.

14. Januar: Ein Dekret versetzt Romig nach Biberach und beordert Johann Friedrich Schleich als Vikar nach Cleversulzbach.

17. Januar: M stellt Liesching »eine Reihe von Mährchen« in Aussicht und fragt nach einem Vorschuß von 150 fl.

24. Januar: Nach Verhandlungen zwischen M's Bruder Karl und Liesching beantragt M den Vorschuß. – Bauer hat von M's Krankheit und finanzieller Lage durch Karl Ludwig Elsäßer, Oberamtsarzt in Neuenstadt an der Linde, erfahren und schlägt Hartlaub eine Geldsammlung für den Freund vor.

27. Januar: Vikar Schleich kommt in Cleversulzbach an.

Ende Januar: Bauer konsultiert Prälat Flatt wegen einer Bezahlung von M's Vikar durch die Staatskasse, erhält Zusagen.

Februar: M geht es gesundheitlich besser. Er liest im Familienkreis Werke von Walter Scott vor.

Mitte Februar: Bauer vermittelt eine Bittschrift von M's Bruder Karl um Genehmigung der Wiederanstellungsfähigkeit oder einer vorläufigen Beschäftigung an den König. Er schreibt auch an M, erhält jedoch Antwort von dessen Bruder Ludwig, der sich inzwischen bei August Freiherrn von Wächter (als Angestellter?) auf dem Lautenbacher Hof bei Neckarsulm aufhält.

21. Februar: Mährlen fordert M auf, die Petition um einen Zuschuß zum Vikarsgehalt einzureichen.

22. Februar: Elsäßer überbringt M 44 fl von Bauer (die Hartlaub gespendet hat).

Anfang März: M kann für wenige Stunden das Bett verlassen.

6. März: Mährlen besucht M und übergibt ihm weitere 44 fl (von Bauer, Hardegg und Mährlen).

7. März: Mährlen geleitet M's Schwester nach Stuttgart; sie besucht die Verwandten in Bernhausen.

20. März: M reicht um einen Zuschuß zum Vikarsgehalt ein.

29. März: Aus dem Geistlichen-Unterstützungsfonds werden M für das vergangene Halbjahr 40 fl zugewiesen.

Anfang April: Bauers »komischer Roman« ›Die Überschwänglichen‹ erscheint in Stuttgart bei Hallberger.

3. April: Vischer habilitiert sich mit der Schrift ›Über das Erhabene und Komische‹.

4. April: M's Schwester kommt in Begleitung des Bruders Ludwig zurück nach Cleversulzbach; der Bruder bleibt (mir kurzen Unterbrechungen) einige Monate.

16. April: M schreibt das Gedicht ›Das Mädchen an den Mai‹.

19./20. April: Er zeichnet das Grab von Schillers Mutter.

21. April: Er geht erstmals ins Freie.

Anfang Mai: M hält sich viel im Garten auf.

2. Mai: Wegen der Ausführung einer von ihm entworfenen »Zauberlaterne« schreibt M an den Esslinger Optiker Carl Öchslen.

6. Mai: M's Bruder Ludwig bringt M 22 fl von Bauer.

7. Mai: Bauer hält die Festrede bei der Stuttgarter Schiller-Feier.

8. Mai: M's Onkel Neuffer stirbt.

ab Mitte Mai: M gebraucht (bis Ende Juni) Bäder.

28. Mai: Mit der Schwester beginnt M die Sammlung seiner Gedichte.

3. Juni: Sein Bruder Karl, der sich vorübergehend wieder bei M aufgehalten hat, fährt ab.

10. Juni: M schneidet den Namen Höltys in einen Baumstamm seines Gartens. Danach entsteht das Gedicht ›An eine Lieblingsbuche‹.

25. Juni: M läßt die Stuttgarter Komponistin Emilie Zumsteeg um eine Beurteilung des Hannoveraner Hofmusikers Carl Nicola bitten; er plant wahrscheinlich, diesem die Komposition der ›Regenbrüder‹ anzutragen. (Nicola war seit 1823 M's Freundeskreis in Tübingen verbunden, hatte Waiblinger und Bauer Vertonungen ihrer Werke versprochen bzw. ausgeführt.)

26. Juni: M's Bruder Ludwig fährt nach Stuttgart.

27. Juni: M hat den Einfall, ein Gedicht in Spiegelschrift zu publizieren (»Spiegelvers« ›Ein artig Lob‹).

3. Juli: E. Zumsteeg läßt M von Nicola abraten; sie empfiehlt Felix Mendelssohn-Bartholdy und bietet sich zur Vermittlung an.

4. Juli: M's Bruder Ludwig bringt 32 fl von Mährlen.

7. Juli: M beantragt einen Urlaub und einen Zuschuß zu einer etwa zweimonatigen Erholungsreise nach Wildbad im Schwarzwald.

Ende Juli - Ende August: Er nimmt wieder Bäder.

erste Hälfte August: M sammelt und revidiert seine Gedichte.

16. August: Dazu erbittet er von Kerner die ›Morgenblatt‹-Jahrgänge 1828 und 1829.

zweite Hälfte August: Sein Bruder Karl kommt wieder nach Cleversulzbach.

1. September: M entwirft das humoristische Titelblatt ›Der Mostbrey. Ein Monatsblatt für Klepperfeld‹.

6. September: Die Kirchenbehörde genehmigt den beantragten Urlaub und einen Kurkostenbeitrag von 40 fl.

Mitte September: M liest Johann Peter Eckermanns ›Gespräche mit Goethe‹ (Leipzig 1836), kennt Eugen Neureuthers ›Randzeichnungen zu Goethe's »Balladen und Romanzen«‹ (München, Stuttgart, Tübingen 1829/30).

19. September: Während sich M's Bruder Karl noch in Cleversulzbach aufhält, fahren die Mutter und Bruder Ludwig nach Stuttgart; M's Mutter nimmt für ihn Verbindung zu Hardegg und Vischer auf.

26. September: Der Kriminalsenat Tübingen berichtet ans Justizministerium über die Untersuchung gegen M's Bruder Karl wegen versuchter Erpressung und Verleumdung.

17. Oktober: M's Mutter kommt wieder heim.

20. Oktober: An Kerner gibt M zurück: Johann Benjamin Erhards ›Denkwürdigkeiten‹ (Stuttgart, Tübingen 1830).

22. Oktober: Er reicht um einen Zuschuß zum Vikarsgehalt ein.

7. November: Aus dem Unterstützungsfonds werden dafür 40 fl angewiesen.

Ende November: Bauer bemüht sich um eine Inszenierung seines ›Alexander‹, der seit Herbst im Druck vorliegt.

Anfang Dezember: August Fecht, ein entfernter Verwandter und Gläubiger von M's Bruder Adolf, bangt um sein Guthaben, als er erfährt, daß Adolf die Familie betrogen habe; er wendet sich deshalb an M.

6. Dezember: Seiner Schwester widmet M die Verse ›Woher? woher? . . .‹.

zum 15. Dezember: M schreibt das Gedicht ›Christbescherung‹.

27. Dezember: Er übernimmt die Verbindlichkeiten seines Bruders Adolf gegenüber Fecht in der Hoffnung auf die Buchpublikation seiner Gedichte.

Ende Dezember: Er bittet Bauer und Mährlen, den letzten Aktschluß der ›Regenbrüder‹ zu ver-

fassen und das Manuskript der Theaterintendanz vorzulegen. Beide Freunde finden dazu keine Zeit; Bauer überträgt die Aufgabe an Hermann Kurz, der nach einer kurzen Tätigkeit als Vikar nun (bis 1844) als freier Schriftsteller hauptsächlich in Stuttgart lebt.

1837

M schreibt oder überarbeitet viele Gedichte, darunter ›Der Knabe und das Immlein‹, ›Der Gärtner‹, ›Die Soldatenbraut‹, ›Johann Kepler‹, ›Apostrophe‹, ›Der König bei der Krönung‹, ›Bei Tagesanbruch‹.

Anfang: M liest Bauers ›Alexander‹ und Walter Scotts ›Ivanhoe‹, ›Guy Mannering‹, ›Redgauntlet‹, ›Antiquary‹, ›Quentin Durward‹ und ›Waverly‹ in deutschen Übersetzungen.

21./22. Januar: In der Vikarsstube erscheint ein Geist.

Anfang Februar: M nimmt sich Scotts ›Heart of Midlothian‹, ›Monastery‹, ›Abbot‹ vor.

10. Februar: Dr. Elsäßer versucht, M mit einem Elektroschock (Voltasche Säule) zu kurieren; er beginnt auch eine Elektrotherapie (Galvanisation).

13. Februar: Vischer wird Professor für Ästhetik in Tübingen.

20. Februar: M liest Scotts ›Schwärmer‹.

Ende Februar: Das Galvanisieren wirkt spürbar auf Rückenmark und Herz.

Anfang März: M's Lektüre ist Scotts ›St. Roman's Well‹.

7. März: Er liest Scotts ›Rob Roy‹.

11., 18., 22. März: Hermann Kurz rezensiert Bauers ›Alexander‹ im ›Spiegel‹ (Stuttgart, 1. Jg).

22.—30. März: M's Bruder Ludwig ist bei ihm zu Besuch aus Ehrenfels.

Frühjahr: Das Gedicht ›Ideale Wahrheit‹ entsteht.

2. April: M bittet um einen Zuschuß zum Vikarsgehalt; der amtliche Beibericht besagt, daß sich seine Krankheit zwischenzeitlich verschlimmert hatte.

22. April: Das Stuttgarter Theater zahlt an Mährlen 100 fl für M's ›Regenbrüder‹; die Oper ist damit definitiv angenommen. Kurz hatte sie eingereicht, zuvor den Schluß ausgeführt und andere Stellen überarbeitet, so »gleich zu Anfang der Oper eine Scene« eingefügt.

Ende April: M ist mit der Redaktion seiner Gedichte beschäftigt.

Mai: Er schreibt das Gedicht ›Gute Lehre‹.

9. Mai: Als Zuschuß zum Vikarsgehalt werden wieder 40 fl angewiesen.

bis Mitte Mai: M redigiert seine Gedichte und sendet sie an die Stuttgarter Freunde zur Weiterleitung an einen Verlag. Strauß hofft, sie bei Cotta oder Hallberger unterzubringen, und fordert Vischer auf, sie in den ›Jahrbüchern für wissenschaftliche Kritik‹ zu rezensieren. (Strauß lebt als freier Schriftsteller in Stuttgart.) Kurz sieht eine Besprechung im ›Spiegel‹ vor und Gustav Pfizer oder Schwab in den ›Blättern für literarische Unterhaltung‹.

16. Mai: M's Gedichte-Manuskript liegt offensichtlich bei Liesching, von dem sein Bruder Karl (inzwischen wieder Musiklehrer in Stuttgart) deswegen einen Vorschuß verlangt.

zweite Hälfte Mai: Mährlen bemüht sich um einen Verleger der Gedichte. – M sendet mehrere Gedicht-Nachlesen an Mährlen, arbeitet manche Texte (so ›Das lustige Wirtshaus‹) nochmals um; er gibt den Plan auf, der Sammlung als »dramat. Zugabe« die ›Verlegungsposse‹ anzufügen, will dafür jetzt lieber die Anfangsszenen der ›Regenbrüder‹ wählen. – M empfiehlt ein »musikalisches Ansinnen« seines Bruders Karl an I. Lachner.

20. Mai: Kurz nimmt ersten schriftlichen Kontakt mit M auf: Er berichtet von der Vollendung der ›Regenbrüder‹ und legt seine ›Gedichte‹ (Stuttgart 1836) und ›Genzianen‹ bei; in diesem »Novellenstrauß« ist ›Das Wirthshaus gegenüber‹ enthalten, in dem Kurz bewundernd auf M verweist (Stuttgart 1837).

26. Mai: M schickt das Gedicht ›An H. Kurz‹ an diesen; er lobt seine Novellen und dankt für die Arbeit an den ›Regenbrüdern‹; Kurz möge Veränderungen nach Vorschlägen Lachners vornehmen.

28. Mai: Kurz ist zur Weiterarbeit an den ›Regenbrüdern‹ bereit, empfiehlt aber Mendelssohn-Bartholdy statt Lachner als Komponisten.

29. Mai: M schickt über seinen Bruder Karl an Mährlen einen weiteren Nachtrag zu den Gedichten, darunter ›Zur Warnung‹, ›Das lustige Wirtshaus‹, ›Wald-Idylle‹, ›Erzengel Michaels Feder‹. Gegenüber Mährlen lehnt M besonders »der Mannigfaltigkeit wegen« eine »Anordnung der Stücke mit Zwischentiteln« ab; Justinus Kerners ›Dichtungen‹ (Stuttgart 1834) sind ihm dabei Vorbild. M wünscht sein Manuskript zurück, wenn ein Verleger gefunden sei. – M nimmt die Korrespondenz mit Vischer wieder auf; er schenkt ihm die Kopie eines Totentanzes

von Albrecht Dürer, zu der er Noten schreiben ließ.

Ende Mai: Mährlen führt auch die Verhandlungen mit Lachner und dem Hoftheater-Intendanten Victor Carl Graf von Leutrum. Mit Strauß verabredet Vischer, daß er in den ›Jahrbüchern für wissenschaftliche Kritik‹ M's Gedichte zusammen mit dem ›Maler Nolten‹ und dem ›Schatz‹ rezensieren werde.

6. Juni: Wegen der ›Regenbrüder‹ schreibt M an Kurz; er legt das Gedicht ›Abschied‹ bei (das sich bereits in der Sammlung befindet, die Mährlen in Händen hält). Durch Kurz läßt M weitere Gedicht-Nachträge an Mährlen gehen, darunter ›Lose Ware‹ und ›Des Schloßküpers Geister‹. Danach schreibt M an Hermann Hardegg, der umgehend die Gedichte an Cotta weiterleitet. Der Verleger ist aber verreist, so daß das Manuskript bei Kurz landet.

7. Juni: Vischer beteuert M, im Herbst 1834 nichts gesagt zu haben, »was bösartiger Natur wäre«.

8. Juni: In Stuttgart heiraten der Neuenstädter Verwandte Karl Abraham Mörike und Marie Seyffer; möglicherweise entstand aus diesem Anlaß das Gedicht ›An meinen Vetter‹.

12. Juni: M schickt ›Des Schloßküpers Geister‹ an Vischer und bittet um seine Schrift ›Über das Erhabene und Komische‹ (Stuttgart 1837).

13. Juni: Kurz berichtet, inzwischen M's Gedichte neu geordnet zu haben »ungefähr wie die Elemente eines Romans, bald nach der Gleichartigkeit, bald nach dem Kontrast«; er will M einen entsprechenden Entwurf geben.

14. Juni: M übersendet K. A. Mörike das Gedicht ›An eine Äolsharfe‹.

19. Juni: M erbittet von Kurz sein Gedichte-Manuskript und den angekündigten Ordnungs-Entwurf; er legt das Gedicht ›P. K.‹ bei. Im Manuskript befinden sich bis jetzt auch die Gedichte ›Ein Stündlein wohl vor Tag‹, ›Storchenbotschaft‹, ›Restauration‹, ›Bei Gelegenheit eines Kinderspielzeugs‹, ›Schiffer- und Nixen-Märchen‹. M bewertet die beiden von Kurz am 20. Mai zugeleiteten Bücher sowie einige seiner Manuskripte. Er plant einen Kur-Aufenthalt in Bad Mergentheim. – M überarbeitet während der nächsten Tage noch weitere Gedichte.

20. Juni: Vischer schickt an M das gewünschte Buch, bewundert am ›Schloßküper‹ den »Balladenton« und dessen Parodie und berichtet von Strauß' ›Streitschriften zur Vertheidigung meiner Schrift über das Leben Jesu und zur Charakteristik der gegenwärtigen Theologie‹ (Tübingen 1837), besonders vom zweiten Heft ›Die Herren Eschenmayer und Menzel‹.

21. Juni: Kurz überläßt Hardegg das Gedichte-Manuskript M's; es war angefordert worden.

22. Juni: Kurz reicht Hardegg die von M am 19. Juni abgesandten Gedichte nach und bittet ihn, M über Bauer eine Theokrit-Ausgabe zukommen zu lassen.

23. Juni: Kurz gibt Erläuterungen zu den von M kritisierten Werken, geht auf M's Gedichte-Sammlung und ›Nolten‹ ein und legt eigene Gedichte bei.

24. Juni: M setzt ein steinernes Kreuz auf das Grab von Schillers Mutter.

26. Juni: Seine Kusine Klara Schmid geb. Neuffer stirbt.

30. Juni: Im Brief an Kurz geht M wieder auf dessen Werke ein, zitiert dabei Pierre Jean de Bérangers ›Chansons‹ (Stuttgart 1827) sowie bei einem Textvergleich Kerners ›Gedichte‹, Shakespeares ›Was ihr wollt‹, Johann Martin Millers ›Neues Liederbuch‹ (Mannheim 1794) und Goethes ›Faust‹.

1. Juli: M zahlt 77 fl Schulden seines Bruders Karl ab, um dessen »Existenz an dem Ort seiner Bestimmung« zu ermöglichen.

2. Juli: Hardegg handelt mit Hallberger einen vorläufigen Vertrag für M's Gedichte aus; vorgesehen sind 300 fl Honorar. Hardegg informiert M und deutet weitere Geldquellen an, um die sich Mährlen bemühe. Er kennt sehr wahrscheinlich das ihm gewidmete Gedicht ›An Hermann‹.

3. Juli: Kerner und seine Tochter Marie Niethammer besuchen M. Danach schreibt M möglicherweise die Gedichte ›Die Anti-Sympathetiker‹ und ›Emma Kerner‹ (in das Album einer Tochter des Dichters).

4. Juli: M läßt bei Kerner versprochene Bücher abholen: Kerners ›Eine Erscheinung aus dem Nachtgebiete der Natur‹ (Stuttgart 1836), ›Gedichte‹ von Alexander Graf von Württemberg (Stuttgart 1837), Niklas Müllers ›Lieder‹ (Stuttgart, Tübingen 1837) sowie eine Beschreibung des Bads Mergentheim. Er verspricht, ›Erzengel Michaels Feder‹ (»eins meiner liebsten Gedichte«) an M. Niethammer zu widmen.

5. Juli: M erhält Hallbergers Vertrag und unterzeichnet ihn. – Kurz schickt sein ›Gespräch auf dem Kirchhofe zu Cleversulzbach‹ an M und schlägt einige Änderungen in M's Gedichte-Manuskript sowie in den eigenen bei M befindlichen Texten vor.

8. Juli: Lachner (in Begleitung des Neuenstädter Diakons Julius Hartmann) besucht M mit Forderungen wegen der ›Regenbrüder‹, die ihm M ausredet. M fährt anschließend mit Schwester und Mutter nach Bürg.

bis 13. Juli: Mährlen vermittelt M's Gedichte über Schwab an Cotta, der dafür 30 Louisdor (= 330 fl) Honorar bietet und bis Ostern 1838 drucken will; M ist am 13. Juli darüber bereits informiert.

14. Juli: Das am 23. Juni gefällte Urteil gegen M's Bruder Karl wird eröffnet: Er erhält sechs Monate Festungshaft wegen versuchter Erpressung und fortgesetzter Schmähungen gegen Staatsbeamte (u. a. gegen den Justizminister).

18. Juli: Mährlen teilt Cotta mit, daß M mit den Vertragsbedingungen einverstanden sei. Zu M's Kur hat der Verleger einen Vorschuß in der Höhe von Mährlens Schulden bei Cotta (103 fl 53 x) in Aussicht gestellt; dagegen macht Mährlen Einwände.

25. Juli: M schreibt das Gedicht ›Auf dem Spaziergang‹.

31. Juli: Er gibt um einen Urlaub in Bad Mergentheim ein.

4. August: Mit der Schwester, die auch eine Kur macht, bricht M nach Mergentheim auf. Sie übernachten in Schöntal. Unterwegs entsteht das Gedicht ›Suschens Vogel‹.

5. August: Sie beziehen Wohnung im Kurhaus des Friedrich Kuhn. (Auf eine Tochter des Pächters Jacob Gary bezieht sich M's Gedicht ›Maschinka‹.)

6. August: M fordert Hartlaub, der im nahen Wermutshausen wohnt, zu einem Treffen in Mergentheim auf. – Nachts liest er eine Homer-Übersetzung von Voß.

7. August: Hartlaub hält sich zufällig in Mergentheim auf und erfährt von M's Anwesenheit: Die beiden Studienfreunde feiern ihr Wiedersehen. – M konsultiert den Mergentheimer Arzt Friedrich Höring.

8. August: Hartlaub fährt nach Hause, nimmt M's Gedichte-Manuskript mit.

11. August: Hartlaub schickt an M eine Gedicht-Ausgabe von Goethe.

bis 12. August: M erhält von dem Oberamtsrichter Friedrich Ernst Ostertag, der mit Hartlaub ebenso wie mit Kerner bekannt ist, dessen unter dem Pseudonym Friedrich Ernst erschienene ›Dichtungen‹ (Heidelberg 1837) zum Geschenk. – Cotta versteht sich zu keiner Vorauszahlung auf M's Gedichte. M benötigt für die Mergentheimer Kur aber noch Geld.

15.—18. August: Hartlaub hält sich mit seiner

Frau, die M bisher noch nicht kannte, in Mergentheim auf.

17. August: M's Mutter schickt Geld.

21. — 23. August: Hartlaub besucht wieder M.

23./28. August: M lernt Ostertag kennen.

28. — 31. August: Hartlaub ist erneut in Mergentheim; er gibt M ein Darlehen.

31. August: Ottmar Schönhuth, ein Studienfreund M's, seit kurzem Pfarrer im nahen Dörzbach, besucht ihn und bringt neben Manuskripten auch eigene Publikationen mit, u. a. eine seiner geschichtlichen Darstellungen der Feste Hohentwiel, in der M besonders die schwäbische Herzogin Hadewig interessiert.

Anfang September: In der Hoffnung auf Geld von Cotta beschließt M einen längeren Aufenthalt in Mergentheim.

1. September: Er wird auf dem katholischen Friedhof gemaßregelt.

2. September: Aus diesem Anlaß schreibt er das Gedicht ›Armseligster Repräsentant . . .‹, das er für einen Leserbrief vorsieht. M schickt den »Spiegelvers« an Hartlaub. M besucht die Familie des Rentamtmanns Johann König; er hat in dieser Mergentheimer Zeit regen Umgang mit ihnen.

5. — 8. September: Hartlaub und seine Familie sind in Mergentheim; M schenkt ihnen mehrere Gedichte, u. a. ›An Clara‹.

11. — 13. September: Hartlaub hält sich nochmals bei M auf.

14. September: M schreibt an Hartlaub einen fiktiven Entstehungsbericht der ›Sommersprossen von Liebmund Maria Wispel‹ und erste Texte aus dem Zyklus. – Von Hartlaub erhält er 90 fl. – Schönhuth besucht M.

15. September: M und die Schwester kehren nach Cleversulzbach zurück.

18. September: M's Bruder Karl berichtet, daß sein Schauspiel ›Die Prüfung‹ eben gedruckt werde (Stuttgart 1837) und für sein Lustspiel ›Des Vaters Geburtstag‹ (Stuttgart 1838) ein Verlagsvertrag abgeschlossen sei.

19. September: M erkundigt sich bei Mährlen nach dem Stand seiner Gedicht-Ausgabe bei Cotta.

20. September: Von seinem Bruder Karl erbittet M (als Geschenk für Hartlaub) eine Lithographie seines Cleversulzbacher Pfarrhauses sowie verschiedene Musikalien.

22. September: Hartlaub schlägt vor, die ›Sommersprossen‹ Bauer zum Geburtstag zu schenken.

25. September: Kurz schickt M die Versnovelle ›Der Blättler‹.

Ende September: M liest ›Der Nibelungen Lied‹ (hrsg. v. O. Schönhuth, Tübingen 1834).

Herbst: Die Distichen ›Vicia faba minor‹ entstehen.

Anfang Oktober: Er studiert die ›Streitschriften‹ von Strauß.

9. — 20. Oktober: Hartlaub ist mit seiner Familie zu Besuch in Cleversulzbach.

Mitte Oktober: M läßt die ›Sommersprossen‹ Bauer über Kurz zugehen; sie kommen nicht mehr rechtzeitig zum Geburtstag (15. Oktober) an.

24. Oktober: Hartlaub versorgt M mit Lektüre: Bulwers ›Devereux‹, ›Paul Clifford‹ und ›Pelham‹, übersetzt von Notter bzw. Gustav Pfizer in der Ausgabe der ›Werke‹ (Stuttgart 1833–35), sowie Boccaccios ›Decamerone‹, in dem M bis zum 2. November liest.

29. Oktober: Bauer bedankt sich bei Kurz für die Mitteilungen von M.

30. Oktober: Bauer dankt M für die ›Sommersprossen‹.

31. Oktober: Der Cleversulzbacher Hausgeist zeigt sich wieder.

Anfang November: M liest Bulwers ›Paul Clifford‹, G. Pfizers ›Gedichte‹ und im Familienkreis Bulwers ›Devereux‹.

1. November: Bauer wird Nachfolger Schwabs als Professor am Stuttgarter Gymnasium.

2. November: M hat das Manuskript seiner Gedichte »nicht mehr lange«. Die Handschrift war ihm ohne die von Kurz verfaßte Ordnungsliste vom Cotta-Verlag wieder zugegangen. – Er bittet Hartlaub um Eichendorffs ›Gedichte‹ (Berlin 1837).

7. November: M schickt das Gedicht ›Die Schwestern‹ mit einem fiktiven Bericht seiner Entstehung an Hartlaub. – Er beantragt wieder einen Zuschuß zum Vikarsgehalt.

Mitte November: Da Cotta sich zu keiner Vorauszahlung versteht, beauftragt M seinen Bruder Karl zu anderweitigen Verhandlungen, die der mit dem Drucker und Verleger Ludwig Gottlieb Fritz in Stuttgart aufnimmt.

21. November: Die Kirchenbehörde weist M einen Zuschuß von 40 fl an.

27. November: Bauer warnt M vor einem Vertrag mit Fritz und erbittet für sich oder Mährlen Vollmacht zur erneuten Verhandlung mit Cotta.

28. November: M schickt sein Gedichte-Manuskript an Mährlen zur Weitergabe an Fritz. –

Hartlaub sendet an M den gewünschten Eichendorff sowie Platens ›Gedichte‹ (Stuttgart 1834[2]); dem Paket liegt ein Brief Bauers bei, der offensichtlich nochmals vor Fritz warnt. (Daraufhin dürfte M umgänglich an Bauer und Mährlen geschrieben haben.)

Ende November: M's Uhland-Parodie ›Es war in liablichen Septembers-Tagen . . .‹ geht an Kurz ab.

Anfang Dezember: M beginnt die Arbeit am ›Märchen vom sichern Mann‹. – Er schreibt wohl die Distichen ›Theokrit‹ und ›Tibullus‹.

2. Dezember: Mährlen schließt mit Cotta einen Vertrag über M's Gedichte ab. Die Ausgabe soll eine Auflage von 1000 Stück erhalten; M's Honorar beträgt 330 fl; er bekommt 12 Frei-Exemplare; als Erscheinungstermin ist Ostern 1838 vorgesehen.

5. Dezember: Hartlaub schickt u. a. Proben aus Nikolaus Lenaus ›Savonarola‹ (Stuttgart 1837) für M und die ›Kinder- und Haus-Märchen‹ der Brüder Grimm für M's Schwester.

10. Dezember: Zum Geburtstag der Schwester schenkt M ›Ach, muß unsre süße Cläre . . .‹.

11. Dezember: M's Bruder Ludwig kommt zu einem längeren Besuch nach Cleversulzbach.

13. Dezember: Gegenüber Vischer äußert sich M brieflich u. a. über dessen Habilitationsarbeit und über Straußens ›Streitschriften‹.

15. Dezember: In seinem Brief an J. Nisle bietet M vielleicht die Zeichnung zu seinem »Spiegelvers« an.

Mitte Dezember: Strauß nimmt die Honorarverhandlungen mit Cotta auf, der von M Beiträge ins ›Morgenblatt‹ wünscht. Mährlen verbürgt sich bei Stuttgarter Gläubigern M's, u. a. bei dem Kaufmann Karl Ostertag.

17. Dezember: Im Weihnachtspaket für Hartlaubs liegen u. a. die Distichen ›An meine Mutter‹ und ›An dieselbe‹. (Die Gedichte ›Selbstgeständnis‹ und ›Der Tambour‹ sind ebenfalls 1837 entstanden.) M sendet dem Freund auch einen Teil seiner Briefe an L. Rau.

23. Dezember: Strauß verlangt von Cotta für M's Gedichte 200 fl bar und sofort sowie 130 fl zur späteren Verfügung.

vor 28. Dezember: Cotta weist M 200 fl an.

29. Dezember: Einem Brief an Hartlaub liegen u. a. das ›Jägerlied‹ und ›Die ganz' Welt . . .‹ bei.

31. Dezember: M zahlt an drei verschiedene Stellen Schuldzinsen.

Winter: H. Kurz' Bruder Ernst, der in Heilbronn ein juristisches Praktikum absolviert, versorgt M mit journalistischen Neuigkeiten.

1838

M schreibt einige Gedichte, die er noch in das Druckmanuskript seiner Sammlung einbringen kann, so ›Der Genesene an die Hoffnung‹ und ›Auskunft‹.

erste Hälfte Januar: M entwickelt gegenüber dem Metzler-Verlag seine Vorstellung einer Anthologie antiker Dichtung in Übersetzungen; er berechnet sie auf drei Oktav-Bände. Geplant ist keine neue Übersetzung, sondern die Revision vorliegender Ausgaben.

11. Januar: Der Redakteur des ›Württembergischen Volkskalenders‹, Theodor Plieninger, bittet M um einen Beitrag.

15. Januar: Heinrich Erhard, der Inhaber der J. B. Metzlerschen Verlagsbuchhandlung, zeigt sich zur Übernahme der Anthologie bereit und fragt nach den Bedingungen.

Mitte Januar: M's Bruder Ludwig erhebt bei Cotta den Rest des ›Gedichte‹-Honorars und begleicht damit Schulden M's. – Strauß schlägt M die Fortsetzung seines ›Jahrbuchs schwäbischer Dichter und Novellisten‹ vor; Reinhold Köstlin könne vielleicht mitarbeiten. – Mährlen rät zu einem erweiterten Anthologie-Plan (den M ablehnt).

22. Januar: Strauß spricht wegen der ›Jahrbuch‹-Fortsetzung bei Cotta vor, der nicht abgeneigt ist, aber lieber Beiträge M's zum ›Morgenblatt‹ sähe.

24. Januar: Strauß ist mit Hardegg der Meinung, M könne sich die literarische »Production durch Anschließung an historische Stoffe, Memoiren u. dgl. bedeutend erleichtern«.

28. Januar: Zusammen mit seinem Vikar Schleich fordert M von H. Erhard 8 fl pro Bogen der Anthologie (15 Bogen pro Band), weil der zu erwartende Arbeitsanfall groß sei; Karl Friedrich Schnitzer, der seit 1837 Lehrer in Heilbronn ist, hat seine Mitarbeit zugesagt; er will allerdings nur einige Pindar-Hymnen kommentieren.

29. Januar: Hartlaub schickt zwei Lieder aus Christian Wolfgang Schmetzers ›Gedichten‹ (Ansbach 1837) an M.

Anfang Februar: M wird wieder krank; Blutegel werden angesetzt. Seine Schwester ist seit Dezember unwohl. Der Arzt kommt häufiger.

5. Februar: M schickt das ›Märchen vom sichern Mann‹ an Strauß. Er fragt nach fehlenden Teilen seines Gedichte-Manuskripts, die möglicherweise bei Mährlen liegen blieben.

8. Februar: Strauß schickt u. a. die fehlenden Manuskript-Seiten an M; er gibt auch Ernst Christoph Bindemanns Übersetzung der ›Idyllen und Epigramme‹ Theokrits (Berlin 1793) zurück, die M von seinem Vater erbte (und vor längerer Zeit an Lohbauer verlieh). – Erhard bestätigt die Honorar-Forderung von 8 fl.

bis 9. Februar: Das für Plieninger geschriebene Märchen ›Der Bauer und sein Sohn‹ umfaßt 1½ handschriftliche Manuskriptbogen.

9. Februar: M plant, in den ersten Band seiner Anthologie Texte von Tyrtäus, Sappho, Anakreon, Catull, Tibull und aus der ›Anthologia graeca et latina‹ aufzunehmen; er bittet Mährlen um Ausgaben in Übersetzung. – Er schreibt einen dritten Brief an Erhard.

bis 12. Februar: Er sendet Cotta mehrere Nachträge zum Gedichte-Manuskript (wie später noch während des Drucks), darunter die 1838 entstandenen Gedichte ›An meinen Arzt‹, ›Die Visite‹, ›Meines Vetters Brautfahrt‹, ›Auf ein altes Bild‹, ›Im Weinberg‹. Er will für solche Nachträge Cotta nichts berechnen, weil er eine baldige zweite Auflage erwartet.

12. Februar: M erwidert Strauß auf seine Vorschläge vom 24. Januar unter anderem: »Was ich nicht aus mir selbst & etwa aus dem Leben nehmen kann, hat keinen Reiz für mich u. ich kann gar nichts damit anfangen.« M kommentiert den ›Sichern Mann‹.

13. Februar: Er schickt das Märchen ›Der Bauer und sein Sohn‹ (unter dem Titel ›Arm-Frieder‹) an Hartlaub und legt das Gedicht ›Wie mögt Ihr nur so bang . . .‹ bei. – Das ›Jägerlied‹ erscheint im ›Morgenblatt‹ (Nr. 38).

17. Februar: Das am 23. Januar gefällte Urteil gegen Kauffmann wird eröffnet: Wegen »hochverrätherischer Umtriebe« erhält er 4½ Jahre Festungshaft.

vor 18. Februar: M erfindet eine Anekdote um Herzog Carl Eugen und sendet sie an Kurz, der gerade an dem Roman ›Schiller's Heimathsjahre‹ (Stuttgart 1843) arbeitet und sie einbaut.

19. Februar: An Hartlaub schickt M den ›Scherz‹ (›Nächtlich erschien mir im Traum . . .‹) u. a.

24. Februar: Dr. Elsäßer und J. Hartmann besuchen M. – Kauffmann tritt seine Haft auf dem Hohenasperg an.

27. Februar: Hartlaub teilt M einen Brief von Hetsch mit (seit 1836 Universitätsmusikdirektor in Heidelberg): Die Lachnersche Partitur zu den ›Regenbrüdern‹ werde negativ beurteilt. Hetsch hat das ›Jägerlied‹ vertont. Hartlaub schreibt weitere Gedichte von Schmetzer ab und

schickt u. a. Ludwig Börnes ›Briefe aus Paris‹ (Hamburg 1829/34), die M bis zum 4. März liest.

Anfang März: M übersetzt Catull. Er übergibt Hartlaub weitere Briefe an L. Rau.

2. März: Bauer leiht M zwei (für 14 Tage von Pauly erhaltene) Übersetzungswerke.

5. März: Durch Hartlaub läßt M die Bereitschaft Hetschs zur Komposition der ›Regenbrüder‹ erkunden. Er legt seine Catull-Nachdichtung ›Akme und Septimius‹ bei.

6. März: Wegen seinem Bruder Adolf schreibt M ans Oberamtsgericht Neckarsulm. (Adolf war in München inhaftiert und findet jetzt eine Anstellung bei Orgelbauer Eberhard Friedrich Walker in Ludwigsburg.) – Mit der Schwester geht M nach Neuenstadt und besucht Dekan Andler u. a.

10. März: M schickt Hartlaub seine neue Übersetzung von Heinrich Meibaums ›Somne levis‹: ›An den Schlaf‹; er hat sich mit den Versen schon 1825 versucht.

15. März: M liest wieder die Verserzählung ›Der Blättler‹ von Kurz.

16. März: Er schreibt an Kurz über den ›Blättler‹, über Schiller, legt einige Gedichte bei und erbittet eine Catull-Übersetzung von Karl Wilhelm Ramler.

22. März: Plieninger teilt M mit, daß ›Der Bauer und sein Sohn‹ vom Oberstudienrat abgelehnt worden sei entgegen dem Votum der Redaktion des ›Volkskalenders‹.

25. März: Kurz bittet Adelbert von Keller, Bibliothekar in Tübingen, um eine Catull-Übersetzung Ramlers für M. – Hartlaub bietet M die Bindemann-Übersetzung von Theokrit an und berichtet von Heines Schrift ›Ueber den Denunzianten‹ (Hamburg 1837).

31. März: Das Gedicht ›Schön-Rohtraut‹ entsteht.

Ende März: M's Bruder Karl tritt seine Haftstrafe an.

Ende März/Anfang April: M reicht sein Märchen ›Der Bauer und sein Sohn‹ der Redaktion des ›Morgenblatts‹ ein, ohne Hoffnung, daß es aufgenommen werde.

Anfang April: Cotta beginnt mit dem Druck von M's ›Gedichten‹.

1. April: Vischer redet M zu, sich zur »Classicität, zum reinen Ideale« zu bekennen und von der »phantastischen Fassung des Ideals« abzukehren; er verweist ihn auf Strauß' Aufsatz ›Justinus Kerner‹ und den eigenen über ›Dr. Strauß und die Wirtemberger‹ in den ›Hallischen Jahrbüchern‹ (Nr. 1–7 bzw. Nr. 57–59). Vischer will M's ›Gedichte‹ in derselben Zeitschrift besprechen.

3. April: M reicht um einen Zuschuß zum Vikarsgehalt ein.

nach 5. April: Kurz schickt seinen Brief ab, in dem er auf den ›Sichern Mann‹ und M's Catull-Übersetzung eingeht; er bietet Ramlers ›Oden aus dem Horaz‹ (mit Catulls ›Auf den Tod eines Sperlings‹ als Anhang; Berlin 1769 oder 1787) an und verweist auf die Catull-Übersetzung von Konrad Schwenck (Frankfurt 1829); Kurz legt Pausen nach Kupfern in den ›Irischen Elfenmährchen‹ (Leipzig 1826) bei.

6. April: Hartlaub sendet Hetschs Komposition von ›Er ists‹.

12. April: Dr. Elsäßer besucht M mit seinem Schwiegervater, dem Tübinger Medizinprofessor Ferdinand Gottlob Gmelin, der M »die besten Hoffnungen« macht. – M erbittet verschiedene Übersetzungen von Kurz (bzw. von dessen Freunden Keller oder Rudolf Kausler, damals Journalist am Stuttgarter ›Spiegel‹), schickt eine Theokrit-Ausgabe, schenkt ihm das Schreiner-Lohbauersche Hölderlin-Porträt von 1823 (M besitzt auch Hölderlin-Handschriften) und legt wahrscheinlich seine Catull-Nachdichtung ›Auf den Arrius‹ bei.

Mitte April: Notter kündigt M seine Anthologie ›Gott und Seele. Stimmen der Völker und Zeiten‹ an (posthum ediert von Carl Beck, Berlin, Stuttgart 1885); über diese Übersetzungen ergibt sich ein kurzer intensiver Briefwechsel. – M arbeitet an Tibull, erhält Lenaus ›Savonarola‹ u. a. von Kerner.

19. April: Kurz übermittelt Schwabs Wunsch, Beiträge von M in den ›Deutschen Musenalmanach für das Jahr 1839‹ zu erhalten und legt u. a. Schillers ›Venuswagen‹ (Stuttgart 1781) bei.

24. April: 40 fl Zuschuß zum Vikarsgehalt werden M angewiesen.

29. April: Kerner sendet gewünschte Bücher an M.

30. April: Kurz ediert Hölderlin im ›Morgenblatt‹ (Nr. 103).

Ende April: M erhält von Keller u. a. eine Catull-Übersetzung.

Anfang Mai: M übersetzt Tibull zum Teil nach den Vorlagen von Friedrich Karl von Strombeck (Göttingen 1799, 1825²), Johann Heinrich Voß (Tübingen 1809) und Karl Friedrich Graf Reinhard (Zürich 1783). – Als Titel der Anthologie ist ›Griechenland und Rom‹ vorgesehen.

1. Mai: M fordert Cotta auf, den Druck der ›Gedichte‹ zu beschleunigen; er will selbst Korrektur lesen und bittet um Aushängebogen.

2. Mai: ›Trost‹ und ›Lied eines Verliebten‹ erscheinen im ›Morgenblatt‹ (Nr. 105).

4. Mai: M gibt Lenaus ›Savonarola‹ an Kerner zurück.

bis 6. Mai: Er schließt die Übersetzung des Anakreon sowie einiger Stücke aus der ›Anthologia graeca‹ ab. – Sein Bruder Adolf, der inzwischen wieder straffällig geworden war, erhält von M Hausverbot; er kommt dennoch nach Cleversulzbach, wird aber abgewiesen. – Der Hausgeist regt sich wieder. – Hartlaub kündigt ›Fünfzig Lieder ohne Worte‹ (Leipzig) von Mendelssohn-Bartholdy an. – M besitzt Kauffmanns Komposition von ›Agnes‹.

12. Mai: Er fragt beim ›Morgenblatt‹ nach der Entscheidung über die Aufnahme seines Märchens ›Der Bauer und sein Sohn‹.

13. Mai: Ernst Kurz besucht M.

14. Mai: Hartlaub schickt Theokrit in der Übersetzung von Bindemann und rät von der Übertragung durch Voß ab. Er legt auch Ernst Münchs ›Erinnerungen, Lebensbilder‹ bei, deren erster Band (Karlsruhe 1836) die Begegnung mit einem Mädchen schildert, das M an M. Meyer erinnert.

vor 23. Mai: M beginnt (als Geburtstagsgeschenk für Hartlaub) einen Traumbericht, das Abenteuer ›von dem gewesenen See‹.

23.–29. Mai: Kurz besucht M in Cleversulzbach; sie besprechen den Plan zu einem neuen Jahrbuch, erwägen die gemeinsame Edition von Waiblingers Werken, diskutieren über Schubart; M besitzt Gedicht-Manuskripte von Bauer und kritisiert dessen ›Alexander und Memnon‹. Am letzten Tag schreibt Kurz das Gedicht ›An Eduard Mörike‹. Er läßt das Manuskript seiner Versnovelle ›Die Reise ans Meer‹ zurück und nimmt den Anfang von ›Schicksal und Vorsehung‹ mit.

30. Mai: M's Bruder Adolf kommt zu Besuch.

Anfang Juni: Kurz erzählt Bauer von seinem Besuch in Cleversulzbach; er gewinnt den Eindruck, das getrübte Verhältnis zwischen Bauer und M könne durch »zwei sonnenhelle Zeilen« von M bereinigt werden. – Bauer verfaßt eine ›Allgemeine Weltgeschichte‹, deren fünfter (vorletzter) Band 1838 erscheint. – Der ›Nolten‹ wird angeblich ins Französische übersetzt.

8. Juni: M's Mutter und Schwester gehen nach Lauffen und bringen eine Reihe von Hölderlin-Handschriften mit, darunter ›Freundschaft, Liebe . . .‹ und ›An Zimmern‹ (in einer Abschrift von diesem).

18. Juni: Kurz sendet sein Gedicht ›Märznacht‹, die Abschrift der achten Strophe von Hölderlins ›Rhein‹-Hymne sowie eine Schiller-Biographie (wahrscheinlich Andreas Streichers ›Schiller's Flucht von Stuttgart‹, Stuttgart, Augsburg 1836).

20. Juni: M's Bruder Adolf kommt wieder und kann krankheitshalber nicht abreisen.

21. Juni: Er wird in Cleversulzbach operiert.

1. — 2. Juli: M eröffnet seine finanzielle Lage gegenüber Mährlen: Er hat 1600 fl Schulden (bei einem Jahresgehalt von 638 fl 8 x). M bittet, ihm auf die künftigen Auflagen seiner ›Gedichte‹ ein Darlehen von 600 fl zu besorgen.

5. Juli: Mit der Mutter besucht M in Lauffen den Diakon Christian Friedrich Bruckmann, einen Studienfreund. Er findet dort den ›Musenalmanach auf das Jahr 1831‹ und liest Waiblingers ›Sizilianische Lieder‹. — Von seinem Bruder Adolf treffen schlimme Nachrichten ein. — M hat den zehnten Bogen seiner ›Gedichte‹ zur Korrektur.

25. Juli: Kurz wiederholt die Bitte Schwabs um Beiträge von M für den ›Deutschen Musenalmanach‹; er rät, ›Schön-Rohtraut‹ einzusenden. (M gibt keinen Beitrag in diesen Jahrgang.) Kurz schickt Drucke nach alten Bildern zum ›Reineke Fuchs‹, sein Novellen-Manuskript ›Lisardo‹ (mit Strichen von Hermann Hauff für den ›Morgenblatt‹-Abdruck vom 1. Februar–6. März 1837) sowie seine Komödie ›Masken‹ und ›Das Novellenbuch‹ (bearbeitet von Eduard von Bülow, Leipzig 1836) u. a.

vor 29. Juli: Mährlen rät M, sich mit seinen Gläubigern gütlich zu verständigen, Abzüge vom Gehalt einbehalten zu lassen und im übrigen eine besser besoldete Pfarrei anzustreben.

13. August: M schickt an Hartlaub einen korrigierten Druckbogen der ›Gedichte‹; offensichtlich sind die Korrekturen abgeschlossen, hat der Ausdruck begonnen.

18. August: Er schreibt Begleitbriefe zur Versendung der ›Gedichte‹ an Schwab, Zumsteeg, Rükkert und später (noch im August) an Oberkonsistorialrat Karl Heinrich Stirm.

24. August: M schildert Vischer sein Vorhaben einer »Klassischen Anthologie«, die jetzt auf zwei Bände berechnet ist; er bittet um verschiedene Übersetzungen, die er in etwa drei Wochen benötigt, und legt u. a. ›An einen kritischen Freund‹ bei.

September: M lernt Emma von Suckow kennen.

Anfang September: M's ›Gedichte‹ erscheinen mit der gedruckten Dedikation »Seinem Freunde Wilhelm Hartlaub zum Zeichen unveränderlicher Liebe gewidmet«. Das broschierte Buch kostet 2 fl. — Kerner erhält die ›Gedichte‹. — Im September-Heft der ›Europa‹ werden sie von Rudolf Kausler und Berthold Auerbach besprochen.

5. September: M's Bruder Karl reicht um Erlaß der Untersuchungskosten ein und um Ausbezahlung seiner (von einem Vormund verwalteten) väterlichen Erbschaft; er hat demnächst seine Strafe abgesessen.

8. September: Kurz erhält von Cotta die ›Gedichte‹, schreibt die Verse ›Deine Gedichte‹ für M.

9. September: Kurz dankt für die ›Gedichte‹, berichtet von seiner Lukan-Lektüre und erzählt eine Geistergeschichte. — Vischer dankt M für die durch Cotta erhaltenen ›Gedichte‹; er hat das ihm gewidmete Gedicht erst hier kennengelernt.

10. September: M gibt um einen Zuschuß zum Vikarsgehalt ein und bittet um einen Unterstützungsbeitrag zu seiner Erholungsreise; der Arzt konstatiert im Beibericht ein »anhaltendes lästiges Gefühl von Schwäche und Schwindel«. — M sendet die ›Gedichte‹ an Notter und rät ihm, seine Arbeit an ›Gott und Seele‹ geheim zu halten. In das Widmungsexemplar für Mayer schreibt M den Eintrag ›Der sie Dir sendet aus der Ferne . . .‹. Kerner dankt für die ›Gedichte‹.

13. September: Mit der Schwester fährt M nach Heilbronn; er sendet die ›Gedichte‹ an Hartlaub.

20. September: Zur Erholungsreise werden 40 fl gewährt; der Zuschuß zum Vikarsgehalt wird abgelehnt.

23. September: Klara Hartlaub wird geboren.

25. September: Hartlaub bittet M's Schwester, die Patenschaft zu übernehmen. — In der ›Schwäbischen Chronik‹ sind die ›Gedichte‹ angezeigt.

26. September: Kerner, sein Sohn Theobald und E. v. Suckow besuchen M.

30. September: Kurz übergibt M zur Begutachtung seine Komödie ›Kunstkennerschaft‹ und das Märchen ›Die Liebe der Berge‹, die er zusammen mit anderen Texten publizieren will (›Dichtungen‹, Pforzheim 1839).

10. — 28. Oktober: M hält sich mit der Schwester in Wermutshausen bei Hartlaub auf. Für dessen Kinder erfindet er die Groteskgestalten Tschagga, Quagga und Waldwibichlein.

11. Oktober: M besucht den Studienkollegen

Carl Friedrich Wilhelm Wolf, der seit 1829 Pfarrer im nahen Rinderfeld ist; er begegnet Ostertag.

12. Oktober: M sucht Ostertag in Niederstetten auf.

14. Oktober: Zur Taufgesellschaft gehören neben Verwandten Hartlaubs auch Ostertag, Dr. med. Friedrich Krauß, fürstlicher Hofrat in Niederstetten, und seine Frau Therese sowie Pfarrer Johann Friedrich Krauß aus Pfizingen.

17. Oktober: M's Bruder Ludwig kommt nach Wermutshausen; er hat seine Stelle aufgegeben.

18. Oktober: M fährt mit den Geschwistern und Hartlaub nach Mergentheim.

19. Oktober: Ostertag bringt Freiligraths ›Gedichte‹ (Stuttgart, Tübingen 1838), erhält von M die ›Gedichte‹ mit dem Eintrag ›Ist's der Dichter . . .‹.

21. Oktober: Therese Krauß besucht M.

22. Oktober: M, sein Bruder Ludwig und Hartlaub besprechen eine Briefedition als Fortsetzung der Übersetzungs-Anthologie; die Gesellschaft wandert nach Laudenbach, wo M die Marien-Bergkirche kennenlernt, sie geht nach Niederstetten zur Familie Krauß und begegnet Ostertag.

23. Oktober: M zeichnet den Wermutshäuser Kirchtum; Dr. Krauß und seine Frau sowie Wolfs besuchen ihn.

26. Oktober: Er nimmt sich Werke von Goethe und Theodor Mundt vor.

27. Oktober: M liest Eckermann und Freiligrath; er erläutert Erhard seinen Fortsetzungsplan und geht den Verleger um einen Vorschuß an.

28. Oktober: Mit den Geschwistern und Hartlaub fährt M nach Cleversulzbach zurück; unterwegs besuchen sie Schönhuth.

30. Oktober: M gibt um Zuschuß für das Vikarsgehalt ein; er erhält diesmal (für die Zeit bis 11. November 1839) 80 fl. – Hartlaub fährt nach Wermutshausen zurück.

3. November: Nach einer raschen Entscheidung fahren M und sein Bruder Ludwig nach Stuttgart; sie beziehen in der ›Sonne‹ Quartier, wohnen später in der Hauptstätterstr. 87. M bespricht sich mit den Freunden über seine berufliche Zukunft; alle außer Notter raten zu einer besser besoldeten Pfarrei, er habe keine Aussicht auf einen Bibliotheksposten. M zieht auch immer wieder Erkundigungen ein über das »Baket«, eine magnetische Behandlung von Nervenleiden, die er selbst anfangen will. – Zunächst ist M häufig mit Hardegg verabredet; Bauer trifft er nur selten; beide Freunde verwen-

den sich für M's Versetzung. Bauer bietet für die ›Klassische Anthologie‹ eigene Horaz-Übersetzungen an, die M akzeptiert. – Auf dem Museum liest M u. a. Vischers Aufsatz über ›Dr. Strauß und die Wirtemberger‹.

4. November: M schickt an Kurz die Manuskripte zurück und schlägt ein Treffen vor.

5. November: M besucht den Onkel Heinrich Mörike und fährt vielleicht nach Ludwigsburg (zum Bruder Karl?). – Sein Bruder Ludwig verkauft den »Spiegelvers« an Christoph Friedrich Etzel für 300 fl, erhält 100 fl bar und schickt davon die Hälfte nach Cleversulzbach. (Noch in Stuttgart sieht M einen Entwurf Ferdinand Fellners für den Vers.)

6. November: M ist mit Kurz verabredet.

7. November: Lachner spielt für M in einer kleinen Gesellschaft ›Die Regenbrüder‹.

vor 8. November: M lernt den Juristen Reinhold Köstlin kennen. – Erhard verzichtet auf die Anthologie; M will sie Cotta anbieten. – Hardegg berichtet vom Interesse der Prinzessin Marie an M's Lage und rät zur Dedikation der ›Gedichte‹ mit einem besonderen Gedicht (das M sogleich beginnt); da wird M aus Cleversulzbach ein Brief Grüneisens nachgeschickt, der Mitteilung macht von einem 100 fl-Geschenk der Prinzessin. (Grüneisen ist seit 1835 Oberkonsistorialrat in Stuttgart.)

8. November: M schreibt seinen Danksagungsbrief an die Prinzessin. – Mährlen verspricht M, für seinen Bruder Ludwig eine Interimsanstellung zu finden. (Mährlen ist Professor an der Gewerbeschule geworden.)

9. November: M übergibt das Danksagungsschreiben an Grüneisen.

10. November: Mit seinem Bruder Ludwig zieht er in ein Privatquartier; als sie erfahren, daß dort ihr ehemaliger Gläubiger Fecht verstorben sei, gehen sie sofort wieder in die ›Sonne‹.

12. November: Wahrscheinlich trifft M erneut mit Kurz zusammen und entwickelt ihm zentrale Motive eines Märchens, die er später im ›Stuttgarter Hutzelmännlein‹ verwendet.

13. November: Mit Grüßen an die Freunde Kauffmann und Lohbauer sendet M die ›Gedichte‹ an Marie Kauffmann.

Mitte November: M korrespondiert in Angelegenheiten seines Bruders Karl. – Von den restlichen 200 fl von Etzel erhält sein Bruder Ludwig die Hälfte. – M berät seinen Vetter Karl Mörike, der Missionar werden will.

19. November: Kurz und M besuchen das Theater (ein musikalisches Quodlibet und eine Lokalposse); sie begegnen Strauß, der M indirekt zu einem Besuch bei Emilie Sigel auffordert, der ehemaligen Freundin Hardeggs.

20. November: Mit Hardegg sucht er Strauß auf, der ihm die Bitte Kerners übermittelt, eine Visite bei E. v. Suckow zu machen. Strauß will die ›Gedichte‹ in den ›Jahrbüchern für wissenschaftliche Kritik‹ rezensieren. – M geht mit seinem Bruder Ludwig in ein Konzert und trifft dort Strauß, Köstlin und Brutzer (der seit kurzem an der Gewerbeschule unterrichtet).

21. November: M trifft sich mit Kurz und nimmt an dessen Manieren Anstoß; er sucht E. Sigel auf, geht zu Strauß und abends zu Brutzer. (E. Sigels Bruder Edmund, mit M von der Universität her bekannt, jetzt Garnisonspfarrer in Stuttgart, sieht die Begegnung nicht gern.)

22. November: Bei Lachner (der z. Zt. die Ouverture zu den ›Regenbrüdern‹ komponiert) nimmt M Veränderungen am Text vor; er stellt sich bei E. v. Suckow ein und lernt deren Mann, einen Oberstleutnant, kennen. M besucht Charlotte Späth, die Jugendschriftstellerin geworden ist, schaut mit seinem Bruder Ludwig bei Tante Georgii vorbei und verbringt mit ihm den Abend bei Onkel Mörike. – An Kurz schreibt M die Erklärung, vorerst nur mehr schriftlich verkehren zu wollen.

vor 23. November: M gibt seine Anthologie an Schweizerbart ab; hier erhält er wenigstens ein besseres Honorar (226 fl).

23. November: Kausler überbringt das Einverständnis von Kurz. Hardegg kommt zu M. Grüneisen sucht ihn auf; sie besprechen dessen Schrift ›Über Gesangbuchsreform‹ (Stuttgart, Tübingen 1839); dann macht Grüneisen im Namen des Vorstands des Schiller-Vereins M den Antrag, für das kommende Schillerfest einen zentralen Beitrag zu liefern; M kann nicht absagen. (Uhland hatte bereits abgelehnt.) – Er beginnt die Arbeit an der ›Kantate‹. – Kurz gibt die ›Regenbrüder‹ und verschiedene Briefschaften zurück, legt eine eigene Horaz-Übersetzung bei; er schickt Geld.

24. November: M stellt die ›Kantate bei Enthüllung der Statue Schillers‹ fertig. Er besucht Köstlin, der ihm ein Trauerspiel vorliest.

25. November: Er übergibt die ›Kantate‹ an Grüneisen und unterhält sich mit Köstlin über Dramen.

26. November: M spricht beim Präsidenten des Stuttgarter Schiller-Vereins, Georg von Reinbeck, wegen der ›Kantate‹ vor; er sieht das Modell des Thorvaldsenschen Schiller-Denkmals.

– Mit seinem Bruder Ludwig besucht er Pauline Lohbauer und die Tante Georgii.

29. November: M geht mit Lachner ins Theater zu einer Besprechung der Inszenierung der ›Regenbrüder‹. Er schreibt ein letztes Billet an Kurz. Abends nimmt er an einem Lesekränzchen bei Hardegg mit Strauß, Brutzer und Mährlen teil.

1. Dezember: Von Grüneisen erfährt M, daß der Komponist seiner ›Kantate‹, der Hofkapellmeister Peter von Lindpaintner, Veränderungen am Text wünsche; M lehnt sie ab. Notter besucht ihn; sie sprechen über Goethe, Uhland und über Gespenster.

2. Dezember: Notter sucht M wieder auf.

3. Dezember: Mit Notter geht M zu Theodor Wagner, Professor für Bildhauerei an der Akademie (ehemals enger Freund Waiblingers), um eine Sammlung von Thorvaldsen-Abgüssen zu sehen. Er begegnet dem Buchdrucker und Dichter Niklas Müller.

4. Dezember: M trifft Strauß, Brutzer, Militärgouverneur Julius von Hardegg, einen Bruder seines Freundes, geht aufs Museum. Mit seinem Bruder Ludwig besucht er Karl von Kerner, um ihn wegen einer besser besoldeten Pfarrei zu konsultieren.

6. Dezember: Zum Lesekränzchen bei Brutzer erscheinen M, Hardegg, Mährlen, Strauß, Köstlin und Bauer, der sein Lustspiel ›Der Bestochene‹ rezitiert.

7. Dezember: Karl von Suckow überbringt eine Einladung seiner Frau. Strauß, Brutzer und M begegnen Grüneisen, der M's ›Kantate‹ verändert hat. An die Schwester schickt M Holzschnitte aus Schillers ›Sämmtlichen Werken‹ (Stuttgart, Tübingen 1838) und Herders ›Cid‹ (Stuttgart, Tübingen 1838).

11. Dezember: M besucht Ch. Späth, die ihm ihre Erzählung ›Der arme Martin‹ (Stuttgart 1838; anonym) schenkt.

12. Dezember: Bei Suckows begegnet er dem Staatsrat August von Wächter, der Frau G. v. Reinbecks u. a. Er erhält das neueste Heft der ›Revue des deux mondes‹ mit einem Aufsatz über Strauß.

13. Dezember: An Hartlaub schickt M die von Hetsch und Kauffmann gemeinsam publizierten ›Lieder schwäbischer Dichter‹ (Stuttgart, 2 Hefte). – Bei Strauß bespricht M erneut dessen Vorschlag, seine Märchen gesammelt herauszugeben. Abends besucht er das Lesekränzchen bei Mährlen.

17. Dezember: Von Schweizerbart erhält M einen Vorschuß von 100 fl auf die Anthologie.

18. Dezember: M verhandelt mit Schweizerbart wegen der Sammlung seiner Märchen. Er trifft sich mit Hardegg, Notter und Köstlin.

20. Dezember: M will ›Die Regenbrüder‹ in seine Märchen-Sammlung aufnehmen, spricht deshalb mit Schweizerbart und Lachner. M konsultiert Hardegg wegen Graf Leutrum, der Bedenken gegen den Druck der ›Regenbrüder‹ hat, geht auch zu Mährlen. Abends ist Kränzchen bei Bauer, an dem neben M auch Strauß, Hardegg, Brutzer, Mährlen und Notter teilnehmen. – Gegen M's Bruder Adolf, Klavierbauer, wird ein Gerichtsurteil gefällt: Wegen betrügerischer Schulden, Unterschlagung und versuchter Wechselfälschung erhält er eine Arbeitshaus-Strafe.

21. Dezember: Lachner spielt M die ›Regenbrüder‹-Ouvertüre vor.

24. Dezember: Mit Lachner sucht er Julius Nisle auf, der die Kostüme für die ›Regenbrüder‹-Inszenierung entwirft.

26. Dezember: M unterschreibt die Verlagsverträge für die ›Classische Blumenlese‹ und die ›Iris‹; er erhält ein Honorar von 12 fl 30 x bzw. 22 fl pro Bogen; von beiden Büchern sollen je 1000 Stück gedruckt werden; für M sind 12 bzw. 10 Freiexemplare vorgesehen. Die ›Classische Blumenlese‹ soll eine Auswahl aus Homer, Sappho, Theokrit, Bion, Moschus, Catull, Horaz, Tibull, Theognis und aus der ›Anthologia graeca‹ enthalten. Bei gutem Absatz dieses Bandes soll ein zweiter folgen, der Übersetzungen aus Pindar, Tyrtäus, Anakreon, Properz, Ovid, Martial und wieder aus der ›Anthologia graeca‹ aufnehmen wird. Der Druck soll im Februar 1840 beginnen; M erhält eine Vorausbezahlung von 100 fl. Für die ›Iris‹ verspricht M den ›Schatz‹, die ›Regenbrüder‹, den ›König von Orplid‹, ›Armfrieder. Novelle‹ (›Der Bauer und sein Sohn‹) »und wo möglich ein neues Mährchen«. Da die Auslieferung für Februar 1839 vorgesehen ist, soll der Druck sofort beginnen. Schweizerbart bedingt sich auch die Option auf M's neuen Roman aus. Die ›Iris‹ wird zwei Umrißzeichnungen von Nisle und Fellner enthalten, deren Motive M bestimmt.

31. Dezember: Er gibt Kurz weitere Manuskripte zurück sowie (ungelesen) Karl Immermanns ›Münchhausen‹ (Düsseldorf 1838). Er fährt nach Cleversulzbach ab, weil er bald einen neuen Vikar erwartet.

bis Jahresende: M revidiert die ›Harrower‹-Skizze aus der ›Urania‹, indem er sie deutschen Ver-

hältnissen anpaßt und ›Lucie Gelmeroth‹ nennt; er separiert die ›Orplid‹-Szenen aus dem ›Nolten‹ und reinigt sie von Derbheiten; er kürzt das Märchen ›Der Schatz‹. Nisle stellt seine Zeichnung für die ›Iris‹ fertig.

1839

Anfang: Schwabs Rezension der ›Gedichte‹ erscheint in den ›Heidelberger Jahrbüchern der Literatur‹ (Nr. 12).

Januar: Infolge seiner feuchten Wohnung zieht sich M Rheumatismus zu.

2. Januar: M's Bruder Adolf tritt seine Strafe im Ludwigsburger Arbeitshaus an.

4. Januar: In Cleversulzbach findet der Vikarswechsel statt: Jakob Wilhelm Haueisen beginnt seinen Dienst.

6. Januar: E. v. Suckow fragt an, ob sie in ihrem ›Morgenblatt‹-Aufsatz über Kerner auch die Cleversulzbacher Geistererscheinungen erwähnen dürfe.

7. – 22. Januar: Reinhold Köstlins Aufsatz ›Die schwäbische Dichterschule und Eduard Mörike‹ erscheint in den ›Hallischen Jahrbüchern‹ (Nr. 6–19); deswegen wird Vischers ›Gedichte‹-Rezension dort abgelehnt.

9. Januar: Kurz übermittelt den Wunsch des Stuttgarter Verlegers Carl Hoffmann, M möchte bei ihm eine Homer-Übersetzung herausgeben. Der ›Verlag der Klassiker‹ (Franckh) trug Kurz und M eine Shakespeare-Übersetzung an. Kurz kennt bereits die Lindpaintner-Musik zur ›Kantate‹.

11. Januar: Vischer schenkt M den Kupferstich ›Der Gefangene‹ von Moritz von Schwind. Er schickt Grüße von J. G. Schreiner aus München und fordert M zu einem Lustspiel in schwäbischem Dialekt auf. Er will seine ›Gedichte‹-Rezension jetzt an die ›Jahrbücher für wissenschaftliche Kritik‹ senden.

Mitte Januar: M erkundigt sich nach Vincenzo Bellinis Oper ›Die Montecchi und Capuleti‹.

19. Januar: Von der ›Iris‹ sind bereits zwei Bogen gedruckt.

Ende Januar: M schreibt wahrscheinlich das Gedicht ›An Madame K.‹ (für Therese Krauß).

Februar: Er übersetzt für die ›Classische Blumenlese‹. – Strauß erhält einen Ruf als Professor der Dogmatik und Kirchengeschichte nach Zürich, wird aber vor Amtsantritt bereits pensioniert, bleibt somit vorerst in Stuttgart.

3. Februar: An Hartlaub schickt M eine Zeichnung zum ›Kinderlied‹ sowie Fahnen der ›Iris‹ u. a.; er fragt nach ›Theocriti reliquiae‹, herausgegeben von Johann Reiske (Leipzig 1765/66).

12. Februar: M bittet Hardegg um empfehlende Nachrichten über besser dotierte vakante Pfarreien; er erkundigt sich nach Möglichkeiten, die ›Iris‹ der Prinzessin Marie zu dedizieren. – Hardegg will sich bei Hof für M verwenden.

15. Februar: M schickt das ›Kinderlied‹ an Hartlaub und teilt mit, daß Nisle einen Zyklus zum ›Sichern Mann‹ plane. – Hartlaub läßt die gewünschte Theokrit-Ausgabe an M gehen.

20. Februar: Sein Bruder Ludwig besucht M; er will nun ein Gut in der Schweiz pachten.

21. Februar: E. v. Suckow sendet Gedicht-Manuskripte an M.

22. Februar: Seine Schwester fährt mit seinem Bruder Ludwig nach Stuttgart, dann nach Nürtingen.

Ende Februar: Die ›Iris‹ soll erscheinen; da der Termin an die Uraufführung der ›Regenbrüder‹ gekoppelt ist und diese sich verzögert, bleibt auch das Buch liegen.

Anfang März: Der Stuttgarter Verleger Georg Heubel hat die Rechte an Waiblingers Schriften erworben, wollte Schwab als Herausgeber gewinnen und wurde von diesem an M verwiesen: M schlägt das Angebot aus, will auch keine Biographie des Jugendfreunds schreiben; er rät zu einer Auswahlausgabe.

15. März: Kauffmann, vom König begnadigt, wird aus der Haft entlassen.

23. März: M's Bruder Ludwig, der sich wegen Buchhandelsfragen wieder einige Tage in Cleversulzbach aufgehalten hat, fährt nach Stuttgart ab.

25. März: E. v. Suckow (Pseudonym: Niendorf) veröffentlicht im ›Morgenblatt‹ (Nr. 72) eine Schilderung ihres Besuchs in Cleversulzbach.

29. März: M schickt die Zeichnung ›Der Spielmann und der tanzende Vogel‹ für Agnes Hartlaub nach Wermutshausen; er legt auch Nisles ›Iris‹-Illustration bei; die von Fellner ist noch nicht fertig.

31. März – 4. April: M's Bruder Ludwig hält sich wegen dem »Spiegelvers« oder einem Laterna magica-Entwurf in Cleversulzbach auf.

31. März: Als Übersetzung aus dem Lateinischen des Enea Silvio Piccolomini übergibt M die ›Arete‹ an Hartlaub, die nicht beendete erste Fassung der ›Hand der Jezerte‹; er erwägt ihre Publikation im ›Morgenblatt‹. Auch Lindpaintners Komposition der ›Kantate‹ geht an Hartlaub.

erste Hälfte April: M arbeitet am Kommentar der ›Classischen Blumenlese‹ u. a. mit Hilfe von Reiskes Theokrit-Ausgabe; er besitzt ›Anakreons und Sapphos Lieder‹ in der Übersetzung von J. F. Degen (Leipzig 1821²).

5. April: Hartlaub schickt eine Abschrift von Köstlins Aufsatz.

nach 5. April: Seiner Schwester unterbreitet M das Gedicht ›An Madame K.‹.

8. – 9. April: Vischer besucht M; sie sprechen über Poesie und Vischers Liebe zu Charlotte Gmelin (wahrscheinlich identisch mit Lenaus ehemaliger Freundin »Schilflottchen«). M bittet Vischer um ›Theognidis reliquiae‹, herausgegeben von Welcker (Frankfurt 1826), ›Theocriti, Bionis et Moschi carmina bucolica‹ (Leipzig 1823), ›Theocriti, Bionis et Moschi quae supersunt‹ (Halle 1825), ›Poetae minores Graeci‹ (Leipzig 1823) u. a.

12. April: Hartlaub kritisiert Lindpaintners Vertonung der ›Kantate‹.

15. April: Wegen seiner erhofften Versetzung schreibt M an Grüneisen und Stirm.

17. April: Schweizerbart besucht M, bringt die ersten ›Iris‹-Exemplare und den Rest des Honorars dafür; die ›Iris‹, »Eine Sammlung erzählender und dramatischer Dichtungen«, enthält neben einem Vorwort M's folgende Stücke: ›Der Schatz. Mährchen‹, ›Die Regenbrüder. Oper in zwei Acten‹, ›Der lezte König von Orplid. Schattenspiel‹, ›Lucie Gelmeroth. Novelle‹ und ›Der Bauer und sein Sohn. Mährchen‹; neben zwei Illustrationen von Fellner und Nisle wurde (spätestens 1851) den Bindungen Schreiners M-Porträt beigegeben. – Schweizerbart beauftragt M mit der Edition von Familienbriefen Schillers, die bei dem Schwiegersohn von Schillers Schwester Luise Frankh, dem Kaufmann Georg Kühner in Möckmühl, liegen (1839 im zweiten Band der ›Nachträge zu Schillers Sämtlichen Werken‹, in Stuttgart herausgegeben von Eduard Boas, erschienen).

19. April: M verabredet in Brettach mit Pfarrer Eberhard Friedrich Elwert die Einsichtnahme in die Schiller-Briefe.

20. April: Kerner schickt an M ›Zwei friedliche Blätter‹ von Strauß (Altona 1839).

21. April: M's Bruder Ludwig kommt wieder für einige Monate.

bis 22. April: An Hardegg sendet M zwei Exemplare der ›Iris‹ für die Prinzessinnen; der Freund rät jedoch von einer Dedikation ab. Hardegg informiert M, daß die Note seiner Anstellungsprüfung von 1826 nicht für eine bessere Pfarrei ausreiche; er müsse entweder ein Beförderungs-Examen absolvieren oder beim König um Dispensation davon eingeben; er rät zu einer einfachen Meldung zur Prüfung.

22. April: In Obertürkheim traut Bauer den Freund Mährlen und die Kaufmannstochter Elise Conradi.

24. April: Mit seinem Bruder Ludwig in Möckmühl, zeichnet M das Schiller-Lengefeldsche Familienwappen für die Boas-Ausgabe.

28. April: Im Auftrag Schweizerbarts kauft M's Bruder Ludwig die Schillerschen Familienbriefe für 350 fl.

29. April: M schreibt das Vorwort zu seiner kleinen Schiller-Edition und schickt das ganze Manuskript an Schweizerbart.

1. Mai: Charlotte Krehl, eine Enkelin von M's Onkel Planck, hat Geburtstag; aus diesem Anlaß schrieb M das Gedicht ›An Lottchen Krehl‹.

2. Mai: Der entfernten Verwandten Emilie Abel widmet M die frühe Fassung von ›Dir, o Liebste . . .‹. – Reinbeck lädt M zur Schillerfeier nach Stuttgart ein. – Über die von Hartlaub gesandten Proben aus Rückerts ›Leben Jesu‹ (Stuttgart, Tübingen 1839) ist M entsetzt.

3. Mai: Menzel rezensiert die ›Gedichte‹ im ›Literatur-Blatt‹ (Nr. 45).

4. Mai: M's Schwester kehrt nach Cleversulzbach zurück.

5. Mai: Er sagt die Teilnahme an der Schiller-Feier ab. – In der ›Schwäbischen Chronik‹ ist der »Spiegelvers« angezeigt; Nisle hat die »allegorischen Randzeichnungen« letztlich nicht nach M's Angaben ausgeführt. Der Glanzkarton mit Kuvert kostet 48 x. – Kompositionen von Christian Heydenreich, die Ch. Krehl besorgt hat, schickt M an Hartlaub.

vor 7. Mai: Die Waiblinger-Ausgabe wurde auch von Bauer abgelehnt und jetzt durch Hermann von Canitz, einen Buchhändler, angenommen.

8. Mai: Zur Enthüllung des Thorvaldsenschen Schiller-Denkmals in Stuttgart wird M's ›Kantate‹ (in der Fassung von Grüneisen) nach der Komposition von Lindpaintner aufgeführt; sie liegt in den ›Gesängen bei der Feier‹ (Stuttgart) auch gedruckt vor.

9. Mai: Vischer teilt mit, daß die ›Jahrbücher für wissenschaftliche Kritik‹ seine ›Gedichte‹-Rezension annahmen, aber die des ›Nolten‹ zurückwiesen; die zweite will er nun den ›Hallischen Jahrbüchern‹ anbieten.

10. Mai: Im ›Morgenblatt‹ (Nr. 112) erscheint M's ›Kantate‹.

16. Mai: M sendet die ›Iris‹ mit dem Gedicht ›An Madame K.‹ an Therese Krauß.

19. Mai: Die ›Iris‹ wird in der ›Schwäbischen Chronik‹ angezeigt; sie kostet in der broschierten Ausgabe ohne Porträt 2 fl. Schweizerbart beginnt den Versand der Autoren-Exemplare an Kurz, Vischer, E. v. Suckow (zugleich für Elisabeth von Hügel, die als Frau des Kriegsministers die ›Gedichte‹ an Prinzessin Marie empfohlen haben soll) u. a.

20. Mai: ›Die Regenbrüder‹ werden am Stuttgarter Theater (in einer vielfach vom Text der ›Iris‹ abweichenden Fassung) uraufgeführt.

22. Mai: ›Die Regenbrüder‹ werden zum zweiten (und letzten) Mal aufgeführt. – M sendet die ›Iris‹ an Strauß.

25. Mai: Die ›Regenbrüder‹-Aufführung wird in der ›Schwäbischen Chronik‹ besprochen.

26. Mai: ›Der schwäbische Humorist‹ (Nr. 63) bespricht die ›Regenbrüder‹.

27. Mai: E. v. Suckow schickt ihren ›Morgenblatt‹-Artikel vom März. M revanchiert sich mit dem »Spiegelvers« (zugleich für deren Schwester Agnes von Großmann).

29. Mai: Mit den Geschwistern Klara und Ludwig besucht M Kerner in Weinsberg.

Juni: In Cleversulzbach entsteht das Gedicht ›Sagt, was wäre die Blüte . . .‹.

3. Juni: M schickt den »Spiegelvers« an Vischer, bittet um die ›Anthologia graeca‹ in der Ausgabe von Friedrich Jacobs (Leipzig 1794/1814) und erneut um die Theognis-Edition von Welcker.

5. Juni: M schickt den »Spiegelvers« an Kerner und (zusammen mit einer Abschrift von ›Wo find ich den, den meine Seele liebet . . .‹ des Johann Arndt) an Notter.

10. Juni: Er berichtet Schnitzer vom Stand der ›Classischen Blumenlese‹, deren Manuskript fast abgeschlossen sei; er legt bereits einen Teil der Vorrede bei. M erbittet die Hilfe des Freunds für die Arbeit an den Theokrit-Idyllen, die er nach den Vorlagen u. a. von Bindemann, Reiske, A. W. R. Naumann (›Theokritos, Bion und Moschos‹, Prenzlau 1828), Johann Witter (›Idyllen und Epigramme‹, Hildburghausen 1819) und J. H. Voß (›Theokrit, Bion und Moschus‹, Tübingen 1809) übersetzt. – Vischer schickt die gewünschten Bücher und schreibt über ›Iris‹ und »Spiegelvers«.

11. Juni: Das Gedicht ›Daß du mit dem Bügeleisen . . .‹ entsteht.

Mitte Juni: M wird in der Untersuchung gegen seinen Bruder Karl vom Oberamtsgericht Nekkarsulm vorgeladen; er läßt sich dispensieren.

17.–20. Juni: Vischers ›Nolten‹-Rezension erscheint in den ›Hallischen Jahrbüchern‹ (Nr. 144–147).

Juli: In den ›Jahrbüchern für wissenschaftliche Kritik‹ (Nr. 14–17) ist Vischers ›Gedichte‹-Rezension gedruckt.

1. Juli: M gibt Vischer die Bücher zurück und kritisiert seine Gedicht-Manuskripte.

4. Juli: Er beantragt einen Kur-Urlaub auf drei Wochen nach Bad Mergentheim.

13. Juli: Der Urlaub wird gewährt.

Mitte Juli: Schnitzer schickt seine Theokrit-Anmerkungen und Vischers ›Nolten‹-Rezension.

17. Juli: Vischer bricht nach Italien auf; er verabschiedet sich von M brieflich.

ca 20. Juli: Mit seiner Schwester reist M zu Hartlaub nach Wermutshausen. Er berichtet dem Freund von Märchen- und Lustspielplänen; sie besuchen Wolf in Rinderfeld.

4. August: Für Agnes Hartlaub schreibt M die Verse ›Dein Vater muß studieren . . .‹.

7. August: Für die ›Classische Blumenlese‹, die »bis auf Weniges fertig« ist, erbittet M von Pauly Original-Ausgaben der Texte, die er nur aus Wilhelm Ernst Webers Edition ›Die elegischen Dichter der Hellenen‹ (Frankfurt 1826) kennt.

17. August: Mit Hartlaub und seiner Familie kehrt M nach Cleversulzbach zurück.

18. August: M bittet Kerner um ein Exemplar der ›Seherin von Prevorst‹ (Stuttgart 1829) und ›Des Knaben Wunderhorn‹ zur Lektüre mit Hartlaub und kündigt einen gemeinsamen Besuch an. (Kerner schickt nur das ›Wunderhorn‹.)

vor 22. August: Hartlaub fährt ohne seine Familie nach Hause.

18. September: Als Hartlaub die Seinen in Cleversulzbach abholt, ist auch M's Bruder Ludwig anwesend; Agnes Hartlaub bleibt bei M.

29. September: Hartlaub erhält von Hetsch die Komposition von ›Schön-Rohtraut‹.

Anfang Oktober: M arbeitet an Catull; er schreibt für Hartlaub den ersten Italien-Brief Vischers ab.

18. Oktober: M gibt um Dispens vom Beförderungsexamen ein; auf ärztlichen Rat müsse er der feuchten Lage von Cleversulzbach wegen eine andere Stelle anstreben.

19. Oktober: In der Untersuchung gegen M's Bruder Adolf wird das Urteil gefällt: Wegen Unterschlagung, Betrug und Wechselfälschung wird er wieder mit Arbeitshaus bestraft.

26. Oktober: M besitzt die ›Odyssee‹-Ausgabe von Fr. Heinrich Bothe (Leipzig 1834). – Sein Dispensations-Gesuch wird abgewiesen.

November/Dezember: M fühlt sich nicht wohl, wird zur Ader gelassen, muß Brechmittel nehmen.

November: In Gutzkows ›Telegraph für Deutschland‹ (Nr. 178) steht eine Charakteristik M's.

2. November: M's Bruder Adolf wird aus dem Arbeitshaus entlassen.

14. November: Hartlaub verweist M auf ›Goethe's Briefwechsel mit einem Kinde‹ (Berlin 1835).

17. November: Plieninger bittet erneut um einen Beitrag für den ›Volkskalender‹.

bis Ende November: Wegen der anhaltenden Krankheit von M's Schwester kommt Ch. Krehl zu Besuch.

Ende November: M liest das ›Rheinische Odeon‹, herausgegeben von Ignaz Hub, Freiligrath und August Schnezler (Koblenz 1836 oder 1839). – Er bittet Schnitzer um Kommentarhilfe bei Homer und Theokrit.

Dezember: Mayer schenkt M seine ›Lieder‹ (Stuttgart 1833).

6. Dezember: Arnold Ruge bittet um Beiträge zum ›Deutschen Musenalmanach‹ (Berlin 1840).

9. Dezember: M's Bruder Ludwig ist in Cleversulzbach. – Schnitzer beantwortet die Kommentarfragen M's.

10. Dezember: Zum Geburtstag seiner Schwester schenkt M das Gedicht ›Heut ist fürwahr . . .‹.

13. Dezember: M erzählt Hartlaub eine Anekdote über Eberhard Wächter und von seiner Begeisterung über Daguerreographien. Als Lektüre nennt er u. a. Carl Philipp Conz' ›Nicodemus Frischlin‹ (Frankfurt, Leipzig 1792), dessen ›Kleinere Prosaische Schriften‹ (Tübingen 1821/22 oder Ulm 1825) und Übersetzung des ›Agamemnon‹ von Äschylus (Tübingen 1815).

23. Dezember: M's Bruder Adolf tritt seine weitere Strafe im Arbeitshaus Ludwigsburg an.

24. Dezember: M schickt die ›Gedichte‹ mit Widmung an L. Rau. – Mayer schenkt M seine ›Gedichte‹ (Stuttgart, Tübingen 1839²).

1840

M besitzt die ›Mythologie für Nichtstudierende‹ von Georg Reinbeck (Wien 1817).

erste Hälfte Januar: In einem dringenden Brief an Bauer legt M dem Freund eigene und sechs Bauersche von M überarbeitete Horaz-Übertragungen für die ›Classische Blumenlese‹ vor; er rät ihm zu einer Gedichtausgabe und fragt wegen seines Beförderungsexamens an.

zweite Hälfte Januar: Ch. Krehl reist ab.

22. Januar: Das am 17. Januar gefällte Urteil gegen M's Bruder Karl wird eröffnet: Wegen fortgesetzter versuchter Erpressung und Urkundenfälschung erhält er $3\frac{1}{2}$ Jahre Arbeitshaus: Um am Reichtum des Neuenstädter Apothekers Karl Abraham Mörike teilhaben zu können, hatte Karl das Testament des gemeinsamen Urgroßvaters gefälscht.

25. Januar: M's Bruder Karl tritt seine Strafe im Arbeitshaus Ludwigsburg an; er war bereits ein Jahr lang in Untersuchungshaft.

12. Februar: M gibt um einen Vorschuß zum Vikarsgehalt ein.

13. Februar: Auf Aufforderung des Herausgebers Karl Ferdinand Haltaus sendet M für dessen ›Album deutscher Schriftsteller‹ zur 4. Säkularfeier der Buchdruckerkunst‹ (Leipzig 1840) seinen Beitrag ›Gutenbergs Erfindung‹ ein.

14. Februar: Ein Teil des ›Blumenlese‹-Manuskriptes geht an Schweizerbart ab; es enthält wahrscheinlich M's Nachdichtung ›Zwiespalt‹; anschließend dürfte M die geliehene Catull-Ausgabe mit dem an ›Herrn Bibliothekar Adelb. v. Keller‹ gerichteten Gedicht zurückgeben. – In Geldangelegenheiten schreibt M an Gottlob Tafel und an das Waisengericht Neuenstadt.

zweite Hälfte Februar: Hartlaub korrespondiert mit Bauer über M's Schuldenlast; Bauer schlägt ein Gesuch an Cotta vor.

20. Februar: M fährt mit Hartlaub nach Neuenstadt.

21. Februar: Als Zuschuß zum Vikarsgehalt werden 50 fl bewilligt. – Hartlaub reist mit der Tochter Agnes ab; M's Bruder Ludwig fährt nach Stuttgart, sein Bruder Adolf wird aus dem Arbeitshaus entlassen.

22. Februar: Adolf kommt in Cleversulzbach an.

1. März: Hartlaub bittet Schwab um Vermittlung bei Cotta: M benötige einen Vorschuß von 600 fl, biete als Gegenleistung Lieferungen ins ›Morgenblatt‹ an. Hartlaub läßt den Brief über Bauer laufen.

3. März: Hartlaub zitiert Martin Cunows ›Handbüchlein der Sympathie‹ (Stuttgart 1840).

3. – 13. März: M korrigiert einen Aufsatz, den Hartlaub zusammen mit seinem befreundeten Kollegen in Niederstetten, Johann Friedrich von Jan, seit November ausgearbeitet und im Februar vergeblich einer Zeitschrift angeboten hat: eine ausführliche Kritik an Albert Knapps ›Evangelischem Liederschatz‹ (Stuttgart 1837). M empfiehlt, die Publikation als Broschüre bei

dem Verlagsbuchhändler Johann Friedrich Steinkopf in Stuttgart zu versuchen (der aber absagt; auch spätere Verlagsanträge werden zurückgewiesen). – Ein von Hartlaub, Jan u.a. unterzeichneter kurzer Aufsatz zur ›Gesangbuchsache‹ war am 17. Dezember in einer Beilage zum ›Schwäbischen Merkur‹ erschienen.

4. März: Schweizerbart schenkt M die ›Mythologischen Briefe‹ von J. H. Voß (Stuttgart 1827 und Leipzig 1834).

5. März: Gegen einen Schuldschein leiht M seinem Bruder Adolf eine größere Summe.

6. März: Sein Bruder reist von Cleversulzbach ab.

12. März: Bauer schickt Hartlaubs Brief an Schwab.

14. März: M's Bruder Ludwig kommt zu Besuch.

18. März: M reicht wieder um einen Zuschuß zum Vikarsgehalt ein.

21. März: Schwab legt Cotta die Briefe Bauers und Hartlaubs vor.

22. März: Bauer schickt Schwabs Antwort an Hartlaub über M; im Begleitbrief an M hat er keine große Hoffnung; er erbittet auch Paulys Bücher zurück. – Adolf Stahr sendet seine Komposition ›Schön-Rohrtraut für Männerstimmen‹ (Oldenburg) an M.

26. März: M's Bruder Ludwig fährt nach Pleidelsheim bei Ludwigsburg.

31. März: Die Bitte um einen Zuschuß wird abgelehnt.

April: M's Bruder Adolf lebt mittellos als Instrumentenmacher in Zürich, geht Lohbauer vergeblich um Hilfe an.

Anfang April: Während eines Besuchs bei Kerner lernen sich M und Alexander Graf von Württemberg kennen.

8. April: In den ›Blättern für literarische Unterhaltung‹ (Nr. 99) erscheint eine Rezension der ›Iris‹.

9. April: Hartlaub rät M zu einer Kaltwasserkur nach Prießnitz, die M in den nächsten Wochen auch beginnt.

14. April: Cotta lehnt einen Vorschuß an M ab; nicht für das ›Morgenblatt‹, sondern für die ›Deutsche Vierteljahrsschrift‹ benötige er Beiträge.

17. April: M's Bruder Karl ist im Arbeitshaus erkrankt; M korrespondiert deswegen mit dessen Frau, die über ihren Bruder, den Obertribunalrat Georg von Bezzenberger, Hilfe schaffen will.

Ende April: M korrigiert Fahnen seiner ›Classischen Blumenlese‹, liest Bauers ›Weltgeschichte‹ und besucht für zwei Tage Hartlaub.

Abb. 3 Bleistiftzeichnung von J. Wagner. 1840.
221 × 176 mm.

Mai: Das zweite Gedicht ›An meinen Vetter‹ entsteht.

5. — 7. Mai: M's Geschwister Ludwig und Klara sind in Wermutshausen; Hartlaub leiht 550 fl aus. (M schuldet jetzt ca 1000 fl an Hartlaub, kann aber andere Gläubiger auszahlen.)

7. Mai: Bauers Festrede zur Stuttgarter Schiller-Feier wird von einem Schauspieler vorgetragen.

12. Mai: M's Bruder Ludwig und die Mutter fahren nach Stuttgart, konsultieren Dr. Schelling, der M von der Kaltwasserkur abrät. – E. v. Sukkow hält sich bei Kerner auf und lädt M nach Weinsberg ein. Ihre Schwestern Agnes von Großmann und Fernanda von Pappenheim sowie Hermann Kurz sind anwesend. (M sagt ab.)

Mitte Mai: M wendet sich einem bereits früher geplanten Schattenspiel wieder zu, macht Skizzen zu Glasmalereien für eine Laterna magica.

23. Mai: Bei einem Besuch von Schnitzer ergibt sich ein Gespräch über ›Maler Nolten‹.

25. Mai: Bauer rät M (über Hartlaub) zu einem Versuch für Cottas ›Vierteljahrsschrift‹ durch Unterstützung von Strauß. – Hartlaub kündigt M das ›System der christlichen Lehre‹ von Karl Immanuel Nitzsch (Bonn 1837³) an.

27. Mai: M's Mutter überreicht in Weinsberg seine ›Erwiderung an Fernande Gräfin von Pappenheim‹.

Anfang Juni: Mit Hartlaub plant M eine Heidelberg-Reise.

6. Juni: Gottlieb Friedrich Sattler kommt als Vikar nach Cleversulzbach.

22. Juni: E. v. Suckow schickt ihre ›Reisescenen in Bayern, Tyrol und Schwaben‹ (Stuttgart 1840) an M.

28. Juni: M reicht um pekuniäre Unterstützung seiner Erholungsreise ein.

Anfang Juli: Die letzten Bogen der ›Classischen Blumenlese‹ werden von M korrigiert.

7. Juli: Für die Erholungsreise werden 40 fl angewiesen.

12. Juli: Hartlaub und seine Frau kommen nach Cleversulzbach; M hat ihnen zur Begrüßung den ›Alten Turmhahn‹ geschickt. – Während Hartlaub mit M bis ca 29. Juli die Reise nach Heidelberg (u. a. zu Hetsch) unternimmt, fährt seine Frau zu einer Kur nach Göppingen; die Tochter Adelheid erkrankt in Cleversulzbach (wo sie sich bis 11. September aufhält).

23. Juli: In Pleidelsheim bei Ludwigsburg wird Hermann, ein Sohn von M's Bruder Ludwig, geboren.

29. Juli: M bittet Julius Krais (dessen ›Gedichte‹, Heilbronn 1839, er kennt) um Mitarbeit am zweiten Band der ›Classischen Blumenlese‹ (dessen Erscheinen für 1840 geplant war): M will Anakreon, Sappho, Properz übersetzen, Schnitzer hat Pindar übernommen, für Krais werden Martial, Catull und Epigramme vorgeschlagen; als Honorar sind Krais 12 fl 30 x pro Bogen in Aussicht gestellt.

31. Juli: Bei der Rückkehr von Neuenstadt findet M eine Einladung von Strauß und Kerner nach Weinsberg.

Ende Juli/Anfang August: M's Bruder Ludwig will eine Pacht in der Schweiz übernehmen; um die Verhandlungen vorzubereiten, bespricht er sich mit seinem künftigen Partner Franz Hermann Blum, Gutspächter in Tachenhausen bei Nürtingen. M's Bruder ist auch in Kreuzlingen, wo ihn M besuchen will.

1. August: M kann der Einladung nach Weinsberg nicht Folge leisten, bittet Strauß zu sich.

3. August: Da M zu spät um Beiträge für den ›Deutschen Musenalmanach‹ (1840) gebeten worden war, lädt Arnold Ruge ihn nun zum folgenden Jahrgang ein.

nach 3. August: Strauß kommt und nimmt M mit zu Kerner, bei dem er Schnitzer und Graf Alexander trifft; M übernachtet in Weinsberg. – Vielleicht entstand damals M's Porträt (Abb. 3) des Heilbronner Genremalers Josef Wagner.

7. August: Auch Kurz (der an seiner Übersetzung von Ariosts ›Rasendem Roland‹, Pforzheim 1840/41, arbeitet) hält sich in Weinsberg auf und lud M dorthin ein; M fordert ihn zu einem Besuch in Cleversulzbach auf.

8. August: M sagt Ruge Beiträge für den ›Musenalmanach‹ zu.

10. August: In Pleidelsheim heiraten M's Bruder Ludwig und Franziska Henriette, geborene Gräfin Normann-Ehrenfels, geschiedene von Bloß.

14. August: Bei Kerner in Weinsberg treffen sich M und Kurz.

18. August: Im nahen Dahenfeld, wo M für Kurz am 16. August ein Quartier besorgt hat, sind die Freunde verabredet.

24./29. August: Kerner und Mayer (den M jetzt persönlich kennenlernt) kommen nach Cleversulzbach, wo Kurz gerade zu Besuch ist. Kerner empfiehlt M die ›Biographie‹ von Friedrich Wilhelm van Hoven (Nürnberg 1840).

31. August: Kurz besucht M; sie besprechen dessen Gedichte, die Kurz in Cleversulzbach gelassen hatte.

Ende August: M fühlt sich in guter Stimmung zu literarischen Arbeiten; er will Märchen schreiben.

Anfang September: Mit seinem Bruder Ludwig, dessen Plan wegen Kreuzlingen gute Aussichten auf Erfolg hat, arbeitet M dazu einen Etat aus.

2. September: Die ›Classische Blumenlese‹ soll ausgeliefert sein; M hat noch kein Exemplar in Händen. Er korrespondiert mit Schnitzer, der Märchen schreibt und die Manuskripte M vorlegte. – M hat aus Gedichten Chamissos ein Vorurteil gegen den Autor gewonnen, so daß er ›Peter Schlemihls wundersame Reise‹ nicht las.

3. September: In Neuenstadt bittet M den Dekan Andler, seinen Bruder Ludwig in die Schweiz begleiten zu dürfen.

4. September: M fährt mit dem Bruder über Heilbronn und Liebenstein nach Pleidelsheim.

5. September: Von Pleidelsheim geht die Fahrt nach Esslingen; M besichtigt die Stadt.

6. September: In Esslingen reicht M offiziell um einen Monat Urlaub ein, bittet er um einen Zuschuß zum Vikarsgehalt. – Der Heilbronner Prälat Friedrich Märklin fragt beim Dekanat an, warum M seinen Kirchengeschäften so wenig nachkomme, obwohl er »zu anderen schriftstellerischen Arbeiten Zeit und Kraft gehabt habe«.

9. September: M hält sich mit dem Bruder in der Nähe von Nürtingen auf dem Tachenhäuser Hof bei Blum auf; die Reise wurde verschoben.

15. September: Vier Wochen Urlaub für eine Erholungsreise an den Bodensee werden M genehmigt.

bis 17. September: Mit seinem Bruder Ludwig kommt M in Konstanz an; die nicht genauer datierbare Fahrt hatte folgende Stationen: Nürtingen; Kirchheim, Feldstetten, Blaubeuren; Ulm; Dietenheim, Erolzheim, Ravensburg; Lindau, Bregenz, Hard, Fussach, Höchst, St. Margarethen, Rorschach; St. Gallen, Uttwil; Konstanz.

zweite Hälfte September: Während der »Große Rat von Thurgau« in Frauenfeld über die Pacht von M's Bruder Ludwig entscheiden will (sich aber vertagt), dürften sich die beiden Brüder auch dort aufgehalten haben; der Besuch ist aber nicht belegt – undatiert ist eine Visite von Ittingen (worauf sich ›Dem Herrn Prior der Kartause I.‹ bezieht).

24. September: M ist mit dem Bruder in Uhwiesen und am Rheinfall.

25. September: Die Brüder fahren von Schaffhausen nach Steckborn.

29. September: M begibt sich mit dem Bruder von Konstanz nach Laufen.

30. September: Er besichtigt wieder den Rheinfall.

Ende September: Die ersten Exemplare der ›Classischen Blumenlese. Eine Auswahl von Hymnen, Oden, Liedern, Elegien, Idyllen, Gnomen und Epigrammen der Griechen und Römer; nach den besten Verdeutschungen, theilweise neu bearbeitet, mit Erklärungen für alle gebildeten Leser. Erstes Bändchen‹ langen in Cleversulzbach an.

Herbst: M's Bruder Karl will Balthasar Münters ›Bekehrungsgeschichte der Grafen Struensee und Brandt‹ (Zelle 1773) mit einem Kommentar edieren und wendet sich deswegen an Bauer, der vergebliche Unterhandlungen mit den Verlegern Balz und Liesching aufnimmt.

2. Oktober: Auf dem Rückweg vom Bodensee besucht M in Esslingen den Schwager seines Bruders Karl und Karl Mayer d. J. (von dem er Gedicht-Manuskripte zur Begutachtung erhält); M sucht in Ludwigsburg auch seinen Bruder Karl auf. – In der ›Schwäbischen Chronik‹ wird die ›Blumenlese‹ angezeigt; sie kostet broschiert 2 fl.

3. Oktober: Grüneisen sendet M im Namen der Prinzessin Marie ein Geldgeschenk von 100 fl.

4. Oktober: M's Schwester begibt sich von Cleversulzbach zu einer Kur mit Mergentheimer Wasser zu Hartlaubs nach Wermutshausen.

6. Oktober: Mit seinem Bruder Ludwig hat M dessen Frau in Pleidelsheim abgeholt; sie kommen in Cleversulzbach an.

9. Oktober: Kurz besucht M, der liebenswerte Züge an ihm erkennt.

10. Oktober: Die ›Classische Blumenlese‹ wird im ›Intelligenz-Blatt‹ (Nr. 31) angezeigt.

11. Oktober: M schickt die ›Classische Blumenlese‹ an Grüneisen; der Prinzessin hat er bereits gedankt.

13. Oktober: Er sendet u.a. die ›Classische Blumenlese‹ an Hartlaub.

19. Oktober: Er berichtet Hartlaub von seiner Lektüre der ›Correspondenz‹ zwischen Friedrich Melchior von Grimm und Denis Diderot (Brandenburg 1820, 1823).

23. Oktober: Theodor Echtermeyer, neben Ruge der Herausgeber des ›Deutschen Musenalmanachs‹, mahnt M's Beiträge an.

26. Oktober: Im Brief an Hartlaub kritisiert M ›Die Sage vom Minneberg des Neckartals‹ (Stuttgart 1840) von Ostertag; er legt die Verse ›Ich bin das kleine Sandweiblein . . .‹ seinen Reisegeschenken bei.

27. Oktober: M zeichnet auf dem Weg nach Neuenstadt die Helmbund-Ruine, über die er sich in Geschichtswerken von Martin Crusius, Chr.

Friedrich Sattler und Johann Ulrich Steinhofer informierte.

1. November: Als Dank für seine Verwendung bei Prinzessin Marie sendet M die ›Classische Blumenlese‹ an Kerner. – Vischer ist von seiner Italien-Reise zurückgekehrt und meldet sich wieder brieflich bei M.

3. November: M fährt nach Wermutshausen, wo seine Schwester inzwischen schwerer erkrankte und ärztliche Hilfe von Elsäßer und Krauß benötigte.

17. November: Mit der kranken Schwester und Hartlaubs kehrt M nach Cleversulzbach zurück.

20. November: Hartlaubs fahren wieder nach Hause.

ab 22. November: Der Geist des Cleversulzbacher Pfarrhauses regt sich wieder; M sieht ihn nicht. Mit seinem Vikar Sattler bricht M Dielen des Fußbodens auf, findet aber keine Begründung für die Geistererscheinungen. Er richtet sich in einer Stube des obersten Stockwerks wieder eine Hauskapelle (mit Kruzifix und Marienbild) ein, die wegen der Restauration des Hauses im Sommer geräumt worden war. – Für die Schwester legt M eine handschriftliche Sammlung deutscher Gedichte an.

25. November: Die ›Classische Blumenlese‹ geht an Mayer ab; M legt (wegen Lenaus Kritik an Mayer) Abschriften aus Fr. Jacobs' ›Leben und Kunst der Alten‹ bei. – Der Weidmannschen Buchhandlung in Leipzig trägt M die Publikation der Äschylus-Übertragungen von Julius Krais für 200 fl Honorar an.

7. Dezember: M's Bruder Ludwig hat gemeldet, daß ihm und Blum das Gut bei Kreuzlingen versprochen worden sei.

8. Dezember: Ein Zuschuß von 80 fl zum Vikarsgehalt des nächsten Jahres wird M angewiesen.

9. Dezember: Auf Wunsch der Gemeinde Cleversulzbach beauftragt die Königliche Synode den Prälaten von Heilbronn, M zu häufigeren kirchlichen Geschäften, namentlich zur Katechisation, aufzufordern.

10. Dezember: Zum Geburtstag seiner Schwester schenkt M die Verse ›Soll ich lang nach Wünschen . . .‹.

14. Dezember: Der Heilbronner Prälat gibt seinen Auftrag weiter an den Neuenstädter Dekan.

vor 25. Dezember: M bereitet sich für eine viertelstündige Predigt durch Deklamation von Dramen vor.

25. Dezember: M predigt über das Thema ›Für wen kann das heutige Fest ein seliges seyn, für wen aber nicht?‹. – Hartlaub schickt M u. a.

Auszüge aus Strauß' ›Die christliche Glaubenslehre in ihrer geschichtlichen Entwicklung und im Kampfe mit der modernen Wissenschaft‹ (Tübingen, Stuttgart 1840/41).

28. Dezember: Diakon Karl Heinrich Krauß besucht M; sie unterhalten sich über Albert Knapps Taschenbuch ›Christoterpe‹ u. a. – Wegen versäumter Disputationen überweist M einen Beitrag zur Diözesan-Lesegesellschaft ans Neuenstädter Diakonat.

1841

M bemüht sich verstärkt, wenigstens den schriftlichen Teil seines Amtes zu versehen.

8. Januar: M liest in S. J. v. Kapffs ›Repertorium für die Amts-Praxis der evangelisch-lutherischen Geistlichkeit im Königreich Württemberg‹ (Heilbronn 1831²).

15. Januar: Aus Mayers Gedichten hat M die besten ausgewählt; er schickt ihm die Hälfte eines entsprechenden Verzeichnisses und charakterisiert seine Lyrik; M legt das Gedicht ›An Karl Mayer‹ bei. Er will einige Gedichte Hetsch zur Komposition vorschlagen. M gesteht, derzeit »im poetischen Feld« nicht kreativ zu sein.

17. Januar: Hartlaub schreibt M über Nicolaus Beckers Gedicht ›Der deutsche Rhein‹ (das 1841 auch als Lithographie von Neureuther verlegt wurde) und fordert ihn auf, »das Gedicht an die holde Nacht« bald auszuführen (›Gesang zu Zweien in der Nacht‹?).

18. Januar: Für E. v. Suckow schreibt M das Gedicht ›Blauen See und wilde Täler . . .‹ und sendet es an die Adressatin.

19. Januar: Kerner schickt M das dritte Heft seiner in Stuttgart erscheinenden Zeitschrift ›Magikon‹ und bittet um Beiträge.

23. Januar: Strauß teilt Vischer mit, von Hardegg erfahren zu haben, daß M an einem Märchen ›Die Schicksalsstiefel‹ arbeite (ein Motiv, das M später im ›Hutzelmännlein‹ verwendet). – Hardegg ist 1840 in Stuttgart Obermedizinalrat geworden.

28. Januar: M beginnt mit der Niederschrift von ›Der Spuk im Pfarrhause zu Cleversulzbach‹.

29. Januar: M läßt Hetsch über Hartlaub u. a. Mayersche Gedichte zur Komposition zugehen.

erste Hälfte Februar: Hartlaub leitet die Mayerschen Lieder an Hetsch weiter; seine Tochter Ada erkrankt.

1. Februar: Im Brief an Kerner äußert sich M über das ›Magikon‹; er schickt seinen Spuk-Bericht und weitere Beiträge. – Hartlaub und seine Frau besuchen M.

4. Februar: Hartlaubs reisen wieder ab.

6. Februar: Mayer dankt M für die Ermutigung, verteidigt sich, schickt Gegenbemerkungen und bittet um die Fortsetzung des Verzeichnisses.

10. Februar: Hartlaub sendet Beckers ›Rheinlied‹ an M, der es kurz zuvor von anderer Seite erhielt.

15. Februar: Wegen seines in der Haft erkrankten Bruders Karl plant M eine Bittschrift an zuständige Behörden; er erkundigt sich deswegen bei Karls Schwager Bezzenberger.

22. Februar: Bezzenberger rät M, zunächst ein ärztliches Zeugnis zu besorgen. – In Johann Anastasius Freylinghausens ›Geistreichem Gesangbuch‹ (Halle 1734) findet M das ›Jesu benigne‹ von Venantius Fortunatus mit ihm bisher unbekannten weiteren Versen. M liest das ›Buch Josua‹.

24. Februar: Menzel rezensiert die ›Classische Blumenlese‹ im ›Literatur-Blatt‹ (Nr. 21).

27. Februar: Kurz trägt Cotta die Edition eines ›Blumengartens‹ von Märchen an und hofft, M als Beiträger zu gewinnen.

erste Hälfte März: M liest die ›Bücher Samuelis‹, erhält von Hartlaub Berichte von Geistererscheinungen. Bei einem Gang nach Neuenstadt verfehlt M seinen Arzt Dr. Elsäßer.

5. März: Hartlaub empfiehlt M die Predigt ›Richtiger und leichter Weg zum Himmel‹ (Stuttgart 1754) von Georg Konrad Rieger.

9. März: Das ›Morgenblatt‹ (Nr. 58) bringt als Titel-Motto ein Zitat aus M's Gedicht ›Johann Kepler‹.

26. März: Über die neuesten Spukgeschichten in seinem Haus schreibt M an Kerner; er zitiert auch Hartlaubs Brief über Geistergeschichten. M bittet Kerner um den ›Deutschen Musenalmanach‹ (Berlin 1841), der folgende M-Gedichte enthält: ›Lebe wohl‹, ›An Madame K.‹, ›Emma Kerner‹, ›An einen kritischen Freund‹ und das zweite Gedicht ›An meinen Vetter‹.

28. März: Mit einer detaillierten Kritik an Mayers Gedichten schickt ihm M die zweite Hälfte seines Verzeichnisses.

4./5. April: Familienbriefen an Hartlaubs liegen u. a. ein Traumbericht M's, sein »Zwölffächerkasten« (Registraturfach-Aufschriften) bei sowie Zitate aus Karl Ludwig Parets Aufsatz ›Über die Parabel vom ungerechten Haushalter‹ in den ›Studien der evangelischen Geistlichkeit Würtembergs‹ (Jg 12, 1840, 2. Heft). (M kennt Paret als Pfarrer von Oberensingen.)

9. April: M predigt am Karfreitag über ›Die verkehrte Hoffnung des Unglaubens auf eine Erlösung durch Christus‹.

12. April: Mährlen wird zusätzlich Lehrer der Nationalökonomie.

17. April: Hartlaubs Tochter Adelheid stirbt.

23. April: In seinem Kondolenzschreiben an Hartlaubs berichtet M von der Brustentzündung und dem Schleimfieber seiner Mutter. Davon benachrichtigt M in diesen Tagen verschiedene Verwandte.

26. April: Kurz nach Mitternacht stirbt Charlotte Mörike. M, der das Ereignis in einem Nebenzimmer abwartete, zeichnet das Gesicht der Toten. – Kurz gibt brieflich Nachrichten von Kerner an M weiter: Tieck begeistere sich für M und wolle ihn im Sommer kennenlernen; um eine Verbesserung von M's Lage herbeizuführen, solle man Tiecks Einfluß bei Friedrich Wilhelm IV. von Preußen ausnützen.

28. April: Zur Beerdigung von M's Mutter (neben dem Grab von Schillers Mutter in Cleversulzbach) hält Dekan Andler eine Rede; M ist wahrscheinlich nicht anwesend.

Ende April: Hardegg unterstützt M mit einem Geldbetrag. – Friederike Krehl, eine andere Enkelin von M's Onkel Planck, kommt nach Cleversulzbach. Während ihres Besuchs entstehen die Verse ›Es ist im Grund . . .‹.

erste Hälfte Mai: Kerner schickt das ›Magikon‹ (2. Jg, 1. Heft) mit M's ›Spuk im Pfarrhause zu Cleversulzbach‹ und ›Heraustreten aus sich selbst bei Sterbenden‹; er rät ihm von einem Schreiben an Tieck um Verwendung beim preußischen König ab.

7. Mai: Wegen einer wahrscheinlichen Reise zu Hartlaub sagt M den von Schnitzer und Strauß angekündigten Besuch ab; er verspricht Schnitzer einen Brief über die Fortsetzung der ›Classischen Blumenlese‹.

22. Mai: M schreibt das Gedicht ›An Philomele‹.

24. Mai: Tieck besucht Kerner, der M zu einem gemeinsamen Treffen in Heilbronn auffordert; M sagt sein Kommen für den 25. Mai zu.

25. Mai: M fühlt sich nicht wohl und bleibt dem Treffen fern.

Anfang Juni: Die Hinterlassenschaften von M's Mutter werden gerichtlich registriert. – M schickt Hartlaub ein Bild vom Rheinfall bei Schaffhausen; er hat Johann Chr. Wibels ›Hohenlohische Kirchen- und Reformationshistorie‹ (Onolzbach 1752/55) gelesen.

2./4. Juni: Mit der Schwester fährt M wegen Erbschaftsfragen zu seinem Bruder Karl nach Ludwigsburg und nach Schorndorf zur Tante Neuffer; in Waiblingen übernachten sie bei Mayer.

3. Juni: Kerner fordert M auf, nach Baden-Baden zu Tieck zu reisen, der einen Aufsatz über M schreiben wolle.

14. Juni: Kerner bittet Tieck um Verwendung für M wegen der durch den Tod E. Münchs vakanten Bibliothekarsstelle in Stuttgart.

18. Juni: Kerner besucht M in Begleitung von Baronin Marie von Hügel und erläutert ihm den Posten.

23. Juni: M reicht um einen sechswöchigen Urlaub für eine Kur mit Mergentheimer Wasser bei Hartlaub in Wermutshausen ein.

24. Juni: Er muß ein größeres Objekt verpfänden.

29. Juni: Von dem Stuttgarter Regisseur Heinrich Moritz erhält M den Auftrag zu einem Festspiel anläßlich des 25jährigen Regierungsjubiläums von König Wilhelm. – Mit der Schwester und F. Krehl fährt M zu Hartlaub, fragt ihn wegen der Bibliothekarsstelle um Rat.

2. Juli: Ohne seine Schwester kehrt M nach Cleversulzbach zurück, um am Festspiel zu arbeiten. Unterwegs entwirft er bereits vier Szenen dazu. – M bittet Kerner um Empfehlungen für den Bibliotheksposten; mit demselben Ziel schreibt er an Magdalena Schäffler nach Nürtingen, die ihre Beziehungen zu Elisabeth von Hügel ausnützen soll; Frau Schäffler ist eine Schwester von Prälat Köstlin.

3. Juli: Mit seinem Festspiel-Entwurf ist M nicht zufrieden; er sagt Moritz deswegen ab. – Tieck bedauert in einem Brief an M, ihn nicht kennengelernt zu haben.

5. Juli: M's Urlaubsantrag wird genehmigt.

7. Juli: Sein Absagebrief kreuzt sich mit einem Schreiben von Moritz an J. Kerner (vom 5. Juli), der M zu einer Besprechung in Weinsberg auffordert; Theobald Kerner macht M davon Mitteilung.

8. Juli: Mit F. Krehl (die nach Hause fährt) geht M nach Weinsberg; J. Kerner und Moritz sind nicht anwesend. Im Kernerhaus erhält er Brentanos Bericht ›Das bittere Leiden unsers Herrn Jesu Christi‹ (Sulzbach 1833) und dessen ›Gokkel, Hinkel, Gackeleia‹ (Frankfurt 1838).

9. Juli: M bewirbt sich beim König um die freie Stelle an der Königlichen Handbibliothek.

16. Juli: In einem Brief an Moritz nimmt M den Festspiel-Auftrag doch an.

bis 19. Juli: Er entwirft ein Schema für sein »dramatisches Spiel« ›Das Fest im Gebirge‹.

19. Juli: Das Dekanat mahnt M zu eigenen Diensten in seiner Pfarrei.

25. Juli: Hartlaub zitiert im Brief an M eine Geisterpassage aus Luthers ›Kirchen-Postille‹ (Stuttgart 1835/38).

Anfang August: Während der Arbeit am ›Fest im Gebirge‹ zweifelt M, ob es sich »ganz für den Theaterzweck« eigne.

10. August: Hartlaubs begleiten M's Schwester nach Cleversulzbach zurück.

12. August: M besucht mit Hartlaubs und der Schwester die Verwandten in Neuenstadt; unterwegs entsteht die erste Fassung des Gedichts ›Auf einer Wanderung‹ (›In ein freundliches Städtchen . . .‹): ›Zwei Wandrer hab ich . . .‹.

13. August: Hartlaubs fahren nach Hause; M leiht dem Freund Brentanos Emmerich-Bericht und dessen Märchen sowie Knapps ›Christoterpe‹ von 1841 mit Vorabdrucken von Wilhelm Meinholds ›Bernsteinhexe‹ (die M nicht gelesen hat).

15. August: Kerner teilt M mit, daß die fragliche Bibliothekarsstelle nicht wieder besetzt werde; Elisabeth von Hügel werde sich nach weiteren Möglichkeiten erkundigen.

20. August: ›Das Fest im Gebirge‹ ist beendet, benötigt jedoch noch eine Revision, weil es zu lang und anspielungsreich ausgefallen ist.

22. August: M's Bruder Ludwig schließt mit der Klosterverwaltung Kreuzlingen einen Pachtvertrag für den Hof Gaissberg.

26. August/8. September: M schreibt Verse ins Album von Marie Mörike. (An deren Schwägerin ist das etwa gleichzeitig verfaßte ›An Pauline‹ gerichtet). Das Gedicht ›Waldplage‹ entsteht.

30. August: Moritz mahnt das Festspiel an.

Anfang September: M schickt ›Das Fest im Gebirge‹ an Moritz; das Manuskript ist sechs Bogen stark; M hat deswegen Befürchtungen.

3. September: Das Oberhofmeisteramt lehnt M's Bewerbung um die Stelle an der Bibliothek ab.

5. September: M reicht um einen Zuschuß zur Vikarsbesoldung ein.

7. September: Ein somnambules Mädchen aus der Gegend spricht mit dem Geist im Cleversulzbacher Pfarrhaus.

8. September: Die guten Nachrichten, die M von seinem Bruder Ludwig erhalten hat, teilt er Hartlaub mit; er bittet den Freund um Tiecks ›Vittoria Accorombona‹ (Breslau 1840) und um Friedrich Wilhelm Riemers ›Mittheilungen über Goethe‹ (Berlin 1841).

10. September: Mit seiner Schwester fährt M zu einem zweitägigen Besuch Kerners.

11. September: In Weinsberg erreicht M die Nachricht von Moritz, daß sein ›Fest im Gebirge‹ wegen der Länge des Stücks nicht aufgeführt werden könne; M liest das Festspiel Kerner vor. (Angenommen wurde ein Text von Feodor Löwe.)

18. September: M sendet das Festspiel an Prinzessin Marie in der Hoffnung, daß es dem König zum Geburtstag überreicht werde.

25. September: Anläßlich seines Jubiläums erläßt König Wilhelm eine Amnestie, durch die u. a. Kauffmann und Lohbauer ihre bürgerliche Ehre wiedererlangen. – Kauffmann publiziert in diesem Jahr noch einen ›Orbis pictus‹ (Stuttgart, mit Einleitung von G. H. v. Schubert).

Anfang Oktober: M korrespondiert mit und wegen seinem Bruder Ludwig; er erhält ein Schreiben von Buchhändler Heubel, dem Verleger der Waiblingerschen Werkausgabe.

1. – 14. Oktober: Hartlaub ist mit seiner Familie zu Besuch bei M.

18. Oktober: Im Brief an Kerner äußert sich M über Brentanos Emmerich-Bericht; er schickt die Hartlaub-Abschrift aus Luthers ›Kirchen-Postille‹ fürs ›Magikon‹ (dort im 2. Band nachgedruckt) und legt Kompositionen von Heydenreich, Hetsch und Kauffmann bei. – Am Abend besucht M mit seiner Schwester eine große Tanzveranstaltung bei den Verwandten in Neuenstadt; er lernt Hofdomänenrat Ernst Seyffer kennen und unterhält sich mit ihm u. a. über Dannecker und Thorvaldsen.

nach 18. Oktober: M liest Waiblingers Novelle ›Die Britten in Rom‹.

19. Oktober: Kerner schickt an M die zwei Bände seiner ›Dichtungen‹ (Stuttgart, Tübingen 1841[3]) und bittet um ein Urteil über ›Herr Irrwing‹ und ›Die Mühle steht stille‹.

21. Oktober: M besitzt eine französische Lamartine-Ausgabe.

22. Oktober: Denk, der Schwager von M's ehemaliger Braut L. Rau (die noch unverheiratet ist), kommt zu Besuch.

25. Oktober: Im Brief an Kerner geht M dessen Wunsch entsprechend auf die beiden Gedichte ein.

27. Oktober: M hat ›Das Fest im Gebirge‹ inzwischen vergeblich verschiedenen Verlegern (vielleicht auch Erhard und Schweizerbart) vorlegen lassen und entschließt sich jetzt, es nicht in Druck zu geben. Auch den Plan einer »Sammlung der schönsten Volkslieder zum Nutzen und Frommen der Liebhaber«, die den Beginn einer »Gesammtanthologie« deutscher Dichtung bil-

den sollte, gibt M auf, weil er erfährt, daß sich Uhland mit einer »großen Sammlung altdeutscher Gedichte« beschäftigt. (M's Plan hat sich offensichtlich aus der seit November 1840 betriebenen Gedicht-Sammlung für die Schwester entwickelt.)

28. Oktober: Bei einem Besuch auf dem Neuenstädter Friedhof sieht M seine erste »Christblume«; zuhause informiert er sich über die Pflanze in J. G. Müllers ›Blumen-Artzney-Küchen- und Baum-Gartens-Lust‹ (Stuttgart 1745).

vor 29. Oktober: M erhält von Heubel die Manuskripte von Waiblingers Drama ›Liebe und Haß‹ und seinem Roman ›Lord Lilly‹ mit der Bitte um ein Gutachten für eine mögliche Edition.

29. Oktober: Hartlaub verweist M auf Oskar Ludwig Bernhard Wolffs ›Poetischen Hausschatz des deutschen Volks‹ (Leipzig 1839) mit dem Abdruck von M's ›Jägerlied‹. – M sendet an Hartlaub die Gedichte ›An Marie Mörike, geb. Seyffer‹ und ›Meiner Schwester‹ (das ein Lied fortspielt, das M von seinem jugendlichen Verkehr im Lohbauerschen Hause her kennt).

14. November: Hartlaub zitiert Voß' ›Luise‹ (ins Lateinische übers. von B. G. Fischer) und schickt Ostertags ›Schwabenlied‹ in der Broschüre ›Zum Andenken an das Regierungs-Jubelfest des Königs Wilhelm‹ (Stuttgart 1841).

18. November: M läßt Hartlaub seine Zeichnung ›Adams Wappen‹ zugehen.

23. November: Von Hartlaub erhält er Auszüge aus Rezensionen der ›Briefe aus und nach Grafenort‹ von Karl von Holtei (Altona 1841) und der ›Mittheilungen über Goethe‹ von Riemer.

24. November: Das Gedicht ›Zum zehnten Dezember‹ (dem Geburtstag seiner Schwester) schickt M an Hartlaub, der bereits von der Epistel ›An Longus‹ weiß (die M gerade fertigstellt).

vor 26. November: Mit seiner Schwester liest M das Drama ›Anna Bullen‹ von Waiblinger.

26. November: An Hartlaub schicken M und seine Schwester u. a. neben dem eben entstandenen Gedicht ›Auf eine Christblume‹ (›Tochter des Walds . . .‹) auch den alten Marienhymnus ›Stabat mater‹ und Kerners Gedicht ›Ermunterung‹.

Ende November/Anfang Dezember: Der Bruder von Hartlaubs Freund, Ernst Karl von Jan, besucht M.

vor 3. Dezember: M hat seit dem Druck seiner ›Gedichte‹ etwa dreißig neue geschrieben; seit kurzem überarbeitet er die Texte, so ›Die schlimme Greth und der Königssohn‹, ›Die Elemente‹, ›Der Feuerreiter‹ und auch die neue Epistel ›An Longus‹. – Von seinem Bruder Ludwig erhält er die Jahrgänge 1839–1842 des ›Schweizerischen Bilderkalenders‹ von M. Disteli (Solothurn). – Hartlaub schickt u. a. Nitzschs ›Predigten‹ (Bonn 1833, 1840[4]) und zitiert Guarinis ›Treuen Schäfer‹.

3. Dezember: Im Brief an Hartlaub kritisiert M auch Ostertags ›Schwabenlied‹; er legt das neu entstandene Gedicht ›Auf eine Christblume‹ (›Im Winterboden schläft . . .‹) bei. Hartlaubs Vorschlag, ›Das Fest im Gebirge‹ im ›Morgenblatt‹ zu veröffentlichen, lehnt M ab.

5. Dezember: M befürwortet Hartlaubs Plan, zusammen mit Jan nach einem Schatz zu suchen, von dem ein Geist spricht.

9. Dezember: Für das folgende Jahr erhält M einen Zuschuß von 80 fl zum Vikarsgehalt.

22. Dezember: M berichtet Kerner kritisch von der Geister-Schatz-Geschichte Hartlaubs.

vor 26. Dezember: Er beschäftigt sich mit der neunbändigen Werkausgabe Waiblingers (Hamburg 1839/40). – Ferdinand Jung nimmt wieder brieflichen Kontakt mit M auf.

26. Dezember: M schickt den revidierten ›Feuerreiter‹ an Hartlaub und schreibt für den Freund einen Traum auf. Als Pendant zu der Epistel ›An Longus‹ plant M eine Groteske auf der Folie eines schwäbischen Volksfestes. – Hartlaubs Geistergeschichte erscheint Kerner als solche nicht glaubhaft.

1842

Im Kalender notiert M u. a. Johann Gottlob Süskinds ›Handbuch der Naturlehre‹ (Stuttgart 1840), Johann Friedrich Röhrs ›Palästina‹ (Zeitz 1835[7]) und Franz Kuglers ›Handbuch der Kunstgeschichte‹ (Stuttgart 1841/42).

erste Hälfte: In Carl Conrad Henses ›Deutsche Dichter der Gegenwart‹ (Bd 1, Sangershausen 1842) wird über M referiert.

Januar: M versorgt den inhaftierten Bruder Karl wiederholt mit Lektüre.

9. Januar: Er hält die vierte Predigt seit seiner Krankheit.

14. Januar: Heubel fragt M nach der Möglichkeit einer Gedicht-Auswahl Waiblingers und bittet für eine zweite Auflage um Kritik an der Canitzschen Ausgabe von Waiblingers Werken.

Mitte Januar: M notiert im Kalender verschiedene Korrespondenzen, darunter einen Brief aus Stuttgart, der möglicherweise die Bitte der

›Morgenblatt‹-Redaktion um Beiträge enthielt.

zweite Hälfte Januar: Er beschäftigt sich mit Waiblingers Gedichten.

17. Januar: Hartlaub schickt neue Geistererzählungen an M.

18. Januar: Der im Kalender verzeichnete Brief nach Stuttgart enthält möglicherweise Gedichte für das ›Morgenblatt‹.

22. Januar: In seinem Schreiben an Heubel kritisiert M die Auswahl und die fehlerhafte Textgestaltung. Er schlägt eine kleine Sammlung aus den lyrischen und epigrammatischen Stücken vor und bietet sich als Bearbeiter und Editor an (für ein Honorar von 55 fl); von der Veröffentlichung des Romans ›Lord Lilly‹ und des Dramas ›Liebe und Haß‹ rät M ab. (Diese und weitere Kritik M's berücksichtigt Heubel bei der zweiten Auflage.)

26. Januar: Im ›Morgenblatt‹ (Nr. 22) erscheinen die beiden Gedichte ›Auf eine Christblume‹ sowie ›An Karl Mayer‹ und ›Zum zehnten Dezember‹.

2. Februar: Hartlaub kommt mit seiner Frau nach Cleversulzbach.

5. Februar: M's Schwester fährt mit Hartlaubs nach Wermutshausen.

6. Februar: Er erhält Besuch von den Neuenstädter Verwandten.

7. Februar: Jung sucht M auf. – In einem Brief an Hartlaub wünscht M eine Italien-Karte; er beschäftigt sich offensichtlich mit Waiblingers Italien-Dichtung.

8. Februar: Im ›Morgenblatt‹ (Nr. 33) steht das Gedicht ›Waldplage‹.

16. Februar: Heubel antwortet M.

21. Februar: Am Geburtstag des Cleversulzbacher Metzgermeisters Georg Balthasar Hermann werden M's Verse ›Vor den besten Vater kommen . . .‹ überreicht.

25. Februar: M schickt ein (verfrühtes) Geburtstagsgedicht für Constanze Hartlaub nach Wermutshausen: ›Ländliche Kurzweil‹. – M's Bruder Ludwig hat in Kreuzlingen offensichtlich ein Mustergut gepachtet, auf dem auch Ackerbau unterrichtet wird; die ersten Zöglinge haben sich bei ihm bereits gemeldet.

Anfang März: M liest mit seiner Schwester Voß' ›Luise‹ und Gotthilf Heinrich von Schuberts ›Lehrbuch der Sternkunde‹ (München 1832[2]). Die Schwester hat aus Wermutshausen Hartlaubs Tochter Agnes mitgebracht; mit ihr las M ›Robinson den Jüngeren‹ von Joachim Heinrich Campe.

11. März: Heubel schreibt wieder an M. – Aus

dessen Waiblinger-Ausgabe (Bd 5–7) stellt M eine Auswahl zusammen.

16. März: M besucht die Neuenstädter Verwandten, den dortigen Notar und Diakon.

17. März: In seinem Brief an Heubel legt M die mit einer Neuausgabe der Waiblinger-Gedichte verbundene große Arbeit dar, die ein Honorar von 110 fl rechtfertige; er will als Editor genannt sein und für Rezensionen sorgen. Da M die fehlerhafte Canitz-Ausgabe nicht vertreten kann, lehnt er ein Vorwort für sie ab. (Er schätzt nur Waiblingers italienische Reiseprosa und seinen Hölderlin-Aufsatz.)

18. — 19. März: Ein Marionettenspieler gastiert in Cleversulzbach; M's Schwester besucht mit Agnes Hartlaub die Aufführungen.

19. März: M besitzt eine Ausgabe von Lessings Schauspielen sowie ›Das ärgerliche Leben und schreckliche Ende des vielberüchtigten Schwarzkünstlers Johannis Fausti‹ (Reutlingen 1834) von H. Kurz.

21. März: M will die Predigten Jans, die er seit Februar begeistert liest, den ›Zeugnissen evangelischer Wahrheit‹ von Chr. F. Schmid und W. Hofacker (einer Stuttgarter Publikationsreihe) zur Aufnahme empfehlen und die anonym erschienenen ›Leiden und Freuden eines Schulmeisters‹ (Bern 1838) von Jeremias Gotthelf der Diözesan-Lesegesellschaft zur Anschaffung anraten.

23. März: Dr. Elsäßer und Otto Schmidlin, seit 1841 Pfarrer im nahen Bürg, besuchen M.

26. März: Mayer schickt ein 135 Seiten starkes Manuskript ›Neuere Gedichte‹ zur Begutachtung an M.

31. März: Ein im Kalender verzeichneter Brief von Stuttgart enthält wahrscheinlich Kompositionen von Emilie Zumsteeg.

5. — 7. April: Laut Kalendereinträgen hält M Korrekturbogen in Händen; es handelt sich vielleicht um die für die zweite Auflage revidierte Canitz-Ausgabe der Waiblingerschen Werke.

9. April: Unter den an seinen Vetter K. A. Mörike gesandten Büchern befinden sich der sechste Band der Waiblinger-Werkausgabe, die ›Luise‹ von Voß, Shakespeares ›Heinrich IV.‹, Bérangers ›Chansons‹.

10. oder 12. April: M schickt das Gedicht ›An Wilhelm Hartlaub‹ dem Freund. – Bis zu einem endgültigen Druckentscheid Heubels will M mit der Anordnung von Waiblingers Gedichten warten.

14. April: M schickt Abschriften der Predigten Jans nach Stuttgart an Wilhelm Hofacker.

vor 16. April: Hartlaub war kürzlich zweimal bei M.

19. April: In seinem Brief an M zitiert Hartlaub den ›Pappenheimer Kürassier‹ (Nordhausen 1832) von Fouqué.

24. April: Für M's Kritik an seinen neuen Gedichten sendet ihm Mayer die früheren Bemerkungen und seine eigenen Entgegnungen.

27. April: Wegen seiner Beschäftigung mit Waiblingers Werken kann M nur einen Teil seiner Kritik an Mayer abgehen lassen.

8. Mai: Er fährt nach Wermutshausen. – Während der nächsten Tage deutet Hartlaub die erwünschte Verbindung seines Freundes Jan mit M's Schwester an, die M für »eine der glücklichsten Fügungen« halten würde.

13. Mai: M's Haushund Joli wird erschossen.

14. Mai: Mayer bittet um weitere Kritik.

16. Mai: M's Schwester kommt nach Wermutshausen.

22. Mai: Mährlen hält die Schiller-Rede in Stuttgart.

30. Mai: Mit den Freunden besucht M Creglingen.

1. Juni: Hartlaubs begleiten M nach Cleversulzbach zurück.

6. Juni: Die Verse ›Unter anmutsvollen Hügeln . . .‹ entstehen.

15. Juni: Kerner schickt das neueste ›Magikon‹-Heft und bittet im Auftrag von Adalbert Harnisch um einen Beitrag für dessen ›Hansa-Album‹.

18. Juni: M's Bruder Ludwig kommt zu Besuch.

20. Juni: Da M's Vikar Sattler in kleine Skandale verwickelt ist, schlägt Hartlaub den Versuch vor, ihn durch Johann Georg Hachtel zu ersetzen; M wendet sich deshalb in den nächsten Tagen an Flatt.

26. Juni: Für das ›Hansa-Album‹ (Halberstadt 1842) sendet M sein Gedicht ›Ist's möglich? sieht ein Mann‹ an Kerner, dem er auch neue Beiträge für das ›Magikon‹ verspricht.

27. Juni: Auf einer Diözesankonferenz wird der neue Dekan Christoph Ludwig Eyth begrüßt.

28. Juni: Hartlaub kommt zu einem unerwarteten Besuch. M schafft sich einen neuen Hund, den Pudel Prudent, an.

30. Juni: M wird zur Ader gelassen.

1. Juli: M's Bruder Ludwig begleitet Hartlaub nach Hause.

3. Juli: M gibt um eine 14tägige Reise nach Nürtingen ein. Mit seinem Bruder Ludwig wandert er nach Siebeneich.

4. Juli: Er fühlt sich wieder gesund, rät im Brief

an Mayer (nach einem Vergleich mit dessen erster und zweiter Gedichtausgabe) für die dritte Auflage zu kommentierten Ortsangaben.

6. Juli: M's Urlaubsantrag wird genehmigt.

8. Juli: Er konsultiert Dr. Elsäßer.

9. Juli: Sein Bruder Ludwig schenkt ihm zum Abschied eine Sanduhr.

12. Juli: Mit seiner Schwester fährt M nach Bad Cannstatt, bleibt hier zweimal über Nacht. Er trifft seinen Bruder Ludwig und schreibt wegen Hachtel an Stirm.

14. Juli: M fährt nach Göppingen und übernachtet bei der Tante C. Hartlaubs.

15. Juli: Mit seiner Schwester kommt M bei den Nürtinger Verwandten Planck an. Während der nächsten Tage unternimmt er Wanderungen auf den Geigersbühl und nach Großbettlingen (zu Pfarrer Karl August Paret), Neckarhausen (Pfarrer Ernst Wilhelm Müller, ein Kompromotionale M's), Rommelsbach (Ferdinand Lempp, ein Schwiegersohn von M's Onkel Neuffer), Denkendorf (Hartlaubs Schwester Sabina Rieth). M ordnet die Naturalien- und Münzsammlung seiner Tante, liest Philipp Matthäus Hahns ›Hinterlassene Schriften‹ (Heilbronn 1828) und besucht den Nürtinger Diakon Albert von Hauber.

22., 23., 30. Juli und 6. August: Im nahen Hardt unterzieht sich M einer sympathetischen Kur durch den Weber Konrad Raisch.

26. Juli: M's Onkel Heinrich Mörike stirbt in Stuttgart.

28. Juli: M's Schwester fährt von Nürtingen ab und kommt in Stuttgart zufällig zur Beerdigung des Onkels; sie kehrt über Besigheim nach Cleversulzbach zurück.

31. Juli: M besucht die Frau seines Bruders Karl und begegnet auch dessen Schwager G. v. Bezzenberger.

August: M führt verschiedene Korrespondenzen (u. a. mit Oberjustizrat Carl Maximilian von Klett, dem Verwalter des Ludwigsburger Arbeitshauses), um ein geplantes Entlassungsgesuch seines Bruders Karl zu unterstützen. Georg von Bezzenberger zeigt sich bereit, Zeugnisse für seinen Schwager zu beschaffen. M erlaubt dem Bruder, nach der Haftentlassung bei ihm zu wohnen.

3. August: Aus Nürtingen schickt M an Hartlaub wahrscheinlich die Verse ›Jedem feinen Rindfleischesser . . .‹ und ›Frankfurter Brenten‹.

5. August: Hartlaub kündigt ›Die Günderode. Ein Briefwechsel‹ von Bettina von Arnim (Berlin 1840) an; er erinnert an M's Vorhaben, ein Hohenstaufen-Drama zu schreiben, wahrscheinlich über Hadewig Herzogin von Schwaben.

8. August: M fährt nach Stuttgart, übernachtet in der ›Sonne‹.

9. August: Auf dem Rückweg nach Cleversulzbach besucht M den kranken Bruder Karl in seiner Ludwigsburger Haft.

Mitte August: M sucht die Verwandten in Neuenstadt auf.

24. August: Bei Schmidlins in Bürg macht M eine Visite.

25. — 27. August: Über Münchingen (Besuch bei dem ehemaligen Pfarrer von Bürg Karl Friedrich Jäger?) fährt M in die Böblinger Gegend (nach Sindelfingen — zu Verwandten von Schmidlins Schwägerin Friederike Faber?) und wieder zurück.

29. August: Aus Cleversulzbach schickt M sein Gedicht ›Die schöne Buche‹ an Hartlaub.

30. August: Strauß heiratet in Horkheim die katholische Sängerin Agnese Schebest. — Mayer schickt neue Gedichte an M sowie Verbesserungsvorschläge für die alten.

4. September: M gibt um einen Zuschuß zum Vikarsgehalt ein.

9. September: Um die Haftentlassung seines Bruders Karl zu beschleunigen, schreibt M an dessen Frau sowie an seinen Bruder Ludwig.

15. September: Ein Visitationsbericht beurkundet M's »eigenthümliches Nervenleiden«, das ihn an jeder kirchlichen Tätigkeit hindere.

19. — 25. September: Während eines Besuchs von Hartlaubs fahren die Freunde nach Jagstfeld und Wimpfen.

Anfang Oktober: M's Bruder Karl reicht ein Begnadigungsgesuch ein (das abgelehnt wird).

4. Oktober: Kauffmann, der seit Jahresbeginn Reallehrer in Heilbronn ist, und Christian Märklin (seit 1840 Professor am dortigen Gymnasium) besuchen M; sie wandern zusammen nach Neuenstadt zu M's Verwandten, treffen dort auch Schnitzer und Strauß (der sich mit seiner Frau in Heilbronn niederlassen will): Marie Mörike singt Lieder von Kauffmann und Hetsch, M trägt seine Epistel ›An Longus‹ vor.

5. Oktober: Die Gesellschaft begleitet M nach Cleversulzbach zurück.

Mitte Oktober: M muß in den nächsten Wochen wegen rheumatischer Rückenschmerzen öfters das Bett hüten.

25. — 26. Oktober: C. F. Wolf besucht M mit seiner Familie.

28. Oktober: Mayer schickt an M eine Abschrift aus Notters Aufsatz ›Die schwäbische Dichterschule‹ in dem kurz zuvor von Bauer herausgegebenen Band ›Schwaben, wie es war und ist‹ (Karlsruhe); Notter behandelt auch M und Mayer.

1. November: Als Zuschuß zum Vikarsgehalt des vergangenen Jahrs werden 80 fl angewiesen; man bemerkt dabei, daß die Unterstützung zum letzten Mal erfolge. – M beschließt, sich »ohne Vikar zu behaupten«.

4. November: In einem Schreiben an Kerner sagt M ein Treffen mit Kauffmann und Strauß ab.

9. November: Hartlaub schickt Tiecks ›Vittoria Accorombona‹ und zitiert Hegels ›Vermischte Schriften‹ (Berlin 1834) über Tieck.

20. November: M's Bruder Ludwig kommt zu Besuch.

21. November: Im Brief an Mayer verteidigt ihn M gegen die Kritik Notters.

29. November: Die oberste Kirchenbehörde läßt M durch den Dekan auffordern, seinen einstweiligen Ruhestand zu beantragen, solange er aus Gesundheitsgründen nicht fähig sei, seinen amtlichen Obliegenheiten besser nachzukommen.

erste Hälfte Dezember: M liest Tiecks ›Vittoria‹ und Gotthelfs ›Leiden und Freuden eines Schulmeisters‹. – Mit seinem Bruder entwickelt M den Plan einer Laterna magica mit phantastischen Zeichnungen von Fellner, Disteli, Neureuther nach seinen Angaben; deren Lithographien sollen auf Glas industriell reproduziert werden; M will ein Textbuch dazu schreiben; man erwartet Einnahmen in Höhe von 800 fl.

8. Dezember: M beantragt, seinen Vikar bis Ostern 1843 beibehalten zu dürfen.

10. Dezember: M's Bruder Adolf kommt zu Besuch.

13. Dezember: M sendet Waiblinger-Manuskripte an Heubel zurück und fordert ihn auf, Waiblingers ehemaligen Verleger Georg Reimer davon zu informieren, daß die Gedichte jetzt in überarbeiteter Fassung erscheinen sollen.

16. Dezember: Die Kirchenbehörde gewährt M's Antrag unter der Bedingung, daß er wenigstens einen Teil seines Amtes selbst besorge.

30. Dezember: Mit seinen Geschwistern Klara und Ludwig fährt M nach Stuttgart.

1843

Im ›Jahrbuch für Kunst und Poesie‹ (Barmen) erscheinen M's Gedichte ›An Wilhelm Hartlaub‹

und ›Ländliche Kurzweil‹. – Theodor Mommsen veröffentlicht sein Sonett ›Eduard Mörike‹ im ›Liederbuch dreier Freunde‹ (Kiel).

1. Januar: Mit seinen Geschwistern Klara und Ludwig fährt M über Bernhausen nach Nürtingen. Er besucht hier u. a. Hölderlins Schwester Heinrike Breunlin und erhält einen ganzen Korb von Handschriften ihres Bruders zur Ansicht.

3. Januar: Er macht einen Kondolenzbesuch in Neckartailfingen: Schmidlins Schwiegervater Johann Christian Faber ist dort verstorben.

5. Januar: M fährt nach Stuttgart.

6. Januar: In Besigheim trifft er sich mit seinem Bruder Adolf.

7. Januar: M kehrt nach Cleversulzbach zurück.

8. Januar: Mayer schickt Gedichte über seine Norddeutschland-Reise in den Jahren 1809/10.

zweite Hälfte Januar: Hartlaub lädt M für seine Pensionszeit nach Wermutshausen ein. – M erhält das ›Hansa-Album‹.

24. Januar: An seinen Bruder Adolf, der sich in der Nähe von Karlsruhe aufhält, schickt M Geld und Kleider.

6. Februar: An Hartlaub sendet M eine Schiller-Komposition von K. A. Krebs.

nach 8. Februar: Mit seiner Schwester besucht M eine Abendunterhaltung bei Elsäßer; er übernachtet bei Otto Schmidlin. – Der freundschaftliche Verkehr mit Schmidlins wird intensiver, weil sich M in dessen Schwägerin Friederike Faber verliebt.

15.–18. Februar: Mit seiner Schwester ist M zu Besuch bei Hartlaub. Sie beratschlagen die Dedikation einer handschriftlichen Sammlung von M-Gedichten an Friedrich Wilhelm IV.

15. Februar: Die ersten beiden Strophen von ›Früh im Wagen‹ entstehen.

18. Februar: M liest den sechsten Band von Bauers ›Weltgeschichte‹.

nach 20. Februar: M fragt Hartlaub, ob die im Kapff angegebenen Pensionsbedingungen noch Gültigkeit hätten. Er kennt Coopers »Seegemälde« ›Der Lootse‹ (Stuttgart 1843) und die ›Drei Tage im Hause Gustav Werners‹ (Ulm 1843).

25. Februar: Strauß und Kauffmann besuchen M und nehmen ihn mit nach Neuenstadt; bei seinen Verwandten treffen sie u. a. auch mit Elsäßer zusammen. M erklärt Strauß seinen Zwiespalt zwischen den Neigungen zum Pfarramt und zur Kunst; sie sprechen über das projektierte Hohenstaufen-Drama M's.

26. Februar: M geht mit Kauffmann und Strauß nach Heilbronn und weiter nach Sontheim, wo

Strauß wohnt; M lernt dessen Frau kennen, die ihm eine Komposition seines Gedichts ›Der Gärtner‹ vorträgt. M liest Schnitzers neue Aristophanes-Übersetzung (›Die Wolken‹, Stuttgart 1846) und übernachtet bei Strauß.

27. Februar: Mit Strauß spricht M über Schleiermacher, Hegel, Feuerbach und Bettina von Arnim. M's Schwester kommt, ebenso Kauffmann, der Mozarts ›Don Juan‹ vorspielt. Mit Strauß diskutiert M über die Identität von M. Meyer mit dem Mädchen, das Ernst Münch in seinen ›Erinnerungen, Reisebildern‹ (Stuttgart 1841, Bd 1) schildert und in Beziehung zum ›Nolten‹ bringt.

28. Februar: Die Sontheimer Gesellschaft geht nach Heilbronn zu Kauffmanns; dort trifft sie u. a. Chr. Märklin und Th. Kerner. Dieser berichtet, Tieck und Alexander von Humboldt hätten (während eines Besuchs des württembergischen Kronprinzen Karl in Berlin) den Kriegsminister Graf von Sontheim zu einer Empfehlung M's beim württembergischen Innenminister Johann Schlayer veranlaßt; M könne über diese Verbindung eine Pensionszulage erreichen. M erkundigt sich nach Lohbauer. Man spielt Lortzings ›Zar und Zimmermann‹ und spricht über Fellners ›Geschichte der sieben Schwaben‹ (Stuttgart 1838[2]).

1. März: M kehrt mit seiner Schwester nach Hause zurück.

Mitte März: Er erhält von Hartlaub ein ›Nachtstück‹ von Hetsch und eine Rezension von Bauers Drama ›Kaiser Barbarossa‹ (Stuttgart, Tübingen 1842) – wahrscheinlich das ›Morgenblatt‹ vom 14. Oktober 1842.

20. März: Für die Zeit nach Ostern erbittet sich M von Hartlaub dessen Predigten; er schickt ihm Gedichte von Strauß und eine Komposition von Kauffmann.

21. März: Zur Information über die Pensionsbedingungen sendet Hartlaub ein ›Evangelisches Kirchenblatt, zunächst für Würtemberg‹.

22. – 23. März: M besucht Schmidlins.

31. März – 1. April: Schmidlins besuchen M.

4. April: Das Dekanat berichtet der obersten Kirchenbehörde, daß M seine kirchlichen Geschäfte öfters (ohne gesundheitliche Nachteile) versah.

11. April: M erhält durch seinen Bruder Ludwig von Lohbauer ›Die wahrhafte Geschichte vom deutschen Michel‹ M. Distelis (Zürich, Winterthur 1843) und wahrscheinlich Johann Scherrs ›Georg Herwegh‹ (Winterthur 1843).

22. April: Th. Kerner und Marie von Hügel besuchen M; sie haben ein Verhältnis.

2. Mai: Vikar Sattler verläßt Cleversulzbach. M schreibt aus diesem Anlaß die Verse ›Der Vikar itzunder . . .‹. Hartlaub hat noch keine Predigten gesandt. – M fühlt sich wieder schwach und krank.

3. Mai: Kerner warnt M, im Pfarrhaus Treffen zwischen seinem Sohn Theobald und M. v. Hügel zuzulassen.

8. Mai: Hartlaub zitiert im Brief an M ›Das Wesen des Christenthums‹ von Ludwig Feuerbach (Leipzig 1841, 1842[2]).

9. Mai: M. v. Hügel zieht bei M ein; sie will hier die erste Zeit nach ihrer eingeleiteten Ehescheidung verbringen. – Th. Kerner kommt in den nächsten Tagen häufig zu Besuch. – Über die Geistererscheinungen, die M. v. Hügel während der nächsten Wochen im Pfarrhaus beobachtet, berichtet J. Kerner 1846 im ›Magikon‹.

11. Mai: Kauffmann schlägt M ein gemeinsames Wiegenlied für die Tochter von Strauß vor.

Mitte Mai: Kauffmann bringt M seine neue Komposition ›In der Frühe‹.

17. Mai: Um zwischen Kerner und seinem Sohn (bzw. M. v. Hügel) zu vermitteln, fährt M nach Weinsberg.

19. Mai: Kerner fordert M auf, die Liebenden zu trennen. – M schreibt an Albert von Hügel, erst später erfahren zu haben, daß er seine Einwilligung in die Scheidung zurückgezogen habe; er möge seine Frau holen lassen.

20. – 21. Mai: Adelheid von Ochsenstein kommt und versucht, ihre Kusine M. v. Hügel von einer Scheidung abzubringen.

21. Mai: Eduard Friedrich Ludwig von Uxkull-Gyllenband und Freiherr Julius von Hügel treffen ein, um M. v. Hügel von Th. Kerner abzuraten.

24. Mai: Adelheid von Ochsenstein ist wieder in Cleversulzbach.

25. Mai: Für M predigt Pfarrer Elwert. – A. v. Hügel schreibt an M.

26. Mai: Elisabeth von Hügel teilt M Bedingungen mit, unter denen die Familie einer Scheidung zustimme.

27. Mai: Nach einem Besuch von Elsäßer entschließt sich M, sein Pfarramt aufzugeben.

28. Mai: Schmidlin übernimmt für M eine Predigt.

31. Mai: M. v. Hügel erkrankt; Elsäßer untersucht sie.

erste Hälfte Juni: Kurz schickt seinen Roman ›Schiller's Heimathsjahre‹ und seine Ariost-Übersetzung, Graf Alexander seine Sonette ›Ge-

gen den Strom‹ (Stuttgart 1843); M liest Elsä-
ßers Schrift ›Der weiche Hinterkopf, ein Beitrag
zur Physiologie und Pathologie der ersten Kindheit‹ (Stuttgart 1843).

2. Juni: M schreibt an A. v. Hügel, daß seine
Frau nach ihrer Wiederherstellung abreisen
werde.

3. Juni: Er verfaßt seine Bittschrift um Amtsenthebung und Pensionierung; er führt seine
Krankheit und Mittellosigkeit an. Im ärztlichen
Attest schreibt Elsäßer, der frühere Schlaganfall
M's (mit den »Symptomen von gestörter Rük-
kenmarks- und Herzthätigkeit«) habe zu anhaltenden Durchblutungsstörungen mit Schwindel
und Schwächegefühl geführt. – M plant, in die
Schweiz oder nach Bad Mergentheim zu ziehen.

5. Juni: Schmidlin besucht M.

7. Juni: E. v. Hügel gibt M Ratschläge für den
künftigen Aufenthaltsort der M. v. Hügel. –
Friedrich Hölderlin stirbt.

9. Juni: Mit seiner Schwester fährt M zu A. v.
Hügel nach Eschenau, der in die Scheidung ein-
willigt. Auf dem Rückweg besuchen sie Kerner
in Weinsberg. Dort trifft auch Uhland ein, mit
dem sich M über Vischer unterhält; Uhland
meint, die Hegelianer könnten nur zur Verach-
tung der Poesie gelangen. – Hartlaub bietet M
erneut Wohnung an.

13. Juni: Friedrich Schott von Schottenstein und
seine Frau kommen, um (vergeblich) M. v. Hügel abzuholen.

14. Juni: M. v. Hügel, die M an seine verstorbe-
ne Kusine K. Neuffer erinnert, will mit ihm nach
Bad Mergentheim ziehen.

16. Juni: In M's Brief an E. v. Hügel wird Th.
Kerner gerechtfertigt; M spricht sich aber gegen
dessen Heirat mit M. v. Hügel aus. – In Neuenstadt besucht M die Verwandten und Elsäßer.

17. Juni: Nach einer Verleumdung bricht M. v.
Hügel zusammen; Elsäßer wird konsultiert.

18. Juni: J. Kerner besucht M.

18. – 19. Juni: M's Schwester begleitet M. v.
Hügel nach Eschenau, wo sich deren Mann zunächst verleugnen läßt. M's Schwester vermittelt.

20. Juni: E. v. Hügel stellt im Schreiben an M die
Scheidungsbedingung, daß M. v. Hügel auf Th.
Kerner verzichte. – J. Kerner teilt M mit, daß er
mit keiner Scheidung rechne; er rät M ab, M. v.
Hügel mit sich nach Mergentheim ziehen zu lassen, wenn sie er nicht selbst heiraten wolle. – M
beschließt, Wohnung in Wermutshausen zu
nehmen.

21. Juni: M redet Th. Kerner ins Gewissen. – Er

macht einen Besuch bei Schmidlins.

23. Juni: Vor J. Kerner verteidigt sich M; er informiert E. v. Hügel.

26. Juni: M begleitet mit seiner Schwester M. v.
Hügel nach Bad Mergentheim.

27. – 28. Juni: Zu dritt besuchen sie Hartlaubs
in Wermutshausen.

29. Juni: M ist wieder in Cleversulzbach.

7. Juli: Schmidlins besuchen M.

11. Juli: Pfarrer Elwert hilft M aus.

16. Juli: Hartlaub rät M, sich um eine größere
Pensionszulage durch den König zu bemühen;
er fordert zur Honorarklage bei Heubel auf (die
M bis August anstrengt). – Hartlaub informiert
wahrscheinlich auch Bauer und bittet um Vermittlung in M's Angelegenheiten. (Bauer erreicht aber nichts, da Hardegg und Grüneisen
verreist sind; von Stirm hört er dann, daß über
M's Pensionssumme bereits entschieden sei.)

17. Juli: Hartlaub kommt zu Besuch; am gleichen Tag treffen auch Strauß und Mährlen ein.
– Auf Entschließung des Königs wird M pensioniert. Er hat nur einen Anspruch auf 275 fl 15 x
Ruhegehalt, das jedoch »auf den geringsten
Normalbetrag« 280 fl erhöht wird. (Eigentlich
hätte das Gesetz in solchem Fall gar keine Pension erlaubt.)

21. Juli: Mit Hartlaub macht M einen Besuch
bei Schmidlins.

23. Juli: Hartlaub reist ab.

24. Juli: M's Bruder Karl wird aus der Haft entlassen; er geht zu einem Studienfreund nach
Mels bei St. Gallen.

30. Juli: M schreibt das ›Vogellied‹.

31. Juli: Das Manuskript der überarbeiteten
Waiblinger-Gedichte für die separate Ausgabe
geht an Heubel ab.

Ende Juli: Schmidlin besucht M, informiert ihn
über die Festsetzung seines Ruhegehalts.

2. August: An Lohbauer sendet M die Epistel ›An
Longus‹ zur Veröffentlichung in einer Schweizer Zeitschrift (da sie das ›Morgenblatt‹ ablehnte).

9. August: In Nürtingen heiraten F. Krehl und
Pfarrer Friedrich Hildebrand.

12. August: Im Brief an M zitiert Hartlaub das
Drama ›Saul und David‹ von Friedrich Rückert
(Erlangen 1843).

18. August: Hartlaub will nochmals an Bauer
schreiben; seinen Rat, sich an Cotta wegen einer
zweiten Auflage der ›Gedichte‹ zu wenden, befolgt M bis Ende des Monats.

31. August: M nimmt bei einer Versteigerung
überflüssigen Inventars 221 fl ein.

erste Hälfte September: Kerner besucht M.

1. September: Cotta teilt M mit, erst 405 Exemplare der ›Gedichte‹ abgesetzt zu haben. – M will wegen seiner Pensionszulage nicht Bauer einschalten, sondern eine direkte Eingabe schreiben und sie über Hardegg einreichen.

5. September: M übergibt das Pfarramt seinem ehemaligen Vikar Haueisen.

19. September: Mit seiner Schwester kommt M in Wermutshausen an. – Während der ersten Tage trinkt er Mergentheimer Mineralwasser. In Wermutshausen nimmt M ein Steckenpferd seiner Kindheit wieder auf: Er sammelt Petrefakten. Hier entstehen eine Reihe von Gelegenheitsgedichten für die Familie Hartlaub.

ca 20. September: M's Schwester fährt zu M. v. Hügel nach Mergentheim; sie überreicht wahrscheinlich M's Gedicht ›Es erscheint ein schmuckes Mädchen . . .‹.

Herbst: M schreibt für Caroline Schmidlin die Verse ›Mich mögen alle Pfarrer . . .‹.

Anfang Oktober: M's Schwester kehrt aus Mergentheim zurück.

3. Oktober: Von Dr. Krauß (zwischen dessen Familie und M in der Wermutshäuser Zeit Spannungen entstehen) wird M zur Ader gelassen.

4. Oktober: Kerner bittet M, seine Schwester bei M. v. Hügel zu belassen.

28. Oktober: Von Heubel erhält M für seine Gedicht-Edition Waiblingers eine Abschlagszahlung von 97 fl.

3. November: Hartlaubs Tochter Marie wird geboren.

4. November: M schreibt die Verse ›Meiner Freundin stets aufs neue . . .‹.

zum 14. November: Für Agnes Hartlaub schreibt M ›Wie wir unter muntern Schritten . . .‹.

Dezember: M's Schwester erkrankt.

10. Dezember: Zum Geburtstag der Schwester schenkt ihr M das Gedicht ›Ein Mägdlein zur Welt war kommen . . .‹.

Winter: Die Verse ›Daß sich Ihme . . .‹ entstehen.

1844

Die ›Deutsche Anthologie für höhere Lehranstalten und für Freunde der Poesie‹, in Heilbronn von Christian Märklin herausgegeben, enthält u. a. fünf Gedichte von M. – Karl Goedeke veröffentlicht in seinem Sammelwerk ›Deutschlands Dichter von 1813 bis 1843‹ (Hannover) sieben Gedichte M's.

erste Hälfte Januar: M entschließt sich, seinen Wohnsitz künftig in Schwäbisch Hall zu nehmen.

15. Januar: Er will Schmidlin besuchen.

19. Januar: Der obersten Kirchenbehörde gibt M als neuen Wohnsitz Schwäbisch Hall an.

2. Februar: M besucht Dr. Krauß.

4.–6. Februar: M's Schwester und Hartlaub suchen in Schwäbisch Hall eine Wohnung.

9. Februar: Mit seiner Schwester und der Familie Hartlaub besucht M Pfarrer J. F. Krauß. – M erhält von Strauß eine Novelle der George Sand (vielleicht ›Simon‹, Stuttgart 1836). – M's Schwester übernachtet bei Dr. Krauß.

11. Februar: Sie konsultiert Dr. Krauß.

20. Februar: M gibt um eine Unterstützung ein.

1. März: M's Schwester und Hartlaub sowie dessen Frau und M verabreden das Du.

Frühjahr: Er liest Hegel.

6. April: M's Bruder Ludwig kommt nach Wermutshausen; er führt einen Prozeß in Stuttgart. – Die Kreuzlinger Klosterverwaltung hat den Hof Gaissberg weiterverkauft; er hat dadurch wohl seine Stellung verloren.

8. April: Mit dem Bruder Ludwig und Hartlaubs wandert M nach Rinderfeld; Wolf, den sie besuchen wollen, ist nicht anwesend; M schreibt das Gedicht ›Ein Gesellschäftlein trat an . . .‹.

12. April: M's Bitte um Unterstützung wird abgelehnt. – Sein Bruder Ludwig reist wieder fort.

15. April: M und seine Schwester ziehen um; Hartlaub begleitet sie nach Schwäbisch Hall. Die neue Adresse lautet: Obere Herrngasse 57 (= heute: Nr. 7) zweiter Stock. (Die Miete beträgt 60 fl.) – In Schwäbisch Hall entsteht ein Prosa-Entwurf über einen Franzosen-Einfall im Jahr 1796, historische Fakten der Gegend verarbeitend (Beginn der ›Geschichte von der silbernen Kugel‹).

Mitte April: M kauft die ›Historia Hallensis‹ von Caspar Sagittarius (Schwabach 1746), kennt die ›Chronica der Reichsstadt Hall‹ von Georg Widmann (1550).

16. April: M legt ein Haushaltungsbuch an.

17. April: M's Schwester fährt über Neuenstadt (wo sie von den Verwandten ein Geldgeschenk erhält) nach Cleversulzbach, um die Möbel abzuholen.

18. April: Hartlaub geht wieder nach Hause.

19. April: M besichtigt die Ruine Limpurg.

20. April: An Friedrich Wilhelm IV. geht M's handschriftliche Gedichtsammlung, in Pergament gebunden, ab; sie enthält neben dem Gedicht ›Widmung‹ ältere gedruckte, aber auch neue unveröffentlichte Gedichte, darunter ›Versuchung‹, ›Auf einen Redner‹, ›Herr Dr. B. und der Dichter‹. Der Begleitbrief datiert vom 19. April. M legt die ›Gedichte‹ und ›Maler Nolten‹ bei.

23. April: M's Schwester kommt nach Schwäbisch Hall zurück.

24. April: Die Cleversulzbacher Möbel treffen in Schwäbisch Hall ein. – Hartlaub schreibt an A. v. Humboldt zur Information über M's Dedikation an den König von Preußen.

27. April: M's Bruder Ludwig nimmt bei der Stuttgarter lithographischen Anstalt Franz Lachners einen Wechsel auf.

29. April: Mit seiner Schwester geht M erstmals auf die Comburg; er studiert dazu den Sagittarius.

30. April: Er bürgt für seinen Bruder Ludwig bei Lachner. – Er beabsichtigt einen Stammbaum der Familie, legt genealogische Notizen an.

Anfang Mai: Gegen M's Bruder Adolf wird in Ulm ein Verfahren eröffnet.

zum 1. Mai: M verfaßt das Gedicht ›Auf ein Ei geschrieben‹.

2. Mai: Mit der Petrefaktensammlung M's schickt Hartlaub auch J. A. Bengels ›Literarischen Briefwechsel‹ (Stuttgart 1836) nach Schwäbisch Hall; Bengels Biographie bezieht M in einen literarischen Plan ein.

6. – 9. Mai: Hartlaub besucht M; sie erwandern zusammen die Gegend.

7. Mai: Vischer heiratet die katholische Thekla Heinzel.

10. Mai: M geht auf die Limpurg.

14. Mai: Mit seiner Schwester ist M erneut auf der Comburg.

15. Mai: Salatsamen für Constanze Hartlaub legt M die Verse ›Bis diese Samen grün . . .‹ bei. – Bauer teilt Hartlaub mit, daß sich Hardegg um eine Pensionszulage für M bemühe.

20. Mai: Hartlaub schickt Bauers Brief an M und gibt eine Abschrift des ›Spielhansel‹ aus den ›Kinder- und Haus-Märchen‹ zurück.

22. Mai: Eine Stadtansicht, von seinem Fenster aus gezeichnet, sendet M an Hartlaub.

28. Mai: M's Tante Neuffer kommt mit ihrem Schwiergersohn Felix Buttersack, seit 1843 Stadtpfarrer in Heilbronn, und dessen Familie zu Besuch.

29. Mai: A. Hartlaub beginnt eine Kur in Schwäbisch Hall; sie wohnt bei M.

31. Mai: M besucht den Kameralverwalter Wilhelm Gottlieb Mayer.

Juni: Für seine Schwester verfaßt M das Gedicht ›Kaum ist der Ring am Arm . . .‹.

3. Juni: In Tüngental besucht M Pfarrer Carl Friedrich Cleß, den Mann einer Base.

6. Juni: Er beginnt eine Solbad-Kur.

10. Juni: Hartlaub und seine Frau kommen zu Besuch.

14. Juni: Vom König von Preußen erhält M ein einfaches Dankschreiben.

16. Juni: Hartlaubs fahren wieder ab. M ergänzt das 1834 entstandene Gedicht ›Meine werten Herrn . . .‹.

18. Juni: M wird in die Gesellschaft ›Harmonie‹ aufgenommen. – Im Brief an Hartlaub zitiert er Sebastian Sailers Schauspiel ›Die Erschaffung der Welt und der Sündenfall‹ (Ulm 1811).

22. Juni: Th. Kerner und M. v. Hügel heiraten.

24. Juni: Hartlaub kommt zu Besuch; sie gehen zusammen auf die Ruine Geyersburg, hören abends in der Michaelis-Kirche Haydns ›Schöpfung‹.

27. Juni: Mit Hartlaub wandert M nach Unterlimpurg; er liest im Lichtenberg.

28. Juni: Hartlaub fährt wieder nach Hause.

1. Juli: Ch. Krehl kommt nach Schwäbisch Hall.

7. Juli: Mit ihr findet M die Krone eines Enkriniten.

8. Juli: M nimmt bereits das 26. Solbad.

9. Juli: Heydenreich, mit dem M in Korrespondenz getreten ist, schickt ihm seine Komposition zu dem Goethe-Gedicht ›Schäfers Klagelied‹.

10. – 12. Juli: Hartlaubs holen ihre Tochter Agnes ab.

14. Juli: M wird zur Ader gelassen.

22. Juli: Er besichtigt die Klein-Comburg.

23. Juli: Dr. med. David von Dürr besucht M; M fragt Hartlaub nach einer Oberamtsbeschreibung von Hall.

29. Juli: Ch. Krehl reist ab.

Anfang August: M konsultiert Dr. Dürr wegen einer erneuten magnetischen Behandlung durch Konrad Raisch. Hartlaub weilt (bis 28. August) in Schwäbisch Hall; er nimmt Bäder.

12. August: M fährt nach Stuttgart, übernachtet bei seiner Tante Georgii.

13. August: Er besucht die Tante Dorothea Mörike, trifft dort den Vetter Theodor Mörike und Verwandte aus Giengen; mit der Tante fährt er nach Nürtingen, übernachtet zuerst bei der Frau seines Bruders Karl.

14. August: Bei K. Raisch in Hardt beginnt M's Behandlung.

zweite Hälfte August: M geht sechzehnmal zu Raisch. Er wohnt bei seiner Tante Planck, sammelt mit Ch. Krehl Versteinerungen, macht Besuche bei der Frau seines Bruders Karl, dem Rektor des Lehrerseminars Theodor Eisenlohr und dessen späterem Schwager, dem dortigen Lehrer Emil Woldemar Denzel u. a.

21. August: Heydenreich bittet M um die ›Gedichte‹ zur Komposition.

26. August: Hartlaub schickt die ›Gedichte‹ an Heydenreich. M's Brief folgt nach.

erste Hälfte September: M liest die Vorrede zu Nitzsches ›System der christlichen Lehre‹.

3. September: Er fährt von Nürtingen nach Stuttgart.

4. September: M besucht Verwandte, Ch. Späth, E. Zumsteeg (die ihm Kompositionen seiner Lieder vorspielt und -singt), den Maler Alexander Bruckmann, dessen Porträts M begeistern.

5. September: Er kehrt nach Hall zurück.

9.–21. September: Seine Schwester kurt in Wermutshausen.

zweite Hälfte September: Da er meint, das Haller Klima nicht zu vertragen, plant M einen Umzug nach Bad Mergentheim.

28. September: An den Geologie-Professor Johann Gottlob Kurr schickt M Skizzen von den interessanteren Stücken unter seinen Petrefakten zur Begutachtung.

Herbst: In Vischers ›Kritischen Gängen‹ (Tübingen 1844) liest M zum ersten Mal dessen ›Gedichte‹-Rezension; seine Erwähnung in der Vorrede zum Buch verärgert M.

Anfang Oktober: Wegen seinem Bruder Ludwig macht sich M Sorgen.

5. Oktober: Mit seiner Schwester fährt M nach Wermutshausen.

9. Oktober: Hartlaub geht mit M nach Mergentheim; eine neue Wohnung wird gemietet.

11. Oktober: Hartlaub und M's Schwester gehen nach Freudenbach, wo der Bruder jenes Gottlob Ludwig Hochstetter amtiert, der als Vorgänger M's den Cleversulzbacher Pfarrhausgeist bereits beobachtete.

14. Oktober: Kauffmann, Strauß und ihr Freund Dr. Philipp Friedrich Sicherer verpassen M in Schwäbisch Hall.

19. Oktober: Mit seiner Schwester und K. Hartlaub zurück in Schwäbisch Hall, beginnt M zu packen. – In den letzten Tagen dort lernt er Vischers engen Freund Ernst Rapp kennen, Pfarrer in Enslingen.

20. Oktober: An E. Zumsteeg sendet M Kompositionen von Heydenreich, über die sie in Stuttgart sprachen; er bittet um ein Lied von Beetho-

ven und um Grüße an Kurz (der mit Auerbach Redakteur in Karlsruhe wird).

21. Oktober: M besucht in Maienfels den Sohn des ehemaligen Cleversulzbacher Pfarrers Friedrich Christoph Binder.

29. Oktober: Mit seiner Schwester fährt M nach Wermutshausen.

1. November: Begleitet von Hartlaubs, kommt M mit der Schwester in Bad Mergentheim an; sie beziehen eine Wohnung im Haus von Nikolaus Fuchs am Boxberger Tor, Mühlwehrgasse 140 (= heute: Untere Mauergasse 28) für eine Jahresmiete von 50 fl. – Hartlaub geht wieder nach Hause. – In Mergentheim wird M den Plan zu einem »reinpoetischen« Werk nach dem Makkabäer-Stoff entwerfen.

4. November: Schönhuth besucht M.

6. November: Friederike König, die Frau des Rentamtmanns, sucht ihn auf.

10. November: Hartlaub kommt wieder nach Mergentheim.

11. November: M besichtigt das Naturalienkabinett.

12. November: Hartlaubs fahren nach Hause.

13. November: Die ›Allgemeine Zeitung‹ (Nr. 318) zeigt M's Waiblinger-Edition an; M ist über die Publikation überrascht, er hat sein Manuskript nicht vollständig eingeschickt und sein Honorar noch nicht ganz erhalten.

14. November: Hartlaub sendet J. Eiseleins ›Sprichwörter und Sinnreden des deutschen Volks‹ (Donaueschingen 1838, Tübingen 1840).

15. November: M macht einen Gegenbesuch bei Schönhuth in Wachbach; sie sprechen über dessen Veröffentlichungen, u. a. über ›Ritter Götz von Berlichingen‹, ›Hugdietrich's Brautfahrt und Hochzeit‹ (beide Reutlingen 1844); Schönhuth schenkt M Mineralien.

zweite Hälfte November: M stattet seine Antrittsbesuche bei Stadtpfarrer Karl Wüst u. a. ab.

18. November: M erwägt seine Heirat mit Friederike Faber. – Im Brief an Hartlaub zitiert M einen Petrefaktenaufsatz von Joseph Maximilian Karg aus den ›Denkschriften der vaterländischen Gesellschaft der Ärzte und Naturforscher Schwabens‹ (Tübingen 1805) sowie Ch. F. Hochstetters ›Populäre Mineralogie‹ (Reutlingen 1836).

19. November: Die Bekanntschaft mit Friedrich Krauß, seit diesem Jahr Oberamtsarzt in Mergentheim, wird erneuert. – Mit den Verwandten des früheren Oberamtsarztes Christian Friedrich Bauer entsteht bald ein enges familiäres Verhältnis; in diesem Kreis liest M das Lustspiel

›Der Schatz‹ von Lessing samt dessen Bemerkungen dazu in der ›Hamburgischen Dramaturgie‹; hier findet M die ›Asiatische Banise‹ von Heinrich Anshelm von Ziegler.

21. November: Im Brief an C. Schmidlin rechtfertigt M seinen Besuch in Maienfels. – Vischer hält seine Antrittsvorlesung in Tübingen.

22. November: Hartlaub informiert M über literarische Neuerscheinungen, über Rückert, Freiligrath und zitiert Heines ›Neue Gedichte‹ (Hamburg 1844).

23. November: Bei M läuft ein Brief Franz Lachners aus Stuttgart ein; M schreibt deswegen an seinen Bruder Ludwig.

25. November: Nach einer Beratung mit Rechtsanwalt Johann Friedrich Hezel schreibt M an Lachner, für die Zahlung aufzukommen.

26. November: Schönhuth fragt M wegen seiner ›Geschichte Rudolf's von Habsburg‹ (Leipzig 1844) um Rat.

28. November – 13. Dezember: M hält sich mit der Schwester in Wermutshausen auf.

10. Dezember: Hartlaub schenkt M's Schwester zum Geburtstag Abschriften von M-Gedichten unter dem Titel ›Entrochiten oder gelegentliche Scherz- und andere Reime‹; M schreibt dazu die Verse ›Statt echten Prachtjuwels . . .‹. Sein eigenes Geschenk begleiten die Zeilen ›Liebes Clärchen, in der Kürze . . .‹, und Klara Hartlaub überreicht ›Was doch das Rauchen . . .‹.

18. Dezember: Ein weiterer Gläubiger von M's Bruder Ludwig wendet sich an M.

20. Dezember: M schreibt erneut an F. Lachner.

22. Dezember: Er bittet Ferdinand Jung um finanzielle Hilfe.

24. Dezember: M schickt seine Schwester nach Wermutshausen, wartet in Mergentheim eine Entscheidung in seiner prekären Finanzlage ab.

25. Dezember: Von Jung erhält M ein Darlehen über 500 fl.

27. Dezember: M schreibt an Jung und die Gläubiger seines Bruders Ludwig. Seine Schwester kehrt zurück.

29. Dezember: M sendet ›Meine werten Herrn . . .‹ an Schmidlin.

1845

In der Pariser Zeitschrift ›Revue des deux mondes‹ (N. F. 3. Jg) schreibt Henri Blaze über M's ›Gedichte‹. Unter »A series of translations from the most popular of the German poets« erscheinen in der ›Anthologia germanica‹ (Dublin) von J. C. Mangan auch Gedichte M's. – M verleiht u. a. Achim von Arnims ›Kronenwächter‹ (Berlin 1817) und Karl Pfaffs ›Geschichte Wirtembergs‹ (Reutlingen 1818/21).

Januar: M besorgt sich Vischers ›Academische Rede‹ (Tübingen 1845).

Anfang Januar: M beschließt, keine Bürgschaft mehr zu leisten.

1. Januar: Er erhält einen Brief von Jung und beantwortet ihn. – Mährlen fordert M zur Übersiedlung nach Stuttgart auf; er könne an Bauers Anthologie ›Panorama der deutschen Klassiker‹ (Stuttgart 1845/46) mitarbeiten und wie Bauer mit literarischen Vorträgen vor Damen einen günstigen Nebenverdienst erwerben; Mährlen knüpfte Kontakte zu Mendelssohn-Bartholdy, mit dem M eine Oper verfassen solle.

7. Januar: Ein Brief von F. Lachner bringt M in neue Schwierigkeiten. – Hartlaubs kommen zu Besuch. – M erbittet Versteinerungen von Franz Baur, jetzt Diakon in Göppingen.

10. Januar: Hartlaub fährt ohne die erkrankte Frau nach Hause.

11. Januar: Nach einem erneuten Schreiben von Lachner wendet sich M wieder an Jung.

12. Januar: Im Brief an Mährlen gesteht M, daß er zwar gern mit Mendelssohn zusammenarbeiten würde, darauf aber aus Gesundheitsrücksichten verzichten müsse. – Hartlaub kommt wieder.

14. Januar: M mietet in Mergentheim eine neue Wohnung und kündigt die alte. Hartlaub fährt mit seiner Frau und M's Schwester ab. M erhält Jungs Antwort, die bezüglich der Lachnerschen Forderungen beruhigt. Die Gedichte ›Weil, was einen Freund gedrückt . . .‹ und ›Wie einer Trübsal bläst . . .‹ entstehen.

15. Januar: An Franz Lachner überweist M die Schulden (samt Zinsen: 529 fl 41 x) seines Bruders Ludwig. – M's Schwester kehrt heim.

Mitte Januar: Hartlaub schreibt an Ignaz Lachner und an Hetsch wegen M's Opernplan.

16. Januar: M fordert von Heubel sein Resthonorar. Er erbittet von I. Lachner die ›Regenbrüder‹-Partitur; der Mißerfolg der Oper habe am simplen Text und der entsprechend einfachen Vertonung gelegen.

22. Januar: Einem Paket an Strauß legt M den überarbeiteten ›Scherz‹ (›Nächtlich erschien mir im Traum . . .‹) bei.

25. Januar: Er wird zur Ader gelassen.

27. Januar: Nach wiederholten Mahnungen M's hat sein Bruder Ludwig offensichtlich etwas verpfändet; M schickt den Schuldschein an Jung. –

M bittet Baur um Lias-Versteinerungen; seine Sammlung von Petrefakten aus Muschelkalk und Keuper ist nahezu vollständig.

28. Januar: Er nimmt die Korrespondenz mit Mayer wieder auf, der 1843 Oberjustizrat in Tübingen geworden ist; er kündigt ihm einen (etwa 1842 entstandenen) Aufsatz über sein Gedicht ›Ein Lied des Dankes‹ an.

29. Januar: M schreibt an Heydenreich; an Hartlaub sendet er Franz Graf Poccis und Franz von Kobells ›Alte und neue Jäger-Lieder‹ (Landshut 1843). – In Stuttgart heiraten M's Base Marie Mörike und Albert Freiherr von Hügel.

30. Januar: M schreibt das Gedicht ›Wo sind die neuen Eheleute . . .‹.

3. Februar: Mit seiner Schwester geht M nach Weikersheim; unterwegs entstehen die ersten Verse des Gedichts ›An einen Liebenden‹. In Weikersheim werden sie von Hartlaub nach Wermutshausen abgeholt; dort verfaßt M die übrigen Verse.

5. Februar: M schreibt den ›Scherz‹ (›Ganz richtig hört ich sagen . . .‹).

9. Februar: Die Verse ›Was mag wohl dein Traum . . .‹ entstehen; eine Reihe von Gelegenheitsgedichten folgt in den nächsten Tagen, z. B. ›Sollt' ich, was ich . . .‹, ›In Silber kleidet sichs . . .‹.

Mitte Februar: M berät sich mit den Freunden wegen seiner Verbindung mit F. Faber.

15. Februar: Mayers Antwort läuft ein.

16.—17. Februar: Mit den Freunden besucht M die Verwandten in Neuenstadt.

17.—18. Februar: In derselben Gesellschaft ist M bei Schmidlins in Bürg.

21. Februar: M kehrt ohne die Schwester nach Mergentheim zurück.

23. Februar: Er schreibt erneut an Heubel; möglicherweise kündigt er ihm einen Aufsatz über Waiblinger an, den er für eine Cottasche Zeitung plant.

25. Februar: In einem Brief an Schmidlin stellt M seine Heiratsabsichten zurück, bis er in einer finanziell günstigen Lage sei.

27. Februar: ›Host Gold-Erz g'nug . . .‹ entsteht zu einem Neureuther-Bild.

2. März: An Mayer schickt M die angekündigte Kritik; für eine Neuausgabe seiner Gedichte rät er zu einer strengeren Auswahl oder einer Sammlung der inzwischen entstandenen Texte. Von der eigenen Arbeit deutet M »Novellenartiges u. etwas in Hexametern« an; wahrscheinlich hat er die ›Idylle‹ begonnen.

2.—5. März: M besucht seine Schwester, die bei Hartlaubs in Wermutshausen erkrankt ist.

ca 9. März: Sein Gedicht ›Der Petrefaktensammler‹ läßt M über die Schwester in Wermutshausen an Ch. Krehl nach Nürtingen gehen.

11. März: Hartlaub informiert M über literarische Neuigkeiten, verweist ihn auf ›Die Versteinerungen der böhmischen Kreideformation‹ von August Emil Reuß (Stuttgart 1845).

Mitte März: M erwägt, sich um eine Anstellung in Stuttgart zu bemühen und deshalb seine dortigen Freunde einzuschalten. – Er liest Graf von Ségurs ›Geschichte Napoleons‹ (Stuttgart 1841). – Schönhuth schickt das Aprilheft seiner »Blätter für Franken« ›Monatsrosen‹ (3. Jg, Mergentheim) an Hartlaub; die Nummer enthält M's Gedicht ›Unschuld‹.

16. März: Im Brief an Schmidlins teilt M mit, daß er eine Stelle in der Stuttgarter Hofbibliothek anstrebe; er könne noch nicht um die Hand von F. Faber anhalten.

18. März: Hartlaub schickt M das ›Evangelische Kirchenblatt für Württemberg‹ (1845 Nr. 7) mit Blumhardts Verteidigung gegen seine Kollegen (wegen umstrittener Heilmethoden), die sich M sogleich vorlesen läßt.

22. März: An Hartlaub sendet M die Bildergeschichte vom ›Historjen-, Storchenmaler‹; er plant die anonyme Rezension seiner Waiblinger-Ausgabe.

ab 23. März: M's Schmerzen in den Füßen und Beinen nehmen zu.

25. März: Seine Schwester kehrt aus Wermutshausen zurück.

29. März: M bezieht die neue Wohnung am mittleren Marktplatz (= heute: rechte Ecke zur Burgstraße; Am Markt 5); für die drei Zimmer mit Küche zahlt er 51 fl Miete. – Das Haus gehört dem Oberstleutnant a. D. Valentin von Speeth, der mit seiner Familie den Stock über M bewohnt: mit seiner Frau Josepha, verwitwete Gavirati, geborene Schaupp, der Tochter Margarethe und dem mittellosen Sohn Wilhelm. Der Hausherr liegt seit zwei Jahren krank. Speeths sind katholisch.

31. März: Bauer versucht im Auftrag von Rödinger und anderen Stuttgarter Verehrern M's, den Freund zu einem Umzug nach Stuttgart zu bewegen; dort solle sich M um eine Anstellung bemühen, etwa an der Königlichen Privatbibliothek. Bauer bietet M eine Mitarbeit an seinem ›Panorama der deutschen Klassiker‹ an. – Bauers Brief, an Hartlaub adressiert, kreuzt sich wahrscheinlich mit einem Schreiben M's an ihn: Er fragt nach der Realisierbarkeit von Mährlens Vorschlägen (Brief vom 1. Januar); er könne allerdings nicht mehr als fünf Stunden täglich arbeiten und gehe bei einer festen Anstellung seiner geringen Pension verlustig.

Ende März: M's Bruder Karl wird Hauslehrer bei dem Fabrikbesitzer August von Clermont in Waghäusel bei Mannheim.

3. April: Im Brief an Schmidlins macht sich M Hoffnungen auf ein finanzielles und dann auch familiäres Glück an der Seite F. Fabers.

4. April: M erhält Bauers Brief; er zahlt Zinsen für seinen Bruder Ludwig an J. Carl Nast in Göppingen.

6. — 9. April: Hartlaub besucht M.

6. April: M bittet Ostertag, der inzwischen in Neresheim wohnt, um Petrefakten.

15. April: M's Schwester informiert Schmidlins über Bauers Brief; M interessiert sich für die Stelle an einer wissenschaftlichen Sammlung.

16. — 17. April: Jung besucht M.

17. April: Von Heubel in Stuttgart erhält M ›Gedichte von Wilhelm Waiblinger. Herausgegeben von Eduard Mörike. Hamburg 1844‹. – Von Ch. Krehl kommt eine Sendung Petrefakten.

19. April: In einem ausführlichen Brief an Bauer schildert M seine Lage: Er möchte auf dessen Angebote eingehen, obwohl ihm Mergentheim wegen des Mineralwassers und Hartlaubs Nähe wichtig ist; Voraussetzung sei allerdings eine feste Anstellung, vielleicht am Naturalienkabinett; er hat aus Verbindlichkeiten, die er für die Brüder übernahm, 1500 fl Schulden; er fragt nach dem Posten an der Hofbibliothek und erwägt, deswegen Innenminister Schlayer anzugehen. – Von seinem Bruder Ludwig erhält M die Nachricht, daß auch er sich beruflich verändern wolle; M vertraut ihm wieder.

vor 20. April: M liest Friedrich August Quenstedts Aufsatz ›Das schwäbische Stufenland‹ in Bauers ›Schwaben, wie es war und ist‹.

20. — 22. April: M korrigiert seine Waiblinger-Ausgabe, bereitet deren Rezension vor.

20. April: Wegen Petrefakten schreibt M an seinen Kompromotionalen Wilhelm Deininger, der Präzeptor in Heidenheim geworden ist. – Seine Schwester geht zu Fuß nach Wermutshausen und bringt Hartlaub neben einem Exemplar der Waiblinger-Ausgabe das Epigramm ›Mit einem Anakreonskopf‹.

22. April: M fordert von Heubel erneut sein Resthonorar; seine Schwester kommt aus Wermutshausen zurück.

26. April: Von Ostertag trifft ein Paket mit Versteinerungen ein.

2. Mai: An Hartlaub geht das Gedicht ›Eine hübsche Ostrea . . .‹ ab; ein Geburtstagsgeschenk für dessen Frau begleiten ›Die frischen Blüten . . .‹.

7. Mai: M liest ›Die Versteinerungen Württembergs‹ von C. H. v. Zieten (Stuttgart 1830/33).

9. Mai: C. und A. Hartlaub kommen zu Besuch.

bis 12. Mai: Das Gedicht ›Siehst du den schettergoldnen Mariendienst . . .‹ entsteht.

12. Mai: Hartlaub kommt mit den übrigen Kindern; er lernt Margarethe Speeth kennen.

15. Mai: Bauer teilt M mit, daß auf der Stuttgarter Bibliothek keine Stelle offen sei und daß sein Verleger eine Mitarbeit Auswärtiger am ›Panorama‹ für unzweckmäßig halte.

Mitte Mai: M beendet den Waiblinger-Aufsatz.

16. Mai: Hartlaubs gehen wieder nach Hause; nur die Tochter Klara bleibt in Mergentheim.

17. Mai: Mayer schickt neueste Gedichte an M, dem am besten ›Der ferne Laut‹ gefällt; Mayer plant eine kommentierte Gedicht-Ausgabe.

26. Mai: Hartlaub holt seine Tochter ab.

29. Mai: Mit seiner Schwester geht M nach Laudenbach; an der Bergkirche sind sie mit Hartlaubs verabredet. M schenkt den Freunden sein Gedicht ›Bei der Marien-Bergkirche‹; abends gehen sie zusammen nach Wermutshausen.

Anfang Juni: M liest Gottlieb Christoph Adolf Harleß' ›Christliche Ethik‹ (Stuttgart 1845³).

8. — 21. Juni: M schreibt das Gedicht ›Götterwink‹.

9. Juni: Mit der Schwester kehrt M nach Mergentheim zurück.

10. Juni: Er schenkt M. Speeth zum Geburtstag die Verse ›Früh, schon vor der Morgenröte . . .‹. – Von Schönhuth erhält M das neueste Heft der ›Jahrbücher der Gegenwart‹ (April/Mai, Tübingen) mit Vischers Aufsatz über ›Verdienste Rötschers‹ und dessen mit Eduard Zeller und Albert Schwegler verfaßtem ›Wanderbuch für Dr. H. Merz‹.

11. Juni: Von Hartlaub wünscht M seinen Waiblinger-Aufsatz zurück; doch hat ihn der bereits an Cotta gesandt.

13. Juni: M bittet Schmidlin, für ihn wegen der Stuttgarter Bibliotheksstelle zu vermitteln; Schmidlins Bruder Eduard, der spätere Konsistorialpräsident in Stuttgart, hat gute Beziehungen.

Mitte Juni: M macht (bis Mitte Juli) eine Mineralwasserkur; Hartlaub fragt für M bei Bauer wegen des Postens am Naturalienkabinett an.

21. Juni: Bauer informiert Hartlaub: Er hat sich bei Rödinger und Hardegg erkundigt; M's Anstellung sei aussichtslos; er möge dennoch nach Stuttgart ziehen. – Damit scheitern M's Heiratspläne mit F. Faber endgültig; F. Faber blieb ledig.

Juli: Das Gedicht ›Ach nur einmal noch im Leben!‹ entsteht. – M liest in Paulys ›Real-Encyclopädie der classischen Alterthumskunde‹ (Stuttgart 1840 ff) und die Rezension darüber in der ›Pädagogischen Revue‹ (Juni 1844).

4. Juli: Hartlaub schickt M die ›Rede am Schillersfeste‹ (Stuttgart) von Bauer.

5. Juli: M zahlt wieder Schuldzinsen für den Bruder Ludwig nach Göppingen.

6. Juli: Hartlaub erhält von M »die Episode zur Glockenidylle«. – Bauers Sohn Alexander besucht Hartlaub, überbringt u. a. Gedichte des Vaters aus der Tübinger Zeit, darunter das auf M und M. Meyer bezügliche ›Geheimniß‹ sowie M's ›Sommersprossen‹-Manuskript.

7. Juli: Hartlaubs Sohn Eduard wird geboren. – Alexander Bauer besucht M.

8. Juli: Hartlaub bittet M, die Patenschaft zu übernehmen; er schickt die ›Sommersprossen‹.

9. Juli: M nimmt die Patenschaft an, sendet die Verse ›Ohne einiges Bedenken . . .‹ an Constanze Hartlaub.

bis 14. Juli: Das Gedicht ›Corona Christi‹ entsteht.

14. Juli: M und seine Schwester fahren noch nicht nach Wermutshausen, weil V. v. Speeth im Sterben liegt.

15. Juli: M schreibt an der ›Idylle‹; er vollendet »die Erzählung des alten Fischers von dem Teufelsspuck u. dem ländlichen Aufzug zur Capelle samt deren Einweihung«; er hat bereits 230 Hexameter verfaßt und rechnet mit dem doppelten Umfang für das ganze Werk.

25. Juli: M geht mit seiner Schwester zu Hartlaubs.

27. Juli: Hartlaubs Sohn wird getauft.

28. Juli: M's Schwester geht nach Mergentheim zurück.

30. Juli: M entwirft einen Brief, mit dem Hartlaub (vergeblich) die Korrespondenz mit Heydenreich wieder aufzunehmen sucht.

Anfang August: M besitzt A. v. Humboldts ›Kosmos‹ (Stuttgart 1845).

3. August: Mit Hartlaub geht M nach Mergentheim zurück; der Freund bleibt zwei Tage; erste Konflikte wegen M. Speeth deuten sich an.

4. August: M wird zur Ader gelassen. – Als Dank für übersandte Petrefakten schickt M an Marie

Mörike nach Neuenstadt u. a. ›Ach nur einmal noch im Leben!‹.

6. August: Im Brief an Hartlaub zitiert M den Anfang des zweiten Gesangs seiner ›Idylle‹, mit der er sich nun wieder beschäftigen will.

8. August: M schreibt das Gedicht ›Margareta‹.

10. August: V. v. Speeth stirbt. M porträtiert den Toten. – Margarethe Speeth ist erkrankt und wohnt seitdem bei M und dessen Schwester.

vor 12. August: Die Gedichte ›Margareta, so bin ich getauft . . .‹, ›Der Sommer hört schon auf zu blühn . . .‹ und ›Nach der ich früh und spät . . .‹ entstehen.

12. August: Bei der Beerdigung V. v. Speeths trägt Schönhuth das Gedicht ›Ehrengedächtniß‹ vor.

Mitte August: M verliert die Stimmung zur Niederschrift der ›Idylle‹.

22. August: Er schenkt das Gedicht ›Göttliche Reminiszenz‹ an Margarethe Speeth; an sie und an seine Schwester gehen die Verse ›Beiden liebsten Patienten . . .‹.

25. August: Zur Genesung der M. Speeth schreibt M ›Ein Angedenken . . .‹.

bis 30. August: M überarbeitet das Gedicht ›Auf einer Wanderung‹ (›In ein freundliches Städtchen . . .‹) und schreibt ›Dem Herrn Prior der Kartause I.‹.

30. August: ›Auf den Tod eines Vogels‹ entsteht.

31. August: M beginnt wieder eine Mineralwasserkur.

September: In den ›Monatsblättern‹ (Nr. 9) der ›Allgemeinen Zeitung‹ steht M's Rezension der eigenen Waiblinger-Ausgabe, unterzeichnet mit »W.«. – Hartlaubs werden eifersüchtig auf M's und seiner Schwester Hinwendung zu Speeths.

Anfang September: Kreisbaurat Abel, ein Bruder von M's Tante Georgii, kommt zur Kur nach Mergentheim, besucht M.

8. September: M ist mit Hartlaub in Weikersheim verabredet; sie fahren nach Wermutshausen.

13. September: M geht wieder nach Mergentheim.

16. September: Im Brief an M zitiert Hartlaub die ›Deutsche Geschichte im Zeitalter der Reformation‹ von Leopold Ranke (Berlin 1842).

18. September: Hartlaub schickt an M eine Klage des Mergentheimer Stadtpfarrers Wüst: M und seine Schwester pflegten katholische Bräuche.

24. September: In seiner Verteidigung gegenüber Hartlaub unterscheidet M zwischen einem »Besuch der kathol. Kirche« und »Mitmachen der Ceremonien«; er erkennt und bedauert die »Unmöglichkeit einer gegenseitigen Annäherung« zwischen M. Speeth und Hartlaubs.

29. September: M schreibt für seine Schwester die Verse ›Mir ein liebes Schaugerichte . . .‹. Er erhält von Hartlaub Friedrich Christoph Oetingers ›Selbstbiographie‹ (Stuttgart 1845).

Ende September: M arbeitet wieder an der ›Idylle‹ und hofft, »in der Kürze fertig« zu werden; es fehlen noch Übergänge und der Schluß.

Herbst: M verändert das ursprünglich an L. Rau gerichtete Gedicht ›Ich sehe dich mit rein bewußtem Willen . . .‹: ›An M.‹. Er schreibt die Verse ›Wofern dein Schwesterchen . . .‹.

6. Oktober: Er zahlt wieder Zinsen für seinen Bruder Ludwig nach Göppingen.

8. Oktober: Mit dem Gedicht ›An den Vater meines Patchens‹ schickt M seinen Kindersäbel an Hartlaub.

12. – 13. Oktober: Die Verse ›Ein ganzes Weilchen . . .‹ entstehen.

zweite Hälfte Oktober: M fühlt sich nervenkrank, bleibt öfter zu Bett. Er erhält von Ostertag eine zweite Petrefakten-Sendung.

23. Oktober: Schmidlin stirbt; er hatte M zuletzt noch geraten, in den Pfarrdienst zurückzukehren.

24. Oktober: M berichtet Hartlaub vom Fortgang seiner Arbeit an der ›Idylle‹; er berechnet sie auf 700 Verse und will sie in drei Gesänge gliedern, übrigens separat veröffentlichen.

26. Oktober: Theobald Kerner schickt M seine ›Gedichte‹ (Jena 1845).

27. – 29. Oktober: Jung besucht M; er bringt Petrefakten aus Bad Boll. Sie wandern zusammen nach Königshofen. Jung schreibt an M's Bruder Ludwig.

29. Oktober: Für die Schwester und M. Speeth schreibt M die Verse ›Ich fand sie dicht am Wege . . .‹.

erste Hälfte November: Von Carl Rau, einem Bruder seiner ehemaligen Braut, zur Zeit Pfarrverweser in Plattenhardt, erhält M eine Sendung Versteinerungen. Er besucht Schönhuth.

2. November: Er bietet Cotta die ›Idylle‹ unter dem Titel ›Fischer Martin und die Glockendiebe‹ an; sie halte die »Mitte zwischen den griechischen Mustern und Hebels erzählender Darstellungsweise«. Bis zum Ende des Monats rechnet M mit dem Abschluß des Manuskripts; er bittet um einen Vorschuß von 50 fl.

7. November: M erhält von Cotta 50 fl.

10. November: Menzel rezensiert M's Waiblinger-Edition im ›Literatur-Blatt‹ (Nr. 114).

11. November: Der Schwester und M. Speeth schenkt M die Verse ›Müssen Sinne und Gedanken . . .‹. Mit beiden besteigt M den Kirchturm; anschließend entsteht das Gedicht ›Auf einem Kirchturm‹.

16. November: Für seine Schwester schreibt M das Gedicht ›An Clärchen‹.

29. November: Mährlen besucht M. – Die Verse ›Diese dachten, ungesehen . . .‹ entstehen.

Dezember: Im ›Weihnachtsbaum für arme Kinder‹ (Hildburghausen 4. Jg) erscheint M's Gedicht ›Unschuld‹.

6. Dezember: Der Spaß ›Zwei dichterischen Schwestern‹ entsteht.

12. Dezember: M's Bruder Ludwig zahlt 500 fl Schulden in Göppingen zurück.

Mitte Dezember: C. Hartlaub ist zu Besuch in Mergentheim; sie versteht sich nicht mit M. Speeth.

18. Dezember: M klagt Hartlaub des »Mangels an Vertrauen« und fehlender »Liebe und Menschlichkeit« gegen M. Speeth an. Er legt die Gedichte ›Gefunden‹ und ›Das Bildnis der Geliebten‹ bei.

1846

M schreibt das Gedicht ›Neue Liebe‹. – Josef Hillebrand erwähnt M im dritten Band seiner ›Deutschen Nationalliteratur‹ (Hamburg, Gotha).

15. Januar: M schickt vier Gesänge seiner ›Idylle‹ (die nun auf sechs Gesänge berechnet ist) an Cotta zur Einsicht; er wünscht eine Separatausgabe mit einem farbigen Titelblatt von Fellner oder Neureuther.

23. Januar: M hofft auf eine baldige Aussöhnung mit Hartlaub.

24. Januar: Um Beiträge gebeten, sendet M 14 Gedichte ans ›Morgenblatt‹.

25. Januar: M wird zur Ader gelassen.

31. Januar: Das ›Morgenblatt‹ (Nr. 27) veröffentlicht ›Göttliche Reminiszenz‹ und ›Ach nur einmal noch im Leben!‹.

4. Februar: M schickt Schönhuths ›Götz von Berlichingen‹ an Hartlaub.

17. Februar: Im ›Morgenblatt‹ (Nr. 41) stehen die Gedichte ›Gefunden‹, ›Einer geistreichen Frau‹, ›Versuchung‹, ›Mit einem Anakreonskopf‹, ›Das Bildnis der Geliebten‹, ›Keine Rettung‹. – Hartlaub leiht M u. a. Bauers ›Panorama‹ und einen Aufsatz über Lady Hester Lucy Stanhope.

28. Februar: Das ›Morgenblatt‹ (Nr. 51) druckt ›Bei der Marien-Bergkirche‹ ab.

7. März: Im ›Morgenblatt‹ (Nr. 57) erscheinen die Gedichte ›Auf einer Wanderung‹ (›In ein freundliches Städtchen . . .‹) und ›Margareta‹.

11. März:›Herr Dr. B. und der Dichter‹ steht im ›Morgenblatt‹ (Nr. 60).

16. März: M's Schwester begleitet Frau Speeth nach Bamberg.

30. März: Er berät mit dem Major a. D. Carl Joseph von Adelsheim die Berufsausbildung Wilhelm Speeths. (Mit Adelsheim entsteht in Mergentheim ein relativ enges Verhältnis; die von ihm gesammelten Rätsel korrigiert M.)

Ende März: Für Josepha Speeth verfaßt er ein Pensionsgesuch.

Frühjahr: Der M bekannte stud. theol. Wilhelm Mosapp publiziert in Stuttgart seine Komposition von ›Das verlassene Mägdlein‹.

6. April: M's Schwester kehrt zurück.

9. April: Das Gedicht ›Zitronenfalter im April‹ entsteht.

13. April: M trägt sich ins Poesie-Album der Marie Krauß mit den Versen ›Zu Eröffnung eines Albums‹ ein.

Ende April: M liest ›Wilhelm Meister‹.

11. Mai: Er will sein ›Idyllen‹-Manuskript bis Ende des Monats abschließen; eine Dedikation an den Kronprinzen ist geplant.

12. Mai: Angeregt durch Berthold Auerbach, bittet Brockhaus um einen Beitrag für sein Taschenbuch ›Urania‹ auf das Jahr 1847. Er läßt den Brief über Schwab laufen.

14. — 16. Mai: Hartlaub besucht wahrscheinlich M.

18. Mai: Schwab schickt den Brief von Brockhaus weiter an M.

21. — 22. Mai: Hartlaub ist mit seiner Familie in Mergentheim. M zahlt 40 fl Zinsen für Gelder, die Hartlaub für M's Brüder aufgenommen hat.

22. Mai: Ludwig Bauer stirbt.

23. Mai: Mährlen informiert M über Bauers Tod.

24. Mai: M schickt ein vollständiges Manuskript der ›Idylle‹ an Cotta; er verlangt 600 fl Honorar für eine Auflage von 1300 Stück. M bittet Schwab um ein Urteil über die ›Idylle‹, zu deren Niederschrift er auch Schwabs ›Bodensee nebst dem Rheinthale‹ (Stuttgart 1839²) gelesen habe. – M erhält Mährlens Brief mit der Todesnachricht.

vor 27. Mai: Karl Wolff, mit Bauer von der gemeinsamen Seminarzeit her befreundet, seit 1843 Rektor am Stuttgarter Katharinenstift,

bittet um M's Mitarbeit an einem Gedenkbuch für Bauer.

31. Mai: M. Speeths Onkel, Domkapitular Balthasar Speth stirbt in München.

Juni: Schönhuth publiziert in seinen ›Monatsrosen‹ ein ›Ungedrucktes Räthsel von Schiller‹ aus M's Besitz. – Wahrscheinlich schreibt M die ›Epistel‹.

Anfang Juni: Cotta nimmt die ›Idylle‹ nicht an; M bittet deshalb Brutzer, seit 1841 Bibliothekar am Stuttgarter Polytechnikum, um Vermittlung an Christian Friedrich Schweizerbart (der 1841 den Verlag seines Onkels übernommen hat). – M wird Mitglied der Mergentheimer Museumsgesellschaft.

1. — 8. Juni: Mit seiner Schwester und M. Speeth hält sich M bei Hartlaub auf. Danach schickt er Bauers Briefe an ihn und an Hartlaub für die geplante Publikation an Wolff.

10. Juni: M hat einen Zusammenstoß mit W. Speeth, der ihm zu kündigen droht.

11. Juni: Vor dem Stadtschultheißenamt klagt M gegen W. Speeth wegen Beleidigung und Verleumdung (seiner Schwester).

12. Juni: M sieht Bauers Gedichte auf die geplante Veröffentlichung hin durch. Unter den beiden ausgewählten ist das ›Geheimniß‹, das M abändert.

13. Juni: In seinem Brief (der über Hartlaub läuft) rechtfertigt Brutzer das Verhalten Cottas und meldet eine Verlagsbereitschaft Schweizerbarts.

15. Juni: Brutzer, Grüneisen, Hardegg, Mährlen, Wolff u.a. schreiben in der ›Schwäbischen Chronik‹ das geplante Gedenkbuch für Bauer zur Subskription aus.

Mitte Juni: M beginnt wieder eine Trinkkur. – Die Münchner Erbschaftsangelegenheiten der Familie Speeth bereiten Sorgen.

18. Juni: Für die ›Idylle‹ verlangt M von Schweizerbart 440 fl bei einer Auflage von 1500 Stück; an die Option des Verlegers auf spätere Auflagen knüpft M die Bedingung erneuter Honorar-Verhandlungen. – Hartlaub gibt M die (von Schönhuth ausgeliehenen) ›Historischen Antiquitäten‹ von A. H. Rittgräff zurück (Wien 1815), die M literarisch verwerten will. Vorerst schreibt M daraus die Geschichte ›Wie ich, Jost Artus, gezogen bin mit Anderen in's heilige Land‹ ab; die hier enthaltene Passionshymne des Venantius Fortunatus ›Crux fidelis, inter omnes‹ übersetzt M (bis 29. Juni): ›Heiligs Kreuz! vor allen Bäumen . . .‹.

21. Juni: Der im ›Schwäbischen Merkur‹ veröffentlichte Nekrolog auf Bauer bringt ein neues Motiv in M's Gedicht ›Erbauliche Betrachtung‹.

29. Juni: An Hartlaub läßt M u. a. die ›Erbauliche Betrachtung‹ gehen. – Er schickt den Vertrag an Schweizerbart.

Ende Juni: Er liest Rudolf Friedrich Heinrich Magenaus ›Anekdoten aus dem Leben Luthers und anderer merkwürdiger Männer‹ (Stuttgart 1815). – Das Gedicht ›Abreise‹ entsteht.

Sommer: Das Altenburger ›Panorama der Vergangenheit und Gegenwart‹ (2. Jg) rezensiert in seinem ›Literaturblatt‹ (Nr. 9) M's Waiblinger-Edition.

Anfang Juli: Alexander Bauer erbittet die Gedichte seines Vaters zurück.

3. Juli: M wandert nach Schüpf in Begleitung von Schwester, M. Speeth und dem Bocksberger Dekan Philipp Jakob Sauer, der ihm die ›Zeitmessung der deutschen Sprache‹ (Leipzig 1831) von J. H. Voß schenkt.

5. Juli: M. Speeth fährt wegen der Erbschaftsangelegenheiten nach München und dann nach Bamberg. – M erhält von Schweizerbart Vertrag und Honorar, zahlt davon 316 fl Schulden in Weilheim zurück.

6. Juli: Der Verlagsvertrag für die ›Idylle‹ wird unterzeichnet. Für jede Auflage sind 1500 Exemplare vorgesehen, für die erste erhält M neben 25 Freiexemplaren 440 fl, von der dritten an 550 fl; ein Teil der Auflage soll elegant gebunden werden.

10. Juli: An Th. Kerner schreibt M über dessen ›Gedichte‹.

12. – 23. Juli: Mit seiner Schwester hält sich M bei Hartlaubs auf.

zweite Hälfte Juli: M sendet die von Schweizerbart zurückerhaltene ›Idylle‹ an Schwab.

27. Juli: Cotta überweist an Hartlaub für M's Waiblinger-Aufsatz 19 fl 45 x.

28. Juli: Hartlaub schickt Vischers ›Ästhetik oder Wissenschaft des Schönen‹ (Reutlingen, Leipzig Bd 1, 1846) zur Ansicht und kündigt ›Schiller's Heimathsjahre‹ von Kurz an.

30. Juli: M. Speeth bringt aus Bamberg Versteinerungen mit. Von Jung läuft ein Paket mit Petrefakten sowie einem Spinnrad für M's Schwester ein. (Jung macht sich als Baumwollimporteur selbständig.) – M schreibt das Gedicht ›Am Rheinfall‹.

31. Juli: Schwab teilt M mit, daß er den Kronprinzen vor einer öffentlichen Dedikation der ›Idylle‹ um Druckerlaubnis bitten müsse.

August: Abel kurt wieder in Mergentheim.

Anfang August: M erfährt von einem entfernten Verwandten Bauers, daß ihm die Edition von dessen Erinnerungsband angetragen werden sollte; inzwischen habe sie wohl Gustav Pfizer übernommen (seit 1838 Redakteur des ›Morgenblatts‹, ab 1847 Professor am Stuttgarter Gymnasium). – Friedrich Hofmann aus Hildburghausen sendet den vierten Jahrgang seines ›Weihnachtsbaums für arme Kinder‹ (1845) und bittet um Beiträge für den nächsten; M sendet ihm ›Der Schäfer und sein Mädchen‹, ›Christbescherung‹, ›Vogellied‹, ›Zum Neujahr‹ und ›Rätsel‹. – Schönhuth und Hermann Bauer, Pfarrer in Gnadental, ein Sohn des Mergentheimer Arztes, planen die Gründung eines historischen Vereins für das fränkische Württemberg, der ein Archiv und eine Zeitschrift erhalten soll, an der sich M beteiligen will.

2. August: Hartlaub übermittelt von Schönhuth G. Schwabs ›Neckarseite der Schwäbischen Alb‹ an M.

4. August: Von Schwab erhält M die Nachricht, daß der Kronprinz verreist sei. – M beginnt mit einer Bade- und Trink-Kur. – Hartlaub bekommt von Hetsch gedruckte Kompositionen zu M-Gedichten; er schlägt M eine Kantate für den Freund vor, der 1846 Musikdirektor am Mannheimer Hoftheater wird.

5. August: Der Cottasche Wechsel läuft von Hartlaub bei M ein.

8. August: M teilt Schweizerbart die Absicht der Dedikation der ›Idylle‹ an den Kronprinzen mit und fordert ihn auf, dennoch mit dem Druck zu beginnen.

9. August: M will sich mit der Bitte um Erlaubnis der Dedikation unmittelbar an den Kronprinzen wenden. – Über Hartlaub verweist er Hetsch auf Goethe-Texte.

11. August: M's Bruder Ludwig kommt zu Besuch.

13. August: C. Hartlaub ist mit ihren Kindern in Mergentheim.

16. – 18. August: Wegen der Anwesenheit von M's Bruder Ludwig kommt auch Hartlaub nach Mergentheim. M subskribiert das Gedenkbuch für Bauer. Die ›Inschrift auf eine Uhr mit den drei Horen‹ entsteht.

18. August: M erhält Bauers Briefe an Wolff mit dessen Bitte, für den Gedenkband eine Biographie des Freundes zu schreiben; M fühlt sich dazu nicht imstande, schlägt Wolff selbst oder Hartlaub vor.

21. August: M sagt Wolff ab; er sendet Bauers Briefe an Wolff weiter an Hartlaub, der sie zurückgeben soll.

22. — 24. August: Er korrigiert die ersten Bogen der ›Idylle‹.

30. August: Zusammen mit Schönhuth, Hermann Bauer u. a. zeigt M den Fürsten Hohenlohe die Gründung des ›Historischen Vereins für das fränkische Würtemberg‹ an; sie bitten um Unterstützung und Übernahme des Protektorats. — Erneute Korrekturbogen gehen an Schweizerbart ab.

Ende August: An Heinrich Pröhle, Herausgeber des ›Norddeutschen Jahrbuchs für Poesie und Prosa‹ sendet M die Gedichte ›Die schöne Buche‹, ›Der Petrefaktensammler‹, ›An Philomele‹, ›An Longus‹, ›Erbauliche Betrachtung‹, ›Am Rheinfall‹ und ›Inschrift auf eine Uhr‹.

September: Das Gedicht ›Auf eine Lampe‹ entsteht.

erste Hälfte September: M hat Schmerzen im Unterleib.

4. September: M's Bruder Ludwig fährt ab.

5. — 7. September: Seine Schwester besucht mit M. Speeth die Wermutshäuser Freunde.

7. September: An Hartlaub sendet er Abschriften von Goethe-Briefen aus dem ›Morgenblatt‹ (11.–23. Mai).

8. September: Wegen seinem Bruder Ludwig schreibt M an Rechtsanwalt Rödinger.

21. September: M hat die letzten Umbruchkorrekturen der ›Idylle‹ noch nicht erhalten. Er bittet Hartlaub, der eine Anzeige der ›Idylle‹ schreiben will, den Text direkt an Schweizerbart zu senden; er soll die »freie Erfindung des Stoffs« erwähnen.

Oktober: In Schönhuths Zeitschrift ›Monatsrosen‹ (4. Jg) erscheint M's Gedicht ›Bei der Marien-Bergkirche‹.

13. Oktober: Hartlaub hat noch Bauers Briefe an M.

Mitte Oktober: M erhält acht Exemplare der ›Idylle vom Bodensee oder Fischer Martin und die Glockendiebe. In sieben Gesängen‹. Obwohl die Auslieferung noch nicht erfolgt ist, weil die Erlaubnis zur Dedikation an den Kronprinzen noch aussteht, verfaßt M 21 Begleitschreiben für 22 Exemplare, die er von Schweizerbart verschicken läßt (insgesamt hat M die ›Idylle‹ mindestens 39mal verschenkt, bewußt nicht an den preußischen König, A. v. Humboldt und Tieck): an Adolf Stahr, Theobald Kerner, Vischer, Uhland, Mayer u. a.

24. Oktober: M sendet die ›Idylle‹ an Hartlaub, zitiert aus Johann Martin Rebstocks ›Kurtzer Beschreibung des Landes Würtemberg‹ (Stuttgart 1699).

30. Oktober: Th. Kerner dankt mit dem Gedicht ›Schmetterling‹.

Ende Oktober/Anfang November: Ein entfernter Verwandter, der Oberst a. D. Abraham Samuel von Renner, zieht nach Mergentheim. — M liest Erzählungen von Friederika Bremer, wahrscheinlich in der Stuttgarter Ausgabe der Franckhschen Reihe ›Das belletristische Ausland‹ (1843).

6. November: Die Nachricht von der Genehmigung der ›Idyllen‹-Dedikation läuft ein; die Widmung lautet: »Seiner Königlichen Hoheit Karl Friedrich Alexander, Kronprinzen von Württemberg, weiht diese Gabe vaterländischer Musen im September 1846 ehrfurchtsvollst der Verfasser.« Das Buch kann nun erscheinen; es kostet broschiert 1 fl 48 x und gebunden 2 fl 12 x.

7. November: Über Schweizerbart (der besondere Einbände besorgte) läßt M dem Kronprinzen, seiner Gemahlin sowie der Prinzessin Marie die ›Idylle‹ überreichen.

11. November: M schreibt an Hartlaub von seiner Lust zu einem weiteren kleinen Epos, dem er einen Stoff aus dem nordischen Sagenkreis unterlegen würde.

15. November: An Hartlaub gibt M Werke von Uhland zurück.

17. November: M schickt dem ›Morgenblatt‹ folgende Gedichte ein: ›Götterwink‹, ›Früh im Wagen‹, ›Abreise‹, ›Auf eine Lampe‹, ›Zu Eröffnung eines Albums‹, ›Auf den Tod eines Vogels‹.

21. November: Vischer dankt für die ›Idylle‹ und lädt M ein.

26. November — 1. Dezember: Mit seiner Schwester ist M in Wermutshausen; sie nehmen Hartlaubs Töchter Agnes und Klara mit nach Mergentheim.

27. November: Das ›Morgenblatt‹ (Nr. 284) bringt die Gedichte ›Götterwink‹, ›Früh im Wagen‹ und ›Abreise‹.

30. November: ›Auf eine Lampe‹ erscheint im ›Morgenblatt‹ (Nr. 286).

Dezember: Im fünften Jahrgang des ›Weihnachtsbaums für arme Kinder‹ stehen M's Gedichte ›Christbescherung‹, ›Rätsel‹ und ›Vogellied‹.

1. Dezember: Das Gedicht ›Aus der Ferne‹ entsteht. — M erhält von der Kronprinzessin ein Geldgeschenk. — An Hartlaub schickt er u. a. Bremers ›Die Töchter des Präsidenten‹ und ›Das Haus‹.

2. Dezember: ›Auf den Tod eines Vogels‹ erscheint im ›Morgenblatt‹ (Nr. 288).

3. Dezember: Das ›Morgenblatt‹ (Nr. 289) bringt

›Zu Eröffnung eines Albums‹.

4. Dezember: M schickt Bauers Briefe an Wolff nach Stuttgart; statt einer Biographie des verstorbenen Freundes schlägt er für dessen Gedenkband eine Briefauswahl vor. – Er bittet Hartlaub um ›Ein Tagebuch‹ der F. Bremer sowie um Werke von Jung Stilling.

5. Dezember: Uhland schenkt M als Gegengabe für die ›Idylle‹, die er lobt, seine ›Dramatischen Dichtungen‹ (Heidelberg 1846).

8. Dezember: An Wolff schickt M 15 Briefe Bauers an Hartlaub.

10. Dezember: Das Gedicht ›Aus der Ferne‹ läßt M über Hartlaub an Heinrich Kern gehen, der 1845 Professor am Stuttgarter Gymnasium geworden ist.

11. Dezember: M legt der Sendung an Hartlaub noch ›Datura suaveolens‹ bei.

12. Dezember: Stahr rezensiert die ›Idylle‹ in der ›Bremer Zeitung‹ (Nr. 350).

16. Dezember: Hartlaubs holen ihre Töchter ab.

18.–19. Dezember: Nachts hören M's Schwester und M. Speeth einen Geist.

19. Dezember: M erhält Mayers biographische Erläuterungen zur geplanten Neuauflage seiner Gedichte. – Er läßt sich schröpfen.

23. Dezember: Wegen seiner schwachen Nerven beginnt er, Morphium zu nehmen.

24. Dezember: Seine Schwester fährt nach Stuttgart.

25. Dezember: M liest Lichtenbergs ›Geschichte der Lichtputze‹.

27. Dezember: Kronprinz Karl läßt M als Dank für die dedizierte ›Idylle‹ einen Brillantring zugehen.

28. Dezember: An Hartlaub schickt M u. a. einen Brief der Neuenstädter Verwandten über die Ehetrennung von Strauß; er zitiert aus ›Leben und Kunst der Alten‹ von Friedrich Jacobs (Leipzig 1824).

29. Dezember: Agnese Strauß schreibt aus ihrem neuen Wohnort Nürnberg an M; sie dankt für die ›Idylle‹, die sie von ihrem Mann aus Heilbronn erhielt.

Ende Dezember: M liest wieder einmal das von Goethe übersetzte und edierte ›Leben des Benvenuto Cellini‹.

1847

Die ›Zeitschrift des historischen Vereins für das württembergische Franken‹ wird begründet; in ihren sechs Jahrgängen steht kein Beitrag von

M. – Das Lesebuch ›Deutsche Dichterhalle für die Jugend‹ von Wilhelm Kapff (Reutlingen) enthält M's ›Traurige Krönung‹.

Anfang Januar: Hartlaub schickt Stahrs ›Idyllen‹-Rezension an den ›Beobachter‹ und ›Schwäbischen Merkur‹ zum Wiederabdruck.

2. Januar: M bedankt sich schriftlich beim Kronprinzen.

10. Januar: Der ›Schwäbische Merkur‹ meldet M's Auszeichnung durch den Kronprinzen.

13. Januar: Von einigen seiner Petrefakten fertigt M Zeichnungen an, die er dem Heidelberger Naturforscher Heinrich Georg Bronn oder Quenstedt vorlegen möchte. – Renner erzählt ihm eine Geistergeschichte, die M an Kerner weitergeben will. – M bittet Hartlaub um ›Robinson Crusoe‹.

14. Januar: Hartlaub besucht M.

15. Januar: Sie wandern zusammen nach Igersheim; Hartlaub geht nach Hause.

21. Januar: Sein Gedicht ›An O. H. Schönhuth‹ sendet M an Hartlaub. – Gegenüber Mayer kritisiert er dessen Zusammenstellung von Gedichten und biographischen Notizen; seinem Brief legt er die (am 20. Januar geschriebene) Antwort an Uhland bei sowie seine Versteinerungs-Skizzen für Quenstedt.

24. Januar: M's Schwester und M. Speeth nehmen an der Tauffeier bei Schönhuth teil und überreichen M's Gedicht ›An O. H. Schönhuth‹.

26. Januar: Wegen eines Stipendiums für die Kinder von M's Onkel Heinrich Mörike hat man sich an die Luther-Stiftung gewandt. Deren Gründer, Karl Friedrich August Nobbe, fragt nun bei M nach dem verwandtschaftlichen Verhältnis seiner Familie zu Luther; er bittet um die 1802 in Stuttgart erschienene Schrift von Johann Christian Ludwig Mörike ›Zum Angedenken Luthers‹. – M findet seine eigenen genealogischen Aufstellungen nicht mehr, muß neu recherchieren.

29. Januar: Georg Schaupp, ein Bamberger Onkel M. Speeths, kommt nach Mergentheim: Der Haushalt soll aufgelöst werden, weil Josepha Speeth zur Unterstützung eines verwitweten Bruders in Bamberg bleiben will. – Da dieser im Laufe des Jahres auch stirbt, kehrt sie nach Mergentheim zurück.

Februar: M schreibt das Gedicht ›Herrn Hofrat Dr. Krauß‹.

erste Hälfte Februar: Der drohende Wegzug M. Speeths beunruhigt M.

5.–6. Februar: ›Der Beobachter‹ (Nr. 35/36) bringt Stahrs Rezension der ›Idylle‹.

5. Februar: An A. Hartlaub schickt M eine Abschrift von Ch. Späths Erzählung ›Gebetserhörungen‹ aus dem ›Christbaum‹ (3. Jg, Cannstatt 1841) und seine Verse ›Nächstens wird auf grünen . . .‹.

10. Februar: Von Wolff erhält M ›Ludwig Bauer's Schriften. Nach seinem Tode in einer Auswahl herausgegeben von seinen Freunden‹ (Stuttgart); Wolff hat ein kurzes Vorwort geschrieben, die Biographie ersetzen Briefauszüge Bauers. Wolff bittet M um eine Rezension.

12. Februar: M fühlt sich zu einer Rezension unfähig; er bittet Hartlaub, sie an seiner Statt zu übernehmen.

14. Februar: Eduard Bendemann, Julius Hübner, Ernst Oehme, Robert Reinick, Ludwig Richter, Ernst Rietschel, Julius Thäter, Otto Wagner und drei weitere Dresdner Künstler, M alle persönlich unbekannt, schreiben ihm begeistert über die ›Idylle‹.

15. Februar: Bei Speeths werden Möbel versteigert.

17. Februar: M schenkt Hartlaub ein an Mozart erinnerndes Lied aus Theodor Bertholds Operette ›Der Irrwisch‹.

21. Februar: M liegt mit Fieberfrost zu Bett.

24. Februar: Hartlaub erhält von Hetsch die Komposition zu ›Früh im Wagen‹. – M bittet Hartlaub nochmals um eine Rezension der ›Schriften‹ Bauers. – M. Speeth fährt mit G. Schaupp nach Schrozberg, um ihrem Bruder endlich eine Ausbildung als Forstpraktikant zu verschaffen.

27. Februar – 13. März: Das Solothurner ›Wochenblatt für Freunde der schönen Literatur und vaterländischen Geschichte‹ bringt Auszüge aus der ›Idylle‹.

März: In Schönhuths ›Monatsrosen‹ (5. Jg) erscheint M's Gedicht an den Herausgeber. – Ignaz Kuranda rezensiert in seiner Zeitschrift ›Die Grenzboten‹ (6. Jg, 5. Heft) die ›Idylle‹.

Anfang März: M's Krankheit nimmt bedenklich zu. Er korrespondiert mit der Frau seines Bruders Ludwig, der (bislang in Schaffhausen) eine Anstellung im Elsaß erhofft, und mit dem Neuenstädter Diakon Heinrich Merz (wegen der Lutherstiftung). – M liest Tiecks ›Kaiser Octavianus‹. – Daß sich Ludwig I. König von Bayern in den Wirren um Lola Montez von seinem klerikalen Ministerium trennen mußte, gaudiert M.

5. März: Den Brief der Dresdner Künstler erhält M von Schweizerbart zugeschickt, der gleichzeitig mitteilt, daß er eine zweite Auflage der ›Idylle‹ beabsichtige. – Hetschs Vertonung von ›Früh im Wagen‹ überläßt M an Marie Mörike.

6. März: M bittet Hartlaub um die ›Jahrbücher der Gegenwart‹ mit Moriz Rapps Aufsatz über Waiblinger (5. Jg, 1847, März-Heft).

8. März: M. Speeth fährt mit ihrem Onkel nach Bamberg.

13. März: M hat wieder Kontakt zu seinem Bruder Adolf, der sich als Klavierbauer in der Bretagne aufhält.

15. März: M bittet die Garckesche Buchhandlung in Merseburg um Exemplare des bei ihr erschienenen ›Norddeutschen Jahrbuchs‹. Dessen Herausgeber, H. Pröhle, forderte M auf, sich für den zweiten Jahrgang (auf Kosten des Herausgebers) porträtieren zu lassen; Hartlaub war dafür und riet zu A. Bruckmann als Maler; aus Angst, sein Bild in Schaufenstern ausgestellt zu sehen, sagt M jetzt wohl ab. (Der zweite Jahrgang ist nicht erschienen.)

Mitte März: M schickt die gewünschten Informationen an Nobbe. – Hermann Rollett bittet M (unter Beilage des ersten Hefts seiner ›Lyrischen Blätter‹, Ulm) um Mitarbeit (die er verweigert). – Dem Mergentheimer Museum empfiehlt er zur Anschaffung: Clemens Brentanos ›Märchen‹ (Stuttgart 1847) und Karl Simrocks ›Dr. Johannes Faust‹ (Frankfurt 1846).

17. März: Gottfried Kinkel bittet M um Beiträge für sein Taschenbuch ›Vom Rhein‹.

21. März: Seinem Bruder Karl, dessen Hauslehrervertrag offensichtlich ausläuft, rät M, sich um eine Stelle in einer Stuttgarter Kanzlei zu bemühen.

22. März: Erste Interessenten für die Speethsche Wohnung treten an. – Vischer rät Strauß zu einem Aufsatz über M, Bauer und Waiblinger.

29. März: An Hartlaub schickt M u. a. eine diplomatische Abschrift von Hölderlins Ode ›Heidelberg‹; er weist ihn auf die Beilage (Nr. 175) der ›Allgemeinen Zeitung‹ vom 24. Juni 1846 mit dem Artikel ›Napoleon, der Knabe‹ hin.

30. März: M läßt sich schröpfen.

Frühjahr: Er schreibt das Gedicht ›Im Park‹. Wilhelm Speeth wird Forstpraktikant in Schrozberg.

April: M ist erkältet; sein Rheuma im Rücken verursacht einen beständigen Druck auf die Nerven; er liegt fast stets zu Bett.

Anfang April: M's Bruder Karl zieht wieder zu seiner Frau nach Nürtingen.

4. April: M bittet Hartlaub um eine Abschrift von Mayers ›Lied des Dankes‹; er hat die Rezension von Schwabs Hölderlin-Edition in den ›Blättern für literarische Unterhaltung‹ (1./ 2. März 1847) gelesen und wünscht sich die Ausgabe von Hartlaub (›Sämmtliche Werke‹, Tübingen 1846). – M zitiert Ignaz Rheinfelders ›Jerosolimitanische Pilgerfahrt‹ nach den ›Österreichischen Blättern für Literatur und Kunst‹ (Wien 4. Jg, 1847, Nr. 3).

5. April: M's Bruder Karl plant eine »Schrift über die Verbesserung des Gefängniswesens in Württemberg« und reicht dazu um finanzielle Unterstützung ein.

8. April: M schickt an Hartlaub den ›Volksboten für 1846‹ (Stuttgart 1845), in dem ihn u. a. die Geschichte des Tiroler Freiheitskämpfers Joseph Speckbacher fasziniert hat.

9. April: Mayers Bruder Friedrich, Hüttenkassierer in Wasseralfingen, sendet Petrefakten.

12. April: Nach Quenstedts Analyse handelt es sich bei den von M skizzierten Versteinerungen um eine gewöhnliche Terebratula, einen Fischzahn und einen Saurierknochen.

15. April: Auf Pröhles Wunsch reicht M für den (nicht erschienenen) zweiten Jahrgang des ›Norddeutschen Jahrbuchs‹ folgende Beiträge ein: ›Datura suaveolens‹, ›Weihgeschenk‹, ›An Clärchen‹, ›Dem Herrn Prior der Kartause I.‹, ›Herrn Bibliothekar Adelb. v. Keller‹ und ›Aus der Ferne‹. – Den ersten Jahrgang, der »Den Mitarbeitern in Süddeutschland, Just. Kerner, Ed. Mörike u. A. vom Herausgeber gewidmet« ist, kennt M immer noch nicht; Pröhle hat dort alle von M früher eingesandten Gedichte aufgenommen. M empfiehlt Mayer und Uhland an Pröhle.

Mitte April: Eine Anzeige von Alexander Oulibicheffs ›Mozart's Leben‹ (Stuttgart 1847) weckt M's Interesse an dem Buch.

16. April: Für Kinkels Taschenbuch ›Vom Rhein‹ (Essen 1847; mehr nicht) überläßt M u. a. ›Die schlimme Greth und der Königssohn‹ sowie ›Auf dem Spaziergang‹ (dort nicht erschienen).

19. April: Da M glaubt, daß sich zur Reproduktion in einem Taschenbuch ein Ölporträt (etwa von Bruckmann) nicht gut eigne, fragt er M. Speeth, ob sie nicht in Bamberg einen Porträtzeichner kenne. – Hartlaub rät erneut zu Bruckmann; den Betrag von zwei Louisdor (= 22 fl), den Bruckmann wohl über dem Preis anderer Maler liege, könne Garcke bezahlen. – Das Bruckmann zugeschriebene Porträt M's (Abb. 4) ist weder datiert noch signiert; die Identität M's scheint gesichert.

21. April: M's Bruder Ludwig ist auf einer Dienstreise, besucht M für einige Tage.

23. April: Von einem Buch, das er an Hartlaub schickt, schreibt M, daß die Bilder ihn »augenblicklich produktiv poetisch in gleicher Art« angeregt hätten; anders als bei Gedichten, habe er bei Märchen eine größere Lust, sie zu schreiben als zu lesen.

28. April: M's Bruder Ludwig bietet von M entwickelte Pläne für eine Laterna magica mit 24 Bildern (nach Märchen und Gedichten) der Blechwarenfabrik Karl Deffner in Esslingen zur serienmäßigen Produktion an.

Anfang Mai: M wagt erste Ausgänge in den Hofgarten.

7. Mai: M und sein Bruder Ludwig regeln die gemeinsamen Finanzen. – Ernst 4. Fürst zu Hohenlohe-Langenburg erhält zu seinem Geburtstag die (seit dem 7. April entstandenen) Distichen ›Siebenter Tag des lieblichsten Monds . . .‹.

9. und 31. Mai: In den ›Blättern für literarische Unterhaltung‹ (Nr. 129, 151) stehen Rezensionen der ›Idylle‹.

9. Mai: M regt bei Cotta eine zweite Auflage seiner ›Gedichte‹ an. – K. Mayer d. J. lehnt im Namen der Firma Deffner die Produktion der Laterna magica ab, da sie keine Aussicht auf einen Absatz solcher »LuxusArtikel« habe.

10. Mai: Hartlaubs kommen zu Besuch.

11. Mai: Cotta hat noch einen Vorrat von 393 Exemplaren der ›Gedichte‹; er fragt, ob M eine vermehrte Auflage oder gar einen zweiten Band zusammenstellen könne.

13. Mai: Hartlaub schenkt M zwei Bücher von Ferdinand Raimund, den M schon lange lesen will.

15. Mai: M's Bruder Karl bittet um Wiederanstellung bei Thurn und Taxis; er wird abgewiesen.

16. Mai: M bietet Cotta eine zweite vermehrte Auflage an und verlangt bei einer Höhe von 1600 Exemplaren 800 fl Honorar. – M's Vetter Louis Mörike, mit dem er in letzter Zeit mehrfach korrespondierte, besucht ihn. – Dr. Krauß setzt M ein Fontanell an (eine Hautwunde, die in dauerndem Reizzustand gehalten wird).

18. Mai: M. Speeth meldet sich krank und verzweifelt aus München.

19. Mai: M's Schwester Klara fährt nach München. – Er beginnt wieder eine Galvanisationsbehandlung.

21. Mai: Krauß galvanisiert M zum zweiten Mal.

Abb. 4 Ölgemälde von A. Bruckmann. 1848/52.
620 × 540 mm.

23. Mai: Cotta ist zu einer zweiten Auflage bereit, will aber wegen des Restbestands der ersten nur 1000 Exemplare drucken und 400 fl Honorar zahlen.

24. Mai: Mayer erwägt, ob seine Gedichte nicht von M geordnet und bei Cotta in einer Auswahl publiziert werden könnten; das Honorar ginge an M.

27. Mai: M's Bruder Ludwig reist über Stuttgart in die Schweiz ab.

vor 28. Mai: Seine Schwester kommt mit M. Speeth wieder nach Mergentheim.

28. Mai: Von Hartlaub erbittet M die Angabe auszuscheidender oder zu verbessernder Texte in den ›Gedichten‹.

29. Mai: Er willigt in Cottas Vorschläge ein; er fragt jedoch nach der Möglichkeit, Stahlstiche zu seinen Romanzen beizugeben, das Buch in einem kleineren Format herzustellen. Er wünscht sich Goethes ›Sämmtliche Werke in Taschenformat‹ (Stuttgart, Tübingen 1840).

Juni: M ist mit der Redaktion der neuen Gedicht-Sammlung beschäftigt. – Strauß veröffentlicht seinen Aufsatz ›Ludwig Bauer‹ in den ›Jahrbüchern der Gegenwart‹, charakterisiert dabei auch M und Waiblinger.

7. Juni: Cotta sendet den Vertrag; er ist mit der eleganteren Ausgabe einverstanden, rät aber von Stahlstichen ab, weil sie den Druck verzögern würden.

8. Juni: M zieht sich für einen Monat in die Kuhnsche Badeanstalt zurück. – Hartlaub schickt M u. a. das Mai-Heft der ›Jahrbücher der Gegenwart‹ wegen Vischers Aufsatz ›Zum neueren Drama. Hebbel‹; er zitiert aus Oulibicheffs Buch über Mozart, weil M einmal »ein Fragment Dichtung aus seinem Leben« plante. Hartlaub schlägt M vor, die Gedichte ›An einen Prediger‹, ›Pastor an seine Zuhörer‹, ›Neutheologische Kanzelberedsamkeit‹, ›Lückenbüßer‹, ›Tout comme chez nous‹ auszuscheiden (was M befolgt; nur das ›Mausfallensprüchlein‹ behält er gegen Hartlaubs Rat bei).

9. Juni: M nimmt sein erstes Bad. – Cotta schickt die Goethe-Taschenbuchausgabe.

11. Juni: M gibt den unterzeichneten Vertrag an Cotta zurück; 20 Freiexemplare sind vorgesehen.

12. Juni: Mit M. Speeth berät er die Aufnahme neuer Gedichte in die Sammlung.

13. Juni: Er fragt Hartlaub, ob er nicht auch die Gedichte ›Nannys Traum‹, ›Einer verehrten Frau‹, ›An Florentine‹, ›Kalter Streich‹, ›Falsche Manier‹ ausscheiden solle (das geschieht) sowie

›Hilfe in der Not‹ und ›Auf die Prosa eines Beamten‹ (die M beibehält). M schickt das Juni-Heft der ›Jahrbücher der Gegenwart‹ mit (über das sich Hartlaub ärgert).

Mitte Juni: M fühlt sich zunehmend geschwächt; er kann kaum mehr eine Viertelstunde aufstehen oder fünf Minuten gehen.

16. Juni: Schönhuth und Bauers besuchen M.

19. Juni: M's Tante Planck stirbt.

26. Juni: Jacob Grimm schlägt M zum Tiedge-Preis vor; die ›Idylle‹ sei »das beste in den letzten fünf Jahren erschienene Gedicht«.

29. Juni: Paul Kauffmann, ein Sohn von M's Ludwigsburger Freund, bringt ihm mit anderen Schöntaler Studenten ein Ständchen dar.

2. Juli: M schickt das ›Märchen vom sichern Mann‹ in überarbeiteter Fassung an Hartlaub.

13. Juli: Nach ca 23 Bädern verläßt M die Kur-Anstalt.

16. Juli: Blutegel werden ihm angesetzt.

20. Juli: M verfaßt für M. Speeth das Gedicht ›Durch weite Meer- und Länderstrecken . . .‹.

22. Juli: Im Schreiben an Jacob Grimm zitiert Uhland seinen eigenen Brief an M über die ›Idylle‹.

2. August: Mit der Schwester (zunächst vielleicht auch mit M. Speeth) fährt M zu einem längeren Besuch nach Wermutshausen. Er liegt dort, der guten Luft wegen, meist im Gartenhaus.

Mitte August: M liest Jean Pauls ›Siebenkäs‹. An Mayer gibt er sein Einverständnis zur Edition von dessen Gedichten, wenn auch Cotta einwillige (das geschieht 1848).

Ende August: M sendet seine ›Gedichte‹ an Ludwig Pfau. – Wilhelm Speeth taucht in Wermutshausen auf.

September: M's Gedicht ›Zur Konfirmation‹ erscheint als Privatdruck für den gleichnamigen Sohn von Felix Buttersack.

erste Hälfte September: Hofmann bittet wieder um Beiträge für seinen ›Weihnachtsbaum‹.

Anfang September: M sendet sein neues Gedichte-Manuskript an Cotta. – M. Speeth war einige Tage in Wermutshausen. – C. F. W. Wolf und Georg Wilhelm Heinrich Bürger, Pfarrer in Oberstetten, kommen zu Besuch.

4. September: M erhält von Cotta eine Abschlagszahlung von 200 fl.

8. September: M zahlt 100 fl zurück, die er im Mai aufgenommen hatte. – Wilhelm Speeth kommt nach Wermutshausen; er hat seine Lehrstelle in Schrozberg verlassen.

10./11. September: M. Speeth verbringt die letzten Tage mit M in Wermutshausen.

15. September: Mit der Schwester und M. Speeth
fährt M nach Hause.

19. September: Hartlaub besucht ihn vor seiner
Reise nach Sachsen.

20. September: Die Fahnenkorrektur der ›Gedichte‹[2] beginnt.

24. September: Heinrich Zschokke äußert sich
im Brief an Karl Winkler negativ über die ›Idylle‹; M wird deshalb den Tiedge-Preis nicht erhalten.

29. September: M's Bruder Ludwig schließt mit
dem Fürsten Thurn und Taxis einen Vertrag als
Ökonomieverwalter auf Pürklgut bei Regensburg und Vorstand der dort geplanten Ackerbauschule (die nicht realisiert wird).

Ende September: M korrigiert den achten Bogen
seiner ›Gedichte‹[2].

erste Hälfte Oktober: Er ist noch krank.

7. Oktober: Hartlaub führt Josepha Speeth nach
Mergentheim zurück.

8. Oktober: M begleitet Hartlaub eine kurze
Strecke auf dessen Heimfahrt.

11. Oktober: Hartlaub versucht, vom bisherigen
Lehrherrn Wilhelm Speeths eine Empfehlung
für dessen Examen zu erhalten.

15. Oktober: M hat die letzten Korrekturbogen.
– C. Hartlaub holt M. Speeth nach Wermutshausen. – Wilhelm Speeth geht zum Examen
nach Stuttgart; er besteht es. Die Gewehre seines Vaters, die er mitnahm, verkauft er. (Er hat
der Mutter unterschreiben müssen, keine pekuniären Forderungen mehr an sie zu stellen.)

17. Oktober: Mit China-Pulver schafft sich M
Linderung.

20. Oktober: M. Speeth kehrt zurück, begleitet
von C. und M. Hartlaub.

31. Oktober – 5. November: Während Hartlaubs
Aufenthalt bei M diskutieren die Freunde u. a.
über eine Anthologie, die »nur das Lied berücksichtigte«.

November: Interessiert beobachtet M die Geschehnisse um Guillaume Henri Dufour. – W.
Speeth setzt seine Ausbildung in Bebenhausen
fort.

Anfang November: Die zweite Auflage der ›Gedichte‹ erscheint, vorausdatiert auf 1848 (der
Rest der ersten wurde eingestampft); sie enthält
55 neue und viele überarbeitete Gedichte; 11 alte wurden ausgesondert; der Ladenpreis beträgt
2 fl 42 x für die broschierte und 3 fl für die gebundene Ausgabe.

8. November: W. Speeth kehrt zurück.

13. November: M verschickt erste Exemplare an
Mayer und Uhland. – Als Rest des Honorars er-

hält M nach Abzug eines Darlehens von 1835
von Cotta 150 fl.

14. November: An Cotta schickt M 17 Begleitschreiben zu Freiexemplaren, darunter auch an
Stahr, Keller und Vischer; ihm erläutert M, warum er die Korrespondenz einschlafen ließ.

16. November: Die ›Gedichte‹[2] werden in der
›Schwäbischen Chronik‹ (Nr. 314) angezeigt.

21. November: Keller bedankt sich für die ›Gedichte‹[2], insbesondere für die an ihn gerichteten
Verse.

Ende November: M liest Ernst Wilhelm Martius'
›Wanderungen durch einen Theil von Franken
und Thüringen‹ (Erlangen 1795) mit Ausführungen über Johann Bartholomäus Beringer
und seine gefälschten Petrefakten.

Dezember: M stellt eine Auswahl für die geplante Lieder-Anthologie zusammen. – Im sechsten
Jahrgang des ›Weihnachtsbaums für arme Kinder‹ stehen ›Erwiderung an Fernande Gräfin
von Pappenheim‹, ›Kinderlied‹, ›Auf dem Spaziergang‹.

1. Dezember: Für die geplante Anthologie von
Liedern und Oden (in die er neben eigenen Gedichten auch Goethe, Schiller, Klopstock u. a.
aufnehmen will) hat M einen Prospekt geschrieben, den er Hartlaub vorlegt; M will die Edition
Cotta anbieten.

4. Dezember: Strauß, an den M kein Exemplar
geschickt hat, bespricht die ›Gedichte‹[2] in der
Beilage zur ›Allgemeinen Zeitung‹ (Nr. 338).

8. Dezember: Jung kommt zu Besuch. – M nimmt
für den Bruder Ludwig in Mergentheim 300 fl
auf.

11. Dezember: Strauß schickt seine Rezension an
M.

12. Dezember: Vischer weiß nicht, was er M antworten soll, läßt dessen Brief Strauß lesen.

13. Dezember: Jung ist wieder in Mergentheim.

19. Dezember: Hartlaubs Sohn Eduard stirbt.

21. Dezember: Im Brief an M rechtfertigt sich Vischer; er räumt ein, M's Krankheit bei der Niederschrift seines Vorworts zu den ›Kritischen
Gängen‹ nicht genügend berücksichtigt zu haben.

27. Dezember: M teilt Mayer mit, inzwischen
aus dessen 356 Gedichten etwa 140 ausgewählt
zu haben; er legt seine Schwierigkeiten mit
Mayers Texten im einzelnen dar, fügt Bemerkungen über die Gedichte bei und bittet um den
Rest des Manuskripts.

1848

Im ›Deutschen Lesebuch‹ (Bielefeld) von August und Friedrich Spieß stehen u. a. Auszüge aus der ›Idylle‹ und ›Die Geister am Mummelsee‹. Heinrich Friedrich Wilhelmi nimmt in seine Authologie ›Die Lyrik der Deutschen‹ (Frankfurt) sechs M-Gedichte auf (um drei M-Stücke vermehrt, 1852[2]).

erste Hälfte Januar: M stellt eine Auswahl aus Mayers Gedichten zusammen. – Er nimmt kalte Waschungen vor, geht spazieren.

1. Januar: M's Bruder Ludwig tritt seinen Dienst in Pürklgut bei Regensburg an; seine Schwiegermutter zahlt die laut Anstellungsvertrag nötigen 1000 fl Kaution. – Im Laufe des Jahres wohnt auch der Bruder Karl in Pürklgut; er publiziert in Stuttgart ›Maximen beim Musikunterricht‹.

11. Januar: M unternimmt seinen ersten Spaziergang.

13. Januar: Schwab übermittelt von der Kronprinzessin 50 fl.

17. Januar: M verfaßt sein Dankschreiben.

18. Januar: Hartlaub kommt zu Besuch. – In Kobelniki bei Posen schreibt Emma von Schwanenfeld geb. Wilamowitz einen Verehrerbrief an M.

24.–25. Januar: Hartlaub und seine Familie sind in Mergentheim, nehmen M's Schwester mit nach Wermutshausen.

29. Januar: Mayers gedruckte und handschriftliche Texte hat M durchgesehen; er schlägt ihm vor, das Neue vom Alten zu trennen, jenes gesondert zu publizieren und aus diesem eine Auswahl zu treffen. (Aus Mayers ›Gedichten‹[2] hat M ein Drittel zur Veröffentlichung bezeichnet.)

31. Januar: M's Schwester kehrt mit Hartlaubs zurück.

Ende Januar: M unternimmt mit M. Speeth Spaziergänge.

5. Februar: Wilhelm Speeth geht wieder nach Bebenhausen.

10. Februar: Hartlaub informiert M über literarische Neuerscheinungen, u. a. über Emanuel Geibels ›Auf Felix Mendelssohn-Bartholdy's Tod‹ (Hamburg 1848).

14. Februar: Adolf Stahr dankt M mit dem zweiten Band seines Werks ›Ein Jahr in Italien‹ (Oldenburg 1848).

zweite Hälfte Februar: M liest James Fenimore Coopers »See-Romane« ›Die beiden Admirale‹ und ›Der Irrwisch‹ (wahrscheinlich in der Ausgabe Stuttgart 1843). – Mit Interesse verfolgt M die Geschehnisse in Frankreich.

20. Februar: Sein Bruder Ludwig zahlt ihm die Schulden teilweise zurück.

24. Februar: In Paris wird Bürgerkönig Louis Philippe gestürzt, die Republik ausgerufen.

28. Februar: Mayer schickt M die vorerst letzten Teile seines Gedichtmanuskripts, in das er auch Texte seines Bruders August aufnehmen will.

Ende Februar: M kuriert sich mit Zeitlosentinktur.

erste Hälfte März: Er revidiert die neue Folge von Mayers Gedichten.

5. März: In Niederstetten (nahe bei Wermutshausen) wird während eines Aufstands die fürstliche Kanzlei abgebrannt.

6. März: Das württembergische Ministerium Schlayer wird entlassen.

8. März: Aus Furcht vor einem Übergreifen des badischen Aufruhrs werden die Mergentheimer Bürger bewaffnet.

9.–10. März: Die Spannung in Mergentheim wächst. M packt, verstaut seine Habe im Keller und plant eine Reise nach Bamberg.

10. März: M erfährt, daß mit Friedrich Römer, Paul Pfizer und Gustav Duvernoy das erste parlamentarische Ministerium Württembergs berufen worden ist.

14. März: Achtzig Ulanen werden nach Mergentheim verlegt. – M notiert im Kalender: »Ungeheurer Umschwung in ganz Deutschland«.

15. März: »Ich lebe von einem Tag zum andern fast nur in den Zeitungen.« M notiert auch, daß in Wien »Constitution und Preßfreiheit erklärt« wurden.

16. März: Josepha Speeth erkrankt.

17. März: C. Hartlaub kommt zu Besuch.

18. März: Als »Schön u. erhebend« bezeichnet M, daß man den preußischen König zur Huldigung vor den »Märzgefallenen« gezwungen hat.

23. März: Im Verhältnis zu den Geschehnissen in Paris und Wien sind für Hartlaub die Neuerungen in Württemberg nur »lokal«; er schreibt M: »Haben wir nicht ... den Merkur in Händen die Unveränderlichkeit der Welt unbegreiflich gefunden u. allen Glauben an eine Änderung verloren? jezt müssen wir uns gemeinschaftlich darüber freuen, daß die Herrschaft des Eigennutzes, der Selbstsucht, der schlechten Klugheit endlich in ihrer lächerlichen Unmacht und Nichtigkeit erscheint!« – Hartlaub macht M auf Ludwig Börnes ›Nachgelassene Schriften‹

(Mannheim 1849/50) aufmerksam.

24. März: M ist überzeugt: »es kann doch nur gut hinauslaufen«; er hält es für konsequent und richtig, daß den Fürsten »nicht einmal der Schein einiger Sympathie für das siegreiche Volk u. seinen Willen übrig blieb.« Im Brief an Hartlaub heißt es außerdem: »Wer hat sich in diesen paar Wochen nicht größer als sein ganzes Leben lang empfunden! Und doch überfällt mich zuweilen der Schmerz daß ich krank seyn soll u. bleiben werde jezt mit doppeltem Stachel!«

31. März: Das Vorparlament tritt in Frankfurt zusammen.

April: Kurz wird in Stuttgart Redakteur des ›Beobachters‹.

10. April: Mit der Schwester fährt M nach Wermutshausen. Die Freunde besprechen M's Reise nach Regensburg.

17. April: C. und M. Hartlaub begleiten M und seine Schwester nach Mergentheim zurück und bleiben drei Tage bei ihnen.

21. April: M's Schwester bricht in Begleitung von M. Speeth zu einer Verwandten-Besuchsreise auf: Neuenstadt, Cleversulzbach, Weinsberg, Heilbronn, Ludwigsburg, Stuttgart, Feuerbach sind die Stationen.

23. April: Robert von Mohl, Kandidat für die Nationalversammlung, spricht in Mergentheim; laut M hat er die Sympathie der Bewohner, während die übrigen Wähler des Bezirks für Friedrich Bassermann sind.

26./29. April: M ärgert sich über die konservativen Wahlergebnisse in Mergentheim. (Mohl setzte sich im Wahlkreis durch.) – In die Nationalversammlung wurden u. a. auch Rödinger, Tafel, Eisenlohr, Uhland, Vischer und Zimmermann gewählt; Strauß und Chr. Märklin unterlagen ihren Gegenkandidaten.

Ende April: M erkundigt sich bei Dr. Elsäßer wegen einer Kur in Bad Teinach.

2. Mai: M liest ›Paris und die jüngste Staats-Umwälzung‹ (Berlin 1848).

6. Mai: Seine Schwester und M. Speeth kehren von der Reise zurück.

7. Mai: Zur Konfirmation von Agnes Hartlaub sind M, seine Schwester, M. Speeth und deren Mutter in Wermutshausen.

Mitte Mai: Josepha Speeth erkrankt von neuem.

16. Mai: M läßt sich schröpfen. – Hartlaub bittet M um Tiecks Novelle ›Der junge Tischlermeister‹ (Berlin 1836).

17. Mai: M hat den Brillantring des Kronprinzen verkauft, zahlt von dem Erlös Schulden, die

Hartlaub für ihn aufgenommen hat, teilweise zurück.

18. Mai: Die Nationalversammlung tritt in Frankfurt zusammen.

29. Mai: M. Speeth fährt nach Bamberg.

30. Mai: C. Hartlaub bringt ihre Tochter Agnes zur Kur nach Mergentheim zu M. – M bekennt gegenüber Hartlaub, zur Zeit nur noch Bücher politischen Inhalts lesen zu können; er studiert Heinrich Leos ›Lehrbuch der Universalgeschichte‹ (den 5. Bd, Halle 1842).

Ende Mai: M hat wieder Schmerzen.

Juni: In Heilbronn und Ulm werden Soldaten aufständisch.

Anfang Juni: M's ehemaliger Stuttgarter Lehrer Roth, seit 1843 Ephorus am Niederen Seminar Schöntal, schickt ihm seine Abhandlung ›Zur Theorie und innern Geschichte der Römischen Satire‹ (Stuttgart 1848).

4. – 7. Juni: Hartlaub ist mit seiner Frau zu Besuch bei M.

12. Juni: Angeregt durch Alexander von Humboldts ›Kosmos‹ (2. Bd, Stuttgart 1847), liest M ›Island, Hvitramonnaland, Grönland und Vinland‹ von Karl Wilhelmi (Heidelberg 1842). – C. Hartlaub und Th. Krauß besuchen M.

14. Juni: M gibt um eine Beihilfe zu einer Badekur in Teinach ein.

16. Juni: M's Schwester erwägt, für M. Speeth »Bedingungen« zu entwerfen, »unter welchen allein bei einem künftigen Zusammenleben Friede u. Freude aufkommen könne«.

19. Juni: M erhält von Mayer für die Auswahl aus dessen Gedichten ein Honorar von 50 fl.

30. Juni: Seit der Nachricht aus der Nationalversammlung, daß Heinrich von Gagern die Wahl Erzherzog Johanns von Österreich zum Reichsverweser durchgesetzt und dieser eine provisorische Reichsregierung gebildet haben, ist M »ein Stein vom Herzen weggefallen«. – Regelmäßig liest er den ›Stenographischen Bericht über die Verhandlungen der deutschen constituirenden Nationalversammlung‹ (hrsg. v. Franz Wigard, Frankfurt). M bewundert H. v. Gagern.

Sommer: E. v. Schwanenfeld schickt ihm neben eigenen Märchen die Schrift ›Polen und seine Erhebung zur Freiheit im Jahre 1846‹ (Leipzig 1846).

erste Hälfte Juli: Er liest Albert Schweglers ›Geschichte der Philosophie im Umriß‹ (Stuttgart 1848).

1. Juli: Für M's Badekur werden 100 fl genehmigt.

6. Juli: Familie Speeth zieht wieder von Bamberg nach Mergentheim; die Möbel kommen bereits an.

7. Juli: M's Schwester gibt ihren entscheidenden Brief an M. Speeth zur Einsicht nach Wermutshausen.

9./10. Juli: M. Speeth kehrt aus Bamberg zurück.

12. Juli: In Mergentheim schreibt Josepha Speeth ihr Testament, das den Sohn Wilhelm praktisch enterbt (weil er, bislang ohne eigenes Einkommen, sein Erbteil schon verbraucht habe).

14. Juli: A. Hartlaub kehrt nach Hause zurück.

21. Juli: Kerner besucht M, rät statt einer Badekur zu einer magnetischen Behandlung; sie verabreden das Du. – Wilhelm Kilzer bringt M seine ›Feierklänge. Gedichte‹ (Siegen, Wiesbaden 1844).

28. Juli: Mit der Absicht, noch vor dem Aufenthalt in Teinach einen Besuch bei Blumhardt abzustatten, bricht M in Begleitung seiner Schwester auf; M. Speeth fährt bis Heilbronn mit, wo sie Station bei Buttersacks machen und mit der Tante Neuffer zusammentreffen.

29. Juli: Per Zug fahren M und die Schwester von Heilbronn nach Stuttgart; sie besuchen die Tante Georgii und sprechen mit der Tante Henriette Mörike über Blumhardt. Abends kommen sie bei ihm in Möttlingen an; nach der ersten Begegnung mit Blumhardt fühlt sich M bereits »auf eine auffallende Art gekräftigt«. »Bedeutende Gespräche« mit dem Freund notiert M über die nächsten Tage in den Kalender.

1. August: Vor der Abfahrt nach Teinach wünscht M von Blumhardt, daß ihm »auch noch die Hand aufgelegt« werde.

2. August: M fühlt Kraft zu größeren Unternehmungen.

3. August: In einer Stunde wandert er von Teinach auf den Zavelstein.

4. August: M konsultiert Dr. med. Karl Friedrich Müller, einen Bekannten aus der Universitätszeit.

5. August: Er beginnt eine Trinkkur.

13. August: Die Rückenschmerzen, die M früher am Gehen hinderten, sind völlig verschwunden.

Mitte August: M liest erneut F. W. Riemers ›Mittheilungen über Goethe‹. – Seine Briefe an M. Speeth wechseln zwischen den Anreden Du und Sie.

22. August: Auf der Fahrt nach Möttlingen besichtigt M das Kloster Hirsau, besucht er Ludwig Buttersack, Pfarrer in Liebenzell.

23. August: Buttersack erwidert den Besuch.

24. August: Mit der Schwester, der Tante Dorothea Mörike und deren Sohn Otto (die nach Möttlingen gekommen waren) fährt M nach Malmsheim und nimmt C. Hartlaub mit nach Stuttgart.

25. – 26. August: In Stuttgart macht M Besuche bei Verwandten, bei E. Zumsteeg und Ch. Späth; bei der Witwe von Ludwig Bauer begegnet er Brutzer, Wolff, Eugen Borel und Eduard Weigelin, zwei Professoren am Katharinenstift. Schwab und Stirm sucht M auf, um ihnen Blumhardts Persönlichkeit und seine nicht-magnetische Heilmethode verständlich zu machen.

27. – 31. August: M hört eine Predigt von Albert Knapp; Ch. Krehl kommt nach Stuttgart; M besichtigt die Residenz. Er besucht die Tanten D. und H. Mörike und macht eine Visite bei K. G. v. Wächter.

2. – 3. September: C. Hartlaub läßt sich von Blumhardt die Hand auflegen, spürt aber keine andauernde Besserung.

2. September: M fährt mit der Schwester zu Buttersacks nach Heilbronn.

3. September: Kauffmann kommt mit der Apothekersfrau Caroline Dunker zu Buttersacks, um für M den ›Don Juan‹ zu spielen. (C. Dunker wird 1856 Klavierlehrerin in Stuttgart.)

4. September: M ist bei einem musikalischen Abend im Hause Kauffmanns.

5. September: Mit der Schwester kehrt er nach Mergentheim zurück.

7. September: Sein Bruder Karl stirbt in Großheppach bei Waiblingen an Lungentuberkulose.

8. September: M, seine Schwester und M. Speeth spazieren nach Löffelstelzen. – C. Hartlaub kehrt von ihrem Blumhardt-Besuch heim; sie lädt in den nächsten Tagen M – und nicht seine Schwester – ein, weil das Freundschaftsverhältnis wahrscheinlich für immer gestört sei.

10. September: Th. Kerner hält in Heilbronn eine demokratische Rede, wird deswegen verfolgt und entzieht sich durch Flucht. (Nach der Rückkehr 1850 verbüßte er seine Strafe auf dem Hohenasperg.)

18. September: Der Volksaufstand in Frankfurt raubt beinahe M's letzte Hoffnungen in die Nationalversammlung.

19. September: M teilt Blumhardt den Verlauf seiner Gespräche mit Schwab und Stirm mit.

20. September: Der württembergische Landtag tritt zusammen, beruft neue Minister.

Herbst: Strauß ist Abgeordneter in Stuttgart.

1. Oktober: Mit der Schwester fährt M nach Wermutshausen. – Nobbe gibt M die Luther-Schrift zurück; die Abstammung der Mörikes von Luther sei umstritten. Dennoch solle sich M's Vetter Louis Mörike um ein Stipendium bewerben.

5. Oktober: Blumhardt lädt M zu einem längeren Aufenthalt ein; er will ihn in den Kirchendienst zurückführen.

9. Oktober: M kehrt mit seiner Schwester nach Hause zurück.

Ende Oktober: Von Hartlaub erhält er das ›Real-Bibel-Lexikon‹ (Regensburg 1845) und liest im 2. Band.

erste Hälfte November: Die Nachrichten vom dritten Aufstand in Wien, von der Erstürmung der Stadt und Ermordung Robert Blums sowie von der bestärkten Reaktion in Preußen beunruhigen M.

13. November: M. Speeths Tante, die Advokatenwitwe Anna Maierhöfer, stirbt in München; sie hatte ihrem Bruder B. Speth zuletzt das Haus geführt. Dessen reicher Nachlaß wird deshalb erneut zum Problem.

19. November: M's Bruder Ludwig hat Geld angewiesen, so daß M 300 fl Schulden und 14 fl Zinsen zurückzahlen kann, für die er dem Bruder gebürgt hat. Der Bruder sendet auch F. A. Schmidts ›Die wichtigsten Fundorte der Petrefakten in Würtemberg‹ (Stuttgart 1838).

20. November: M liest Werke von Friedrich Christoph Oetinger.

29. November: Er schenkt Emma Bauer, einer Tochter des Arztes, das seit dem 24. August entstandene Gedicht ›Ein Städtlein blüht im Taubergrund . . .‹.

24. Dezember: Wilhelm Speeth gibt seinen Dienst in Bebenhausen endgültig auf, geht wegen des Todes seiner Tante nach München, um in den Erbschaftsfragen mitzureden.

28. Dezember: Die Grundrechte werden als Reichsgesetz verkündigt.

1849

Ende Januar: Hartlaub kommt mit seiner Familie nach Mergentheim. – M. Speeth hält sich derzeit in München auf; sie muß in den Erbschaftsauseinandersetzungen zwischen ihrem Bruder und anderen Verwandten vermitteln; um eigene Ansprüche durchzusetzen, nimmt sie einen Rechtsanwalt. – Ein Erbschaftsprozeß zieht sich bis 1857 hin.

9. Februar: Ferdinand Jung stirbt.

10. Februar: M's Schwester fährt zur Unterstützung von M. Speeth nach München.

Mitte Februar: Josepha Speeth verkauft Grundbesitz in Mergentheim (für 440 fl).

20. Februar: Im Brief an Hartlaub zitiert M die ›Trutz-Nachtigall‹ Friedrich von Spees.

ca 21. Februar: M's Schwester und M. Speeth kehren zurück.

erste Hälfte März: M beginnt, Elfenbeinminiaturen zu malen; ein ›Homer‹ und ein ›Schweißtuch der Veronika‹ entstehen.

16. März: An Hartlaub sendet er die Verse ›Als Dichtel hab ich ausgestritten . . .‹.

erste Hälfte April: M's Schwester hat eine erneute Auseinandersetzung mit M. Speeth, die sich immer wieder zurückgesetzt fühlt, vor allem gegenüber Hartlaubs; M wird durch solche Schwierigkeiten nicht so schwer belastet wie seine Schwester.

zweite Hälfte April: Mit seiner Schwester besucht M die Wermutshäuser Freunde.

Anfang Juni: Felix und Theodor Buttersack sind etwa eine Woche bei M.

1.–3. Juni: M zeichnet einen Jongleur (den Seiltänzer Knie?).

ca 5. Juni: Uhland besucht M auf der Durchreise von Frankfurt nach Stuttgart und berichtet enttäuscht von der Nationalversammlung.

6. Juni: Das Rumpfparlament hält seine erste Sitzung in Stuttgart.

10. Juni: ›Nicht lange will ich . . .‹ entsteht.

18. Juni: Das Rumpfparlament wird gesprengt; während der folgenden Tage werden verschiedene Aufstände in Württemberg gemeldet. – K. Mayer d. J., der dem Parlament in Stuttgart angehört hat, wird als Demokrat verurteilt und flieht in die Schweiz.

26. Juni: Unter 800 neuen Gedichten Mayers hat M 330 für eine Publikation ausgewählt; er schickt ihm das Manuskript und fragt, ob er »für die deutsche Sache« eine andere Hoffnung sehe als die einer neuen Revolution.

Ende Juni: M erklärt seinen Austritt aus dem ›Historischen Verein für das fränkische Württemberg‹.

Anfang Juli: A. Hartlaub kommt zur Kur nach Mergentheim, wohnt bei M.

14. Juli: Wegen der Gemäldesammlung seines verstorbenen Onkels hat W. Speeth in München seine Familie in Schwierigkeiten verstrickt.

Mitte Juli: In der ›Neuen illustrirten Zeitschrift‹ erscheint ›Das verlassene Mägdlein‹ mit einer Illustration.

19. Juli: Der Leipziger Verleger Georg Wigand

sendet im Auftrag Dresdner und Leipziger Verehrer M's 100 fl.

August: M liest ›Rahel. Ein Buch des Andenkens‹ (Berlin 1834).

6. August: Hartlaub schickt M eine Rezension von Strauß' ›Sechs theologisch-politischen Volksreden‹ (Stuttgart 1848).

15. August: Nachdem er sich einige Zeit nicht wohl gefühlt hat, plant M, für mehrere Tage zu verreisen; er fährt wahrscheinlich zu Hartlaub, mit dem er vergangene und künftige Komplikationen der Freundschaft zu regeln versucht.

vor 17. August: Von A. v. Keller erhält M dessen ›Alte gute Schwänke‹ (Leipzig 1847).

23. August: In einem Testamentzusatz legt Josepha Speeth die Aussteuer ihrer Tochter fest.

erste Hälfte September: Mit seiner Schwester und M. Speeth hält sich M in Nürnberg auf; vielleicht besuch(t)en sie die Speethschen Verwandten in Bamberg.

24. September: Tobias Beck, inzwischen Theologie-Professor in Tübingen, sucht M auf.

Oktober: Mit Beck, der in Mergentheim kurt, spricht M über Blumhardt.

erste Hälfte Oktober: M's Schwester ist für wenige Tage in Wermutshausen.

21. Oktober: Mit der Schwester und Hartlaubs Töchtern Klara und Agnes fährt M nach Rothenburg. Vielleicht dient ihm die Reise (wie Hartlaub meint) zu Studien für seine ›Geschichte von der silbernen Kugel oder der Kupferschmied von Rothenburg‹.

28. Oktober: Das Märzministerium Römer wird entlassen.

November: M. Speeth erkrankt.

1850

Januar/Februar: Roth schlägt M die gemeinsame Edition von Chorliedern vor, die literarisch wie musikalisch von gleich guter Qualität sein sollten; M korrespondiert mit Hartlaub über den Antrag und distanziert sich schließlich von dem Unternehmen, weil er Gesangstücke wie die von Heydenreich, Hetsch und Kauffmann schätzt und unter Chorliedern nur Mittelmäßiges kennt.

Anfang Januar: Wilhelm Speeth kommt nach Mergentheim, beansprucht Gemälde aus Familienbesitz; seine Mutter flüchtet sich zu Verwandten nach Mannheim. – M's Schwester ist krank.

4.–12. Januar: Strauß, seit 1848 in München, veröffentlicht im ›Morgenblatt‹ Epigramme ›Aus der Glyptothek‹ und sendet sie dann an M.

13. Januar: M. Speeth fährt zu ihrer Mutter.

zweite Hälfte Januar: M berät die Familie Speeth; sie wollen einen Curator bestellen und sich gegen die Forderungen von W. Speeth gerichtlich zur Wehr setzen.

Mitte Februar: M erkrankt; sein Rheuma macht ihm wieder zu schaffen.

21. Februar: Stadtrat Friedrich Kuhn wird als Vermögensverwalter der Josepha Speeth eingesetzt.

6. März: M. Speeth kehrt mit ihrer Mutter nach Mergentheim zurück. M's Schwester ist in Boxberg.

13. März: M erhält von seinem Bruder Ludwig eine Sendung Petrefakten.

erste Hälfte April: Er liest Wilhelm von Humboldts ›Briefe an eine Freundin‹ (Leipzig 1847). – M. Speeth liegt krank zu Bett.

Anfang April: Ch. Krehl kommt zu Besuch.

23. April: Mit seinem Gesundheitsbericht an die Kirchenbehörde (den er jährlich zu liefern hat) gibt M um einen Kurkostenbeitrag ein.

5. Mai: C. Hartlaub holt M's Schwester und Ch. Krehl nach Wermutshausen.

7. Mai: Der Kurkostenbeitrag wird genehmigt in Höhe von 50 fl.

12. Mai: M geht auch nach Wermutshausen.

20. Mai: Mit Ch. Krehl kehrt er nach Hause zurück.

26. Mai: Auch M's Schwester kommt heim.

erste Hälfte Juni: Wegen arthritischer Schmerzen in Füßen und Beinen gebraucht M Mergentheimer Mineralwasser.

2. Juni: Ch. Krehl fährt wieder nach Nürtingen.

12. Juni: An Mayer, der sich bei seinem Sohn im Schweizer Exil aufhält, sendet M die Revision der neueren Gedichte; für sein langes Schweigen entschuldigt er sich: »es ist gewiß, daß ich nur darum Niemandem mehr genugthue, weil ich mir selbst nicht mehr genüge.«

18. Juni: Hartlaub holt M's Schwester nach Wermutshausen.

23. Juni: C. Hartlaub kehrt mit ihr zurück.

4. Juli: Abraham von Renner stirbt in Mergentheim.

15.–17. Juli: Hartlaub und zwei seiner Kinder besuchen M.

20. Juli: M beginnt wieder, Bäder zu nehmen.

August: Abel kurt erneut in Mergentheim; er lädt M zu verschiedenen Fahrten ein. – Blumhardt schickt M seine ›Vertheidigungsschrift gegen Herrn Dr. de Valenti‹ (Reutlingen 1850).

1. August: M nimmt das letzte Bad.

2. August: Bei Schweizerbart fragt M wegen einer Neuauflage der ›Idylle‹ an; der Verleger will dafür jetzt aber kein Honorar zahlen.

Mitte August: M liest Heinrich Werners ›Schutzgeister oder merkwürdige Blicke zweier Seherinnen‹ (Stuttgart, Tübingen 1839).

4. September: Mit der Schwester und M. Speeth fährt M über Crailsheim, Dinkelsbühl, Nördlingen, Donauwörth nach Regensburg zu seinem Bruder Ludwig auf Pürklgut, wo sie am

6. September ankommen. – Spätestens jetzt entwickelt sich bei M »das Verlangen u. endlich das Gefühl der absoluten Nothwendigkeit eines entscheidenden Schritts« in seiner Beziehung zu M. Speeth. – M sichtet, ordnet und vernichtet den Nachlaß seines Bruders Karl.

9. September: M besucht die Walhalla.

5. Oktober: Er besichtigt Regensburg.

13. Oktober: M. Speeth, mit der sich M inzwischen duzt, fährt nach Mergentheim zurück. – M besucht ein Marionettentheater in Regensburg.

14. Oktober: Im Regensburger Theater sieht er mit den Verwandten Heinrich Laubes ›Karlsschüler‹.

17. Oktober: Mit einer begeisterten Beschreibung seiner Umgebung macht M dem Freund Hartlaub Lust zu einem Besuch in Pürklgut.

18. Oktober: In Regensburg hört M den ›Don Juan‹.

Mitte Oktober: M hilft seinem Bruder Ludwig beim Geschäftsbericht. Dabei erkennt er dessen unsichere Stellung: Die Regensburger Verwaltung fordert eine größere Rendite; M fürchtet eine Kündigung seines Bruders.

21. Oktober: Mit Mährlen, der 1847 Direktor eines Bergwerks in Schapbach bei Freudenstadt geworden ist, nimmt M wieder Kontakt auf; er bittet ihn für seinen Bruder Ludwig um Geschäftsverbindungen nach Brüssel. – In Regensburg brennt es; M malt das Ereignis.

Ende Oktober: M besteigt die Regensburger Dom-Türme.

3. November: In Regensburg sieht er ›Die Regimentstochter‹ von Gaetano Donizetti.

4. November: Gustav Schwab stirbt.

zweite Hälfte November: M liest eine Biographie Friedrichs des Großen.

20. November: Theodor Storm, seit zehn Jahren M's Werke bewundernd, schickt ihm seine ›Sommer-Geschichten und Lieder‹ (Berlin 1851).

22. November: Vischer erneuert die Korrespondenz mit M; er schreibt von seiner Tätigkeit als Abgeordneter in Frankfurt und Stuttgart sowie von seinem Lehramt in Tübingen. Er schenkt ihm den zweiten Band seiner ›Ästhetik‹ (Reutlingen, Leipzig 1847) und legt Ferdinand Baakes Kompositionen ›Deutscher Sänger-Saal‹ (Halberstadt 1850) bei (darunter die Vertonung eines M-Gedichts).

15. Dezember: Hartlaub verweist M auf Gottfried Kinkels ›Otto der Schütz‹ (Stuttgart 1850³).

22. Dezember: Mit dem Reiseziel Bamberg brechen M und seine Schwester in Pürklgut auf; sie übernachten in Neumarkt.

23. Dezember: Über Nürnberg erreichen sie Bamberg.

25. Dezember: Auf der Heimfahrt von Bamberg machen M und seine Schwester in Würzburg Station.

27. Dezember: In Mergentheim feiern M, seine Schwester, M. Speeth und deren Mutter den Heiligen Abend nach.

29. Dezember: M fertigt eine Zeichnung von Pürklgut an.

1851

J. Schenckels ›Deutsche Dichterhalle des 19. Jahrhunderts‹ (2. Bd, Mainz) enthält einen Beitrag über M.

erste Hälfte Januar: M liest Vischers ›Ästhetik‹, Shakespeares ›König Johann‹, ›Richard II.‹, ›Richard III.‹. Er malt einen Engelskopf auf Elfenbein.

10. Januar: Karl Abraham Mörike, der Neuenstädter Apotheker, besucht M.

zweite Hälfte Januar: M hat wieder Schmerzen in den Beinen.

24. Januar: Hartlaub erbittet Tobias Becks ›Umriß der biblischen Seelenlehre‹ (Stuttgart 1843) zurück. Er teilt wahrscheinlich seine Beförderung nach Wimsheim mit.

Ende Januar: M's Schwester plant eine Reise nach Stuttgart.

2. Februar: Er erhält die Nachricht, daß seinem Bruder Ludwig in Pürklgut gekündigt wurde; Thurn und Taxis will das Gut nicht mehr verwalten lassen, sondern verpachten.

3. Februar: M's Schwester fährt nach Wermutshausen.

8. Februar: M rechtfertigt sein Schweigen gegenüber Vischer: »Der Grund ist lediglich, daß ich als ein Kranker überall mir selber fehle«.

16. Februar: Seine Schwester kehrt aus Wermutshausen zurück.

17. Februar: Hartlaubs verziehen von Wermutshausen nach Wimsheim bei Pforzheim.

24. Februar: M spricht mit M. Speeth über die Möglichkeit einer Heirat; sie beschließen, mit seiner Schwester ein Mädchenpensionat zu gründen.

28. Februar: K. A. Mörike kommt wieder zu Besuch.

erste Hälfte März: M's Schmerzen in den Beinen werden stärker.

1. März: Josepha Speeth erkrankt.

2. März: M's Schwester hat die Ruhr.

14. März: Sie kann wieder etwas aufstehen.

Ende März: M muß Kaltwasserwaschungen vornehmen. Seine Schwester besucht Hartlaubs in Wimsheim und informiert sie über den Plan einer Pension für sechs- bis 14jährige Mädchen; daß dies als Grundlage für M's Heirat anzusehen sei, wird nicht ausgesprochen.

14.–15. April: M bricht nachts mit seiner Schwester zu einer Reise nach Konstanz auf; dort wollen sie das Mädchenpensionat gründen, weil die Stadt billig ist und wegen ihrer internationalen Lage die besten Voraussetzungen für das Vorhaben zu bieten scheint.

15. April: Unterwegs konsultiert M in Neuenstadt Dr. Elsäßer, informiert er in Heilbronn die Tante Neuffer über seine Pläne; sie kommen abends in Stuttgart an, übernachten bei ihrer Tante Henriette Mörike.

16. April: In Stuttgart sprechen sich alle Verwandten gegen das Pensionat aus, so auch Grüneisen, der M zu einer Stelle an der Königlichen Bibliothek rät, die 1000 fl Gehalt einbringen könne; M möge sich deswegen an Hardegg wenden.

17. April: M besucht Ch. Späth.

18. April: Mährlen rät ihm zur Einrichtung einer Kinderkrippe und zu Literaturkursen für Mädchen ab 14 Jahren; während M's Besuch kommt Hardegg zu Mährlen, der sich wegen einer Bibliotheksstelle erkundigen will. Abends geht M zu Ernst Seyffer und trifft dort Marie Mörike, die Lieder von Mendelssohn-Bartholdy und von Schubert vorträgt.

19. April: Von Mährlen bis Ulm begleitet, fahren M und seine Schwester nach Friedrichshafen; sie werden von Konditor Heinrich Krehl begrüßt (einem Enkel des Onkels Planck).

20. April: M besichtigt Friedrichshafen.

21. April: M und seine Schwester fahren mit dem Dampfboot nach Konstanz.

22. April: In Egelshofen bei Konstanz mieten sich die Geschwister ein.

23. April: In seinem Gesundheitsbericht an die Kirchenbehörde deutet M die Möglichkeit einer beruflichen Veränderung an.

25. April: M besichtigt Konstanz. Bei Cotta fragt er wegen einer Neuauflage der ›Gedichte‹ nach.

27. April: Mit der Schwester hört M die Predigt eines reformierten Geistlichen. Ihre Hausleute begleiten die Geschwister nach Gottlieben.

30. April: M's Bruder Ludwig scheidet aus dem Vertrag mit Thurn und Taxis aus.

Ende April: M liest den dritten Band von Georg Theodor Gräßes ›Handbuch der allgemeinen Literaturgeschichte‹ (Leipzig 1848).

1. Mai: M eröffnet Hartlaub seine Berufs- und Heiratsabsichten; er könne mit Speeths »sowohl in ökonomischer als in persönlicher Rücksicht, auf die bisherige Weise in Mergentheim unmöglich fortleben«.

3. Mai: Er besichtigt das Konstanzer Münster und die Kreuzlinger Kirchen. Von Cotta erhält er eine kurze negative Antwort.

6. Mai: M hat den Plan eines Pensionats aufgegeben; er hofft, Bibliothekar werden oder die von Mährlen angeratenen Vorlesungen halten zu können.

7. Mai: Hardegg teilt M mit, daß die angestrebte Bibliotheksstelle nicht wieder besetzt werde; er möge dennoch nach Stuttgart ziehen, wo sich dann eine geeignete Tätigkeit finden ließe.

10. Mai: Mährlens Brief mit Erläuterungen zu dem Vorschlag für Vorlesungen vor 14- bis 17jährigen Mädchen über deutsche Literatur und deutschen Aufsatz läuft ein. – Seitdem bereitet sich M auf den Unterricht vor; es ist ihm allerdings vor dem Leben in Stuttgart bange.

Mitte Mai: M nimmt sich die »Entwürfe zweier älterer Geschichten« wieder vor (wahrscheinlich die ›Silberne Kugel‹ und das ›Hutzelmännlein‹); aus dem noch in Schwäbisch Hall entstandenen »unganzen Plan zu der Einen« Geschichte macht er »vollends rund u. ins Detail« das Konzept zu einer »Erzählung für die Jugend«, »zu einer heitern Erzählung in Prosa«.

19. Mai: M besichtigt Münsterlingen.

27. Mai: Hartlaub heißt den Plan eines Pensionats nur in dem Falle gut, daß die Stelle an der Bibliothek nicht zu erreichen wäre; M's Heirat mit M. Speeth hält er für »etwas Unheilvolles«.

Juni: M liest in Vischers ›Ästhetik‹.

2. Juni: Er besichtigt die Insel Reichenau.

7. Juni: Er spaziert nach Emmishofen.

10. Juni: Für M. Speeth zeichnet M den Kirchhof von Bernrain.

12. Juni: Nach dem Angebot, die Söhne des Oberbibliothekars Christoph Friedrich von Stälin in Stuttgart zu unterrichten, fährt M mit seiner Schwester zunächst nach Nürtingen.

15. Juni: Mit der Schwester kommt M in Stuttgart an; sie wohnen vorerst bei ihrer Tante D. Mörike.

16.—24. Juni: M zieht Erkundigungen über die Möglichkeit und Finanzierung seines Lebens in Stuttgart ein; er besucht deshalb die Verwandten, Stälin (wegen Editionen oder Bearbeitungen) und Wolff (wegen des Katharinenstifts) sowie Oberstudienrat Friedrich Wilhelm Klumpp, dessen Schwägerin Christiane Schmoller und Mährlens Schwager Wilhelm Conradi (Gespräch über dessen Gedicht ›Liebe und Vaterland‹, Tübingen 1851); M unterhält sich auch mit Ch. Späth und der Witwe L. Bauers, geht aber nicht zu A. Strauß.

16./17. Juni: Ab Jakobi (25. Juli) mietet M drei Zimmer in der Augustenstraße 14 parterre.

24. Juni: Er bittet Mayer um ein halbjähriges Darlehen von 50 fl.

25. Juni: M bezieht ein Zimmer in der Rotebühlstraße 65 (= heute: Silberburgstraße 156 D). — Da er sich zu eigenen literarischen Arbeiten momentan nicht in der Lage sieht, will M Rezensionen schreiben oder wieder übersetzen. — Er informiert Vischer und Strauß über seine Zukunftspläne und fragt nach Beschäftigungsmöglichkeiten. — Nachts erleidet er einen Colerine-Anfall (Brechreiz und Diarrhöe).

26. Juni: M holt sich ärztlichen Rat von Hardegg. — 50 fl von Mayer laufen ein.

28. Juni: M's Schwester geht nach Wimsheim, um seine Absichten verständlich zu machen, dann wahrscheinlich weiter nach Mergentheim, wo Wilhelm Speeth wieder bei der Mutter eingezogen ist.

29. Juni: Vischer rät M zur Edition von Johann Fischarts ›Geschichtklitterung‹ oder zu einem »vernünftig castrirten Shakespeare fürs weibliche Geschlecht«, wozu sich M aus Mangel an Englischkenntnissen nicht in der Lage sieht; außerdem täte ihm »das Blutige Geschäft selbst leid«. — Vischer legt die erste Abteilung seines dritten Bands der ›Ästhetik‹ bei.

Anfang Juli: M ist mehrmals bei Alexander Bruckmann und Grüneisen, wird auch von ihnen besucht; Grüneisen rät M zu Lehrstunden am Katharinenstift.

1. Juli: M bittet Mährlen um Bücher für seinen Literatur-Unterricht; den Plan zu einer Kinderkrippe hat er aufgegeben.

2. Juli: M's Schwester kehrt nach Stuttgart zurück.

3. Juli: Mit ihr besucht M die Tante Henriette Mörike, dann den Neuenstädter Verwandten Carl Mörike (der seit 1844 in Stuttgart lebt). — Seine Schwester geht zu Bruckmann, zur Kusine Marie Neeff, der Frau eines Stuttgarter Kaufmanns.

5. Juli: M macht dem Metzler-Verlag ein Angebot, gibt »eine bestimmte Garantie«. Möglicherweise stellte M seine Beteiligung an der dort geplanten ›Frauen-Zeitung für Hauswesen, weibliche Arbeiten und Moden‹ in Aussicht, für die man auch ein »Unterhaltungsblatt« ›Salon‹ vorsah. — Mit der Schwester geht er wieder zu Carl Mörike.

10. Juli: M bespricht seine Lage mit Stirm.

11. Juli: In Begleitung Albert von Hügels, des Manns seiner Kusine Marie Mörike, geht M nach Wimsheim; seine Schwester fährt über Heilbronn und Neuenstadt nach Mergentheim.

Mitte Juli: H. Erhard (Metzler) bescheidet M's Angebot negativ; Wolff fordert M zu Unterrichtsstunden im Katharinenstift auf; Mährlens Frau gibt ihm Auskunft über verlangte Bücher. — M unternimmt Ausflüge nach Wurmberg, Mönsheim, Tiefenbronn; er liest das ›Nibelungenlied‹. Kummer und Verstimmungen beeinträchtigen seine Gesundheit.

19. Juli: Weil sich M zum Unterricht physisch nicht kräftig genug fühlt, sagt er Wolff ab; die Unterrichtsmethode entspricht auch nicht seinen Vorstellungen: Er möchte lieber zu ästhetischer Urteilsfähigkeit erziehen, als Literatur historisch erklären.

23. Juli: M bittet Mährlen um ein einjähriges Darlehen von ca 150 fl.

27. Juli: Mährlens Frau schickt 125 fl.

31. Juli—1. August: M hat nachts die »Idee zu Psalmen«.

Anfang August: Er liest Heinrich Werners ›Symbolik der Sprache‹ (Stuttgart, Tübingen 1841).

4. August: Von Hartlaubs bis Leonberg begleitet, geht M nach Stuttgart zurück; nach Besuchen bei den beiden Tanten Mörike bezieht M wieder sein Quartier in der Rotebühlstraße. (Das Logis in der Augustenstraße wird aus unbekannten Gründen noch nicht bewohnt.)

5. August: Von Mährlens Geld gehen 120 fl nach Mergentheim. — Gegenüber Mährlens Frau erklärt M seine Schwierigkeiten mit dem Stadtleben, aber auch dessen Notwendigkeit: Bei seinem »übergroßen Hang zur einsamen Natur« habe er »sich beinah daran aufgerieben«.

9. August: Während einer Unterredung mit Stirm erfährt M, daß M. Speeth trotz einer Heirat mit ihm katholisch bleiben könne; er selbst behalte seinen Pensionsanspruch. – Bei Josepha Speeth hält M brieflich um die Hand der Tochter an. Er sagt Wolff die Unterrichtsstunden am Katharinenstift zu. – M geht auf eine Abendgesellschaft zu angeheirateten Verwandten, dem Kaufmann Carl Neeff.

11. August: Bei seiner Tante Henriette Mörike feiert M den Geburtstag der Tante Dorothea Mörike.

12. August: Er besucht eine Gemäldeausstellung. M fühlt sich schwach, hat Angst für seine Zukunft.

13. August: Er erhält einen Brief von M. Speeth, die von der Reaktion ihrer Mutter auf seinen Heiratsantrag berichtet.

15. August: Das Einverständnis Josepha Speeths zur Heirat läuft ein.

16. August: Mit A. v. Hügel besucht M seine Tante H. Mörike. Abends ist er bei Bruckmann, spricht er mit Fellner.

17. August: M schickt einen Taufschein an seinen Bruder Adolf nach Paris.

18. August: Er informiert die Tanten Georgii und Dorothea Mörike.

20. August: M's Braut und Schwester kommen nach Stuttgart.

22. August: Die Geschwister ziehen in der Augustenstraße 14 ein und kündigen die Wohnung nach wenigen Tagen, weil sie sich als zu klein erweist.

ca 26. August: M's Bruder Ludwig hat seine Frau verlassen; er trifft in Stuttgart ein und ersucht Thurn und Taxis um eine Gnaden-Unterstützung.

September: ›Denk es, o Seele!‹ entsteht.

Anfang September: Mayer besucht M, empfiehlt ihm gegen sein wieder auftretendes Rheuma eine Kur mit magnetischem Wasser.

2. September: Das Gnadengesuch des Bruders Ludwig wird abgelehnt.

3. September: Nach einem Besuch bei seiner Tante H. Mörike gehen M, seine Schwester und Braut in eine ›Egmont‹-Aufführung.

15. September: M beginnt die von Mayer empfohlene Kur.

Mitte September: Notter sucht M auf, lädt ihn auf seinen Bergheimerhof (bei Stuttgart) ein.

19. September: M bürgt dem Bruder Ludwig für 100 fl. – Mit der Schwester und der Braut (die in den nächsten Tagen wieder nach Mergentheim fährt) besucht M seine Geburtsstadt Ludwigsburg.

29. September: Er nimmt ein Abonnement bei der Sonnewaldschen Leihbibliothek.

30. September: Hartlaub kommt für drei Tage zu M; sie gehen in ein Konzert mit Stücken von Franz Schubert, Giacomo Meyerbeer u. a., die M zu modern sind.

Ende September: Notter ist zu Besuch. M's Bruder Ludwig findet alte Ansichten von Rothenburg, die M zu seinem für den Winter geplanten literarischen Projekt passen (›Silberne Kugel‹).

Anfang Oktober: In seiner künftigen Wohnung will M Vorträge über die Verwandtschaft antiker und moderner deutscher Dichtung halten. – Bonaventura Weiß beginnt M's Porträt.

1. Oktober: Als »Lehrer der teutschen Literatur« wird M provisorisch am Katharinenstift angestellt für 50 fl. jährlich. M's Stunde in der 8. Klasse findet mittwochs 11–12 Uhr statt. – Für ihre Tochter nimmt J. Speeth bei Kuhn 1000 fl auf. (M zahlt später dafür die Zinsen.)

2. Oktober: Er kann Hartlaub wieder unbefangen gegenübertreten; er liest ihm aus Klopstock vor.

4. Oktober: M reicht sein Heiratsgesuch beim Dekanat ein.

6. Oktober: Bei Dekan Wilhelm Tobias Mehl spricht M deswegen vor. – Er feiert den Geburtstag seiner Kusine M. v. Hügel mit; zu seinem Geschenk hat er die Verse ›Vergib die Anmaßung . . .‹ geschrieben.

7. Oktober: Von der Obergouvernante am Katharinenstift, Luise von Varnbüler, erfährt M, daß er mit einer Klassenstärke von 50 Schülerinnen zu rechnen habe. – Fritz Rau, ein Bruder seiner ehemaligen Braut, inzwischen Pfarrer in Heimerdingen, besucht M.

13. Oktober: Die entscheidende Konferenz wegen einer neuen Anstellung bricht M's Bruder Ludwig ab.

14. Oktober: Auf Antrag Grüneisens bestätigt der König M's Anstellung.

15. Oktober: M hält seine erste Stunde am Katharinenstift.

Mitte Oktober: Er hat die zweite Sitzung bei Weiß.

17. Oktober: C. Hartlaub kommt zu Besuch.

18. Oktober: Einen Entwurf seiner Zeitungsannonce für die Privatvorlesung schickt M an Hartlaub.

19. Oktober: Die Kirchenbehörde erlaubt M's Heirat. – Er erhält Besuch von Ch. Krehl und dem Stiftungsverwalter Friedrich Payer, zwei Enkelkindern des Onkels Planck.

20. Oktober: Als Bedingung der Heirat beantragt M für die Braut in Neuenstadt das Bürgerrecht (das er selbst dort besitzt).

21. Oktober: Grüneisen kommt zu M. Bei Weiß hat M seine dritte Sitzung.

25. Oktober: M geht zu Hardegg. – C. Hartlaub fährt heim.

Ende Oktober: Ch. Krehl reist ab.

Anfang November: M beobachtet Verhandlungen in der Abgeordnetenkammer.

1./3. November: Weiß wird mit seinem Porträt-Litho fertig: »Wer es bis jezt gesehn erklärt es für sehr ähnlich«. M schlägt Schweizerbart als dem Verleger des Bilds dazu die Unterschriftsverse ›Und sähst du lieber . . .‹ vor, die der ablehnt (Abb. 5). Das Porträt kostet in der Buchhandlung 1 fl.

2. November: M's Bruder Ludwig fährt nach Schapbach, um sich mit Mährlen zu beraten.

3. November: Mit 2 fl Jahresbeitrag beteiligt sich M künftig an einer Aktion zur Abschaffung des Bettels.

4. November: Er erhält von seiner Tante Neuffer 120 fl geliehen.

9. November: M's Bruder Ludwig kehrt mit wenig besseren Aussichten auf eine künftige Anstellung zurück. – Für den Unterricht seiner Söhne zahlt Stälin 16 fl.

10. November: M's Schwester besucht Elisabeth von Batz, die Schwester des Neuenstädter Verwandten Karl Abraham Mörike.

12. November: In seiner sechsten Unterrichtsstunde behandelt M ›Emilia Galotti‹.

13. November: Die Braut seines Vetters Theodor Mörike, Ottilie Werner, trägt M Kompositionen seiner Lieder vor.

14. November: Mit Christiane Schmoller verabredet M eine Vorlesung für den nächsten Abend.

15. November: Vor einer kleinen Gesellschaft bei Schmollers testet er mit dem Vortrag des ›Clavigo‹ seine Kraft für die im Winter geplanten Privatvorlesungen.

16. November: Hardegg besucht M.

bis 19. November: In der Augustenstraße entsteht »der Hauptsache nach« das Gedicht ›Erinna an Sappho‹.

19.–20. November: M bezieht eine Wohnung in der Hospitalstraße 36.

19. November: In der ›Schwäbischen Kronik‹ zeigt M seine ›Vorlesungen für Damen‹, hauptsächlich aus Shakespeare-Dramen an. Er will sie im eigenen Arbeitszimmer vor ca 15 Zuhörerinnen (für 1 fl pro Person) halten.

22. November: Mit seiner Schwester fährt M nach Mergentheim.

24. November: Bei Wüst nimmt J. Speeth 400 fl auf.

25. November: Um 17 Uhr findet in der Mergentheimer Schloßkirche nach evangelischem Ritus (durch K. Wüst) M's Trauung mit der katholischen Margarethe Speeth statt. Die Hochzeit wird im kleinsten Kreise gefeiert; Wilhelm Speeth ist anwesend; Hartlaubs kommen nicht. (Die Kinder werden später evangelisch erzogen.)

26. November: M, seine Frau und Schwester fahren zu den Verwandten nach Heilbronn.

27. November: Sie ziehen zu dritt in der Stuttgarter Hospitalstraße ein.

29. November – 5. Dezember: C. Hartlaub besucht M. Sie nimmt u. a. Ernst Meiers ›Deutsche Kinder-Reime‹ (Tübingen 1851) mit, die der Verfasser M schenkte; im Begleitbrief an den Freund bittet M um Vorschläge für seine Shakespeare-Lesungen im Winter; er will mit ›Hamlet‹ beginnen.

Anfang Dezember: In der ›Neuen illustrirten Zeitschrift‹ (Stuttgart, Nr. 48) erscheint eine Charakteristik M's mit einem Holzschnitt nach seinem Porträt von B. Weiß.

6. Dezember: Der Beginn der ›Damen-Vorlesungen‹ am 3. Januar im Oberen Museum ist in der ›Schwäbischen Kronik‹ (Nr. 291) angezeigt.

8. Dezember: Vischer weiß, daß M »als Vorleser sehr beliebt« ist, hat das Weiß-Porträt in Schaufenstern gesehen. Er besucht M im Laufe der Woche und lernt seine Frau kennen.

12. Dezember: Für F. und Th. Buttersack schreibt M die erste Fassung von ›Zwei Brüdern ins Album‹.

15. Dezember: M geht mit Frau und Schwester nach Ludwigsburg.

19. Dezember: Die von Metzler gesandte Probenummer der ›Frauen-Zeitung‹ gibt M zurück; er lehnt Beiträge ab.

22. Dezember: M zahlt die im September aufgenommenen Schulden seines Bruders Ludwig zur Hälfte ab.

1852

Die Gedichte ›An eine Sängerin‹ und ›Häusliche Szene‹ entstehen. – Im ›Deutschen Balladenbuch‹ (Leipzig) erscheinen ›Der Feuerreiter‹,

Abb. 5 Lithographie von B. Weiß. 1851.
270 × 204 mm.

›Des Schloßküpers Geister‹ und ›Schön-Rohtraut‹ mit Holzschnitt-Illustrationen von Adolf
Ehrhardt.

3. Januar: Im Oberen Museum hält M seine erste ›Damen-Vorlesung‹; er leitet in ›Hamlet‹ ein
und liest den ersten Akt vor.

5. Januar: Er stellt sich Hermann Hauff vor.

7. Januar: Hartlaub kommt zu Besuch.

9. Januar: Er nimmt M's Schwester mit nach
Wimsheim.

10. Januar: M sucht Menzel auf (um ihm Litera-
turkritiken anzubieten?).

13. Januar: Bei M's zweiter ›Damen-Vorlesung‹
(›Hamlet‹ III) ist auch Ch. Späth anwesend.

16. Januar: M bittet Karl Künzel, den Agenten
einer Heilbronner Papierfabrik, um Vermittlung seines Danks an Berthold Auerbach, der
sich für ihn bei der Tiedge-Stiftung verwendete.

17. Januar: In seiner dritten ›Damen-Vorlesung‹ beendet M den ›Hamlet‹.

20. Januar: Mit seiner Frau und dem Bruder
Ludwig fährt M nach Ludwigsburg.

26. Januar: Mährlen, Vischer und Strauß (seit
November in Weimar) schenken M zur Hochzeit eine Lampe.

27. Januar: In seiner vierten ›Damen-Vorlesung‹ rezitiert M ›Was ihr wollt‹.

28. Januar: Mit seiner Frau geht M zu Ch.
Späth.

30. Januar: M und seine Frau besuchen Mährlen.

3. Februar: In der fünften ›Damen-Vorlesung‹
steht nochmals ›Was ihr wollt‹ auf dem Programm.

5. und 7. Februar: In der sechsten und siebten
›Damen-Vorlesung‹ liest M ›Macbeth‹.

8. Februar: Seine Schwester kehrt zurück.

9. Februar: M liest Georg Gottfried Gervinus'
›Shakespeare‹ (Leipzig 1849/50). – Alexander
Bruckmann verübt Selbstmord.

12. Februar: Mit seiner Frau, der Schwester und
dem Bruder Ludwig geht M zur Beerdigung
Bruckmanns.

13. Februar: Mit der Frau und der Schwester besucht M die Tante Dorothea Mörike.

14. Februar: In der achten ›Damen-Vorlesung‹
kommt M bis zum 3. Akt ›Romeo und Julia‹. Für
Heizung und Miete im Oberen Museum hat er
bisher 25 fl 53 x zahlen müssen.

16. Februar: Mit seiner Schwester bei Mährlen,
trifft M dessen Schwager Conradi sowie den
Kammerpräsidenten K. G. v. Wächter.

17. Februar: Wolff übergibt M das Honorar für
die ›Damen-Vorlesungen‹ mit einem begleiten-
den Gedicht.

18. Februar: M revanchiert sich mit einem Cho-
dowiecki-Porträt Friedrichs des Großen und
den Versen ›Das Musterbild gekrönter Köp-
fe . . .‹.

19. Februar: Der Schluß-Vorlesung aus ›Romeo
und Julia‹ wohnt auch Ch. Krehl bei.

20. Februar: In Feuerbach besucht M mit seiner
Frau und Schwester den Vetter Karl Planck, den
dortigen Pfarrer.

21. Februar: M's Schwester fährt mit Ch. Krehl
nach Nürtingen.

22. Februar: M bittet Menzel um den vierten
Teil (›Von Gottsched's Zeiten bis zu Göthe's Jugend‹) von Gervinus' ›Geschichte der poetischen
National-Literatur der Deutschen‹ (Leipzig
1851[3]).

26. Februar: Durch Vischers Vermittlung erhält
M ein Verlagsangebot von Carl Mäcken aus
Reutlingen. M will die Gelegenheit nützen, um
der Witwe Bauers finanziell zu helfen, und läßt
sich dessen ungedruckte Manuskripte besorgen.

6. März: In der 12. ›Damen-Vorlesung‹ beginnt
M mit ›Heinrich IV.‹. – Er liest von ihm selbst
korrigierte Partien aus der Schlegel-Übersetzung
und leitet sie jeweils ein; zur Korrektur benützt er die Übertragung von Adelbert Keller
und Moriz Rapp (Stuttgart 1843/46). (Wahrscheinlich war das die Praxis sämtlicher Vorlesungen.) – Er erbittet von Hartlaub Hetsch-
Kompositionen.

7. März: M's Frau fährt für ein paar Tage nach
Nürtingen.

8. März: Er bietet Mäcken die Hohenstaufen-
Trilogie Bauers an.

zweite Hälfte März: Nach einem Vorschlag
Hartlaubs plant M eine besondere ›Damen-
Vorlesung‹ mit dem 3. Akt der ›Iphigenie‹ oder
dem Schluß von Bauers ›Alexander‹, zusätzlich
vielleicht Texte von Christian Dreizler und Hebels ›Die Wiese‹, ›Der Karfunkel‹, ›Der Statthalter von Schopfheim‹. – M beschäftigt sich mit
Bauers Nachlaß, findet keine Zeit zu einer eigenen Shakespeare-Ausgabe.

28. März: Der ›Frauen-Zeitung‹ reicht M folgende Gedichte ein: ›Frankfurter Brenten‹, ›An
M.‹, ›Vom Kirchhof‹, ›Corona Christi‹, ›Zwei
dichterischen Schwestern‹, ›Denk es, o Seele!‹.

29. März: Vischer plant, M die Ehrendoktor-
würde zu verschaffen.

April: Vischer besucht M; sie sprechen über Th.
Kerners Magnetismus-Versuche, die M offensichtlich verteidigt; in einem Nebenzimmer
sieht Vischer einen Magnet. (Th. Kerner ist

praktischer Arzt in Stuttgart.)

1. April: In seiner 15. ›Damen-Vorlesung‹ macht M mit ›Der Widerspenstigen Zähmung‹ bekannt.

8. April: M's Bruder Ludwig verläßt Stuttgart.

13. April: Seine Schwester geht zu Besuch nach Wimsheim.

17. April: In seiner letzten (16.) ›Damen-Vorlesung‹ trägt M eine Auswahl deutscher Gedichte vor.

26. April: An das in Stuttgart seit diesem Jahr erscheinende ›Kunst- und Unterhaltungsblatt für Stadt und Land‹ reicht M acht Gedichte ein, darunter ›Entschuldigung‹, ›Zwei dichterischen Schwestern‹, ›Zitronenfalter im April‹, ›Der Sommer hört schon auf . . .‹, ›Unterschied‹, ›Es rinnet im Tal . . .‹ und ›Die frischen Blüten . . .‹. – Mit seiner Frau besucht M das Händel-Oratorium ›Judas Makkabäus‹.

30. April: M's Schwester kehrt von Wimsheim zurück.

1. Mai: In der ›Frauen-Zeitung‹ (Nr. 9) erscheinen M's Gedichte ›An M.‹ und ›Frankfurter Brenten‹.

4. Mai: Dem ›Kunst- und Unterhaltungsblatt‹ schickt M Bauers ›Erinnerungen‹ sowie korrigierte Fahnen und neue eigene Manuskripte. Am Abend besucht er mit Alexander Bauer, mit seiner Frau und Schwester erneut Händels ›Judas Makkabäus‹.

15. Mai: In der ›Frauen-Zeitung‹ (Nr. 10) erscheint M's ›Vom Kirchhof‹.

17. Mai: A. Hartlaub besucht M.

18. Mai: Julius Klaiber, seit Herbst Theologiestudent in Tübingen, kommt zu M.

19. Mai: Mit Frau und Schwester sowie mit A. Hartlaub ist M bei seiner Tante D. Mörike.

20. Mai: Im Kreis seiner Familie hört M eine Predigt seines Studienfreunds Dettinger (seit 1852 Prälat) in der Stiftskirche; sie besuchen die Tante Ch. Georgii und Wolffs. (Karl Wolff ist seit 1845 verheiratet mit der Witwe Marie Charlotte von Breitschwert geb. Kielmeyer; deren Tochter Luise von Breitschwert freundet sich mit M an.)

23. Mai: Mit der Familie wandert M auf die Solitude.

26. Mai: Die ›Frauen-Zeitung‹ bittet ihn um weitere Beiträge.

31. Mai: Er geht mit A. Hartlaub nach Bad Cannstatt.

Juni: Im ›Kunst- und Unterhaltungsblatt‹ erscheinen ›Entschuldigung‹ und ›Zitronenfalter im April‹.

1. Juni: Die ›Frauen-Zeitung‹ (Nr. 11) bringt ›Corona Christi‹.

6. Juni: Mit der Familie spaziert M nach Botnang.

10. Juni: Zum Geburtstag seiner Frau schenkt er ›Wohlauf im Namen Jesu Christ! . . .‹. – Mährlen begleitet M und seine Familie in die katholische Kirche; sie besuchen anschließend Ottilie Werner.

14. Juni: B. Auerbach, aus Dresden zur Kur in Cannstatt, macht seinen ersten Besuch bei M.

19. Juni: M's Tante Georgii, Kusine Friederike Buttersack, deren Schwager Ferdinand Lempp u. a. besuchen ihn.

Juli: ›Lieb' in den Tod‹ erscheint im ›Kunst- und Unterhaltungsblatt‹.

erste Hälfte Juli: M reicht dieser Zeitschrift weitere Beiträge ein.

15. Juli: Die ›Frauen-Zeitung‹ (Nr. 14) bringt ›Denk es, o Seele!‹.

Mitte Juli: Ch. Späth leiht ihm 100 fl.

20. Juli: Wolff erhält von M die Idylle ›Der alte Turmhahn‹ in einer kürzlich überarbeiteten Fassung. M geht mit seiner Schwester und Frau zu Hartlaubs.

27. Juli: Auf der Heimfahrt (mit der Schwester) hat M einen Einfall zu seiner Mozart-Novelle (an der er offensichtlich in letzter Zeit arbeitete).

28. Juli: M beginnt wieder seine Lektionen am Katharinenstift. Wolff teilt mit, daß M's Ankündigung des ›Werther‹ als Unterrichtsstoff den Einspruch von Eltern hervorgerufen habe. (M hatte vorsorglich bereits einige Stellen für die Lektüre gestrichen.) – Mährlen berichtet M von der Bereitschaft der Universität Tübingen, ihm den Doktorgrad zu verleihen; sie unterhalten sich über das ›Nibelungenlied‹ und Johann Valentin Andreae.

29. Juli: Seiner Eingabe an die philosophische Fakultät der Universität Tübingen legt M die ›Idylle vom Bodensee‹ und die ›Classische Blumenlese‹ bei; er schickt das Schreiben an Vischer. – M kennt das ›Schwäbische Wörterbuch‹ von Johann Christoph Schmid.

31. Juli: Vischer schreibt zu M's Eingabe ein Gutachten für den Dekan Heinrich Fichte.

Ende Juli: Mährlen und M treffen sich regelmäßig zu »Abendkneipereien«.

August—September: Bauers ›Erinnerungen aus der Kindheit‹, »Mitgetheilt durch Eduard Mörike«, erscheinen im ›Kunst- und Unterhaltungsblatt‹.

2. August: Auerbach und seine Frau suchen M auf.

4. August: In seiner zweiten Stunde am Katharinenstift behandelt M den ›Werther‹. – Wegen erneuter Anleihen der J. Speeth verlangt Kuhn das Mergentheimer Haus und einen Weinberg als Sicherheiten.

5. August: Das Doktor-Diplom für M wird ausgestellt.

8. August: Wegen einer Erkältung kann M das Bett nicht verlassen.

10. August: Seine Frau kehrt aus Wimsheim zurück.

13. August: Er schickt sein Dankschreiben an die Philosophische Fakultät der Universität Tübingen.

14. August: M unterbreitet Cotta den Vorschlag, neben der zweiten Auflage der ›Gedichte‹ eine textgleiche Miniaturausgabe erscheinen zu lassen; Cotta notiert einen Vorrat von 686 Exemplaren der ›Gedichte‹[2] – er will auf M's Anregung später zurückkommen.

zweite Hälfte August: In der ›Neuen illustrirten Zeitschrift‹ erscheint M's Gedicht ›Rätsel‹.

16. August: M nimmt am Begräbnis Eberhard Wächters teil.

17. August: Das Katharinenstift feiert sein Jahresfest.

29. August: Auf Georg Scherers Wunsch schlägt ihm M für seine »Lyrische Anthologie« neun Texte aus ›Gedichte‹[2] vor. (Im ›Deutschen Dichterwald‹, Stuttgart 1853, erscheinen dann ›Lied eines Verliebten‹, ›Früh im Wagen‹, ›Jägerlied‹, ›Lied vom Winde‹, ›Ein Stündlein wohl vor Tag‹, ›Das verlassene Mägdlein‹, ›Ach nur einmal noch im Leben!‹, ›Schön-Rohtraut‹, ›Die traurige Krönung‹; Scherer studiert in München noch Philologie.)

September: ›Der alte Turmhahn‹ erscheint im ›Kunst- und Unterhaltungsblatt‹. – M sendet das Heft an Vischer für dessen Neffen Wilhelm Hemsen.

erste Hälfte September: M's Schwester hält sich in Nürtingen auf.

1.–23. September: Josepha Speeth ist erstmals von Mergentheim aus bei M zu Besuch; aus diesem Anlaß entsteht das Gedicht ›Die uns der Erste hat gegeben . . .‹.

3. September: M trägt die Verse ›Hier ist ein prächtiges Kästchen . . .‹ ins Stammbuch der Kaufmannstochter Julie Aichele ein.

6. September: Julius Hartmann, inzwischen Dekan in Tuttlingen, besucht M. – Zum Geburtstag der Frau seines Stuttgarter Arztes Dr. Wilhelm Fetzer läßt M die Verse ›Was ich bis dato . . .‹ überreichen.

7. September: M sucht Hartmann auf; er erhält Besuch von Christian Friedrich Bruckmann.

8. September: Mit seiner Frau fährt M ins nahe Zuffenhausen; er versäumt deswegen einen Besuch Kerners. Als Geburtstagsgeschenk seiner Schwester trifft eine Sendung Petrefakten ein.

19. September: M wird am Katharinenstift definitiv angestellt.

20. September: Müller von Königswinter und M lernen sich kennen.

Herbst: Kauffmann wird am Stuttgarter Gymnasium Professor für Mathematik. – Eduard Boas besucht M.

Oktober: ›Zwei dichterischen Schwestern‹ erscheint im ›Kunst- und Unterhaltungsblatt‹.

27. Oktober: M's Schwester geht nach Wimsheim.

Ende Oktober: Der Dichter Alexander Kauffmann besucht M zweimal.

Anfang November: M hat wegen des ›Hutzelmännleins‹ bereits mit Schweizerbart verhandelt und einen vorläufigen Vertrag unterzeichnet; bis Weihnachten soll gedruckt werden. M benötigt für die Schlußredaktion Meiers ›Kinder-Reime‹, die er deswegen von Hartlaub zurückfordert. – Am Katharinenstift meldet sich M krank.

1. November: Der ›Salon‹ (Nr. 3) bringt die ›Häusliche Szene‹.

4. November: Kerner empfiehlt eine 18jährige Autorin mit ihren Gedicht-Manuskripten (Hedwig Heinrich?) an M. (Sie will bei Metzler publizieren.)

7. November: Vischer schickt M die letzte Lieferung seiner ›Ästhetik‹ (Bd 3, Reutlingen, Stuttgart 1852); im Begleitbrief entwickelt er, ausgehend vom ›Alten Turmhahn‹, eine Charakteristik von M's Kunst.

10. November: In der ›Schwäbischen Kronik‹ (Nr. 267) schreibt M für den Winter ›Damen-Vorlesungen‹ über »deutsche poetische Literatur« aus.

Mitte November: M entwirft dafür ein Programm; er will hauptsächlich Goethe behandeln, besonders den ›Faust‹. Er korrigiert die Manuskripte der H. Heinrich (?) und kündigt Hartlaub Franz Kuglers ›Atlas‹ des ›Handbuchs der Kunstgeschichte‹ (Stuttgart 1848[2]) an.

zweite Hälfte November: Das ›Hutzelmännlein‹, »um ein Gutes« durch die Einarbeitung von »Lokalitäten u. Namen« erweitert, wird von M's Frau für den Druck abgeschrieben.

Dezember: ›Neue Liebe‹ und ›Unterschied‹ erscheinen im ›Kunst- und Unterhaltungsblatt‹. –

K. Hartlaub ist in Stuttgart.

Anfang Dezember: Mit seiner Frau sucht M die Mutter seines späteren Freundes Julius Klaiber auf, eine Schwester H. und W. Hauffs.

5. Dezember: H. Heinrich (?) macht ihren Abschiedsbesuch bei M.

8. Dezember: Der Tante Georgii kondoliert M wegen des Todes von Kreisbaumeister Abel, ihrem Bruder. – Mit Wolff bespricht er seine künftigen ›Damen-Vorlesungen‹. Von Schweizerbart will er 200 fl für sein auf fünf Bogen berechnetes ›Hutzelmännlein‹ fordern.

17. Dezember: Im Hause des Verlegers liest M sein ›Hutzelmännlein‹ vor.

18. Dezember: Seine Schwester kehrt aus Wimsheim zurück.

22. Dezember: Schweizerbart und M verhandeln über den ›Hutzelmännlein‹-Vertrag. Der Verleger will das Märchen mit Holzschnitten von Ludwig Richter und anderen Dresdner Künstlern illustrieren; M ist dagegen, um den Ladenpreis und das eigene Honorar nicht zu gefährden; schließlich vereinbaren sie eine Titelvignette von Fellner. Das Titel-Motto wollen sie streichen (es wird aber übernommen).

23. Dezember: Sie unterschreiben den Vertrag: Schweizerbart druckt 2000 Exemplare, die je zur Hälfte als erste und zweite Auflage ausgegeben werden sollen; M erhält jeweils 440 fl Honorar; für weitere Auflagen sind je 550 fl Honorar vorgesehen.

24. Dezember: Fürs Frühjahr bietet M dem ›Morgenblatt‹-Redakteur H. Hauff »eine kleine Novelle: Mozart auf seiner lezten Reise nach Prag« an; Hauff hatte ihn um Rezensionen für die Zeitschrift gebeten.

30. Dezember: Hartlaub schickt einen Band der Erlanger Luther-Ausgabe und informiert u. a. über die ›Faust‹-Illustrationen von Engelbert Seibertz (Stuttgart 1853) und über Harriet Beecher-Stowe.

1853

M's Edition ›Gedichte von Wilhelm Waiblinger‹ erscheint in einer Titelauflage bei C. P. Scheitlin in Stuttgart. – Im ›Deutschen Musenalmanach‹ (3. Jg, Würzburg) ediert M ›An eine Verlobte‹ von Hölderlin. – O. Schönhuth druckt in seinen ›Seerosen‹ (Constanz) einen Auszug aus der ›Idylle‹ ab.

Anfang Januar: M besucht mit seiner Frau die Neujahrsfeier des Stuttgarter Liederkranzes.

4. Januar: Ludwig Grote bittet um Beiträge für sein Jahrbuch ›Harfe und Leyer‹.

6. Januar: Mit Frau und Schwester besucht M die Verwandten in Feuerbach, am Abend eine liturgische Andacht in der Stiftskirche.

8. Januar: M beginnt seine ›Damen-Vorlesungen‹ mit dem eigenen ›Hutzelmännlein‹. Luise von Breitschwert fängt mit ihren Scherenschnitt-Illustrationen zum Märchen an.

9. — 13. Januar: Hartlaub besucht M.

10. Januar: Mit Frau und Schwester hört M den ›Don Juan‹; er trifft im Theater E. F. Kauffmann.

11. Januar: Bei der zweiten ›Damen-Vorlesung‹ des ›Hutzelmännleins‹ ist Hartlaub anwesend.

12. Januar: Ferdinand Speeth kommt zu Besuch.

13. Januar: Hartlaub bittet M um ›Reineke Fuchs‹ mit Zeichnungen Wilhelm von Kaulbachs (München 1847).

16. Januar: Mit seiner Frau macht M Verwandten-Besuche.

21. Januar: L. Bauers Witwe, M und seine Familie besuchen Klaibers.

22. Januar: In seiner dritten ›Damen-Vorlesung‹ leitet M mit einer Charakteristik in Goethe ein.

25. Januar: Vor Goethes ›Götter, Helden und Wieland‹ behandelt M in seiner ›Damen-Vorlesung‹ Euripides nach der Übersetzung von J. J. C. Donner (Heidelberg 1852).

29. Januar: In seiner ›Damen-Vorlesung‹ benützt M zur Darstellung von Goethe in Sesenheim H. Düntzers ›Frauenbilder aus Goethe's Jugendzeit‹ (Stuttgart 1852).

5. Februar: Er erklärt Goethes Geschichtsauffassung und behandelt ›Die Geschwister‹.

7. Februar: Goethes ›Triumph der Empfindsamkeit‹ ist das Thema der achten ›Damen-Vorlesung‹.

14. Februar: M leitet in Goethes ›Iphigenie‹ ein.

19. Februar: Er besucht das Kinderfest des Katharinenstifts.

24. Februar: In seiner elften ›Damen-Vorlesung‹ behandelt M u. a. Theokrits Idyllen; er liest dessen ›Hylas‹ und ›Syrakuserinnen am Adonisfeste‹ sowie Hebels ›Statthalter von Schopfheim‹.

Ende Februar: Der Druckbeginn des ›Hutzelmännleins‹ ist vorgesehen. – A. Hartlaub kommt zu Besuch (bis 19. März).

März: M's Märchen ›Die Hand der Jezerte‹ erscheint mit einer Stahlstich-Illustration im ›Kunst- und Unterhaltungsblatt‹.

1. März: Die zwölfte ›Damen-Vorlesung‹ behandelt wieder Goethe; M liest ›Xenien‹, den ›Zauberlehrling‹, ›Die Braut von Korinth‹ u. a.

3. März: Die Entmündigung von Josepha Speeth wird aufgehoben.

8. März: M leitet in ›Faust‹ ein und liest die ersten Szenen vor.

13. März: M hört im Theater erstmals Mozarts ›Entführung aus dem Serail‹.

22. März: Hartlaub empfiehlt ›Onkel Tom‹ von Harriet Beecher-Stowe an M.

26. März: M sendet an Ludwig Grote das inzwischen dreistrophig ausgeführte Gedicht ›Heiligs Kreuz!‹ zusammen mit dem Original. (Beide erscheinen im ersten Jahrgang von ›Harfe und Leyer‹, Halle 1853, mit einer Notiz zur Nachdichtung.)

30. März: Im Theater sieht M Lustspiele von G. v. Putlitz und Eugène Scribe.

Ende März: Die Hoffmannsche Verlagsbuchhandlung in Stuttgart bittet M für ihr Übersetzungswerk ›Neueste Sammlung ausgewählter Griechischer und Römischer Classiker‹ um ein Lustspiel von Terenz oder Plautus; auch Anakreon wird ihm vorgeschlagen; »den ganzen Theokrit« lehnt er jedenfalls ab.

Anfang April: M schickt Druckfahnen des ›Hutzelmänleins‹ an Hartlaub. Er plant eine Reise nach Mergentheim. – Seine Schwester besucht eine Gesellschaft, in der das Tischrücken gepflegt wird; Kerners Schrift über ›Die somnambülen Tische‹ (Stuttgart 1853) hat das Interesse geweckt.

2. April: M hat Korrekturen des ›Hutzelmänleins‹; der siebte Bogen ist in Druck.

4. April: Er besucht eine Aufführung von ›Faust I‹. – Hartlaub fragt nach Lohbauer (der zur Zeit die Heimat wieder bereist).

9. April: Mit seiner Schwester besucht M die Sophokleische ›Antigone‹ in der Übersetzung von Johannes Minckwitz mit Musik von Mendelssohn-Bartholdy; der Schauspieler Karl Grunert rezitiert den Text, Gottlob Friedrich Faißt, Musiklehrer am Katharinenstift, hat die Leitung.

15. April: In Karl Künzels Album trägt M die Verse ›Die Welt wär ein Sumpf . . .‹ ein.

16. April: Im Oberen Museum hört M das Händel-Oratorium ›Samson‹; er geht anschließend zu Schweizerbart.

19. April: Hermann Hardegg stirbt.

22. April: M nimmt am Begräbnis seines Freundes teil.

24. April: E. Boas erbittet von M die (angebliche) Handschrift von Schillers ›Räthsel‹.

25. April: L. v. Varnbüler erhält bei ihrer Rückkehr von einer Reise M's Gedicht ›Der Frau Generalin v. Varnbüler‹.

Mai: Der »Spiegelvers« erscheint im ›Kunst- und Unterhaltungsblatt‹.

Mitte Mai: ›Das Stuttgarter Hutzelmännlein. Märchen‹ erscheint; es enthält eine Titelvignette von Fellner. Die Ausgabe hat sich wegen der Gravur der Deckenstempel verzögert; versehentlich wurden 500 Exemplare zu wenig gedruckt. Ein Drittel der Auflage erscheint »elegant gebunden mit Goldschnitt«, sonst geheftet; die Bände kosten 1 fl 48 x bzw. 1 fl 12 x. – M liest das Buch vor einem Kreis geladener Gäste, darunter Notter und Wolff. – Seine Schwester fährt zu Ch. Krehl nach Nürtingen. – M. Hartlaub besucht M.

21. Mai: M schickt das noch nicht öffentlich erschienene ›Hutzelmännlein‹ an die Schwester und an Hartlaub, dem er auch mitteilt, daß er nun die Arbeit an der Mozart-Novelle wieder aufnehmen werde; für später denke er »zuweilen an einen reinpoetischen Stoff«, wolle er vielleicht den früheren Makkabäer-Plan realisieren.

23. Mai: M's Bruder Ludwig (der in Augsburg angestellt ist) besucht ihn auf einer Geschäftsreise.

ab 25. Mai: M verteilt ca 40 Freiexemplare seines ›Hutzelmännleins‹ (bewußt nicht an die Kronprinzessin) u. a. an Vischer, Ch. Späth, Strauß (der in Köln lebt), J. Hübner, Lohbauer, Schönhuth, Stahr und Johann Georg Fischer, damals noch Reallehrer.

26. Mai: Mit dem ›Hutzelmännlein‹ schickt M seinen ersten Brief an Storm; er würdigt dessen ›Sommergeschichten‹, die er Anfang Februar 1851 als Geschenk erhalten hatte.

27. Mai: Seine Frau und M. Hartlaub begleitet M zu seiner Tante Neuffer und deren Verwandten; er liest das ›Hutzelmännlein‹ vor.

28. Mai: Mit seinem Bruder Ludwig besucht er eine Kammersitzung.

Ende Mai: Durch Notter erfährt M von den ›Hutzelmännlein‹-Illustrationen L. v. Breitschwerts. Notter plant eine Rezension des Märchens für die ›Allgemeine Zeitung‹; M bittet J. G. Fischer um eine Besprechung im ›Schwäbischen Merkur‹.

3. Juni: M dankt Schönhuth für die angetragene Patenschaft bei seinem Sohn Eduard Siegfried.

4. Juni: M's Schwester kehrt aus Nürtingen zurück.

5. Juni: Vischer lobt gegenüber M das ›Hutzelmännlein‹; er hat von J. Klaiber erfahren, daß M »einen größeren Novellenstoff aus der wirtemberg. Geschichte« plane.

7. Juni: ›An Fräulein Luise v. Breitschwert‹ entsteht.

10. Juni: Zum Geburtstag seiner Frau schenkt M das Gedicht ›Drunten in des Kaufherrn . . . .‹.

14. Juni: Beim Stuttgarter Schillerfest wird u.a. M's ›Kantate‹ aufgeführt.

17. Juni: Er reicht das Gedicht ›An Fräulein Luise v. Breitschwert‹ dem ›Morgenblatt‹ ein.

18. Juni: Seine Schwester fährt zur Kur nach Bad Mergentheim; sie wohnt dort bei Josepha Speeth. Während ihrer Abwesenheit liest M die ›Beschreibung des Einzugs Sr. herzogl. Durchlaucht des Herzog Carls den 11. July 1767‹ (Ludwigsburg); er arbeitet am ›Mozart‹.

19. Juni: Notter besucht M.

20. Juni: M erhält von Marie Lempp, der Frau eines Stuttgarter Obersteuerrats, eine Reihe von Scherenschnitten der Luise Duttenhofer zur Ansicht, die ihm so gefallen, daß er sie zu veröffentlichen erwägt. – Ch. Späth besucht M.

21. Juni: M's Vetter Heinrich E. Mörike stellt seine Braut Emilie Auguste Kauffmann vor. Auch die Neufferschen Basen (Luise Lempp und Friederike Buttersack) treffen ein.

22. Juni: J. G. Fischer erhält seine ›Hutzelmännlein‹-Rezension vom ›Schwäbischen Merkur‹ als zu lang zurück; er will sie nun dem ›Morgenblatt‹ anbieten und für den ›Merkur‹ einen kürzeren Beitrag vor allem über die lokalen Bezüge des Märchens verfassen.

23. Juni: Strauß schreibt seinem Freund Ernst Rapp negativ über das ›Hutzelmännlein‹.

25. Juni: J. Hübner bedankt sich für das ›Hutzelmännlein‹; er ist vor allem über die Lau-Szenen begeistert. – M schreibt am ›Mozart‹; er entwirft die Erzählung des Komponisten von seiner Italienfahrt im Frühling 1770. – Auch im Brief an Vischer kritisiert Strauß das ›Hutzelmännlein‹.

26. Juni: Bei einem Besuch von Buttersacks und Ch. Späth liest M die ›Häusliche Szene‹ vor. – J. G. Fischers ›Hutzelmännlein‹-Besprechung erscheint in der ›Schwäbischen Kronik‹ (Nr. 149).

27. Juni: M schreibt seit einigen Tagen an den Eingangspartien seines ›Mozart‹.

28. Juni: Wegen des Speethschen Erbschaftsprozesses droht ihm eine Fahrt nach München.

Anfang Juli: Josepha Speeth schickt Geld, mit dem M Schulden von Wilhelm Speeth begleichen soll.

2. Juli: Menzel schreibt im ›Literaturblatt‹ über das ›Hutzelmännlein‹.

5. Juli: Hartlaub schildert Erfahrungen mit dem Pendeln.

8. Juli: M sucht vergeblich Th. Kerner in Bad Berg auf.

12. Juli: Storm dankt für das ›Hutzelmännlein‹; er schreibt eine autobiographische Skizze für M und legt ihm Gedicht-Manuskripte sowie seine ›Gedichte‹ (Kiel 1852), Druckfahnen der ›Argo für 1854‹ (Dresden) u. a. bei.

14. Juli: Robert Prutz schreibt im ›Deutschen Museum‹ (3. Jg, Nr. 29) über das ›Hutzelmännlein‹. In dem ›Evangelischen Kirchen- und Schulblatt‹ (Stuttgart, Bd 14) erscheint ›Der alte Turmhahn‹; diesen Druck läßt M über Kauffmann an Strauß gehen.

Mitte Juli: Mayer schenkt M seine Edition ›Lenau's Briefe an einen Freund, hg. mit Erinnerungen an den Verstorbenen‹ (Stuttgart 1853); Adolf Böttger schickt seine Dichtung ›Habana‹ (Leipzig 1853). – M unterbricht seine Arbeit am ›Mozart‹.

16. Juli: Mit seinem Bruder Ludwig geht M nach Esslingen.

zweite Hälfte Juli: Wegen seinem Schwager W. Speeth berät sich M mit dessen Verwandten und Obersteuerrat Eberhard Lempp. – C. Hartlaub besucht M.

20. Juli: Vischer verteidigt das ›Hutzelmännlein‹ gegenüber Strauß.

26. Juli: Notters ›Hutzelmännlein‹-Kritik erscheint in der Beilage zur ›Allgemeinen Zeitung‹ (Nr. 207).

August: M trägt die Verse ›Mit hundert Fenstern‹ erstmals in das Album einer Schülerin des Katharinenstifts ein.

erste Hälfte August: M's Schwester schlägt ihm ihre Trennung von der Hausgemeinschaft vor. Er zeichnet für sie den Ausblick aus seinem Stuttgarter Fenster und schickt ihr die Zeichnung mit dem Gedicht ›In Sonne-, Mond- und Wetterschein . . .‹; er kündigt eine weitere Antwort an. – M berät sich mit Notter wegen eines Umzugs nach Bergheim (Notter wohnt auf dem dortigen Hof); M's Frau ist wahrscheinlich gegen diesen Plan.

11. August: In das Album von Kerners Enkelin Anna Niethammer trägt M die Verse ›Dich, o Freundliche . . .‹ ein. (A. Niethammer heiratet 1860 Bauers Sohn Alexander.)

14. August: Diese Verse und das Album-Gedicht ›Auf dieses Kreuz und Quer . . .‹ sendet er der Schwester nach Mergentheim.

Mitte August: M's Frau beruhigt seine Schwester; sie sieht keine Notwendigkeit für die Trennung. – M arbeitet am ›Mozart‹.

29. August: Seine Schwester erwägt Bedingungen, unter denen sie nach Stuttgart zurückkehren kann.

Anfang September: Hetsch hält sich in Stuttgart auf, bringt die Vertonung von ›Der Knabe und das Immlein‹; M erwähnt, ihm den ›Mozart‹ widmen zu wollen.

7. September: In der Oper sieht M ›Lucia von Lammermoor‹ von Donizetti.

10. September: M glaubt, für den Abschluß des ›Mozart‹ nur noch wenige »völlig klare und ungestörte Tage« zu benötigen; er will sie bei Hartlaub verbringen, der musikalische Fragen der Novelle klären helfen wird.

15. September: Er schreibt das Gedicht ›Bei jeder Wendung deiner Lebensbahn . . .‹ auf.

Mitte September: Während M mit der Schwester zu Hartlaubs nach Wimsheim geht, wendet sich seine Frau zu Krehls nach Nürtingen.

18. September: Fischer schickt sein Gedicht ›Herbstsonne‹, das auf eine Bemerkung M's hin entstanden ist.

Herbst: Kauffmann publiziert in Stuttgart seine ›Schön-Rohtraut‹-Komposition.

1. Oktober: Im ›Salon‹ (Nr. 19) steht eine ›Hutzelmännlein‹-Rezension.

3. Oktober: Über Maulbronn begleitet Hartlaub M und dessen Schwester zurück nach Stuttgart. – M wird an das Übersetzungsangebot der Hoffmannschen Buchhandlung erinnert und sagt zu; 210 fl Honorar sind in Aussicht gestellt.

4. Oktober: M besucht Mährlen, der ihm die Redaktion des ›Salon‹ vermitteln will; die Zeitschrift hat finanzielle Schwierigkeiten.

ca 6. Oktober: Hartlaub fährt ab; M's Frau kehrt zurück.

17. Oktober: Seine Schwester fährt mit Hartlaubs nach Nürtingen; C. Hartlaub bleibt nur wenige Tage dort.

Mitte Oktober: M wird Redakteur des ›Salon‹; er hat Arbeiten von Elise Steudel und Scheffels ›Trompeter von Säkkingen‹ zu begutachten.

21. Oktober: M legt die Redaktion wieder nieder; er lehnt Steudels ›Gabriele‹ ab und empfiehlt Proben aus Scheffel. (Im ›Salon‹ werden beide kurz darauf abgedruckt.)

22. Oktober: In einer Nachschrift zu seinem Kündigungsbrief schlägt M eine Aufteilung der Redaktion nach den Gebieten Prosa und Lyrik vor; dann würde er den zweiten Teil übernehmen. (M blieb freier Mitarbeiter des Blatts, hat den Redakteur Christian Kolb häufig beraten; mit der Familie dieses Präzeptors und fleißigen pädagogischen Schriftstellers entwickelte sich sogar eine relativ enge Beziehung.)

Ende Oktober: M entschließt sich zur Theokrit-Übersetzung; einen Plan mit Sueton gibt er auf; den ›Mozart‹ läßt er liegen. – M's Bruder Ludwig besucht Hartlaub.

14. November: Karl Gutzkow rezensiert das ›Hutzelmännlein‹ in den ›Unterhaltungen am häuslichen Herd‹ (Leipzig, 1. Jg, Nr. 46).

Mitte November: M's Schwester kehrt nach Stuttgart zurück.

24. November: In der ›Allgemeinen Zeitung‹ beginnt eine Rezension über Sir Hudson Lowes Buch ›Napoleon auf St. Helena‹ (London 1853), die Hartlaub in Fortsetzungen an M schickt.

Dezember: Auf Empfehlung Wolffs liest M ›Die poetischen Bücher des Alten Bundes‹ von Heinrich Ewald (Göttingen 1839); ›Das Lied Deboras‹ aus dem ersten Teil schreibt er für Hartlaub ab. – M gewinnt Notter als Mitarbeiter an der Theokrit-Übersetzung.

18. Dezember: Hübner schickt im Namen der Dresdner Freunde ein Gegengeschenk.

29. Dezember: Als Gast besucht M den (seit drei Jahren bestehenden) Stuttgarter Künstler-Verein ›Bergwerk‹, dem u. a. bereits Kurz, Löwe, Notter, der Schriftsteller Friedrich Wilhelm Hackländer, Th. Wagner und der Kupferstecher Ernst Dertinger angehören. An diesem Abend liest Grunert ›Die Bärenritter‹ von J. Kerner und L. Uhland; Th. Kerner und der Journalist Edmund Zoller sind unter den Anwesenden.

31. Dezember: Der Mathematiklehrer Gustav Reuschle verwendet in seinem Nachruf auf Hardegg in der ›Schwäbischen Kronik‹ Informationen von M, Kauffmann und Mährlen.

1854

Im Stuttgarter Verlag von Carl Mäcken geben M und Notter die Nullnummer von ›Mitteilungen über Literatur, Kunst und Musik ec.‹, Zeitschrift für die geistigen Interessen der Frauenwelt‹ heraus. – O. Schönhuth publiziert ›Des Schloßküpers Geister‹ in seinem Sammelband ›Erinnerung an Tübingen‹ (Tübingen). – Eine Auswahl von M's Schriften erscheint als 52. Band der Reihe ›Moderne Klassiker‹ in Kassel (bei Ernst Balde, zugleich in Hamburg bei Hoffmann u. Campe; in 5. Aufl. 1859/60 in Leipzig) mit M's Porträt nach dem Bild von B. Weiß.

Januar: ›An Fräulein Elise v. Graevenitz‹ entsteht für die Gesellschafterin der L. v. Varnbüler.

1. Januar: M beteiligt sich bei Sophie Klaiber am Tischrücken. – Charlotte Elsäßer besucht M; ihr Mann ist Nachfolger Hardeggs als Königlicher Hofarzt geworden. – Das Gedicht ›Meiner Schwester‹ erscheint im ›Salon‹.

2. Januar: M macht Neujahrsbesuche bei Carl Mörike, dessen Schwiegersohn Friedrich von Batz, L. v. Varnbüler und Faißt.

3. Januar: M besucht Th. Kerner.

5. Januar: Er nimmt an der Dreikönigsfeier des ›Bergwerks‹ neben Grunert, Fellner, Lindpaintner, dem Opernsänger Jakob Wilhelm Rauscher, dem Maler Heinrich Rustige u. a. teil; er erhält das »Diplom als Ehrenknappe« und bittet um seine »Bergmannstaufe«.

10. – 12. Januar: M's Bruder Ludwig ist wieder aus Augsburg da.

12. Januar: Paul Heyse publiziert einen Aufsatz über M im ›Literaturblatt‹ des ›Deutschen Kunstblatts‹ (1. Jg, Nr. 1).

13. Januar: M kündigt seine Wohnung.

14. Januar und die folgenden Tage: Mit Schweizerbart verhandelt M wegen einer neuen Ausgabe des ›Maler Nolten‹, für die er gewisse Spannungen zwischen dem ersten und zweiten Buch beseitigen will; Schweizerbart bietet 250 fl Honorar.

17. Januar: M mietet ein neues Logis in der Alleenstr. 9 für eine Jahresmiete von 250 fl. – Die ›Schwäbische Kronik‹ (Nr. 13) meldet M's Mitgliedschaft im ›Bergwerk‹.

19. Januar: Am Abend liest er im ›Bergwerk‹ Theokrits ›Zauberin‹ vor Fellner, Lindpaintner, dem Kupferstecher Carl August Deis u. a. M erhält seine Taufe auf den Namen »Wendehals« (vgl. ›Zur Warnung‹).

20. Januar: Bei einem Spaziergang mit seiner Frau begegnet M Rektor Wolff, mit dem er sich über seinen neuen Plan eines Privatunterrichts berät und über die Möglichkeit, Schülerinnen in Kost zu nehmen.

21. Januar: M bittet Rudolf Kausler um Beiträge für den ›Salon‹. – Er besucht eine Abendgesellschaft bei E. Lempp.

22. Januar: Während Notters Anwesenheit liest M die ›Häusliche Szene‹ vor.

23. Januar: Im Theater sieht M den ›Don Carlos‹.

25. Januar: M besucht Christoph Schwab, seit 1852 Professor am Katharinenstift.

26. Januar: Im ›Bergwerk‹ liest M die ›Häusliche Szene‹ vor. Anwesend sind u. a. Deis, Fellner, Rustige, der Schauspieler August Gerstel und (als Gast) der Komponist Gustav Pressel. – M

hat an den Sitzungen des Künstler-Vereins wohl nicht mehr häufig teilgenommen, blieb ihm aber als Ehrenmitglied verbunden.

28. Januar: G. Pressel besucht M.

30. Januar: Schweizerbart und M unterzeichnen einen Vertrag für die zweite Ausgabe des ›Nolten‹; M erhält bei einer Auflage von 1000 Stück 500 fl Honorar. Die Revision soll sich auf formale Änderungen und eine Verbesserung des ›Letzten Königs von Orplid‹ erstrecken. Die Hälfte des Honorars wird M wahrscheinlich bald ausgezahlt.

Februar: In das Stammbuch von Theodor Buttersack schreibt M die Verse ›Blitze schmettern oft die Bäume . . .‹.

6. – 8. Februar: Hartlaub ist zu Besuch.

12. Februar: Hugo Bürkner, Professor für Holzschneidekunst in Dresden, regt bei M Illustrationen des ›Turmhahns‹ von L. Richter und J. Hübner an; der Brief wird M durch Auerbach zugeleitet.

15. – 16. Februar: Hartlaub besucht den erkrankten M.

19. Februar: Im Stuttgarter Theater sieht M den ›Don Juan‹.

Ende Februar – Anfang März: M's Schwester besucht den Bruder Ludwig in Augsburg, der eine neue Stelle annimmt.

März: Mit Uhland unterhält sich M über das ›Hutzelmännlein‹, in dem Uhland Stoffe aus alten Chroniken wiedererkannte; M war sich dessen nicht bewußt.

1. März: Storm erbittet ›Das verlassene Mägdlein‹ als Autograph zum Geburtstag seiner Frau; er empfiehlt Klaus Groths ›Quickborn‹ (Hamburg 1853) und sendet die ›Argo für 1854‹, vielleicht auch sein Buch ›Ein grünes Blatt‹ (Berlin 1855). In der ›Argo‹ liest M die Novelle ›La Rabbiata‹ von Paul Heyse.

9. März: Rudolf Gottschall rezensiert das ›Hutzelmännlein‹ in den ›Blättern für literarische Unterhaltung‹ (Nr. 11).

zweite Hälfte April: An Storm schreibt M über das ›Hutzelmännlein‹ und die ›Idylle vom Bodensee‹; er beurteilt u. a. dessen ›Grünes Blatt‹ und schickt neben dem gewünschten Autograph auch die ›Häusliche Szene‹ sowie die ›Turmhahn‹-Publikation vom 14. Juli 1853 und Bauers ›Schriften‹. Er fragt nach revisionsbedürftigen Stellen im ›Nolten‹ und legt Silhouetten-Porträts von sich, seiner Frau und Schwester bei. – Durch Wolff hat M ›Männer und Helden‹ von Theodor Fontane kennengelernt (Berlin 1850).

17. April: Mayer besucht M vor einer Fahrt zu

Kerner; sie sprechen über Storm. Auch Uhland kommt zu M.

18. April: Für Mayer und seinen Bruder sendet M den ›Turmhahn‹ ab.

23. April: M zieht in Stuttgart um; die neue Adresse lautet: Alleenstr. 9, 3. Stock (= heute: Geschwister-Scholl-Str. 27).

Ende April/Ende Juni: Christian Schad läßt M um Beiträge für den ›Deutschen Musenalmanach‹ bitten.

12. Mai: Agnes Hartlaub besucht M; sie wohnt bei Bekannten in Stuttgart.

Mitte Mai: Antonie Schwerzenbach, Pfarrerstochter aus Zürich, zieht bei M als Pensionsgast ein. – M geht zu seiner kranken Tante Neuffer.

bis 17. Mai: Unter verschiedenen Albumversen für Katharinenstift-Schülerinnen entsteht auch ›Das schöne Buch . . .‹.

30. Mai: Heyse ist (wie früher Geibel u.a.) von Maximilian II. nach München berufen worden; er wird vom König empfangen und verweist ihn auf M.

Juni: M schreibt das Gedicht ›Corinna‹.

8. Juni: M's Bruder Ludwig kommt nach Stuttgart. – M sucht Brutzer auf.

11.–15. Juni: Hartlaub besucht M.

24. Juni: M's Schwester geht zu Besuch nach Wimsheim.

28. Juni: Er leiht sich den ersten Teil des Grimmschen Wörterbuchs aus.

29. Juni: Mayers Ausführungen über ›Das Sonntagsblatt‹ (der Tübinger Romantiker) hat M erhalten; sie sind von Uhland überarbeitet; M empfiehlt ihre Publikation im ›Deutschen Museum‹, in den ›Blättern für literarische Unterhaltung‹ oder im ›Deutschen Kunstblatt‹. (Sie erscheinen 1856 im fünften Band des ›Weimarischen Jahrbuchs‹.) M bittet um einen dichtungstheoretischen Aufsatz Mayers.

Anfang Juli: Mit seiner Frau fährt M für etwa drei Wochen nach Mergentheim. Auf der Fahrt dorthin begegnen sie Hartlaubs Freund von Jan.

13. Juli: Vischer arbeitet am 3. Teil seiner ›Ästhetik‹; er kündigt M das dritte Heft des zweiten Abschnittes über ›Die Malerei‹ an, schreibt gerade am vierten Heft über ›Die Musik‹. An einem mit M und Notter geplanten Buch für und über Grunert will er sich nicht beteiligen.

19. Juli: M's Schwester geht mit C. Hartlaub nach Stuttgart, die bis zum 22. Juli bleibt. – Mährlen will im Prozeß zwischen M's Frau und Schwager einen Vergleich vermitteln.

23. Juli: Hartlaub ist in Stuttgart.

24. Juli: Er fährt nach München. Dort will er

u. a. für M wegen Wilhelm Speeth verhandeln, der immer noch Forderungen an Mutter und Schwester stellt.

29. Juli: M kehrt mit seiner Frau nach Stuttgart zurück. Müller von Königswinter besucht ihn.

2. August: Hartlaub kommt nach Stuttgart. Nach Gesprächen mit M scheinen die persönlichen Differenzen ausgeräumt; ihre politischen Ansichten divergieren weiterhin.

3. August: M unterhält sich mit Hartlaub über Vischers ›Malerei‹.

4. August: Hartlaub fährt nach Hause, er bittet um Oulibicheff.

vor 8. August: M nimmt eine zweite Pensionistin (Thekla) ins Haus.

13. August: Notter heiratet die Witwe von O. Schmidlin.

Ende August: M liest Kinderlehren von Hartlaub. – Seine Schwester besucht die Verwandten in Nürtingen.

9. September: M's Gehalt am Katharinenstift wird erhöht; er bezieht jetzt 100 fl jährlich.

16. September: Mayer schickt seine Studien über Naturpoesie.

Mitte September: M's Schwester kehrt aus Nürtingen zurück.

24. September: M besucht Grunert. (Er begründet wahrscheinlich das Scheitern des Buches über ihn.)

25. September: Der Druck an der Theokrit-Ausgabe, für die M elf Idyllen übersetzt hat, ist bis zum sechsten Bogen fortgeschritten. Während der Korrektur hat M die eigenen Übersetzungen nochmals überarbeitet. Er bittet daher Notter, die neue Redaktion beim Kommentar (den dieser allein schreibt) zu berücksichtigen.

26. September–4. Oktober: M hält sich mit seiner Schwester bei Hartlaub in Wimsheim auf.

30. September: Er rät Mayer zur Publikation seiner Studien über Naturpoesie und macht Änderungs-, Ergänzungsvorschläge (sie bleiben unveröffentlicht).

Herbst: Hemsen (Student der Philologie) und M lernen sich persönlich kennen; M rät zur Publikation seiner Ausführungen über ›Das holländische Theater‹. M lernt auch Friedrich Eggers kennen, den Herausgeber des ›Deutschen Kunstblatts‹, und bietet ihm Mayers Artikel über das ›Sonntagsblatt‹ an.

8.–13. Oktober: Hartlaub hält sich in Stuttgart auf.

21. Oktober: Hemsen schenkt M seine Dissertation ›Schiller's Ansichten über Schönheit und Kunst‹ (Göttingen 1854).

22. Oktober: M's Frau und Schwester haben eine Auseinandersetzung; M sieht seine Frau im Unrecht und vermag sich nicht zu äußern.

24. Oktober: M's Schwester fragt bei seinem Bruder Ludwig an, ob sie den Winter bei ihm verbringen könne; M hat ihr eine Trennung auf Zeit vorgeschlagen.

26. Oktober: Hartlaub schickt an M eine angeblich von Palestrina stammende Komposition zu ›Crux fidelis‹.

2. November: An G. Pressel sendet M eine weitere Strophe seines ›Jägerlieds‹ zur Vertonung; er wünscht sich die Komposition der ›Storchenbotschaft‹, die Pressel neben anderen Arbeiten nach M-Gedichten auch ausführt; ›Jung Volker‹ hat er bereits vertont.

6. – 15. November: C. Hartlaub ist in Stuttgart.

10. November: Für die Theokrit-Ausgabe läßt M zwei Vorreden an den Verleger gehen; Notter hat die seine überarbeitet, M eine beanstandete Stelle nicht revidiert; er bittet um weitere Aushängebogen und um sein Honorar.

15. November: Storm charakterisiert die Figur der Constanze im ›Nolten‹; er empfiehlt M seine Rezensionen im ›Literaturblatt‹ des ›Deutschen Kunstblatts‹ über Klaus Groths ›Hundert Blätter‹ (Hamburg 1854), Marc Anton Niendorfs ›Lieder der Liebe‹ (Berlin 1854), Julius von Rodenbergs ›Lieder‹ (Hannover 1854²) und teilt mit, daß Louis Ehlert ›Das verlassene Mägdlein‹ vertont habe; Hetschs Kompositionen zu ›Agnes‹ und zum ›Elfenlied‹ (beide in op. 8) gefallen ihm. Er legt neben Fotos seiner Familie die Geschichte ›Im Sonnenschein‹ (Berlin 1854) bei. Mit Heyse stimmt Storm darin überein, daß M den ›Nolten‹ nicht überarbeiten dürfe, vielmehr neue Texte schreiben müsse. (In seinem Antwortbrief äußert sich M über den ›Sonnenschein‹.)

Mitte November: M's Schwester hält sich in Nürtingen auf.

zweite Hälfte November: Hartlaub ist über Heines ›Geständnisse‹ (im ersten Band der ›Vermischten Schriften‹, Hamburg 1854) aufgebracht; sie erinnern ihn an die Religions-Angriffe Vischers; er bedauert, daß M nicht seiner Ansicht ist.

27. November: M's Schwester kehrt aus Nürtingen zurück.

Dezember: ›Der Schäfer und sein Mädchen‹ erscheint in der Monatsschrift ›Die deutschen Mundarten‹ (1. Jg.). – Die Pensionistin Thekla verläßt die Hausgemeinschaft M's.

4. – 6. Dezember: Hartlaub ist in Stuttgart; M

liest ihm aus Karl Simrocks Freidank-Übersetzung in dessen ›Altdeutschem Lesebuch‹ (Stuttgart, Tübingen 1854) vor, die er zur Zeit für das Katharinenstift benötigt; sie besprechen Beiträge zu Scherers ›Volkslieder‹-Ausgabe. (Scherer ist freier Schriftsteller in Stuttgart.)

23. Dezember: Mit der Bitte um Kritik schickt Paul Heyse an M seine Tragödie ›Meleager‹ (Berlin 1854) und die ›Hermen‹ (Berlin 1854); aus diesen »Dichtungen« liest M seiner Familie ›Michelangelo Buonarotti‹ und ›Die Furie‹ vor. Heyse grüßt von Geibel.

1855

Gottschall charakterisiert M im zweiten Band seiner ›Deutschen Nationalliteratur des 19. Jahrhunderts‹ (Breslau). – Eine Auswahl von M's Schriften erscheint im 278. Bändchen von ›Meyer's Groschen-Bibliothek der Deutschen Classiker‹ (Hildburghausen); auch Reclam publiziert eine Auswahlausgabe in diesem (?) Jahr.

Anfang: Wegen einer Neuauflage des ›Hutzelmännleins‹ verhandelt M mit Schweizerbart. Der Verleger will nur noch 500 Exemplare drucken; da M dabei auch finanziell schlecht fahren würde, schlägt er Schweizerbart vor, das Märchen zusammen mit dem ›Schatz‹ zu publizieren; darauf geht der Verleger nicht ein. M nimmt kleine Überarbeitungen am ›Hutzelmännlein‹ vor und fragt Hartlaub nach revisionsbedürftigen Stellen.

erste Hälfte Januar: M arbeitet an seiner Mozart-Novelle, scheidet einige Partien aus, glättet Übergänge.

1. Januar: ›An eine Sängerin‹ erscheint im ›Salon‹ (Nr. 1).

3. Januar: Hartlaub bittet um W. H. Riehls ›Musikalische Charakterköpfe‹ (Stuttgart 1853) und zitiert Karl Rosenkranz' ›Aus einem Tagebuch‹ (Leipzig 1854).

15. Januar: M's Schwester fährt nach Wimsheim, bleibt bis zum 25. Januar.

Februar: M hat Gliederschmerzen.

Anfang Februar: Seine Schwester geht wieder nach Nürtingen.

2. Februar: M gibt in seiner Wohnung einen Musikabend.

15. Februar: Im ›Salon‹ (Nr. 4) erscheint ›Der Frau Generalin v. Varnbüler‹.

zweite Hälfte Februar: M's Schwester kehrt aus Nürtingen zurück.

22. Februar: Hartlaub zitiert im Brief an M ein

Schreiben Luthers (17. Juni 1525) aus der Erlanger Luther-Ausgabe.

25. Februar: Hartlaub bittet M um eine Anleitung für die »Mittagslinie«; M macht ihm bald Auszüge aus Christian Wolfs ›Anfangsgründen aller mathematischen Wissenschaften‹ (Frankfurt, Leipzig 1740[7]).

27. Februar: Zum Geburtstag der E. Buttersack schenkt M eine überarbeitete Fassung von ›Dir, o Liebste . . .‹.

Ende Februar: Eine seit Mitte Dezember geplante, immer wieder aufgeschobene Wohltätigkeitsveranstaltung unter M's Namen platzt endgültig: Mit Kauffmann und Grunert wollte sich M zusammentun, selbst aus dem ›Mozart‹ vorlesen sowie die Epistel ›An Longus‹ rezitieren und Vertonungen seiner Lieder spielen lassen. Der Abend kommt wahrscheinlich deswegen nicht zustande, weil M noch an der Novelle schreibt.

4. März: Hartlaub äußert sich erschüttert über den Tod des Zaren Nikolaus, der ihm als der ehrlichere Politiker erschien im Vergleich mit den Engländern und Franzosen.

8. März: Hartlaub schickt eine Abschrift der ›Plattdeutschen Bibelauslegung des Pastors Harms in Hermansburg‹ aus einem norddeutschen ›Volksblatt für Stadt und Land‹; M schreibt sie für Wolff nochmals ab. M's Schwester beschäftigt sich intensiver mit Claus Harms.

Mitte März: Sie fährt nach Mergentheim, um J. Speeth beim Umzug nach Stuttgart behilflich zu sein.

15. März: ›An Fräulein Luise v. Breitschwert‹ erscheint im ›Salon‹ (Nr. 6).

zweite Hälfte März: Josepha Speeth trifft mit M's Schwester in Stuttgart ein; sie wohnt zunächst bei M, bezieht aber bald ein eigenes Logis. (Auch M's Schwager kommt im Laufe des Jahres dazu, wendet sich dann wieder nach München.) – M arbeitet noch am ›Mozart‹.

31. März: ›An Eberhard Lempp‹ entsteht.

1. April: ›An Fräulein Elise v. Graevenitz‹ erscheint im ›Salon‹ (Nr. 7).

12. April: M's Tochter Josefine Constanze Klara Franziska (Fanny) wird geboren.

Mitte April: M wird mit dem ›Mozart‹ fertig. – L. v. Breitschwert porträtiert seine Tochter.

15. April: Im ›Salon‹ (Nr. 8) stehen M's Verse ›Zum Geburtstag‹.

Mai: M unterzeichnet einen Aufruf ›An Deutschlands Männer und Frauen‹ zur Errichtung eines Schiller-Denkmals in Marbach a. N.

2. Mai: Er bittet Hartlaubs, die Patenschaft bei seiner Tochter zu übernehmen.

3. Mai: Müller von Königswinter schildert in der ›Kölnischen Zeitung‹ (Nr. 153) seinen Besuch bei M.

6. Mai: An Cotta schickt M seine Mozart-Novelle, deren Schluß er zurückbehält, weil er ihn noch verändern muß. Einer Miniaturausgabe will er ein Mozart-Porträt voransetzen und eine fiktive Mozart-Komposition anfügen; einen Künstler dafür habe er bereits. M wünscht 300 fl Honorar bei einer Auflage von 1000 Exemplaren. (Er hat noch 50 fl Schulden bei Cotta.) Im übrigen gibt M vor, im Laufe des Sommers eine weniger heitere Charakteristik Mozarts zu schreiben, vielleicht ausgehend von seinen letzten Tagen. M verweist auf Mozarts 100. Geburtstag im Januar 1856; er erwähnt Georg Nikolaus von Nissens ›Biographie W. A. Mozart's‹ (Leipzig 1828).

7. Mai: M's Tochter wird getauft; Paten sind M's Schwiegermutter, seine Schwester, Friedrich Mörike, Emilie Buttersack (die Tochter von M's Kusine), L. v. Breitschwert und (nicht anwesend) W. Hartlaub; für diesen Tag hat M das Gedicht ›Kaum daß ich selber gucke . . .‹ geschrieben. – Fischer teilt M im Auftrag des Stuttgarter Liederkranzes mit, daß er neben Kerner zum Ehrenmitglied ernannt worden sei; am kommenden Schillerfest erhalte er sein Diplom. Fischers Einladung zum gleichen Abend sagt M wegen einem Hexenschuß ab; er legt das Gedicht ›An Eberhard Lempp‹ bei.

8. Mai: Cotta will den ›Mozart‹ in Verlag nehmen; er schickt das Manuskript zurück. Die Buchausgabe soll zusammen mit der geplanten zweiten Mozart-Novelle veranstaltet werden; vorher möchte Cotta das eingesehene Werk im ›Morgenblatt‹ veröffentlichen; er bietet ein erhöhtes Honorar von 44 fl (statt der üblichen 30 fl) an.

11. Mai: Für die Konzeption der zweiten Mozart-Novelle braucht M Distanz von der ersten; er schlägt deshalb Cotta vor, diesen Text zusammen mit der ›Hand der Jezerte‹ und dem ›Alten Turmhahn‹ sowie der ›Häuslichen Szene‹ unter dem Titel ›Kleine Gemälde‹ zu publizieren; er legt die Stücke in Drucken bei. Mit dem ›Morgenblatt‹-Vorabdruck ist M einverstanden; er besteht jedoch auf 300 fl Honorar (er rechnet mit sechs Bogen); der Preis sei bei Lyrik üblich und dürfe, was seinen »Fleiß« anbelange, auch für diese Prosa gelten; auf ein Honorar für den Vorabdruck will M verzichten.

12. Mai: Cotta erscheinen die Zusammenstellung

dieser Stücke zu heterogen; er gibt sie zurück und optiert für die zweite Mozart-Novelle. Die erste übernimmt er fürs ›Morgenblatt‹ zu einem Honorar von 200 fl; wegen einer Buchausgabe stünden M dann weitere Verhandlungen offen.

15. Mai und 16. Juni: Vischer wird zum Professor am Polytechnikum bzw. an der Universität in Zürich ernannt.

Mitte Mai: M fügt die Szene von Haydns Brief am Schluß seines ›Mozart‹ ein; er plant auch eine Dedikation seines Buches.

18. Mai — 2. Juni: Agnes Hartlaub ist zu Besuch bei M.

21. Mai: M berichtet Mayer von seinem ›Mozart‹; den Brief überbringt Ralf Leopold von Retberg, ein Kunstschriftsteller und Maler.

28. Mai: Hemsen, derzeit Privatdozent in Göttingen, schenkt M einen Original-Brief von Lichtenberg und bittet um Verse in sein Album. Er erwägt, sich um den Lehrstuhl an der Tübinger Universität zu bewerben, der durch Vischers Ruf nach Zürich vakant geworden ist. (Nachfolger wird Karl Köstlin.)

29. Mai: An Hartlaub sendet M den zweiten Band der Mozart-Biographie von Nissen; die beiden anderen sollen folgen, wenn er mit ihrer Hilfe die Korrektur einiger »offengelassener Datas« im Manuskript ausgeführt habe.

erste Hälfte Juni: M liest seinen ›Mozart‹ dreimal vor, u. a. bei Wolff, der (zu M's Befriedigung) die wehmütige Stimmung der Novelle bemerkt, dann bei Notter vor Fischer, Faißt, Grunert und Hauber, inzwischen Prälat in Ulm. Wolff schlägt Kauffmann und Faißt als Komponisten der Musikbeilage vor, die aber ablehnen und auf Hetsch verweisen. Notter macht darauf aufmerksam, daß der in der Novelle verwendete Begriff Sauerstoff zu Mozarts Zeiten noch unbekannt war. — M schickt an Hartlaub die Partien seiner Novelle, die Hetsch als Grundlage für eine Komposition à la Mozart verwenden soll; diese »unschuldige Mystifikation« betrachtet er als »eine Ausdehnung der novellistischen Erfindung bis auf die Musik hinaus«. — C. Hartlaub kommt zu Besuch.

4. Juni: Mayer schickt M zur Auswahl und Korrektur einige Gedichte, die an den ›Deutschen Musenalmanach‹ gehen sollen.

9. Juni: Cotta überreicht den Vertrag zum ›Mozart‹; er ist zu einem Sonderdruck anläßlich des Mozart-Fests 1856 bereit.

10. Juni: M besucht eine ›Don Juan‹-Aufführung.

Mitte Juni: Bernhard Gugler, Mathematikprofessor und Musikwissenschaftler in Stuttgart, gibt das Manuskript des ›Mozart‹ an M zurück; er hat keine Einwände gegen die geplante Musikbeilage, kritisiert nur den Begriff Sauerstoff. Gugler legt seine ›Cosi fan tutte‹-Bearbeitung ›Sind sie treu?‹ (unter dem Pseudonym G. Bernhard 1858 erschienen) und einen Aufsatz über die Oper (1856 im ›Morgenblatt‹ Nr. 4 gedruckt) bei, die M durchzusehen wünschte. — M liest jetzt erst die Mozart-Biographie von Nissen. Er berichtet Hartlaub, daß seine Novelle durch Kürzung gewonnen habe. — M's Tochter ist krank; sein Bruder Ludwig hält sich in Augsburg auf; Hartlaub schickt die ›Mozart‹-Texte an Hetsch.

19. Juni: Aufgefordert, eine Vorlage für sein Porträt im ›Deutschen Musenalmanach‹ zu liefern, läßt sich M dreimal daguerreotypisieren (für 4 fl 30 x pro Stück); die Bilder mißlingen.

21. Juni: Das ›Mozart‹-Manuskript geht an Cotta ab; zugleich besteht M auf 300 fl Honorar bei einer Auflage von 1000 Stück und auf der Musikbeilage.

23. Juni: C. Hartlaub fährt nach Hause – in ihrem Begleitbrief zitiert M unter anderem Christian Wernikens ›Überschriften‹ (Leipzig 1780).

24. Juni: Hemsen übermittelt M einen Korrekturvorschlag des Tübinger Germanisten Wilhelm Holland für die zweite Auflage des ›Hutzelmännleins‹; er macht ihn auf ›Leben und Schriften des Dichters und Philologen Nicodemus Frischlin‹ von Strauß (Frankfurt 1855) aufmerksam. (Strauß lebt seit Herbst 1854 in Heidelberg.)

26. Juni: Cotta geht auf die Honorarforderung ein, wenn der Abdruck im ›Morgenblatt‹ gesichert sei und 1200 Exemplare gedruckt würden; eine Musikbeilage schließt er wegen des Miniaturformats aus.

27. Juni: M nimmt diese Vorschläge an.

28. Juni: Cotta schickt den Vertrag.

29. Juni: M gibt den unterschriebenen Vertrag zurück; die Verhandlungen gehen dennoch im Laufe der nächsten acht Tage weiter. — Von Scherer erhält M das zweite Heft der ›Volkslieder‹.

30. Juni: Gegenüber Hartlaub äußert sich M begeistert über Guglers Mozart-Bearbeitung. — Er will sich jetzt wieder mit der Neufassung des ›Nolten‹ beschäftigen.

Anfang Juli: Emanuel Geibel besucht M.

3. Juli: Hartlaub hat Oulibicheff gelesen und bittet um Nissen.

9. Juli: M übergibt der ›Morgenblatt‹-Redaktion eine Anmerkung zu seinem ›Mozart‹-Manuskript. Er unterschreibt den Verlagsvertrag endgültig, der nun vorsieht, daß nach der Zeitschriften-Publikation 1200 Exemplare gedruckt werden (für 350 fl Honorar; für die nächsten vier Auflagen sind je 150 fl vorgesehen); bis zum Druckbeginn Ende des Jahres hat M eine Musikbeilage zu besorgen; er erhält zwölf Freiexemplare.

13. Juli: An Christian Schad gehen für den ›Deutschen Musenalmanach‹ die Gedichte ›An Eberhard Lempp‹, ›Eine Vers-Tändelei‹, ›Unschuld‹ und wahrscheinlich eine diplomatische Abschrift von Hölderlins Ode ›Heidelberg‹ (alles 1856 im 6. Jg erschienen); die Vorlage für sein Porträt sagt M ab. – Er hat Hemsens Stammbuch, in das er an den folgenden Tagen Verse einträgt; er zeigt sie Vischer.

21. Juli: Hemsen schickt an M seinen (im ›Deutschen Museum‹ am 1. und 12. Juli erschienenen) Aufsatz ›Das holländische Theater‹ sowie eine Bibliographie von Sprichwort-Sammlungen.

22. Juli – 12. August: ›Mozart auf der Reise nach Prag‹ erscheint im ›Morgenblatt‹ mit einem Motto aus dem zweiten Band von Oulibicheff.

vor 24. Juli: Die (leicht veränderte) zweite Auflage des ›Stuttgarter Hutzelmännleins‹ erscheint. Mit Goldschnitt kostet sie im Laden 1 fl 48 x.

Ende Juli: Die Schwäche von M's Tochter gibt zu Sorgen Anlaß.

8. August: Storm hat die Möglichkeit eines Besuchs angemeldet; M antwortet ihm nach Heidelberg, daß er ihn erwarte.

10. August: Storm schickt eine Schilderung seiner Kindheit, Jugend und andere Impressionen seiner Vita; er schreibt von seinem »Heimathsgefühl«.

12. – 17. August: Hartlaub besucht M; angeregt durch Storms Brief, unterhalten sie sich über »vaterländische Poesie«; sie diskutieren auch den kleinen Bekanntenkreis M's und die zögernde Annahme seiner Schriften unter den Lesern.

15. – 16. August: Storm ist zu Gast bei M, der aus dem ›Mozart‹ vorliest; sie sprechen über eigene Werke, über Hölderlin und Kerner sowie über Heine, Geibel, Heyse u. a. M ist von Storm enttäuscht.

20. – 24. August: Hartlaub kommt erneut zu M.

20. August: Gegenüber Heyse beklagt M bei den zeitgenössischen Lyrikern »eine falsche Manier von sich selber zu reden«; er schließt dabei den eigenen ›Nolten‹ und Heyses ›Meleager‹ nicht aus; er legt ihm (zugleich für Geibel) den ›Mozart‹-Druck im ›Morgenblatt‹ bei.

5. September: M begegnet Scherer und Geibel; mit Fischer diskutiert er Vischers Berufung von Tübingen nach Zürich.

6. September: An Hemsen schickt M den ›Scherz‹ (›Ganz richtig hört ich sagen . . .‹).

14. September: Die Verse ›Zum Geburtstag seines Freundes Mährlen‹ schenkt M dem Adressaten mit einem Kupferstich vom Uracher Wasserfall. (Mährlen ist Geschäftsführer der Industrie- und Handelskammer geworden.)

15. September: Friederike Buttersack stirbt.

20. September: Vischer hält sich für einige Tage in Stuttgart auf und verabredet sich mit M.

1. Oktober: Wigand hat von L. Richter Illustrationen zum ›Turmhahn‹ zeichnen lassen; er kündigt sie M an und sendet die Revisionsabzüge des Textes: ›Beschauliches und Erbauliches. Ein Familien-Bilderbuch von Ludwig Richter‹, 3. Heft mit sechs Holzschnitten. Wigand wünscht auch Beiträge zu seinem ›Volks-Kalender‹.

6. Oktober: M ist einverstanden mit dem ›Turmhahn‹-Druck, sagt Beiträge zum ›Deutschen Volks-Kalender‹ ab und kündigt ein neues Buchgeschenk für die Dresdner Künstler an. – M's Tante Neuffer stirbt.

13. Oktober: Storm trägt M Einwände gegen die Figur des Larkens u. a. im ›Nolten‹ vor; er bittet um spiritistische Berichte. Er legt seine »Sommergeschichten« ›Ein grünes Blatt‹ (Berlin 1855) bei; zur Umarbeitung der Titelgeschichte hat er M's Kritik berücksichtigt. Aus dem Manuskript der zweiten Auflage seiner ›Gedichte‹ (Berlin 1856) schreibt Storm ›Am Strande‹ ab. Er berichtet von der guten Aufnahme des ›Mozart‹ bei seinen Berliner Freunden Eggers und dem Kunsthistoriker Wilhelm Lübke.

15. Oktober: ›Kirchengesang zu einer Trauung‹ erscheint im ›Salon‹ (Nr. 20).

17. Oktober: Hartlaub teilt M mit, daß Hetsch die Komposition der Musikbeilage zum ›Mozart‹ abgesagt habe. – Hetsch schreibt auch an M und legt u. a. eine Vertonung von ›Der Gärtner‹ bei.

18. Oktober: Den ›Morgenblatt‹-Druck des ›Mozart‹ schickt M als Vorlage für die Buchpublikation an Cotta. – Er fährt mit seiner Schwester und Ch. Krehl nach Wimsheim; sie bleiben bis 23. Oktober.

26. Oktober: M rechtfertigt vor Cotta den Rücktritt Hetschs; er schlägt eine Titelvignette von Fellner für ›Mozart‹ vor.

November: ›Maler Nolten‹ wird im Stuttgarter Buchhandel für 1 fl 45 x verkauft.

10. November: M empfiehlt Hemsen bei Cotta

fürs ›Morgenblatt‹. Hemsen plant eine Rezension des ›Mozart‹ und des Richterschen ›Turmhahns‹; M rät ihm, sie an die ›Allgemeine Zeitung‹ zu senden. – In einer Lotterie gewinnt M eine marmorne Cicero-Büste von Ludwig Hofer.

12. November: Hemsen übermittelt M Dichtungen, Übersetzungen u. a. von Gisela von Arnim (u. a. ›Das Heimelchen‹, Berlin 1853) und Herman Grimm.

Mitte November: ›Mozart auf der Reise nach Prag. Novelle‹ erscheint, vordatiert auf 1856, mit der Widmung »Seinen Freunden, den beiden Componisten Louis Hetsch, Musikdirector in Mannheim, und Friedrich Ernst Kauffmann, Professor in Stuttgart, zugeeignet vom Verfasser«; die Vignette von Fellner wurde nicht ausgeführt; die geheftete Ausgabe kostet 48 x im Buchhandel. – M erhält 12 Freiexemplare, muß bis Jahresende noch 37 Stück nachkaufen.

16. November: Die Cicero-Büste Hofers wird M zugestellt; er bedankt sich beim Künstler.

22. November: Mayer besucht M; er will M eine bessere Wohnung oder ein zusätzliches Einkommen vermitteln.

Ende November/Anfang Dezember: E. Geibel schickt sein Lustspiel ›Meister Andrea‹ (Stuttgart 1855) an M.

Dezember: M versucht vergeblich, die Cicero-Büste zu veräußern. – Kauffmann schreibt seine letzte Komposition: ›Um Mitternacht‹.

2. Dezember: Storm schenkt M die zweite Auflage seiner ›Gedichte‹ und legt seine Novelle ›Hinzelmeier‹ in einer überarbeiteten Fassung bei.

3. Dezember: In der Beilage (Nr. 337) zur ›Allgemeinen Zeitung‹ erscheint die ›Mozart‹-Rezension ›Eduard Mörike und die schwäbische Poesie‹ von Johann Friedrich Faber, der auch die zweite Auflage des ›Hutzelmännleins‹ und die Ankündigung einer neuen Ausgabe des ›Nolten‹ erwähnt. (Faber ist ein Freund Fischers.)

7. Dezember: Der Verleger Friedrich Aaron Krais (Schwiegersohn von C. Hoffmann) bittet M um eine Rezension von Julian Schmidts ›Geschichte der deutschen Literatur im 19. Jahrhundert‹ (Leipzig 1855²).

8. Dezember: M schickt ein Exemplar des ›Mozart‹ an die Neuenstädter Verwandten.

10. Dezember: Die Verse ›Heut an diesem Freudentag . . .‹ schenkt M seiner Schwester zum Geburtstag. – Für die Familien Grimm und Arnim sowie für Mayer legt M je ein Exemplar des ›Mozart‹ seinem Schreiben an Hemsen bei, den er zugleich um Rezension des J. Schmidt bittet.

11. Dezember: Hemsen lehnt die Rezension ab und schlägt dafür Karl Klüpfel vor, den Tübinger Universitätsbibliothekar.

ca 12. Dezember: M schickt den ›Mozart‹ an Prinzessin Marie.

13. Dezember: M sendet den ›Mozart‹, die ›Idylle‹ und das ›Hutzelmännlein‹ an Friedrich Wilhelm IV. König von Preußen. Das Paket geht wahrscheinlich über Wilhelm Hoffmann, der Oberhofprediger in Berlin geworden ist – jedenfalls korrespondierte M vorher mit ihm wegen der Übermittlung. – Mit einem Exemplar des Richterschen ›Turmhahns‹ schenkt M die Verse ›Schon längst sinn ich . . .‹ an L. v. Breitschwert.

14. Dezember: An Geibel schreibt M positiv über den ›Meister Andrea‹; er legt den ›Mozart‹ bei – zugleich auch ein Exemplar für Heyse.

Mitte Dezember: Einen Nekrolog auf ihren gemeinsamen Uracher Professor Köstlin schickt Hartlaub an M.

15. Dezember: Über einen Freund Scherers läßt M ein Exemplar des ›Mozart‹ an Maximilian II. König von Bayern gehen.

16. Dezember: M erhält Besuch von Scherer, Stirm und Grüneisen, der sein ›Christliches Handbuch‹ (Stuttgart 1855) an M's Schwester schenkt. – ›Mozart‹ wird in der ›Schwäbischen Kronik‹ (Nr. 298) besprochen.

18. Dezember: M wird zum Empfang bei Prinzessin Marie geladen.

19. Dezember: Prinzessin Marie erkundigt sich während des Empfangs nach der Entstehungsgeschichte des ›Mozart‹. – M schenkt die Novelle an Felix und Theodor Buttersack sowie an G. Pressel (an diesen mit den Versen ›Den alten Meister würdig zu geleiten . . .‹).

22. Dezember: Neben einigen Hausversen und dem Richterschen ›Turmhahn‹ schickt M die neue Romanze ›Der Schatten‹ (geplant seit der Niederschrift des ›Schatzes‹) an Hartlaub. – M erhält eine Einladung des Comités der Schiller-Stiftung zur Mitwirkung an einer (nicht weiter bekannten) »guten Sache«.

24. Dezember: Dem Rechtsnachfolger des Verlags Heubel schlägt M eine neue Ausgabe seiner Waiblinger-Edition vor. – Das an Maximilian II. gerichtete Exemplar des ›Mozart‹ geht zurück, weil M die Erlaubnis zur Zusendung nicht eingeholt hatte.

27. Dezember: M sagt der Schiller-Stiftung ab.

31. Dezember: Der Kronprinz und seine Gattin empfangen M, der den Eindruck gewinnt, daß sie nur wenige seiner Schriften kennen.

Ende: M's Bruder Ludwig wollte seine Stelle wechseln; er bleibt aber (als Wollhändler in München?). – A. Schwerzenbach zieht bei M aus.

1856

Schönhuth druckt in seiner ›Erinnerung an das Carls-Bad zu Mergentheim‹ (Mergentheim) das ihm gewidmete Gedicht M's nach. – Eine Auswahl von M's Schriften erscheint im zweiten Supplementband der ›National-Bibliothek der Deutschen Classiker‹ (Hildburghausen).

Anfang: Wilhelm Speeth, immer noch ohne eigenes Einkommen, zieht für etwa drei Jahre zu seiner Mutter.

Anfang Januar: M erwägt, Stuttgart als Wohnort aufzugeben. – Er schickt den ›Mozart‹ an Retberg und (zusammen mit einem Exemplar für Strauß) an Hetsch. – Charles Mathey, ein angehender Kaufmann aus der franz. Schweiz, meldet sich als Logisgast bei M; er will in Stuttgart Deutsch lernen.

1. und 15. Januar: M's ›Mitteilungen aus einem Samstagskränzchen‹ erscheinen im ›Salon‹ (Nr. 1,2); sie zitieren u. a. die ›Volksmärchen der Serben‹ von W. S. Karadschitsch (Berlin 1854).

5. Januar: Retberg schreibt ›Zum Neuen Jahre‹ an M.

9. Januar: Hemsen übermittelt M den Dankbrief G. v. Arnims: Sie schreibt auch über ›Nolten‹, ›Hutzelmännlein‹, ›Turmhahn‹ und legt eine Publikation Herman Grimms und Joseph Joachims bei.

10. Januar: Cotta überreicht M 150 fl als Honorar für die zweite (nur gering abweichende) Ausgabe des ›Mozart‹; das Buch ist demnach erschienen; es kostet im Laden 36 x.

15. – 16. Januar: Felix Buttersack besucht M.

17. Januar: An Wilhelm I. König von Württemberg überreicht M den ›Mozart‹ und Richterschen ›Turmhahn‹.

18. Januar: Wolff beantragt unter Hinweis auf M's neue Publikationen eine Gehaltserhöhung für den Freund.

19. Januar: Geibel berichtet von einem Gespräch mit Maximilian II. und bietet sich zur Übermittlung des ›Mozart‹ an; er fordert zur Beilage der ›Gedichte‹ und eines Autographs auf.

20. Januar: Grunert bittet um gestrichene Passagen aus der Novelle, um sie auf der Mozart-Feier der Bürgergesellschaft vorzutragen. (Er rezi-

tiert dann aber J. G. Fischers Gedicht ›Mozart's Sendung‹.)

21. Januar: M besucht eine Aufführung von ›Wallenstein's Tod‹ mit Grunert in der Hauptrolle.

22. Januar: Seine Gehaltserhöhung wird gewährt; M bezieht nun 350 fl jährlich; eine vermehrte Stundenzahl wird dabei in Aussicht genommen.

26. – 28. Januar: Hartlaub ist zu Besuch bei M.

26. Januar: Er nimmt an M's Stelle an der Mozart-Feier des Liederkranzes teil.

27. Januar: Anläßlich von Mozarts 100. Geburtstag wird in Stuttgart ›Don Juan‹ gegeben; Hartlaub besucht die Aufführung mit M's Schwester. – Das ›Morgenblatt‹ (Nr. 4) trägt als Motto ein Zitat aus M's ›Mozart‹.

28. Januar: An Geibel sendet M den ›Mozart‹ und die ›Gedichte‹ für Maximilian II.; er legt auch Bücher für Heyse und Friedrich von Bodenstedt bei.

31. Januar: Hartlaub erbittet das ›Nibelungenlied‹ zurück.

Februar: M beabsichtigt, der Kronprinzessin Olga von Württemberg seine Elfenbeinmalerei ›Schweißtuch der Veronika‹ überreichen zu lassen.

8. Februar: Maximilian II. läßt für die Geschenke danken.

11. Februar: Kauffmann stirbt. – Die Hinterbliebenen wollen seine Kompositionen nach M's Gedichten publizieren; M verhandelt deshalb in den folgenden Tagen mit Cotta; dabei bringt der Verleger eine dritte Auflage der ›Gedichte‹ im Miniaturformat zur Sprache.

Mitte Februar: Von Klumpp erfährt M, daß sich König Wilhelm mit seinen Werken beschäftige; dasselbe sagt J. v. Hardegg, inzwischen Generaladjutant und Militärschriftsteller, vom Kronprinzen Karl; Gisela von Arnim hat dazu angeregt. – M's Schwester fährt zu Ch. Krehl nach Nürtingen.

15. Februar: Im ›Salon‹ (Nr. 4) erscheint eine Rezension des ›Mozart‹.

27. Februar: Cotta teilt M einen Restbestand von ca 400 Exemplaren der ›Gedichte‹[2] mit; die Publikation von Kauffmanns Kompositionen lehnt er ab. (So erscheinen dann in einem anderen Stuttgarter Verlag sechs Hefte ›Lieder und Gesänge‹ unter anderem mit ›Um Mitternacht‹, ›Der Feuerreiter‹, ›Lammwirts Klagelied‹, ›Peregrina I‹, ›Schön-Rohtraut‹, ›Lied vom Winde‹, ›Der Gärtner‹.)

28. Februar: In seinem Brief an M zitiert Hart-

Abb. 6 a Photographie
der verschollenen Kreidezeichnung von C. Kurtz. 1856.
124 × 94 mm.

laub aus Otto Jahns ›W. A. Mozart‹ (Leipzig, Bd 1–2, 1856). Er kennt Guglers Aufsatz über ›Die musikalischen Zustände der Gegenwart‹ (in der ›Deutschen Vierteljahrsschrift‹ Nr. 73).

Anfang März: M bittet Hartlaub um Hinweise auf änderungsbedürftige Gedichte; er will ›Muse und Dichter‹ verbessern und ›Meines Vetters Brautfahrt‹ sowie ›Bei einer Trauung‹ aus der Sammlung ausscheiden. (Die beiden letzten Gedichte werden beibehalten.) M liest auf Guglers Empfehlung Johann Gottlieb Schummels

›Spitzbart‹ (Leipzig 1779).

1. März: Friedrich Wilhelm IV. läßt für die Geschenke danken.

2. März: M verspricht sich vom Miniaturformat und durch eine vermehrte Ausgabe einen guten Absatz der ›Gedichte‹[3]; angesichts der Restbestände gibt er sich gegen Cotta mit einem verminderten Honorar zufrieden.

4. März: Cotta bietet M 500 fl bei einer Auflage von 1000 Exemplaren an.

5. März: M nimmt die Bedingungen an; er

Abb. 6 b Stahlstich
nach der Kreidezeichnung von C. Kurtz. 1856.
117 × 83 mm (Porträt).

wünscht sich außerdem eine Schiller-Ausgabe.
6. März: Cotta und M unterzeichnen den Verlagsvertrag für ›Gedichte‹[3]. M erhält zusätzlich 18 Freiexemplare.
7. März: M besucht die Premiere von Karl Gutzkows Schauspiel ›Ella Rose‹; anschließend trifft er sich mit Grunert und Mährlen.
15. März: Bei Holland bedankt sich M für dessen Edition ›Der abenteuerliche Simplicissimus‹ (Tübingen 1851).
Mitte März: M ist mit der Revision seiner Gedichte beschäftigt; er verändert den ›Feuerreiter‹, ›An Longus‹, ›Elfenlied‹. – Der seit Jahren währende Rechtsstreit mit seinem Schwager belastet ihn schwer.
24. März: Ein revidiertes Exemplar der ›Gedichte‹[2] mit 14 neuen Stücken und einer Titel-Zeichnung zu dem ›Scherz‹ (›Nächtlich erschien mir . . .‹) gehen als Druckvorlage an Cotta ab; im Begleitbrief behält sich M ein nach Gattungen geordnetes Inhaltsverzeichnis vor. – Mit seiner Schwester besucht er eine ›Figaro‹-Auf-

führung.

31. März: Scherer schickt seine auf M's ›Gedichte‹ bezogenen Verse ›Nun endlich ist . . .‹.

Ende März: M's Tochter und Schwester erkranken.

3. April: Hartlaub schreibt für M's Schwester alte Kirchenlieder ab.

10. April: Auf M's Wunsch übergibt Cotta die Hälfte des Honorars für ›Gedichte‹[3].

13. April: Für seinen Unterricht am Katharinenstift benötigt M ein neues Poetik-Lehrbuch; er bestellt in einer Buchhandlung August Knüttels ›Handbuch der deutschen schönen Literatur‹ (Breslau 1855[3]); er hält zur Zeit montags und dienstags eine Stunde.

Mitte April: Der Druck der ›Gedichte‹[3] hat begonnen. – M's Bruder Ludwig kommt mit einem Sohn aus Augsburg; er hat seine Stelle verloren. – A. Hartlaub besucht M; sie wohnt wieder für einen Monat bei Stuttgarter Bekannten. – In einem Brief an Hartlaub zitiert M die ›Freundschaftlichen Briefe von Goethe und seiner Frau an Nicolaus Meyer‹ (Leipzig 1856).

21. April: Mathey zieht bei M ein. – Auch die Frauen von M's Brüdern Ludwig und Karl sind in Stuttgart.

Mai: Hartlaubs Freund Jan leiht auf das Speethsche Haus in Mergentheim 3000 fl, damit dort alte Schulden abgeglichen werden können. – J. Joachim besucht M.

erste Hälfte Mai: M sieht sich nach einer neuen Wohnung um. – Sein Bruder Ludwig ist noch in Stuttgart. – M stellt das neue Inhaltsverzeichnis seiner ›Gedichte‹ zusammen. – Wegen seines Schwagers korrespondiert M mit Ferdinand Speeth.

11. Mai: In der ›Schwäbischen Kronik‹ (Nr. 112) erscheint Guglers Nekrolog auf Kauffmann, den M zuvor korrigiert hat; wegen einer Gesamtausgabe der Kompositionen des verstorbenen Freundes will sich M nun an Breitkopf & Härtel in Leipzig wenden.

14. Mai: Da er Anfang Juni eine Reise nach Wimsheim plant, bittet M im Verlag um beschleunigten Druck der ›Gedichte‹[3]; er will selbst Korrektur lesen; der neunte Bogen lag bereits vor.

15. Mai: C. Hartlaub fährt nach einem mehrtägigen Besuch bei M wieder nach Hause.

zweite Hälfte Mai: Von E. Neureuther erhält M die Illustration zu ›Ein Stündlein wohl vor Tag‹. – Mathey unterrichtet er in Deutsch.

24. Mai: Seinem Bruder Ludwig leiht M 235 fl; der fährt in den nächsten Tagen ab.

3. Juni: Storm bittet M um Beiträge für die in Breslau in neuer Form erscheinende ›Argo. Album für Kunst und Dichtung‹; er kündigt seinen ›Hinzelmeier‹, illustriert von L. Richter, an (der Druck kommt nicht zustande).

Mitte Juni: Hartlaub ist in Stuttgart; M's Frau gibt ihm zu verstehen, wie wenig sie ihn leiden kann. – M ist noch mit der Korrektur der ›Gedichte‹[3] beschäftigt.

zweite Hälfte Juni: Carl Kurtz porträtiert M; die Kreidezeichnung (Abb. 6 a), die M wahrscheinlich erwirbt, ist als Vorlage für das Titelkupfer im ›Deutschen Musenalmanach‹ geplant.

1. Juli: Im ›Salon‹ (Nr. 13) erscheint ›Der Schatten‹.

4. Juli: Da er seinen Vorrat an unveröffentlichten Texten in ›Gedichte‹[3] gegeben hat, muß M für die ›Argo‹ absagen; er sendet dafür die Gedichte ›Unergründlich‹ und ›Charfreitag‹ von Fischer und empfiehlt Notter und Strauß als Beiträger.

8. Juli: Hartlaub und M's Schwester treffen sich heimlich auf dem Bahnhof.

16. – 25. Juli: Mit seiner Schwester und Tochter hält sich M bei Hartlaub auf; sie besprechen literarische Pläne.

31. Juli: Müller von Königswinter vergleicht in der ›Kölnischen Zeitung‹ (Nr. 211) M mit Gottfried Keller und Annette von Droste-Hülshoff.

Ende Juli: M's Bruder Ludwig hat Aussichten auf eine neue Anstellung.

erste Hälfte August: M gebraucht warme Bäder. – Seine Schwester besucht die Nürtinger Verwandten.

Anfang August: In Cannstatt geht M zu Th. Kerner, wo dieser eine galvano-magnetische Heilanstalt eröffnet hat und gerade ›Galvanismus und Magnetismus als Heilkraft‹ publiziert.

14. August: M's Schwester ist zurückgekehrt; nun fährt seine Frau nach Nürtingen. – Hartlaub weist M auf die Selbstbiographie G. H. v. Schuberts hin (›Vermischte Schriften‹ Bd 1, Erlangen 1857).

15. August: M nimmt am Jahresfest des Katharinenstifts teil; er sucht C. Kurtz auf.

16. August: Er korrigiert Fahnen der zweiten Auflage der ›Idylle‹.

26. August: Robert Franz schickt seine Vertonung von ›Denk es, o Seele!‹.

28. August: Auf M's Wunsch überweist Cotta die zweite Hälfte des Honorars für ›Gedichte‹[3]; er kündigt die Auslieferung des Buchs in zwei Wochen an. (Es hat dann einen Ladenpreis von 3 fl 24 x für das Exemplar mit Goldschnitt.) – Die

Gemäldesammlung von Balthasar Speth soll in München versteigert werden; dazu ist ein Katalog gedruckt worden, den M nun verschickt (offizieller Schätzwert der Sammlung 13.184 fl).

29. August: Aus Furcht, daß sich M's Tochter mit Scharlach infizieren könne, fährt M's Schwester mit ihr nach Salach bei Göppingen; sie wohnen wahrscheinlich auf dem dortigen Schloß Staufeneck (bei einem entfernten Verwandten?). – M's Frau muß wegen der Erbschaftsangelegenheiten nach München.

30. August: M sendet sein Porträt an Chr. Schad; es wird als Stahlstich (Abb. 6 b) im 7. Jg des ›Deutschen Musenalmanachs‹ wiedergegeben (der keine Texte von M enthält).

erste Hälfte September: M überarbeitet sein Märchen ›Der Schatz‹ und andere kleine Prosa; er hat offensichtlich mit Schweizerbart über die Publikation der ›Vier Erzählungen‹ abgeschlossen, die gleichzeitig mit der ›Idylle‹² erscheinen sollen; er korrigiert noch Fahnen der ›Idylle‹.

Anfang September: Geibel, der wegen seiner ›Neuen Gedichte‹ bei Cotta ist, besucht M. – Ein zweiter Logisgast, ein Engländer, zieht bei M ein, bleibt aber nur einige Monate. – M's Nachfolger in Cleversulzbach, Pfarrer Haueisen, sucht ihn auf.

8. September: Zum Geburtstag erhält M von seiner Frau die zweite Ausgabe des ›Briefwechsels zwischen Schiller und Goethe‹ (Stuttgart 1856).

9. September: M's Schwester und Tochter gehen von Salach nach Wimsheim.

11. September: Ferdinand Rothbart hat seine Zeichnung für das Titelkupfer der ›Idylle‹² verbessern müssen; M besucht deshalb Dertinger.

13. September: Wilhelm Speeth, der bei seiner Mutter wohnte, fährt wieder nach München; mit beiden hatte M in letzter Zeit kaum Kontakt.

16. September: In München findet die Versteigerung der Gemäldesammlung von B. Speth statt; die Auktion erbringt 17.848 fl 30 x. (Mehrere Familien teilen sich in die Summe; W. Speeth verzichtet auf überzogene Ansprüche gegenüber M's Frau.)

17. September: Der König verleiht M auf Grüneisens Antrag den Titel eines Professors.

19. September: M verfaßt sein Dankschreiben.

23. September: Er schenkt Scherer seine ›Gedichte‹³.

30. September—2. Oktober: Hartlaub besucht ihn.

4. Oktober: Die ›Gedichte‹³ werden in der ›Schwäbischen Kronik‹ (Nr. 237) angezeigt.

17. Oktober: Heyse schickt M sein neuestes Buch ›Die Braut von Cypern‹ (Stuttgart, Augsburg) mit der gedruckten Widmung »Eduard Mörike zugeeignet« (anstatt des ursprünglich geplanten Gedichts ›Eduard Mörike‹) und kündigt eine Novelle sowie Manuskripte zur Begutachtung an.

31. Oktober: Vielleicht von Hartlaubs begleitet, kehrt M's Schwester mit seiner Tochter nach Stuttgart zurück. – M's Schwiegermutter erleidet einen Schlaganfall.

Ende Oktober: Der neue ›Musenalmanach‹ kommt heraus.

November: ›Idylle vom Bodensee oder Fischer Martin. In sieben Gesängen. Zweite Auflage‹ erscheint mit einem Titelkupfer von E. Dertinger nach einer Zeichnung von F. Rothbart und einer verkürzten Widmung an den Kronprinzen; der Text ist leicht überarbeitet, hat Anmerkungen erhalten; die ›Idylle‹² kostet geheftet 1 fl 48 x und gebunden 2 fl 12 x. Gleichzeitig kommen in derselben Schweizerbart'schen Verlagshandlung die ›Vier Erzählungen‹ heraus, geringfügig veränderte Fassungen von ›Der Schatz. Novelle‹, ›Lucie Gelmeroth. Novelle‹, ›Der Bauer und sein Sohn. Märchen‹ und ›Die Hand der Jezerte. Märchen‹. Der Band kostet geheftet 1 fl und gebunden 1 fl 36 x.

1. November: Im ›Salon‹ (Nr. 21) erscheint der ›Scherz‹ (›Ganz richtig hört ich sagen . . .‹).

7. November: An Cotta sendet M eine kurze Notiz über Heyses ›Braut von Cypern‹, die der Verlag zur Werbung verwendet (z. B. im ›Morgenblatt‹ vom 7. Dezember); er stellt eine größere Arbeit über Heyse in Aussicht.

11. November: M nimmt seine Schwiegermutter zu sich.

20. November: Er kündigt Heyse eine Rezension der ›Braut von Cypern‹ an und verspricht Änderungsvorschläge; er legt zwei Exemplare der ›Idylle‹² (zugleich für Bodenstedt) bei, wahrscheinlich auch die ›Vier Erzählungen‹.

26. November: Bodenstedt läßt M den ersten Band seiner ›Gedichte. Aus der Heimat und Fremde‹ (Berlin 1856) mit dem Gedicht ›An E. M.‹ zugehen. – M's Bruder Ludwig ist wieder in Stuttgart.

28. November: Heyse schickt Grüße von Bodenstedt, Geibel und Hemsen.

9.—10. Dezember: Hartlaub kommt zum Geburtstag von M's Schwester.

14. Dezember: J. Hübner, dem M eine seiner letzten Veröffentlichungen geschickt hat, revanchiert sich mit einem Buch.

17. — 18. Dezember: M's Bruder Ludwig ist bei Hartlaubs.

um Weihnachten: Der Frau des Schauspielers Grunert schenkt M die ›Vier Erzählungen‹ mit dem Verseintrag ›Alles Ding hat seine Zeit . . .‹. (Grunert promoviert 1857 über ›Macbeth‹.)

1857

Hartlaub leiht M's Bruder Ludwig 200 fl.

Januar: Hartlaub kennt ›Sechs Lieder von E. Mörike‹ von R. Franz (Leipzig), op. 27: ›Denk es, o Seele!‹, ›Er ists‹, ›Agnes‹, ›Maschinkas Lied‹, ›Das verlassene Mägdlein‹, ›Jung Volker‹.

1. Januar: ›Wahr ist's, mein Kind‹ erscheint im ›Salon‹ (Nr. 1).

7. Januar: Im ›Literaturblatt‹ (Nr. 2) rezensiert Menzel die ›Gedichte‹[3].

12. Januar: M kauft einen Stielerschen Atlas und vielleicht die Vorlesungen Karl Barthels über ›Die deutsche Nationalliteratur‹ (Braunschweig 1853[3]).

15. Januar: Die ›Idylle‹[2] wird im ›Salon‹ (Nr. 2) besprochen.

28. Januar: M's Tochter Marie Charlotte Margarethe Valentine wird geboren.

Februar: Er entzweit sich mit seiner Frau, die kaum mehr ihr Zimmer verläßt und mit M's Schwester nur noch häusliche Dinge bespricht.

6. Februar — 16. April: K. Hartlaub ist in Stuttgart, u. a. bei Menzels.

22. Februar: M's Tochter Marie wird getauft; der erste Pate, M's Bruder Ludwig, wird durch Ch. Mathey vertreten; weitere Paten sind Hartlaubs (nicht anwesend), M's Schwiegermutter, seine Schwester und M. Lempp.

Anfang März: M's Tochter Marie erkrankt.

2. März: Während Mayers Besuch unterhalten sie sich über Heyse und Geibel; M fordert den Freund zu einer Auswahl-Ausgabe der Gedichte auf.

4. März: Hartlaub geht nach einem zweitägigen Aufenthalt bei M wieder nach Hause; er hatte einen Konflikt mit M's Frau. – M macht mit seiner Schwester eine Visite bei Notters.

21. März: Die ›Süddeutschen Blätter für Kunst, Literatur und Wissenschaft‹ (Nr. 20) bringen eine Charakteristik M's. (M hält Grunert für den Autor.)

27. März: An Ludwig Kies, Pfarrer in Kayh (Dekanat Herrenalb), gibt M Märchen zurück und rät von ihrer Veröffentlichung ab. (Kies publiziert mehrere Kinderbücher.)

28. März: M's Schwiegermutter wird entmündigt.

Frühjahr: Friedrich Hebbel besucht M; sie gehen zusammen zu Th. Kerner nach Cannstatt. Hebbel verspricht, seine ›Gedichte‹ zu senden, da M nur seine Epigramme aus dem ›Deutschen Musenalmanach‹ (1853) kennt. – Der in Thun als Professor für Militärwissenschaft lebende Jugendfreund Lohbauer sendet seine Racine-Bearbeitung ›Nebenbuhlerinnen‹ (Originaltitel: ›Bajazet‹) an M und Mährlen; M gibt sie weiter an J. v. Hardegg und dann an den Regisseur Feodor Löwe.

11. — 13. April: Hartlaub ist in Stuttgart.

18. April: M's Schwester fährt zu Hartlaubs.

23. April: Lohbauer sendet seine ›Faust‹-Bearbeitung (nach Goethe) an M und Mährlen; er möchte seine Laufbahn aufgeben und fürs Theater arbeiten. (Der Plan kommt nicht zustande.)

30. April — 26. Mai: K. Hartlaub hält sich in Stuttgart auf.

Ende April: Wegen der Verhaftung seines Schwagers in München korrespondiert M mit dem dortigen Rechtsanwalt Friedrich Noël.

1. Mai: M kündigt seine Wohnung.

4. Mai: Seine Schwester kehrt heim.

5. Juni: In M's Auftrag schenkt Holland in Tübingen dem Komponisten Otto Scherzer die ›Gedichte‹.

Sommer: Schweizerbart und M verhandeln wegen einer neuen Auflage des ›Nolten‹; der Verleger möchte zunächst die geringen Restbestände der ersten verkauft haben. – Auerbach besucht M, der Einzelheiten an seinem Roman ›Barfüßele‹ (Stuttgart 1856) kritisiert.

30. Juni: Mit seiner Frau fährt M zu einer Kur in den Bregenzer Wald; am ersten Tag kommen sie bis Friedrichshafen.

1. Juli: Über Lindau (u. a. Treffen mit Grüneisen) geht die Fahrt nach Bregenz.

2. Juli: Sie kommen in Schwarzenberg an und mieten sich im Gasthof ›Hirsch‹ ein.

bis 18. Juli: Die kalten Waschungen zeitigen bei M bald Erfolge. Er unternimmt mit seiner Frau kleine Wanderungen nach Egg, auf das Hochälple usw. Stuttgarter Freunde und Bekannte wohnen vorübergehend im selben Gasthof. – In der Zwischenzeit besucht C. Hartlaub M's Schwester.

18. Juli: Sie brechen nach Lindau auf.

19. Juli: Die Fahrt geht nach Konstanz.

20. Juli: Sie kommen wieder in Stuttgart an.

3. August: Emilie Zumsteeg stirbt.

12. August: M geht mit seiner Tochter Fanny und seiner Schwester zu Hartlaub; während er nur acht Tage bleibt, halten sich die beiden anderen bis zum 21. September auf.

Ende August: M's Bruder Ludwig ist vorübergehend in Stuttgart. – Der Schiller-Übersetzer (?) Bouchet zieht als Pensionsgast bei M ein.

Anfang September: M liest Menzels ›Geschichte Europas‹ (Stuttgart 1853) und schickt an Hartlaub die ›Geschichte der Philosophie‹ von Albert Schwegler (Stuttgart 1857³). Er hat in Stuttgart nur noch mit Mährlen Kontakt.

4. September: Hermann Lingg bittet Cotta, das Manuskript seiner ›Völkerwanderung‹ (Stuttgart 1866/68) M zur Begutachtung vorzulegen.

11. September: Auch Geibel empfiehlt Cotta, die ›Völkerwanderung‹ M zuzuleiten.

13. September: Gegenüber Cotta lehnt M die ›Völkerwanderung‹ ab. – Hugo Gaedcke, noch Jura-Student in Rostock, hat M ein Manuskript zur Beurteilung gesandt und bittet jetzt erneut um seine Kritik.

Mitte September: M fühlt sich »einsam und gesellschaftsflüchtig« wie nie.

16. September: Er besucht eine Aufführung von Gustav Freytags Schauspiel ›Die Valentine‹.

19. September: Im Brief an Lingg rät M von einer Publikation der ›Völkerwanderung‹ ab.

21.–30. September: Wegen eines Kirchentags ist Hartlaub in Stuttgart. Aus demselben Grund kam Nast aus Cincinnati (Ohio/USA) nach Deutschland; er sucht M auf.

21. September: Hebbel schickt seine ›Gedichte‹ (in der ›Gesammt-Ausgabe‹, Stuttgart, Augsburg 1857) und erbittet die von M.

25. September: Während des Stuttgarter Treffens zwischen Napoleon III. und Zar Alexander II. ruft Ch. Mathey »Vive la République!« und wird verhaftet.

26. September: M vermittelt für Mathey bei der Stadt-Direktion.

30. September: Mathey kommt frei, wird aber aus Württemberg verwiesen.

Anfang Oktober: M's Frau lädt Hartlaub nach Stuttgart ein. – Hartlaub erkundigt sich bei M nach George Henry Lewes ›Goethe's Leben und Schriften‹ (Berlin 1857).

1. Oktober: Mährlen versucht vergebens, bei Staatsminister Josef von Linden eine Begnadigung Matheys zu erreichen.

6. Oktober: Mathey geht nach Bayern, wohnt zunächst bei M's Bruder Ludwig in Augsburg. Anschließend ergibt sich eine familiäre Korrespondenz mit M.

Mitte Oktober: M ist krank; der häusliche Zwist belastet ihn.

19.–22. Oktober: Hartlaub besucht M; er nimmt dessen Frau und Tochter Fanny mit nach Wimsheim.

2.–3. November: Während seines Stuttgart-Aufenthalts kommt Heyse auch zu M; sie lernen sich persönlich kennen.

5. November: In seinem Brief an Heyse kritisiert er den ›Lyrischen Anhang‹ in dessen ›Braut von Cypern‹.

9. November: Begleitet von M. Hartlaub, kehren M's Frau und Tochter zurück.

11. November: Heyse dankt und kündigt das Manuskript seiner ›Thekla‹ an.

12. November: An Hebbel schickt M seine ›Gedichte‹ und die ›Idylle‹.

zweite Hälfte November: M's Bruder Adolf meldet sich brieflich aus Hannover; er ist krank aus Indien zurückgekehrt; M wußte seit Jahren nichts mehr von ihm. – Heyse sendet seine ›Thekla‹ (erst 1858 gedruckt, Stuttgart), wahrscheinlich auch seine ›Neuen Novellen‹ (Stuttgart, Augsburg 1858).

29. November: Geibel regt bei Cotta eine Anzeige seiner ›Brunhild‹ (Stuttgart 1857) durch M an; das Buch geht M wahrscheinlich zusammen mit Geibels ›Neuen Gedichten‹ (Stuttgart, Augsburg 1857²) in den nächsten Tagen zu.

30. November: An Hebbel schreibt M positiv über dessen ›Gedichte‹; er bedauert nur einen Angriff auf Geibel.

4. Dezember: Heinrich Stadelmann, Gymnasialprofessor in Memmingen, läßt M lateinische Übersetzungen seiner Gedichte zugehen. In sein Buch ›Selecta Germanicorum Graecorumque Poetarum Carmina‹ (Augsburg 1856) hat er M's ›Wald-Idylle‹ aufgenommen.

10. Dezember: C. Hartlaub kommt zum Geburtstag von M's Schwester; sie ist für zwölf Tage in Stuttgart.

14. Dezember: Hartlaub holt seine Frau ab.

Ende Dezember: M liest Heyses ›Thekla‹.

1858

Anfang: Bodenstedt besucht M; er schickt ihm auch sein Manuskript ›Andreas und Marfa‹ (erst 1867 im 10. Bd der ›Gesammelten Schriften‹ gedruckt); M verspricht Randglossen.

Januar: M's Schwester hält sich in Nürtingen auf.

1. Januar: Im ›Salon‹ (Nr. 1) erscheint neben M's

Gedicht ›Auf einer Wanderung‹ (›Ich habe Kreuz . . .‹) auch eine Rezension der ›Gedichte‹[3]. – M's Bruder Adolf kommt zu Besuch, bleibt bis Mitte des Monats; er sucht eine neue Stelle.

10. – 13. Januar: Hartlaub hält sich bei M auf.

21. Januar: Auerbach sendet mit der Bitte um Änderungsvorschläge für die zweite Auflage sein ›Barfüßele‹ an M. – M's Familie macht eine Zugreise.

28. Januar: M schickt die Anzeige von Heyses ›Neuen Novellen‹ an Cotta.

29. Januar: Er erhält dafür ein Buchgeschenk.

30. Januar: Er übergibt Cotta eine Verbesserung der Anzeige (die dann anonym auf den ›Morgenblatt‹-Umschlägen, z. B. am 7. Februar, erscheint).

Februar: M fühlt sich nicht wohl.

erste Hälfte Februar: K. Hartlaub besucht M.

20. Februar: Hebbel lobt den ›Mozart‹ als vollendete Novelle.

26. Februar – 7. April: A. Hartlaub hält sich in Stuttgart auf.

Anfang März: M beabsichtigt in Stuttgart einen Umzug in das Haus Militärstraße 51.

1. März: Die Gedichte ›Der Häßliche‹, ›Nach einer schläfrigen Vorlesung‹ und ›An Clara‹ erscheinen im ›Salon‹ (Nr. 5).

10. März: Auerbach dankt für die Kritik am ›Barfüßele‹.

15. März: Mayer bittet M um Vermittlung bei Cotta, der (am selben Tag) die Neuausgabe seiner Gedichte und eine Aufsatzsammlung abgelehnt hat.

23. März: Hartlaub kommt für einen Tag zu M.

31. März – 26. April: Ch. Mathey hält sich in Stuttgart und Wimsheim auf.

Mitte April: M kauft eine von Johann Friedrich von Meyer revidierte Luther-Bibel.

25. April: ›Cosi fan tutte‹ wird in Stuttgart nach Guglers Bearbeitung uraufgeführt; M plant eine Besprechung des Textes.

1. Mai: Er bittet Hartlaub um den Aufsatz über ›Die Musik‹ aus Vischers ›Ästhetik‹.

4. Mai: Mathey schickt M aus Augsburg seinen Erlebnisbericht ›Ins Gefängniß‹.

16. Mai: Über Augsburg erhält Bodenstedt sein Manuskript von M zurück mit dem Rat, es nicht oder nur als Fragment zu publizieren.

17. Mai: Bodenstedt bedankt sich mit einem Kaulbach-Autograph.

22. Mai: Franz Dingelstedt bittet M um Mitarbeit an einer geplanten Neuübersetzung Shakespeares.

Ende Mai – Anfang Juli: M's Schwester reist nach Heilbronn (wo sie ihren Bruder Adolf besucht), Cleversulzbach, Wermutshausen.

14. Juni: Mathey kommt mit seiner Familie; seine Schwester Marie wird Pensionsgast bei Hartlaubs.

25. Juni: Ins Album von Ch. Mathey, der nach Amerika gehen will (sich aber jahrelang in Le Havre aufhält), trägt M die Verse ›Nun lernt mein Charles . . .‹ ein.

Sommer: Bei Schweizerbart fragt M erneut wegen einer Neuausgabe des ›Nolten‹ an; er glaubt an eine gute Resonanz unter den Lesern und will den Roman revidieren, sobald der Verleger einwillige.

Juli: Mit dem Comité des Schillervereins Marbach a. N. unterschreibt M einen Aufruf zur Errichtung eines Schiller-Denkmals. – An die ›Allgemeine Zeitung‹ reicht M seinen Aufsatz über die Guglersche Textbearbeitung von ›Cosi fan tutte‹ ein; Gugler hat ihn vorher durchgesehen. (Er ist Rektor der polytechnischen Anstalt geworden.)

20. Juli: Mit seiner Schwester und den Kindern besucht M in Rohr bei Stuttgart die Tanten H. und D. Mörike.

28. Juli: M zieht in Stuttgart um; die neue Adresse lautet: Hohe Straße 16. – Bald nimmt er einen neuen Pensionsgast auf.

August: M's Schwiegermutter erleidet ihren zweiten Schlaganfall.

3. August: L. v. Breitschwerts Schwester Charlotte heiratet den späteren Oberlandesgerichtsrat Gustav Bossert; aus diesem Anlaß hat M die Verse ›Heut regnet's tausendfach . . .‹ geschrieben.

20. August: Vischer bittet M, sich seiner Frau in Stuttgart anzunehmen; das Ehepaar lebt endgültig getrennt. (M geht nicht auf die Bitte ein.)

31. August: König Wilhelm gewährt M auf Antrag des Staatsrats Gustav von Rümelin eine jährliche Subvention von 400 fl aus dem Dispositionsfonds des Kirchen- und Schul-Departements. – Lohbauer schreibt in der ›Allgemeinen Zeitung‹ über E. Wächters Gemälde ›Hiob‹, das M seit Jahren als Stich besitzt.

7. September: M bedankt sich für die zusätzliche Unterstützung.

13. September: L. v. Breitschwert und Obertribunalrat Franz Conrad von Walther heiraten; M nimmt an der Hochzeitsfeier teil. Für das Fest hat er ›An Frau Luise Walther‹ und ›Daß in der Regel . . .‹ geschrieben.

17. September: Über Cotta läßt M bei der ›Allgemeinen Zeitung‹ seinen Gugler-Aufsatz anmahnen. (Er blieb unveröffentlicht.)

21.—23. September: Hartlaub ist zu Besuch bei M.

Oktober: M hat Mayers neue Gedicht-Auswahl in Händen; die Zusammenstellung gefällt ihm.

20. Oktober—1. November: M's Schwester hält sich in Wimsheim auf; Hartlaub hat sie abgeholt.

1. November: Auf Karl Goedekes Wunsch sendet M biobibliographische Angaben für den ›Grundriß zur Geschichte der deutschen Dichtung‹; er macht auf Bauer aufmerksam.

3. November: Zu seinem Geburtstagsgeschenk für M. Hartlaub hat M die Verse ›Sieh, da bin ich . . .‹ geschrieben.

3. Dezember: In das Album der E. v. Batz trägt M das Gedicht ›In das Album einer Dame‹ ein.

5. Dezember: Für E. v. Batz schreibt M die Verse ›Wo ist die Fürstin . . .‹.

10. Dezember: Mayer bringt seine Aufsatz-Sammlung. – C. Hartlaub kommt für acht Tage zu Besuch.

12. Dezember: Mayer ist erneut bei M; sie sprechen über Naturdichtung. M schickt ihm die Aufsätze nach, die er dem Stuttgarter Verleger Adolph Krabbe angeboten hat; die Abhandlung über Naturpoesie will er noch genauer lesen; an dem Aufsatz ›Wer darf sein Leben schreiben‹ übt er Kritik.

15. Dezember: Die ersten 15 Lieferungen der ›Bibel in Bildern‹ von Julius Schnorr von Carolsfeld (Leipzig 1853/55) schickt M an Hartlaub.

17. Dezember: Heyse läßt M seine ›Thekla‹ nun als Buch zugehen.

18. Dezember: Da Krabbe weder die Aufsatzsammlung noch die Gedichte Mayers verlegen will, rät M dem Freund, sich wieder an Cotta zu wenden; Uhland möge vermitteln; wegen der Gedichte will er selbst zu Cotta gehen.

23. Dezember: Mayer hat mit Uhland gesprochen, bittet nun M um Vermittlung bei Cotta und legt ihm dazu einen ostensiblen Brief bei.

26. Dezember: Marie Mathey besucht M.

28. Dezember: M berichtet Mayer von seinem Gespräch mit Cotta.

1859

O. F. Gruppe geht in seinem Buch ›Deutsche Übersetzerkunst‹ (Hannover) auf M's Theokrit-Übertragung ein. – ›Mozart‹ erscheint auf Französisch (Brüssel, übersetzt von A. Rolland). – Im ›Düsseldorfer Künstler-Album‹ (9. Jg) veröffentlicht M ›Zum Geburtstag seines Freundes Mährlen‹ und Hölderlins ›Wenn aus dem Himmel . . .‹; die Publikation vermittelt Scherer. – Storm nimmt in seine ›Deutsche Liebeslieder seit Joh. Chr. Günther‹ (Berlin) sieben Gedichte M's auf.

Anfang: Wegen einer Anstellung seines Bruders Adolf korrespondiert M mit Augsburg, Freiburg, Weilheim. – Der Pfarrer Bernhard Bauer, Sohn der Mergentheimer Bekannten, schickt ein Manuskript; M äußert seine Kritik. Er hat noch drei weitere Werke von anderen Autoren zu begutachten. – Wegen dem Prozeß mit dem Schwager muß M am Rathaus verhandeln. – Er plant den Kauf eines Gartengrundstücks. – Er erkrankt.

4. Januar: Hartlaub äußert sich negativ über Heyses Novellen.

18. Januar: Cotta teilt M mit, daß er die Publikation von Mayers Gedichten noch nicht zusagen könne.

20. Januar: M fordert Mayer auf, jetzt Uhland einzuschalten.

26. Januar: In Wimsheim stirbt Hartlaubs Mutter. – M hat in den letzten Tagen ihr Porträt entworfen.

3. Februar: Storm schickt an M einen Brief seines Freundes Alexander von Wussow über den ›Mozart‹.

15. Februar: An Heyses ›Thekla‹ kritisiert Hartlaub u. a. die »Hegelschen Phrasen«. Er weist M auf Simrocks ›Heliand‹-Übertragung (Elberfeld 1856) hin.

zweite Hälfte Februar: M's Bruder Adolf hat sich mit Adelheid Karolina Hauff verlobt.

25. Februar: In Stuttgart stirbt der Neuenstädter Apotheker Carl Mörike.

Anfang März: M's Schwester ist für einige Tage in Nürtingen.

10. März: Hartlaub kündigt ›Die Überschwänglichen‹ von L. Bauer an, die M zu lesen wünschte.

18. März: An B. Bauer schickt M das Manuskript zurück, das er nicht zu veröffentlichen rät.

3. April: Friedrich Pressel publiziert im ›Morgenblatt‹ (Nr. 14) den Aufsatz ›Catull und Ed. Mörike‹.

7. April: M's Bruder Adolf und Adelheid Hauff heiraten.

Mai: M's Schwiegermutter erleidet einen Blutsturz.

6. Mai: M bittet Cotta auf ein Jahr um ein verzinsliches Darlehen von 400 fl; als Deckung bietet er Wertpapiere in Höhe von 600 fl an.

7. Mai: Cotta geht auf die Bitte vorläufig ein; er fragt nach neuen Manuskripten oder Beiträgen fürs ›Morgenblatt‹ sowie nach den Briefen Schillers an seine Schwester. – Nach diesen Briefen erkundigt sich auch Künzel.

8. – 12. Mai: Hartlaub ist in Stuttgart.

8. Mai: M schickt den Entwurf eines Schuldscheins an Cotta; er kann keine Manuskripte anbieten, weil er mit Schweizerbart für eine Neuausgabe des ›Nolten‹ kontrahiert hat und den Rest des Jahres an der Revision des Romans arbeiten will. M hat nur die Schillerbriefe in Abschrift, die er 1839 edierte.

9. Mai: Cotta überweist 400 fl an M.

10. Mai: M leiht sich Jung Stillings ›Scenen aus dem Geisterreiche‹ aus (im zweiten Band der ›Sämmtlichen Schriften‹, Stuttgart 1835).

11. Mai: M dankt Cotta für das Darlehen.

Mitte Mai: M. Mathey beendet ihren Aufenthalt bei Hartlaubs, kommt mit ihrem Vater bei M vorbei.

19. Mai: M nimmt an der Hochzeitsfeier seines Vetters, des Theologen Louis Mörike, mit Luise Emilie Hofacker teil, Tochter des verstorbenen Stuttgarter Diakons und pietistischen Predigers W. Hofacker.

zweite Hälfte Mai: M ist krank.

26. Mai: Er gibt an Künzel 14 Autographen (von Wekhrlin, Hölderlin u. a.) zurück, die er beglaubigt hat; er verspricht die Besorgung weiterer Hölderlin-Handschriften.

Anfang Juni: Auch seine Schwester erkrankt.

1. Juni: M kauft ein Gartengrundstück am Kornberg (in das er sich in den folgenden Jahren häufig zurückzieht; auf den Fensterladen des Gartenhauses kritzelt M viele Notizen, auch Verse).

10. Juni: Zum Geburtstag seiner Frau schenkt M die Verse ›Von Müllers Laden her . . .‹.

Mitte Juni: Für Hartlaub besorgt M Reproduktionen von L. Richters ›Haussegen‹, ›Crucifixus‹ u. a. – Wegen des Prozesses muß M erneut auf das Rathaus.

25. Juni – 11. Juli: M, seine Schwester und Tochter Marie halten sich zur Erholung in Wimsheim auf. M kann nicht arbeiten; der Krieg zwischen Italien und Österreich sowie die Geschehnisse um die Gründung des Nationalvereins beschäftigen ihn. Vor allem seine Schwester ist wegen »religiöser Differenzpunkte« im Verhältnis mit Hartlaub gehemmt.

5. Juli: M besucht die Verwandten in Obermönsheim.

9. Juli: L. Walthers Tochter Clara wird geboren.

Zu seinem Geschenk aus diesem Anlaß hat M die Verse ›Auf die Sohle . . .‹ geschrieben.

Sommer: Das Gedicht ›Auf ein Kind‹ entsteht.

1. August: M's Schwester war in Wimsheim geblieben, kehrt nach Stuttgart zurück.

ca 2. August: M bezieht in Stuttgart eine neue Wohnung: Militärstraße 51 (= heute: Schloßstraße ca 59).

nach 11. August: Mit der Tochter Fanny fährt M's Frau für etwa drei Wochen zu Maria Hibschenberger, einer Jugendfreundin, nach Adelsheim.

13. August: Heyse schickt seine neueste Versnovelle ›Die Hochzeitsreise an den Walchensee‹ im Manuskript zur Begutachtung (in ›Gesammelte Novellen in Versen‹, Berlin 1864) und kündigt ein eben vollendetes Schauspiel an; er hält M für seine »oberste Instanz bei allen dichterischen Gewissensfragen«.

Mitte August: M liest Heyses ›Hochzeitsreise‹ bei Notter vor. – Er studiert Spinoza anhand von Hegels ›Geschichte der Philosophie‹.

15. – 18. August: Hartlaub ist zu Besuch bei M.

17. August: M nimmt am Jahresfest des Katharinenstifts teil.

18. August: F. A. Krais und der Ulmer Lehrer Eduard Breitschwerdt suchen M auf.

20. August: Bei Mayers Besuch bietet M die nochmalige Durchsicht seiner Gedichte an; er bittet dazu allerdings um Fischers Unterstützung. – Nach Wimsheim schickt M neben einigen Albumversen auch Bartholomäus Ringwaldts ›Beschreibung einer frommen Magd‹ (als Pendant zu dessen ›Beschreibung eines frommen Knechts‹).

21. August: Mayer bringt M sein Lyrik-Manuskript und geht zu Fischer, der seine Mitarbeit an der Durchsicht der Gedichte zusagt.

28. August: An Heyse schreibt M positiv über die ›Hochzeitsreise‹ (die er dann korrigiert und von Vischer oder F. Buttersack nach München bringen läßt).

Ende August: M's Bruder Ludwig bittet Hartlaub unter Hinweis auf das Vermögen seiner Frau um finanzielle Unterstützung.

3. September: M übergibt Fischer revidierte Partien zusammen mit dem unkorrigierten zweiten Teil des Mayerschen Manuskripts, damit er seine Arbeit an M's Vorlage messen könne.

7. September: Mayer schickt neuere Gedichte zur Begutachtung. – Hartlaub ist zu Besuch bei M.

8. September: M trifft Schönhuth, der ihm seine ›Sagen und Geschichten aus Hohenlohe‹ (Öhringen, Mergentheim 1857) schenkt.

Abb. 7 Photographie von F. Brandseph.
Von links nach rechts: Klara, Fanny, Eduard, Margarethe, Marie Mörike. 1860.
182 × 143 mm.

11. September: Hartlaub erbittet M's 1856 zusammengestelltes Register zu den ›Gedichten‹.

14. September: M schickt den ersten Teil des von ihm und Fischer durchgesehenen Mayerschen Manuskripts an den Autor; 139 Gedichte wurden ausgewählt.

17. September: C. und A. Hartlaub kommen für vier Tage zu Besuch.

29. September: Dem Comité des Stuttgarter Schiller-Vereins rät M zum Ankauf der Grabstätte von Schillers Mutter in Cleversulzbach und zur Errichtung eines Monuments. – M gehört dem Comité an und beteiligt sich an der Organisation des Stuttgarter Schiller-Fests.

Herbst: Storm schickt wahrscheinlich seine Novellen ›In der Sommer-Mondnacht‹ (Berlin 1860).

Oktober: Fischer kündigt die Mitarbeit an der Revision von Mayers Gedichten auf. (Er ist Leiter der Kaufmännischen Fortbildungsschule geworden.)

4. Oktober: Mayer schickt erneut Nachträge zu seinem Manuskript.

15. Oktober: Dem Comité des Schiller-Vereins gibt M die Anregung weiter, auch auf dem Grab von Schillers Vater ein Denkmal zu errichten.

20. Oktober: Hartlaub sieht bei M auf der Durchreise vorbei.

24. Oktober: Heyse kündigt sein als Bühnenmanuskript gedrucktes Schauspiel ›Elisabeth Charlotte‹ an (1864 in den ›Dramatischen Dichtungen‹, Berlin).

28. Oktober: Durch Vermittlung M's überläßt Cleversulzbach das Grab von Schillers Mutter unentgeltlich dem Stuttgarter Schiller-Verein.

7. — 11. November: Hartlaub ist in Stuttgart.

9. November: Das Stuttgarter Schiller-Fest beginnt mit einer Feier im Katharinenstift, an der auch die Königin teilnimmt; als Mitglied des Fest-Comités rezitiert M die Apfelschuß-Szene aus dem ›Tell‹. Am Schluß der Feier wird der »Schulschiller« verteilt: ›Schiller's Gedichte. Auswahl für die Jugend. Eine Festgabe für Schulen‹ (Stuttgart: Cotta), im Namen des Comités herausgegeben von M, Friedrich Ehrhardt, Fischer, G. Pfizer und Ferdinand Scholl.

Dezember: Im Stuttgarter Taschenbuch ›Weihnachtsblüten‹ (Jg 22) erscheint M's Gedicht ›Die Rückkehr‹ mit einem entsprechenden Tondruck. – M's Bruder Ludwig kommt zu Besuch.

21. Dezember: Das Leiden von M's Schwiegermutter verschlimmert sich. – Hartlaub schickt an M die ›Deutsche Dichtung‹ von Wolfgang Menzel (Stuttgart 1858).

1860

Januar: M kauft ein neues Klavier. Wegen seinem Bruder Adolf verhandelt er mit Neuenstadt; der Bruder kommt mit seiner Frau nach Stuttgart (ausgewiesen aus Frankfurt?). – Hartlaub liest den vierten Band von Jahns ›Mozart‹ (Leipzig 1859), in dem M's Novelle kritisiert wird.

Anfang Januar: M erhält viele Neujahrsbesuche, u. a. von Grunert. – Im Marstall unterrichtet M sechs adelige Fräulein. – M's Bruder Ludwig ist mit seiner Frau in Stuttgart. – M sorgt sich um seine Schwiegermutter.

8. Januar: Künzel besucht M.

9. Januar: M hält eine zweite Stunde für die adeligen Mädchen.

13. Januar: An den Nürtinger Rektor Theodor Friedrich Köstlin schickt er sein Epigramm ›Auf die Nürtinger Schule‹, das durch dessen Schiller-Rede vom 10. November 1859 veranlaßt worden sei.

20. Februar: M schickt den Rest des ersten Teils von Mayers Lyrik-Manuskript zurück; im Begleitbrief lobt er dessen Aufsatz über ›Scharffenstein und von Ixküll‹, der für das Dresdner ›Schiller-Buch‹ (1860) vorgesehen ist; er teilt Anekdoten Lohbauers über und eigene Erinnerungen an K. F. v. Uxkull mit und zitiert aus dessen ›Fragmenten über einige neuere Kunstwerke‹ (1824), die sich auf E. Wächter beziehen. Er zitiert auch einen Bericht der französischen Zeitung ›Moniteur‹ über das Stuttgarter Schiller-Fest. M legt das Wolff zugedachte Gedicht ›Hermippus‹ bei; über Chr. Schad und den ›Deutschen Musenalmanach‹ äußert er sich negativ.

22. Februar: Wegen Katarrh sagt M seine Stunde am Katharinenstift ab; er bittet Wolff, »Episches« lesen zu lassen.

23. Februar: M's Bruder Adolf sucht eine Anstellung in Ludwigsburg. – In seinem Dankschreiben kritisiert Mayer eine Stelle des ›Hermippus‹; M schickt den Brief deshalb an Th. F. Köstlin. – Er will das Gedicht im ›Schiller-Buch‹ veröffentlichen.

Ende Februar/Anfang März: M hat sich mit seiner Frau und Schwester sowie den beiden Töchtern von Friedrich Brandseph photographieren lassen (Abb. 7). Er sendet das Bild an Hartlaub: »Wir sind im Ganzen mit demselben wohl zufrieden; besonders sind die Kinder gut«. – Der Kontrakt von M's Bruder Adolf in Ludwigsburg kommt nicht zustande; er muß offensichtlich

erst um seine Wiederanstellungsfähigkeit eingeben; darüber bespricht sich in den nächsten Tagen sein Schwiegervater, Pfarrer Ludwig Hauff,
mit M.

März: M verweist Hartlaub auf August Bodens
›Dr. Wolfgang Menzel's Anklagen‹ (Frankfurt
1860). – Der Komponist Robert von Hornstein
überreicht M sein op. 22 ›Zwei Gedichte von E.
Mörike‹ (Stuttgart); sie unterhalten sich über
Jahns Kritik am ›Mozart‹.

Ende März: M's Bruder Ludwig hat sich aus
Augsburg erneut um finanzielle Hilfe an Hartlaub gewandt, der sie aber vorerst ausschlägt.

Anfang April: Fischer beteiligt sich doch wieder
an der Revision des Mayerschen Manuskripts;
er bittet M zugleich um Unterstützung der Eh-
renpromotion des Esslinger Musikdirektors Johann Georg Frech. – Etwa gleichzeitig wenden
sich Fischer und Heyse wegen der finanziellen
Not von H. Kurz an M; Kurz, der mit seiner Familie seit 1858 in Oberesslingen wohnt, wehrt
sich gegen die Hilfe der Freunde. (Fischer schal-
tet die Schiller-Stiftung ein, die seitdem einen
»Ehrensold« an Kurz zahlte.) – W. Hertz kündigt M einen Besuch Geibels an.

14. April: M schreibt wegen Frech an Mayer (der
seinerseits K. Köstlin, Keller, E. Meier, Quenstedt, H. Fichte informiert); M beginnt die
Durchsicht des zweiten Teils von Mayers Manuskript.

Mitte April: M's Bruder Ludwig meldet sich aus
Lindau bei Hartlaub; er kann nicht einmal mehr
seine Miete in Augsburg begleichen; Hartlaub
leiht ihm 100 fl.

3. Mai: Hartlaub schickt H. Grimms Schiller-
Rede an M und gibt H. Kurz' ›Erzählungen‹
(Stuttgart 1859/61) zurück.

Mitte Mai: M. Hartlaub kommt mehrmals zu Besuch; sie wohnt bei Bekannten in Ludwigsburg.

16. Mai: M zahlt Cotta das Darlehen vom 9. Mai
1859 ab.

24. Mai: M's Frau, Schwester und Töchter fahren nach Nürtingen.

Ende Mai: M schickt an Hartlaub eine Karikatur
Napoleons III. u. a.

Juni: M überreicht Wolff das Gedicht ›Hermippus‹.

Anfang Juni: Von W. Hertz erhält M dessen
›Lanzelot und Ginevra‹ (Hamburg 1860), und F.
Löwe schenkt ihm seine ›Gedichte‹ (Stuttgart
1860²).

9. Juni: An Hartlaub sendet M eigene Karikatu-
ren Napoleons III. und Camillo Graf Cavours.
Er beobachtet die politischen Auseinanderset-

zungen in Italien und freut sich über Garibaldi.

Sommer: A. Schöll (inzwischen Vorstand der
Großherzoglichen Bibliothek in Weimar) besucht M, der offenbar mit Krais eine Anakreon-
Edition verabredet hat; sie besprechen das Vorhaben.

25. Juli: M's Schwiegermutter zieht endgültig
bei ihm ein.

Ende Juli: Sein Bruder Ludwig kommt zu Besuch.

Ende Juli/Anfang August: An Hartlaub läßt M
u. a. Suetons ›Kaiserbiographien‹ (übersetzt
von A. Stahr, Stuttgart 1857) gehen.

erste Hälfte August: Seine Schwester schickt ›Ritterliche Werbung‹ an Hartlaub; diese Nachdichtung eines englischen Kinderlieds wurde durch
ein Reklameblatt des Verlegers F. A. Krais für
seine Zeitschrift ›Freya‹ angeregt. Gleichzeitig
erhält Hartlaub das Gedicht ›Einer Reisenden‹
und (wahrscheinlich) ›Jedem das Seine‹. – G. v.
Arnim und H. Grimm besuchen M.

10. August: M sendet wieder einen Teil des
Mayerschen Manuskripts an den Autor.

26. August: Dem späteren Oberregierungsrat
Karl Doll gibt M handschriftliche Gedichte zurück mit dem Rat, sie einzeln in Zeitschriften zu
veröffentlichen.

Anfang September: K. Hartlaub kommt zu Besuch; auch sie wohnt in Ludwigsburg.

zweite Hälfte September: Im Katharinenstift behandelt M Literatur der letzten Zeit, u. a. Mayer.

17. September: Hartlaub beginnt (begleitet von
seiner Frau) eine Kur in Bad Berg bei Stuttgart;
M bespricht mit ihm die Mayerschen Manuskripte.

24. September: M's Bruder Adolf hat sich als Instrumentenmacher in Neuß niedergelassen; er
verzichtet auf die württembergische Staatsbür-
gerschaft, um die preußische annehmen zu können.

29. September: M's Schwiegermutter stirbt. – M
sendet wieder Mayersche Manuskripte zurück;
er hat nun mehr als die Hälfte revidiert.

2. Oktober: M's Schwiegermutter wird auf dem
Stuttgarter Hoppenlau-Friedhof bestattet.

13. Oktober: C. Hartlaub fährt wieder nach Hause.

16. Oktober: M liest vor Hartlaub und seinem
Bruder Ludwig überarbeitete Partien aus dem
›Nolten‹.

17. Oktober: Hartlaub reist nach Hause. – Mayer
sendet neue Gedichte.

23. Oktober: Schöll verweist M wegen der Ana-

Abb. 8 Photographie von F. Brandseph. 1860.
130 × 96 mm (Porträt).

kreon-Übersetzung auf die ›Poetae lyrici Graeci‹ von Th. Bergk (London 1853), den zweiten Teil von G. Bernhardys ›Grundriß der Griechischen Litteratur‹ (Halle 1845) und auf Karl Bernhard Starks ›Quaestionum Anacreonticarum libri duo‹ (Leipzig 1846).

29. Oktober: Theodor Fontane schickt seine ›Balladen‹ (Berlin 1861) »als ein Zeichen meiner aufrichtigen und lebhaftesten Verehrung« an M. (Wolff dankt in M's Namen mit dem ›Hermippus‹.)

30. Oktober: M empfiehlt Mayer Publikationen in der bei Krais angekündigten Zeitschrift ›Freya‹.

Ende Oktober/Anfang November: M's Schwester fährt mit seiner Tochter Fanny nach Tübingen und Nürtingen; sie bestellt für M's Anakreon-Übersetzung Bücher aus der Tübinger Bibliothek.

erste Hälfte November: M erhält die bestellten Bücher durch Karl Klüpfel. – Grüneisen sendet Karl Siebels ›Tannhäuser. Ein Sohn der Zeit‹ (Iserlohn 1858) an M.

3. November: Hartlaub, der eine Woche zu Besuch war, geht wieder nach Hause. – M's Bruder Ludwig steht wegen eines geplatzten Wechsels vor Gericht.

4. November: M's Schwester und Tochter besuchen Mayer in Tübingen.

17. November: An Grüneisen schreibt M negative Bemerkungen über Siebels Buch. – Mayer wünscht seine restlichen Manuskripte zurück.

6. Dezember: Hartlaub referiert M aus dem Nekrolog der ›Allgemeinen Zeitung‹ (Beilage Nr. 312) für Gottlieb Tafel.

12. Dezember: Wegen Katarrh bittet M wieder um Befreiung von seinen beiden Unterrichtsstunden am Katharinenstift.

16. Dezember: M's Photo-Porträt von Brandseph (Abb. 8) wird in der ›Schwäbischen Kronik‹ (Nr. 298) angezeigt; es kostet »auf Karton mit Goldrand« 1 fl 12 x.

19. Dezember: C. Hartlaub fährt nach einem einwöchigen Aufenthalt in Stuttgart wieder nach Hause.

Weihnachten: M's Bruder Ludwig verbringt die Feiertage bei seiner Frau.

1861

A. Strauß/Schebest zitiert in ihrer Studie ›Rede und Geberde‹ (Leipzig) auch Dichtungen M's.

Januar: Die Gedichte ›An Frau Luise Walther‹, ›Einer Reisenden‹ und ›Einem kunstliebenden Kaufmann‹ erscheinen in der ›Freya‹. – M's Bruder Ludwig kommt wieder nach Stuttgart. – A. Hartlaub besucht M; sie bleibt bis 26. Februar in Stuttgart. – M sendet an Hartlaub Auszüge aus Th. G. v. Karajans ›J. Haydn‹ (Wien 1861).

7. Januar: Wilhelm Grimms Tochter Auguste schickt einen Briefbeschwerer als Andenken an den toten Vater; er habe M's ›Gedichte‹ und ›Idylle‹ gerne gelesen. – Etwa gleichzeitig erhält M von H. Grimm dessen ›Leben Michelangelo's‹ (Hannover 1860).

12. Januar: Mit Auerbach, Hebbel, Heyse, Lingg, Adalbert Stifter u.a. unterschreibt M in der ›Schwäbischen Kronik‹ (Nr. 11) eine ›Erklärung‹ gegen nicht autorisierte Nachdrucke des Bibliographischen Instituts in Hildburghausen.

Februar: In der ›Freya‹ erscheint M's Aufsatz ›Aus dem Gebiet der Seelenkunde‹.

7. Februar: L. Walthers Schwester Marie von Breitschwert heiratet den Eisenbahnbau-Inspektor Hocheisen. M schenkt den Stich ›Kindersymphonie‹ von L. Richter und legt das Gedicht ›L. Richters Kinder-Symphonie‹ bei.

15.–17. Februar: J. F. Faber geht in seinem Aufsatz über ›Schwäbische Dichter und norddeutsche Kritiker‹ auch auf M ein (Beilage zur ›Allgemeinen Zeitung‹ Nr. 46–48).

zweite Hälfte Februar: M schickt ›L. Richters Kinder-Symphonie‹ an Hartlaub und erläutert das Gedicht, das Krais in der ›Freya‹ zusammen mit der Bildvorlage publizieren will. M ist aufgebracht durch Johannes Minckwitz' Äußerungen über ihn in seinem Buch ›Der neuhochdeutsche Parnaß‹ (Leipzig 1861); M liest Fabers Aufsatz.

Anfang März: Auf eine Kritik Hartlaubs hin verbessert M die ›Kinder-Symphonie‹. – Er erwägt wieder einen Wohnungswechsel.

9. März: Von Vischer hat M dessen drei Hefte ›Kritische Gänge. Neue Folge‹ (Stuttgart 1860/61) erhalten; das zweite gefällt ihm besser als das erste; er kündigt es Hartlaub an. Zu einer Abschrift der ›Kinder-Symphonie‹ (für Hetsch) bemerkt M gegenüber Hartlaub, daß die Anmerkung nicht kürzer sein könne, »da auch in einem derartigen Fall nichts dunkel oder unklar bleiben soll«.

19. März: M ist mit der Anakreon-Übersetzung »längst fertig«; die Anakreonteen, »das Interessanteste an der ganzen Arbeit«, hat er aus dem Urtext übertragen. Er will die Übersetzung nun seinem ehemaligen Studienkollegen Gustav Ludwig, Pfarrer im nahen Beutelsbach und als

Horaz-Spezialist bekannt, vorlegen; Einleitung und Kommentare sind noch zu schreiben. – Dem Freund Hartlaub kündigt er Bilder aus dem ›Münchener Punsch‹ an.

25. März: J. Speeths Nachlaß (eine Barschaft von ca 5000 fl) wird gerichtlich unter M's Frau und Schwager geteilt.

31. März: M hat sich nach einem Besuch Mayers wieder mit dessen Gedichten beschäftigt; er gibt Teile des Manuskripts zurück und bittet gleichzeitig um die für die ›Freya‹ versprochenen Beiträge.

1. — 3. April: Hartlaub ist in Stuttgart.

3. April: M besucht eine Aufführung von ›Hamlet‹ mit Löwe in der Hauptrolle.

12. April: M's Schwager ficht das Testament der Mutter an.

15. April: Mayer sendet Manuskript-Teile und -Nachträge sowie eine Reihe von Texten für die ›Freya‹, aus denen M auswählen möge; Mayer hat den Auftrag zu einer Uhland-Biographie erhalten.

20. April: Mayer schickt Bemerkungen zu M's Kritik vom 31. März.

30. April: M gibt wieder Teile des Mayerschen Manuskripts zurück.

2. Mai: Hartlaub bittet M um den 3. Band von Vischers ›Ästhetik‹.

7. Mai: Bei der Gerichtsverhandlung wegen der Klage von M's Schwager lassen sich M und seine Frau von ihrem Rechtsanwalt August Österlen vertreten.

28. Mai — 18. Juli: M's Schwester und Tochter Fanny halten sich in Wimsheim auf.

4. Juni: M schlägt Krais ein Porträt Löwes als Hamlet in der ›Freya‹ vor; der Verleger will darauf eingehen, falls es von Kurtz gezeichnet würde (wahrscheinlich nicht erschienen).

5. Juni: Wegen einer Besprechung mit seinem Rechtsanwalt kann M nicht Albert Dulk besuchen; er bittet ihn um sein Manuskript ›Jesus der Christ‹ (1855 vollendet, 1865 in Stuttgart publiziert).

Mitte Juni: Bei der Rückgabe von Dulks Drama rät er von einer Veröffentlichung ab; trotz »willkührlichster rationalistischer Behandlung der evangelischen Geschichte« sei es »nicht geistlos«. – Künzel kommt zu Besuch; Mayer liest aus seiner Uhland-Biographie.

24. Juni: Elsäßer attestiert, daß M gesundheitshalber kein geistliches Amt übernehmen könne.

4. — 18. Juli: M macht mit der restlichen Familie eine Ferienreise zu Hartlaub.

5. Juli: Die Osiandersche Buchhandlung in Tübingen bittet um M's Autobiographie für ihr ›Album schwäbischer Dichter‹ (wozu Mayer seine Uhland-Biographie schrieb).

10. Juli: Mayer schickt neue Manuskripte.

Mitte Juli: M besucht die Verwandten (über die Neuenstädter Mörikes) in Obermönsheim und überreicht die Gedichte ›An Frau Pauline von Phull-Rieppur‹ und ›Wieviel Herrliches . . .‹.

28. Juli: M bittet Mayer, die Osiandersche Buchhandlung wegen seiner Biographie an Mährlen zu verweisen; Mayer jedenfalls solle über sich selbst schreiben. M's Frau legt dem Brief an Mayer die Distichen ›An Frau Pauline von Phull-Rieppur‹ samt einer Beschreibung der Reise nach Obermönsheim bei.

erste Hälfte August: Der Besucherstrom bei M nimmt ab; dennoch kommen u. a. F. A. Krais, Scherer, Schwerzenbach. – M's Bruder Ludwig hat keine guten Berufsaussichten.

4. — 5. August: Hartlaub übernachtet auf der Durchreise in Stuttgart bei M.

6. August: Mayer sieht wieder bei M vorbei.

8. — 27. August: M. Hartlaub ist bei M.

12. August: M bespricht sich mit Mährlen.

13. August: Er verfehlt einen Besuch Hetschs. – In der Lotterie gewinnt er einen Kupferstich nach dem Schiller-Porträt von Anton Graff.

September: Mayers ›Ludwig Uhland‹ erscheint als erste Lieferung des ›Albums schwäbischer Dichter‹ (Tübingen), das zugleich auch eine M-Biographie ankündigt.

2. September: Krais schenkt M die Reproduktion eines Jugendbilds von Goethe. – M's Schwester fährt für etwa eine Woche zu Krehls nach Nürtingen.

3. — 20. September: K. Hartlaub hält sich in Stuttgart auf.

3. September: Krais möchte einen englischen Kupferstich in der ›Freya‹ veröffentlichen und bat M um ein begleitendes Gedicht. M schrieb ›Die Tochter der Heide‹ (ursprünglicher Titel: ›Morgentoilette‹) und schickt den Text als ein »Pendant zu dem König Milesint« (›Die traurige Krönung‹) an Hartlaub. – M will seinen Garten wieder verkaufen.

5. September: Er besucht den Forstrat August von Dorrer.

8. September: Zu seinem Geburtstag erhält M von Hartlaub einen Globus.

29. September — 4. Oktober: Hartlaub ist in Stuttgart.

Herbst: M liest den Nachlaßband ›Sulpiz Boisserée‹ (Stuttgart 1862).

Oktober: ›Hermippus‹ erscheint in der ›Freya‹.

(Das Gedicht wird in diesem Jahr auch im ›Schiller-Album der Allgemeinen deutschen National-Lotterie zum Besten der Schiller- und Tiedge-Stiftungen‹, Dresden, gedruckt.)

1. Oktober: M nimmt wahrscheinlich am Treffen der Uracher Promotion in Cannstatt teil; vorher besucht er vielleicht noch den ehemaligen Studienfreund Wilhelm Thumm, Pfarrer im nahen Degerloch.

9. Oktober: Er gibt den Rest des Mayerschen Manuskripts, den er noch nicht durchgesehen hat, zurück.

14. Oktober: Seine Tochter Fanny wird eingeschult.

25. Oktober: Bei A. und H. Grimm bedankt sich M für die Sendungen vom Januar mit Notters ›Dante. Ein Romanzen-Kranz‹ (Stuttgart 1861), um dessen Rezension er bittet.

29. Oktober: Von Wolff wünscht sich M den Band einer Literaturgeschichte von Gervinus, der die neueste Zeit behandelt.

Anfang November: M's Tochter Fanny erkrankt.

3. November: Mayer schickt den im Oktober erhaltenen Manuskript-Teil wieder an M.

5. November: Für ein Taschenbuch (›Blumen aus der Fremde‹) mit Übersetzungen aus dem Englischen, Italienischen, Französischen usw., das Schweizerbart ab Neujahr 1862 plant, bittet M um die Mitarbeit Heyses; obwohl das Manuskript »nahezu beisammen« ist (Notter hat die Mehrzahl der Stücke beigesteuert), fordert er Heyse auf, auch bei Bodenstedt, Geibel, Hertz und Melchior Meyr anzufragen; M selbst will Beiträge liefern. Er berichtet Heyse über einen Besuch von Hertz und seine Lektüre von Heyses ›Italienischem Liederbuch‹ (Berlin 1860).

vor 24. November: Heyse sendet einige Übersetzungen und verweist auf den Maulbronner Professor Karl Krafft (der auch noch als Mitarbeiter gewonnen werden kann). – Die von M gewünschten Beiträger sagten wohl ab; Heyse übersetzte Giuseppe Giusti und Giacomo Leopardi, Krafft nur Giusti.

27. November: Nach einem zweitägigen Aufenthalt bei M reist Hartlaub wieder nach Hause; er hat den ›Besuch in der Kartause‹ kennengelernt und M und Scherer bei der Zusammenstellung des vierten Heftes von dessen ›Volksliedern‹ geholfen. – M's Bruder Ludwig wohnt in Stuttgart.

Dezember: ›Das Mädchen an den Mai‹ erscheint in den ›Weihnachtsblüten‹ (Jg 24).

13. – 16. Dezember: C. Hartlaub ist zu Besuch bei M. Sie erhält u. a. die Gedichte ›Jedem das Seine‹, ›Ritterliche Werbung‹ und ›Besuch in

der Kartause‹ (das M inzwischen verbessert hat); M gibt ihr auch die ›Worte der Erinnerung an Dr. Ph. Fr. Sicherer‹ von Strauß mit, der wieder in Heilbronn wohnt.

Mitte Dezember: M lernt die ›Blumen aus der Fremde‹ durch die Druckfahnen kennen; mit der Redaktion hatte er nichts zu tun.

21. Dezember: Er sendet den ›Besuch in der Kartause‹ an Heyse; das Gedicht trägt den Untertitel »Epistel an Paul Heyse«; es sei »der Hauptsache nach nicht gefabelt«.

22. Dezember: Als Dank für die ›Kritischen Gänge‹ schickt M sechs neuere Gedichte an Vischer; er schreibt u. a.: »Ich komme selten mehr und meistens nur auf äußere Aufforderung dazu, etwas zu machen«.

Weihnachten: Strauß besucht M, schenkt ihm wohl seine ›Kleinen Schriften‹ (Leipzig 1862). – Bei Schweizerbart erscheint: ›Blumen aus der Fremde, Poesien von Gongora, Manrique, Camoës, Milton, Giusti, Leopardi, Longfellow, Th. Moore, Burns, Lamartine u. v. a. Neu übertragen von P. Heyse, K. Krafft, E. Mörike, F. Notter, L. Seeger‹, vordatiert auf 1862, mit M's ›Jedem das Seine‹ und ›Ritterliche Werbung‹. (Eine Titelauflage erschien später im Stuttgarter Verlag der Lieder-Chronik.) Das gebundene Buch mit Goldschnitt kostet 2 fl.

27. Dezember: An Scherer reicht M Korrekturen des vierten Hefts der ›Volkslieder‹ nach.

30. Dezember: Krais überweist 50 fl für die Beiträge in der ›Freya‹; er bittet um ›Jedem das Seine‹ und bietet eine Illustration von Neureuther dazu an.

1862

Wilhelm Raabe zieht nach Stuttgart; obwohl er bis 1870 bleibt, ergibt sich keine persönliche Begegnung mit M. – In dem Lexikon ›Männer der Zeit‹ (Leipzig) erscheint ein Artikel über M.

Januar: In der ›Freya‹ erscheint ›Die Tochter der Heide‹ mit einer Holzschnitt-Reproduktion. – M's Kinder erkranken, Fanny wahrscheinlich an Pocken. – Er kennt das ›König Ludwigs-Album‹ (München 1855) und ist von Schwinds dort reproduzierten ›Gnomen vor der Zehe der Bavaria‹ entzückt.

Anfang Januar: Bei Krais trifft M mit Scherzer zusammen, der auf M's Wunsch ›Rat einer Alten‹ (in op. 4) und ein Shakespeare-Gedicht vertont.

2. Januar: Von Krais erhält M zwei Tuschzeichnungen; M gestattet ihm den Abdruck von ›Jedem das Seine‹ mit einer Neureuther-Illustration. – An Löwe schickt er den ›Besuch in der Kartause‹.

6. Januar: Auch an Th. F. Köstlin geht der ›Besuch in der Kartause‹ ab.

8. Januar: Heyse kündigt M eine Komödie zur Beurteilung an und empfiehlt H. Kurz' Gedicht ›Der Fremdling‹.

Mitte Januar: H. Grimm schickt seine ›Gedanken über Herrn von Varnhagen's Tagebücher‹ aus der ›Berlinischen Zeitung‹ (vom 5. Januar), und Kurz sendet (ohne Begleitschreiben) sein Gedicht ›Der Fremdling‹.

18. Januar: M läßt seine letzte Revision der Mayerschen Gedichte dem Autor zugehen.

24. Januar: Er erhält Besuche von Dulk und Scherer.

25. Januar: An Hartlaub schickt er die ›Kleinen Schriften‹ von Strauß, die den Aufsatz über L. Bauer enthalten.

Anfang Februar: Krais will eine Miniatur M's in der ›Freya‹ publizieren; M bittet Hartlaub dazu um die ›Hl. Veronika‹ (wahrscheinlich nicht reproduziert). – M bespricht sich mit Maximilian von Phull-Rieppur wegen des Prozesses.

2. Februar: Im Erbschaftsprozeß mit Wilhelm Speeth findet eine Gerichtsverhandlung statt.

3. Februar: M sieht ›Othello‹ mit Grunert als Jago.

7. Februar: Gegenüber Krais äußerte M Zweifel, ob Neureuther »ein so völlig realistisch modernes Genrebild« wie den ›Besuch in der Kartause‹ illustrieren könne; für diesen Künstler hielt er ›Göttliche Reminiszenz‹ geeigneter, da sie kein reales Gemälde beschreibe. Nun fordert Krais auf, M möge Neureuthers Entwürfe ansehen; M ist begeistert von der Randzeichnung zum ›Besuch in der Kartause‹; die Illustration von ›Jedem das Seine‹ hält er allerdings für verfehlt.

12. Februar: M besucht eine Aufführung des ›Götz‹.

18. Februar: Mayer sendet seine Manuskripte wieder. – M's Bruder Ludwig trifft auf der Durchreise nach München ein.

19. Februar: An Hartlaub schickt M u. a. zur Komposition für Hetsch eine ungedruckte Shakespeare-Übersetzung, die er selbst veranlaßte. Er legt das vierte Heft von Scherers ›Deutschen Volksliedern‹ (Stuttgart) bei, das er mit Hartlaub in der ›Allgemeinen Zeitung‹ rezensieren will. (Eine Besprechung von dritter Seite kommt zuvor.) M berichtet von seiner Korrespondenz mit G. Ludwig über die Anakreon-

Übersetzung; Ludwig hat ihm seine Euripides-Übertragung (Stuttgart 1837/53) geschenkt. – M und seine Frau sagen vor dem Stadtgericht in der Streitsache gegen W. Speeth aus.

22. Februar: Kerner stirbt.

26. Februar: Im Kerner-Nekrolog der ›Schwäbischen Kronik‹ (Nr. 49) ist von einem Aufruf zu einem Denkmal für den Dichter die Rede; aus diesem Anlaß schreibt M das Gedicht ›Die ihr treulich . . .‹.

27. Februar: M dankt Ludwig und urteilt negativ über Johannes Minckwitz' ›Briefwechsel mit August von Platen‹ (Leipzig 1836) sowie über dessen Übersetzung der ›Alkestis‹ von Euripides (Stuttgart ca 1860). – Hartlaub berichtet, daß Hetsch ›Jung Volker‹ vertont habe.

28. Februar: M besucht die Uraufführung von Fischers ›Saul‹.

erste Hälfte März: M's Bruder Ludwig kündigt seinen Besuch an und schenkt ihm u. a. den ›Prozeß gegen den wegen Vergiftung seiner Ehefrau zum Tode verurtheilten Georg Heinrich Jacoby‹ (Darmstadt 1862).

6. März: Strauß schickt M seinen ›Hermann Samuel Reimarus‹ (Leipzig 1862).

14. März: Auf ein Gemälde von Francesco Albani schreibt M das Gedicht ›Schlafendes Jesuskind‹.

19. März: Vischer empfiehlt Karl Kösting an M und bittet, dessen Drama ›Mazeppa‹ zu beurteilen oder von Fischer bzw. Notter begutachten und von Grunert inszenieren zu lassen. – Hartlaub rät zur Lektüre von Gottfried Menkens ›Briefen an Achelis‹ (Bremen 1860).

23. März: An Hartlaub sendet M das ›Schlafende Jesuskind‹, das mit einem Holzschnitt von Eduard Ade nach Albani in der ›Freya‹ erscheinen soll.

25. März: Kösting schickt mit seinem Manuskript auch Vischers Empfehlungsschreiben und kündigt seinen Besuch an.

28. März: M schreibt weitere Bemerkungen zu Mayers Gedichten.

30. März: M rät Kösting, ›Mazeppa‹ für eine Inszenierung umzuarbeiten. (Das Stück wird erst 1886 in Darmstadt publiziert.)

April: Er erhält Besuche von Vischer und F. Baur, lernt Kösting persönlich kennen.

7. April: Auerbach besucht M; er wohnt seit 1859 in Berlin.

22. April: Emilie Buttersack und Paul Heinrich Zech, Professor am Stuttgarter Polytechnikum, heiraten; M's Tochter Fanny ist Brautjungfer. Er schreibt aus diesem Anlaß den ›Trinkspruch‹.

(Der Bruder der Braut, F. Buttersack, ist Lehrer an der Ludwigsburger Kriegsschule.)

23. April: Für Scherer verfaßt M Korrekturen zu einer geplanten Tannhäuser-Edition.

30. April: Hartlaub fährt nach einem zweitägigen Aufenthalt bei M wieder nach Hause.

Mai: Kösting besucht M, der aus der ›Nolten‹-Neufassung vorliest. M führt ihn bei Notter, Heinrich Rustige (Professor an der Kunstakademie), Suckow und Grunert ein. M kommt öfters mit Scherer zusammen; auf Empfehlung von Konsistorialpräsident August Köstlin (dem Schwager Mayers) stellt sich Karl Ziegler vor (der M früher seine Gedichte ›Himmel und Erde‹, Wien 1856, zukommen ließ). Hertz besucht M wieder; er hat ihm einige seiner Schriften und Ausgaben geschenkt (u. a. ›Das Rolandslied‹, Stuttgart 1861) und erhält Hollands ›Simplicissimus‹-Edition als Gegengabe.

7. Mai: M's Bruder Ludwig zieht mit seiner Frau nach Nördlingen.

8. — 10. Mai: C. und K. Hartlaub besuchen M; C. Hartlaub kommt am 19. Mai nochmals für einen Tag.

Juni: In der ›Freya‹ erscheint das Gedicht ›Schlafendes Jesuskind‹ mit dem Stahlstich von Ade nach Albani.

Anfang Juni: Mit seiner Frau und den Kindern spaziert M nach Berg; dabei entstehen die Verse ›Nur nicht wie die Unken . . .‹. – M's Schwester hält sich in Nürtingen auf.

1. Juni: Hebbel schickt an M sein Trauerspiel ›Die Nibelungen‹ (Hamburg 1862).

6. Juni: M besucht ein Konzert im Museum; er unterhält sich mit Kösting über Mayer.

7. Juni: M empfiehlt Kösting, der eine Albreise unternehmen will, an Mayer.

zweite Hälfte Juni: Mit Mährlen bewundert M das neue Bild ›Der Reiseprediger‹ von Robert Heck; bei Verwandten der Malerin besichtigt er mit Ch. Späth Gemälde der Ludovike Simanowiz; Th. Kerner und seine Tochter besuchen M und informieren über den Tod seiner Frau; auch M's Kompromotionale K. A. Schall, Pfarrer im nahen Botnang, sieht bei ihm vorbei. – M sucht den erblindeten Theologen Otto Rothacker auf.

17. Juni: An Künzel gibt M eine Hölderlin-Handschrift zurück, die er beglaubigt hat; er dankt ihm für sein Photo-Porträt.

21. Juni: Mayer schickt wieder Gedichte zur Begutachtung und legt einen Briefentwurf an Brockhaus bei, dem er seine Lyrik anbieten will.

27. Juni: Hebbel sucht M auf, der ihn zu Edmund Zoller, den Herausgeber von ›Über Land und Meer‹, und zu Th. Kerner führt; Hebbel läßt ein Manuskript zurück, das M in nächster Zeit korrigiert.

28. Juni: Th. Kerner, der mit Pflanzen experimentiert, bringt M einige Gewächse; M schreibt in den folgenden Tagen seine Beobachtungen auf. – Im Brief an Mayer votiert er für das Verlagsangebot an Brockhaus; er legt das entsprechende Schreiben und die Manuskripte bei.

Sommer: Carl Altmüller sendet seine Erzählung ›Die Ironischen‹ (Göttingen 1859) an M mit der Bitte, ihm die zweite Auflage dedizieren zu dürfen. (M reagiert nicht.)

2. Juli: Hartlaub schickt Hetschs Vertonung des ›Mausfallensprüchleins‹; er empfiehlt u. a. F. W. Schellings ›Clara oder der Zusammenhang der Natur mit der Geisterwelt‹ (Stuttgart 1862) und zitiert Shakespeares Testament (aus der ›Evangelischen Kirchen-Zeitung‹, Beilage Nr. 46, 1861).

8. — 19. Juli: M's Schwester und Tochter Marie halten sich in Wimsheim auf.

8. Juli: Mit Mährlen fährt M nach Nagold; die Freunde kuren im außerhalb der Stadt gelegenen Rötenbad. In Nagold besuchen sie den Apotheker und Naturforscher Heinrich Zeller, einen Schwager von Mährlens Frau. – Die folgenden Tage liest M Schellings ›Clara‹ und David Brodbecks ›Kurze Beschreibung von Nagold‹ (Tübingen 1729). – Während dieses Kuraufenthalts überarbeitet M das ›Orplid‹-Zwischenspiel im ›Nolten‹.

11. Juli: Bei Zeller macht M die Bekanntschaft des Pfarrers Gottlob Kemmler, dessen ›Liederklänge vom Rigi‹ (Reutlingen 1855) er kennt.

12. Juli: Mayer schickt neue Gedichte an M.

Mitte Juli: Er lernt bei Zeller den Schriftsteller Christian Gottlob Barth kennen. – Der Nördlinger Plan seines Bruders Ludwig droht schon wieder zu scheitern.

19. Juli: M zeichnet seinen Aufenthaltsort und fährt mit Mährlen nach Freudenstadt ab.

20. Juli: Sie fahren nach Schapbach, wo Mährlen früher ein Bergwerk leitete, bleiben zweimal über Nacht.

22. Juli: Sie kehren nach Stuttgart zurück. – Mayer sendet erneut Gedichte zur Durchsicht.

24. Juli: M gibt Mayers Gedichte zurück.

27. Juli: Mayer schickt neue Gedichte zur Begutachtung.

August: M's Frau hält sich in Mergentheim auf.

1. August: Hartlaub sieht bei M auf der Durchreise vorbei.

7. August: Hartlaub empfiehlt den Aufsatz ›Ge-

gen Veränderung der lutherischen Bibelüber-
setzung‹ in der ›Evangelischen Kirchen-Zeitung‹ (1861, Beilage 56, 57).

11. August: Krais fragt an, ob der Namen »Kin-
delsteig« im ›Besuch in der Kartause‹ beim Abdruck in der ›Freya‹ nicht kommentiert werden
müsse.

12. August: Da der Namen »erdichtet« ist, kann
M »der realistischen Verwöhnung gewißer Leser« nicht dienen.

Mitte August: Von R. v. Hornstein erhält M dessen op. 22: Kompositionen zum ›Feuerreiter‹
und ›Mausfallensprüchlein‹ (Stuttgart).

28. August: An Scherer schickt M außer dem Gedicht ›Der Hirtenknabe‹ auch Rätsel, die er von
Major Adelsheim kennt; Scherer benötigt die
Texte für sein ›Illustrirtes Deutsches Kinderbuch‹ (wo Rätselverse allerdings auch anonym
abgedruckt sind). ›Der Hirtenknabe‹ ist nach einer Zeichnung L. Richters in den von Scherer
herausgegebenen ›Alten und neuen Kinderlie-
dern‹ (Stuttgart 1853³) entstanden.

8. September: M. Hartlaub besucht M; sie bleibt
bis 3. Oktober in Stuttgart.

17. September: M's Tante Henriette Mörike
stirbt.

18. September: M schickt an Hartlaub Auerbachs
›Deutschen Volks-Kalender für 1862‹ (Leipzig)
und kündigt den ›Papier-Reisenden‹ (auf K.
Künzel) von Strauß an.

19. September: Bei der Beerdigung seiner Tante
spricht M wahrscheinlich mit dem Ulmer Rektor Max Planck, einem Enkel seines Onkels
Planck, über Anakreon. (Er hat an der Übersetzung seit Februar nicht gearbeitet.)

4. Oktober: Er sendet ihm Teile seiner Anakre-
on-Übersetzung mit Kommentar und bittet um
Hilfe v. a. bei der Auseinandersetzung mit
Theodor Bergks ›Anacreontis carminum reli-
quias‹ (Leipzig 1834) und Friedrich Mehlhorns
›Anacreontea‹ (Glogau 1825); er legt den dritten
Teil von Strauß' ›Hutten‹ (Leipzig 1860) bei.

7. Oktober: C. Hartlaub ist für einen Tag in Stuttgart.

14. Oktober: Hartlaub gibt Fanny Lewalds ›Phi-
line‹ in der ›Freya‹ (1862) zurück.

15. Oktober: An Richter sendet M seine Gedichte ›Der Hirtenknabe‹ und ›L. Richters Kinder-
Symphonie‹; er schildert ihre Entstehung.

Mitte Oktober: Fischer überbringt M die Nachricht, daß er eine »Ehrengabe« der Deutschen
Schiller-Stiftung erhalte.

18. Oktober: Hartlaub besucht M auf der Durchreise.

26. Oktober: M rät Mayer, sich wegen der Gedicht-Ausgabe unter Vermittlung Fischers wieder an Cotta zu wenden. (Fischer ist Professor an
der Realschule geworden.)

Ende Oktober/Anfang November: Von Hartlaub
erhält M die ersten drei Lieferungen der L.
Richterschen Zeichnungen ›Für's Haus‹ (Dresden 1859/62). – Holland besucht ihn und
schenkt ihm den ›Deutschen Dichterwald‹ von
Uhland, Kerner u. a. (1813).

November: M schreibt die Verse ›Wämmesle,
Wämmesle . . .‹.

4. November: Im Prozeß mit M's Schwager findet eine entscheidende Zeugenvernehmung (zugunsten M's) statt.

6. November: Bei Löwe sagt M seine Teilnahme
an einer Oskar Redwitz zu Ehren veranstalteten
Gesellschaft mit dem Verleger Friedrich Wilhelm Hackländer, Fischer, Rustige, Notter,
Scherer, Th. Kerner ab. (Kerner verzieht bald
wieder nach Weinsberg.)

8. November: Der Verwaltungsrat der Deutschen Schillerstiftung teilt M eine »Ehrengabe«
von 300 Thl (= 325 fl) zu; Dingelstedt unterzeichnet das Schreiben.

12. November: M bedankt sich bei der Schiller-
stiftung.

13. November: Von Marie Bauer, einer Tochter
des Mergentheimer Arztes, erhält M drei Steine
aus dem Nachlaß von J. B. Beringer. – Er arbeitet am Anakreon-Kommentar. – Uhland stirbt.

14. November: M schreibt die Verse ›Unterzeichneter bezeugt . . .‹ als Quittung für M. Bauer. – An Hartlaub schickt er die Hefte V und VI
der Schererschen ›Deutschen Volkslieder‹
(Stuttgart 1862). – L. Richter läßt M die vierte
Lieferung ›Für's Haus‹ zugehen und bietet ihm
die Illustration seines nächsten Märchens im
Verlag seines Sohnes an.

23. November: Storm sendet sein Buch ›Auf der
Universität‹ (München 1863) mit der gedruckten Widmung »Eduard Mörike in alter Liebe
und Verehrung zugeeignet« und eine Anzeige
K. Groths dazu.

27. November: Heyse besucht M.

28. November: Kaulbach telegraphiert, daß Ma-
ximilian II. König von Bayern M zum Ritter des
›Maximilians-Ordens für Wissenschaft und
Kunst‹ ernannt hat. (Auf Vorschlag Geibels ist
M damit Nachfolger Kerners geworden.)

Dezember: In der ›Freya‹ erscheint der ›Besuch
in der Kartause‹ mit einer Holzschnitt-Illustration von Neureuther.

8. Dezember: Der Bayrische Gesandte August

Graf von Reigersberg überreicht M den Orden und die Verleihungsurkunde.

9. Dezember: Auf Anfrage der Leipziger Klavierfabrik Breitkopf & Härtel empfiehlt M seinen Bruder Adolf.

10. – 11. Dezember: Notters Uhland-Nekrolog erscheint in der ›Schwäbischen Kronik‹.

Mitte Dezember: M nimmt eine homöopathische Behandlung bei einem neuen Arzt, dem Medizinalrat Wilhelm Friedrich Diez, auf. – M's Bruder Ludwig ist anwesend.

19. Dezember: Dr. Diez verordnet M Tinctura bryonica und Tinctura nucis vomicae; auf das Rezept schreibt M bis Jahresende die Verse ›Ruhig noch thronet . . .‹. – Kösting kündigt sein neues Drama ›Columbus‹ (Wiesbaden 1863) an, bei dessen Niederschrift ihn M beraten hatte; er bittet, das Stück durch Löwe zur Aufführung zu bringen sowie den Druck bei Cotta zu vermitteln.

28. Dezember: König Wilhelm erlaubt M die Annahme des ›Maximilians-Ordens‹.

31. Dezember: Krais überweist 50 fl für Beiträge in der ›Freya‹.

Ende: Th. F. Köstlin und E. Lempp besuchen M.

1863

Die vierte Auflage von ›Scherer's illustrirtem Deutschen Kinderbuch‹ (Stuttgart) erscheint mit M's Gedichten ›Der Hirtenknabe‹ (dazu L. Richters Holzschnitt) und ›Die heilige Nacht‹ (dazu ein Kupferstich von P. v. Cornelius). – In diesem Jahr wird M wahrscheinlich zweimal von Adolf Friedrich Graf von Schack aufgesucht. – Der baltische Ökonom Jegór von Sivers veröffentlicht »Dichtungen« ›Aus beiden Welten‹ (Leipzig) mit einem Text ›An Eduard Mörike. (Als Erwiderung auf dessen »Selbstgeständnis«)‹. Sivers hat Mörike bei seinem ersten Besuch in Stuttgart (1852?) kennengelernt und sendet ihm später sein Buch zu.

4. Januar: M besucht Zechs und Wolffs.

5. Januar: In der dritten Stunde am Katharinenstift behandelt M das ›Nibelungenlied‹.

11. - 14. Januar: Hartlaub besucht M und erhält Handschriften von Bauer, Löwe und Strauß.

14. Januar: In der 7. Klasse des Katharinenstifts spricht M über das Epigramm.

18. Januar: Nachträgen zu seinen Gedichten legt Mayer Autographen von Lenau und Uhland für M bei.

20. Januar: Ins Album zweier Söhne von Chr.

Kolb trägt M die überarbeitete Fassung von ›Zwei Brüdern ins Album‹ ein.

26. Januar: M's Bruder Adolf unterschreibt bei Breitkopf & Härtel in Leipzig einen Vertrag als Faktor, wird ab März angestellt.

31. Januar: An Heinrich Freiherrn Capler von Ödheim gibt M ein Manuskript zurück, an dem er einen persönlichen Stil vermißt.

Februar: In der ›Freya‹ erscheint ›Jedem das Seine‹ mit einem Holzschnitt von Neureuther. – M liest Bernhard Starks ›Niobe und die Niobiden‹ (Leipzig 1863).

1. Februar: M will eine Anzeige aufgeben, daß er keine Manuskripte mehr zur Beurteilung annehmen könne. – Georg von Cotta stirbt.

5. Februar: M nimmt an der Hochzeitsfeier seines Vetters, des Pfarrers Gustav Mörike, mit Marie Christiane Dettinger teil; er schenkt Richters ›Vater Unser‹ und hat dazu die Verse ›Jenes Gebet . . .‹ geschrieben. (Die Braut ist eine Tochter von M's Jugendfreund.)

14. Februar: M liegt wegen Fieber im Bett; er setzt deswegen die nächsten beiden Unterrichtsstunden aus.

17. Februar: Hartlaub kündigt Hetschs Komposition zum ›Jung Volker‹ an.

19. Februar: M kann wieder aufstehen. – Von Mayer hat M die Manuskripte ›Florian Geyer‹ und ›Gedichte‹ eines Caspar Butz aus Hagen zur Vermittlung an Cotta erhalten; er schreibt dem Freund darüber.

20. Februar: Neben Autographen von Kösting, Löwe und Uhland sendet M an Hartlaub einen Auszug aus der neuen Hamburger Monatsschrift ›Orion‹ u. a.

21. Februar: Wolff besucht M.

28. Februar: M's Bruder Ludwig kommt zu Besuch; er verliert seine Anstellung und will deshalb prozessieren.

2. März: Im Katharinenstift behandelt M Tiersagen, ›Reineke Fuchs‹. – Mayer schickt M's Gutachten über Butz sowie einen erneuten Verlagsantrag der eigenen Gedichte an Cotta; das Schreiben läuft über M. (Cotta lehnt beides ab; M informiert den Freund, gibt die Butzschen Manuskripte zurück.)

6. März: M's Bruder Ludwig konsultiert Diez wegen M.

8. März: Krais übergibt M Korrekturbogen der ›Freya‹ mit ›Göttlicher Reminiszenz‹; er hält bereits M's Aufsatz ›Erinnerung an Hölderlin‹ in Händen.

9. März: Gugler hat den ›Septembermorgen‹ vertont.

11. März: In der 7. Klasse des Katharinenstifts behandelt M das Epos.

16. März: Die Frau von M's Bruder Ludwig kommt zu Besuch. – Wolff vertritt M mit einer Stunde über ›Parzival‹.

vor 20. März: Vom Sohn des Mergentheimer Stadtpfarrers Wüst, Albert, erhält M als Geschenk J. B. Beringers ›Lithographia Wirceburgensis‹ (1726).

20. März: Den ›Columbus‹ Köstings, von dessen Talent er beeindruckt ist, schickt M an Hartlaub.

23. März: Wolff übernimmt eine Unterrichtsstunde M's.

26. März: Wegen M's Bruder Ludwig kommt Hartlaub zu Besuch.

31. März: L. Seeger spricht bei M wegen eines geplanten deutschen Dichterbuchs vor.

Frühjahr: Auf Empfehlung von Notter vermittelt M für Friedrich van den Berghe eine Lesung im Museum; der Schauspieler rezitiert u. a. aus ›Richard III.‹ und Köstings ›Columbus‹. – M liest Notters Buch ›Ludwig Uhland‹ (Stuttgart 1863).

11. April: Wegen M's andauernder Krankheit, zuletzt einem starken Husten, macht Diez seinen 14. Besuch in diesem Jahr.

12. April: Die Verse ›Franziska heiß ich . . . .‹ entstehen.

19. April: M's Tante Dorothea Mörike stirbt in Stuttgart.

23. April: Der Schwäbische Sängerbund ernennt M zum Ehrenmitglied.

26. April: Wolff besucht M.

Mai: ›Göttliche Reminiszenz‹ erscheint mit einer Holzschnitt-Illustration von Neureuther in der ›Freya‹.

4. Mai: M gibt wieder Unterricht am Katharinenstift.

7. Mai: Sein Bruder Ludwig und dessen Frau reisen ab.

9. Mai: Bei Mayers Besuch rät M erneut zur Publikation der Gedichte bei Cotta; Mayer läßt das Manuskript zurück.

12. Mai: Mayer wird bei Cotta wegen einer Neuauflage seiner Gedichte vorstellig.

13. Mai: Er schickt weitere Gedichte an M.

13.–14. Mai: Nachts bekommt M erneut Fieber. Diez diagnostiziert ein gastritisch-rheumatisches Leiden, dann Lungenfellentzündung; im folgenden besucht er ihn täglich.

Mitte Mai: Schöll kommt zu Besuch.

20. Mai: M ist außer Gefahr. – Er läßt über Mayer ein eigenes Autograph an A. Böttger

gehen, der darum gebeten hatte, und legt eine Abschrift von Uhlands Brief über die ›Idylle‹ (5. Dezember 1846) bei.

22. Mai: Mayer holt seine Gedichte bei M ab.

Ende Mai/Anfang Juni: M's Schwester hält sich in Nürtingen auf.

2. Juni: Der Vikar Adolf Rümelin schickt Gedichte zur Begutachtung und bittet um Hilfe bei ihrer Publikation.

5. Juni: Bei Cotta bedankt sich M für das vierte Heft der Neuen Folge von Vischers ›Kritischen Gängen‹ (Stuttgart 1863).

10. Juni: Zum Geburtstag seiner Frau schenkt M die Verse ›Abermals nur arm an Gaben . . . .‹.

18.–21. Juni: C. Hartlaub ist zu Besuch; sie sprechen über M's Reisepläne; M liest ihr ›Erinna an Sappho‹ vor und gibt es ihr in einer überarbeiteten Fassung für den Freund mit.

20. Juni: M kann nicht an der Grundsteinlegung zur Stuttgarter Liederhalle teilnehmen, zu der er eingeladen wurde.

27. Juni: Mit Korrekturen zur ›Erinna an Sappho‹ schickt M auch das kürzlich entstandene Gedicht ›An X und Y‹ an Hartlaub.

30. Juni: Für seine Bemühungen erhält Dr. Diez 22 fl von M.

Sommer: Von dem Dresdner Maler Friedrich Gonne erhält M ein Genrebild als Geschenk. – Notter liest ihm die ersten beiden Aufzüge seiner ›Johanniter‹ vor, die M für »ein geistreiches Lesestück« hält. – ›Wie finden Sie . . . .‹ entsteht.

1. Juli: M fährt mit seiner Frau zur Erholung nach Owen; sie wohnen im Gasthof ›Krone‹.

4. Juli: Hartlaub bewarb sich vergeblich um die Pfarrei Oferdingen, will jetzt um Stöckenburg eingeben.

9. Juli: Bei Cotta fragt M wegen einer Neuauflage seiner ›Gedichte‹ an.

11. Juli: M kehrt aus Owen zurück. – An Hemsen schickt er ein Hölderlin-Autograph.

12. Juli: Löwe schenkt M sein Porträtphoto.

15. Juli: Mit seiner Schwester und den Kindern fährt M zu einer Molkenkur nach Wimsheim. – Cotta will mit einer Neuauflage warten, weil von den ›Gedichten‹[3] noch 293 Exemplare vorhanden sind.

21. Juli: Im Brief an Scherer setzt sich M mit dessen Manuskript ›Gedichte‹ (Stuttgart 1864) auseinander.

26. Juli: M kehrt mit seiner Familie aus Wimsheim zurück.

14. August: Hartlaub sucht M auf.

15. August: Fischer bringt Gedichte.

17. August: Hemsen erzählt von Heyse; M gesteht ihm, daß er nicht mehr mit der baldigen Vollendung seines ›Nolten‹ rechne.

19. August: M hält wieder Unterricht am Katharinenstift. Er besucht den Maler Heck.

21. August: Auerbach kommt zu Besuch. – M nimmt am Jahresfest des Katharinenstifts teil.

27. August: Er bemüht sich wegen Hartlaubs Bewerbung um die Pfarrei Stöckenburg bei Grüneisen und Staatsrat Ludwig Golther.

28. August: Mit seiner Schwester und der Tochter Marie fährt M zur Erholung nach Bebenhausen; er lebt dort inkognito in einem Hause Wolffs. – Am ersten Tag besichtigt er das Kloster. (M's Frau bleibt mit der Tochter Fanny in Stuttgart, weil keine Schulferien sind.)

29. August: M studiert Manuskripte von Wolffs Schwiegervater, dem Naturforscher Karl Friedrich von Kielmeyer.

31. August: Er informiert sich mit Karl Klunzingers ›Artistischer Beschreibung der vormaligen Cisterzienser-Abtei Bebenhausen‹ (Stuttgart 1852).

8. September: Hartlaubs besuchen M's Frau, die mit der Tochter Fanny für fünf Tage nach Bebenhausen fährt. – Aus Paris sendet Hans Hopfen seinen Roman ›Peregretta‹ (Berlin 1864) an M.

13. September: Im Brief an Wolff schlägt M als Examensfragen Themen zum Volkslied vor; den Brief überbringt seine Frau zusammen mit ersten Distichen der ›Bilder aus Bebenhausen‹.

14. September: M will A. Rümelins Manuskript vielleicht an Fischer weitergeben.

Mitte September: Er liest im ›Hutten‹ von Strauß, in Gellerts Briefen und eine Properz-Übersetzung von Martin Opitz. – Wolff schickt sein Manuskript ›Johannes Trithemius und die älteste Geschichte des Klosters Hirsau‹.

23. September: Mayer reicht seine Gedichte bei Cotta ein.

25. September: An Klara Hartlaub sendet M die ›Bilder aus Bebenhausen‹ I, II, III, VI, IX, X, XI zusammen mit den zunächst zum Zyklus gehörenden Distichen ›Wer da hustet . . .‹; die Nummern IV und V kündigt er an.

27. September: Mayer sucht M auf und hört ›Bilder aus Bebenhausen‹.

28. September — 1. Oktober: Hartlaub ist in Bebenhausen.

1. Oktober: Neue Distichen gehen an Wolff ab; M verweist dabei auf »einige kleine Freiheiten gegen die Wirklichkeit wie sie dermalen ist«.

3. Oktober: Hemsen schickt an M die Verse seines Freundes, des Philologen Michael Bernays,

die im ›Morgenblatt‹ veröffentlicht werden sollen: ›An Eduard Mörike, als die Nachricht verlautete, daß er eine neue Ausgabe seines »Maler Nolten« vorbereite‹ (1864 im ›Morgenblatt‹ Nr. 15).

8. Oktober: Nach Fischer kritisiert auch M die 3. Ausgabe von Scherers ›Deutschen Volksliedern‹ (Altona 1863), die ihm in Fahnen vorlagen.

9. Oktober: M fährt mit der Schwester und der Tochter Marie nach Tübingen, besucht Mayer (der erste Bogen seiner Gedichte korrigiert) sowie Holland (der an einer Gedicht-Ausgabe Uhlands arbeitet) und übernachtet bei L. Lempp.

10. Oktober: M geht aufs Schloß, besucht Uhlands Witwe; bei Scherzer liest er ›Erinna an Sappho‹ vor; der Komponist rät, das Gedicht in der ›Freya‹ mit Illustrationen Moritz von Schwinds zu publizieren – er schwärmt von Schwinds ›Sieben Raben‹.

11. Oktober: Nach einem erneuten Besuch bei Mayer fährt M nach Bebenhausen zurück.

bis 15. Oktober: Das siebte der ›Bilder aus Bebenhausen‹ entsteht.

15. Oktober: Auf der Heimfahrt nach Stuttgart schreibt M das achte der ›Bilder aus Bebenhausen‹.

nach 15. Oktober: M beginnt – nach einer Mahnung durch Krais – sofort mit der Einleitung zu seinem ›Anakreon‹; er besorgt sich durch Wolff dazu die ›Allgemeine Encyklopädie der Wissenschaften und Künste‹ (Leipzig 1818/50), verwendet allerdings hauptsächlich Bernhard Starks ›Quaestionum Anacreonticarum libri‹ und eine Abhandlung von Welcker; J. Klaiber bietet durch Wolff seine Hilfe an. – M's Tochter Marie wird eingeschult.

19. Oktober: M hält wieder Unterricht am Katharinenstift; er hat sich mit dem zweiten Band von Wackernagels ›Deutschem Lesebuch‹ vorbereitet. – Scherer schickt seine revidierten Gedichte, die bereits im Druck sind, nochmals zur Durchsicht.

23. Oktober: M gibt Scherers Gedichte zurück.

Ende Oktober: Die ›Bilder aus Bebenhausen‹ gehen ohne Nr. VII an Krais für die ›Freya‹. – M kündigt seine Wohnung. – Kösting schickt sein Trauerspiel ›Zwei Könige‹ (Wiesbaden 1863), und Strauß kündigt sein ›Leben Jesu für das deutsche Volk bearbeitet‹ (Leipzig 1864) an.

November: Die ›Erinnerung an Friedrich Hölderlin‹ erscheint in der ›Freya‹; Schreiners zweites Hölderlin-Porträt sowie Hölderlins ›An Zimmern‹ und ›An eine Verlobte‹ sind beigegeben.

Anfang November: M ist wieder erkältet.

Abb. 9 Photographie. 1863 (?).
29 × 22 mm (Porträt).

2. November: An Scherer schickt M weitere Bemerkungen zu den Gedichten.

7. November: Die Deutsche Schiller-Stiftung gewährt M von 1864 an eine jährliche Pension von 300 Thl (=325 fl); Dingelstedt sendet diese Mitteilung.

9. November: M schreibt seinen ersten Brief an Schwind; er legt ›Erinna an Sappho‹ bei und bittet um eine Illustration für die ›Freya‹ zu diesem Gedicht, die er für kaum realisierbar hält. – M mietet eine neue Wohnung in der Kanzleistr. 8.

10. November: Hartlaub verzieht von Wimsheim nach Stöckenburg bei Schwäbisch Hall.

11. November: An Scherer gehen erneut Vorschläge zur Revision der Gedichte ab. – Von Mährlen leiht M 200 fl.

12. November: M bedankt sich bei der Schiller-Stiftung.

Mitte November: Er muß krankheitshalber seinen Unterricht wieder absagen. – In Verhandlungen vor dem Stadtgericht zieht W. Speeth fast alle seine Unterstellungen zurück.

zweite Hälfte November: Schwind gibt M einen Zwischenbescheid.

22. November: Die ›Schwäbische Kronik‹ (Nr. 277) zeigt das ›Deutsche Dichterbuch‹ an; es kostet broschiert 3 fl und als Prachtausgabe 7 fl.

23. November: Im Katharinenstift behandelt M ›Emilia Galotti‹.

25. November: Eine weitere Unterrichtsstunde über Lessing muß er wegen Husten abbrechen. Er setzt mit den Lehrveranstaltungen im folgenden aus; Wolff übernimmt die Montags- und Mittwochsstunden.

Ende November/Anfang Dezember: Bogumil Goltz sucht M auf; M kennt dessen ›Buch der Kindheit‹ (Frankfurt 1847); er empfiehlt ihn an Holland weiter.

9. Dezember: M wird wieder Bettruhe verordnet; gegen seinen Krampfhusten sind allopathische Mittel verschrieben.

13. Dezember: Hebbel stirbt.

17. Dezember: In seiner Antwort hält es Schwind nicht für möglich, »das unheimliche« an ›Erinna und Sappho‹ im Bild sichtbar zu machen; er sagt deshalb die Illustration ab, zeigt sich aber bereit, Stücke wie das ›Märchen vom sichern Mann‹ oder ›Erzengel Michaels Feder‹ vorzunehmen. Schwind lädt M nach München ein; er möchte mit ihm seinen ›Reisebilder‹-Zyklus besprechen.

vor 24. Dezember: M kennt das von Seeger herausgegebene ›Deutsche Dichterbuch aus Schwaben‹ (Stuttgart 1864), das neben einem Photo

M's (Abb. 9) auch sechs Gedichte von ihm enthält, darunter die Erstdrucke von ›Erinna an Sappho‹, ›L. Richters Kinder-Symphonie‹, ›Trinkspruch‹, ›An X und Y‹. – M hält den dänischen Konflikt für eine »Spiegelfechterei« auf preußisch-österreichischer Seite. – Scherer schenkt ihm Blätter von Richter und Oskar Pletsch zu Weihnachten; von Lempps bekommt er ein Capri-Bild (das ihn zur Waiblinger-Lektüre anregt).

30. Dezember: Mayer macht seinen Festtagsbesuch.

1864

Januar: In der ›Freya‹ erscheint ›Josephine‹ (›Dünkt euch die Schöne . . .‹) mit einem Stahlstich von C. A. Deis. – M erkrankt auch noch an Angina; sein früherer Hausarzt Dr. Fetzer besucht ihn täglich. – M's Bruder Ludwig wendet sich wieder um Geld an Hartlaub; er ist noch in Nördlingen.

3. Januar: Von Krais erhält M für den Hölderlin-Aufsatz und die ›Bilder aus Bebenhausen‹ 50 fl.

5. Januar: M läßt Krais die Absage Schwinds zugehen; er ist mit der Einleitung zu ›Anakreon‹ fertig, will sie aber noch von Freunden überprüfen lassen; er legt das siebte der ›Bilder aus Bebenhausen‹ bei (das in der ›Freya‹ jedoch nicht mitgedruckt wird).

11. Januar: In der Prozeßsache W. Speeth gegen M's Frau findet ein Vergleich statt; der Schwager wird mit 700 fl abgefunden.

15.–16. Januar: Vischer rezensiert Werke von Scherer in der ›Allgemeinen Zeitung‹ (Nr. 15, 16).

15. Januar: M schickt sein ›Anakreon‹-Manuskript an Klaiber zur Durchsicht.

17. Januar: Wegen seiner Krankheit hat M seit sechs Wochen das Haus nicht verlassen können; deshalb kam auch mit Krais kein Gespräch darüber zustande, welche Gedichte sie Schwind zur Illustration für die ›Freya‹ empfehlen wollten. Dies teilt M dem Maler in einem Brief mit, den Hermann Kayser nach München bringt. M empfiehlt den Überbringer, der sich in seinem Photo-Atelier auf »Vervielfältigung edler Kunstwerke« spezialisieren will.

21. Januar: Hartlaub schickt an M die ›Kleinen Historischen Schriften‹ Heinrich von Sybels (Bd 1, München 1863) wegen des Aufsatzes ›Die Erhebung Europa's gegen Napoleon I.‹.

26. Januar: Zur Kontrolle seiner Ausgabe reicht M an Klaiber nach: Mehlhorns Edition der ›Anacrontea‹, Starks Buch und K. O. Müllers ›Handbuch der Archäologie der Kunst‹ (Breslau 1830).

5. Februar: An Hartlaub schickt M eine neue Folge von Scherers ›Volksliedern‹.

6. Februar: Schönhuth stirbt in Edelfingen.

7. Februar: M bittet Klaiber u. a. um Heinrich Brunns ›Geschichte der griechischen Künstler‹ (Tl 1, Braunschweig 1853).

9. Februar: Hartlaub hilft M's Bruder Ludwig finanziell aus.

14. Februar: Klaiber gibt das ›Anakreon‹-Manuskript zurück und legt Exzerpte aus einem Artikel Brunns über die Anakreonteen bei; Krais hatte M gemahnt.

8. März: Mayer läßt M seine ›Gedichte‹[3] (Stuttgart: Cotta 1864) zugehen.

14. März: Wegen des Anakreon-Gedichts ›An die Zikade‹, wegen eines Catull- und Plato-Zitats erwartet M Klaibers Besuch.

Mitte März: Das ›Anakreon‹-Manuskript geht an den Verlag ab. – M fühlt sich wieder gesund. – A. Zeller erneuert die Verbindung mit ihm und legt dem Brief M's altes Gedicht ›An einen Freund‹ bei.

19. März: Eine Tochter von Krais wird geboren; aus diesem Anlaß schreibt M die Verse ›Auf daß sie wachse . . .‹.

23. März: An Wolff gibt M den dritten Band des von Wilhelm Dilthey publizierten Werks ›Aus Schleiermacher's Leben‹ (Berlin 1861) zurück; er legt den zweiten Teil von H. Grimms ›Michelangelo‹ (Hannover 1863) dazu.

28. März: M rät Wolff zu Examensfragen über Goethes ›Götz‹ oder ›Iphigenie‹. – F. v. d. Berghe, inzwischen in Heidelberg, bittet in seinem Brief an M um weitere Vermittlung u. a. bei Hof; er legt Rollenphotos bei.

April: M hat rheumatische Schmerzen.

1. April: Auf Klaibers Vorschlag bringt M noch einige Verbesserungen am ›Anakreon‹ ein.

8. April: Bernays' ›An Eduard Mörike‹ erscheint.

15. April: Aus München wird M mitgeteilt, daß Kaulbach die ›Idylle‹ in einem Zyklus ›Blumenlese deutscher Dichter‹ illustrieren wolle. (Wahrscheinlich nicht ausgeführt.)

16. April: Ein Geschenk für W. Menzels Frau begleiten die Verse ›Nimm, wenn man . . .‹.

23. April: Mayer leitet die Bitte der Buchhandlung Elkan u. Comp. um Beiträge für das ›Düsseldorfer Künstler-Album‹ an M weiter.

28. April: M zieht in Stuttgart um; die neue Adresse lautet: Kanzleistr. 8, dritter Stock (= heute: Kleiner Schloßplatz). – Seitdem unterrichtet M auch wieder am Katharinenstift; er fährt mit Goethe fort. – Während der ersten Tage in der neuen Wohnung wählt er zwei Gedichte für Müller von Königswinter aus, die dann in dessen ›Düsseldorfer Künstler-Album‹ (Jg 15, 1865) erscheinen: ›Venedig‹ und ›Epistel‹.

Mai: Klaiber schenkt M die ›Poetae Lyrici Graeci‹ von Bergk.

14. Mai: In seinem Dankschreiben an Mayer bittet M auch um Grüße an H. Kurz, der seit 1863 in Tübingen als Bibliothekar lebt.

19. Mai: An Hartlaub sendet M neben einigen Gedichten auch den Grundriß seiner neuen Wohnung. – Holland besucht M.

23. Mai: Wendelin von Maltzahn bittet für seine kritische Ausgabe von ›Schiller's Werken‹ (Berlin 1868/74) um die angebliche Handschrift des ›Räthsels‹.

28. – 30. Mai: Vischer rezensiert ›Drei Dramen von Karl Kösting‹ in der ›Allgemeinen Zeitung‹ (Nr. 149–151).

Ende Mai: An Hartlaub hat M ›Shakespeare, ein Winternachtstraum‹ von Kösting (Wiesbaden 1865) ausgeliehen.

Juni: Bei der Fahnenkorrektur des ›Anakreon‹ wird M von Klaiber unterstützt; sie verbessern zum Teil noch den Text und die Anmerkungen; die Hauskorrektur des Verlags übernimmt der Altphilologe Wilhelm Binder, der M auch weitere Änderungsvorschläge macht. – M liest erneut in Hemsens Dissertation über Schiller.

10. Juni: Für den Geburtstag seiner Frau hat M die Verse ›Ein Jährchen älter . . .‹ geschrieben.

zweite Hälfte Juni: M fühlt sich schwach; es besteht die Gefahr einer wiederholten Lungenentzündung. Er erhält Besuche von Mährlen, Scherer, Schreiner. – Für Klaiber besorgt er eine Ausgabe der Werke von Jacopo Sannazaro.

18. Juni: Mayer schickt ein neues Gedicht-Manuskript an M.

25. Juni: König Wilhelm I. von Württemberg stirbt.

28. Juni: Mayer sucht M auf.

Sommer: F. v. d. Berghe besucht M.

Juli: Das Gedicht ›An J. G. Fischer‹ entsteht; der Adressat reagiert mit den Versen ›Knuppen und Knorren . . .‹ (›Neue Gedichte‹, Stuttgart 1865).

Anfang Juli: A. Zeller besucht M. – Grunert erinnert an das im Juli 1854 für ihn geplante Buch, das er nun selbst unternehmen will, und bittet dazu um ein ihm damals zugedachtes Gedicht; M fühlt sich bedrängt.

3. Juli: Er gibt die letzte Korrektur des ›Anakreon‹ ab.

6. Juli: Mayer sieht bei M vorbei.

12. Juli: In seinen Briefen an Hemsen und Bernays verspricht M die Weiterarbeit an der Neuausgabe des ›Nolten‹; er legt u. a. ›Erinna an Sappho‹ und den ›Papier-Reisenden‹ von Strauß bei.

15. Juli: Für Künzel bestätigt M drei Stücke der ›Maulbronner Gedichte‹ Hölderlins; er schenkt ihm gleichzeitig die ›Gedichte‹[3] mit dem Eintrag ›Auf die Reise‹.

23. Juli: M beginnt die dritte Mineralwasser-Kur in diesem Jahr.

Ende Juli: Er unternimmt mit seiner Familie kleine Spaziergänge. – ›Anakreon und die sogenannten ankreontischen Lieder. Revision und Ergänzung der J. Fr. Degen'schen Uebersetzung mit Erklärungen von Eduard Mörike‹ erscheint bei Krais & Hoffmann in Stuttgart. Die Abmachung, daß ein Teil der Auflage auf besonderem Papier gedruckt werde, hat Krais nicht gehalten. Der Verleger verschickt im Auftrag M's die Freiexemplare u. a. an Schwind, Hemsen, Golther, Mayer, Holland. M erhält insgesamt 30 Freiexemplare und 215 fl 15 x Honorar.

Anfang August: M unterrichtet wieder am Katharinenstift. – Er besitzt Friedrich Chrysanders ›G. F. Händel‹ (Leipzig 1860).

8. August: Hartlaub kommt für fünf Tage.

10. August: Scherer sieht bei M wegen Hartlaub vorbei.

11. August: Über Cotta läßt M Mitteilungen wegen des angeblichen Schiller-Rätsels an Maltzahn gehen.

20. August: Mit einem Brief von Pfarrer Elwert schickt M das Schillersche Rätsel über Cotta an Maltzahn (der den Text nicht in seine Ausgabe aufnimmt).

25. August: Mayer sendet neuere Gedichte zur Begutachtung und legt seine Autobiographie im ›Album schwäbischer Dichter‹ (Tübingen 1864) bei.

September: M's Schwester hält sich in Neuenstadt auf, kehrt krank zurück.

4. September: M bietet Krais eine neu redigierte Miniatur-Ausgabe des ›Anakreon‹ ohne Anmerkungen an. – Er schickt die Übersetzung an Stark, dessen Vorlage sie so viel verdanke; Stark antwortet positiv und verspricht eine Rezension. – K. Hartlaub besucht M. – Sein Bruder Ludwig hält sich angeblich mit einem Sohn in Algier auf.

8. September: Seinen Geburtstag verbringt M mit der Familie in Ludwigsburg. – Cotta gibt das Schiller-Rätsel zurück.

10. September: An Ludwig schickt M seinen ›Anakreon‹.

14. September: Mährlens Geburtstag bedenkt M mit den Versen ›Wer diese Stadt . . .‹ zu einem Holzschnitt der Stadt Ulm.

20. September: Wahrscheinlich kommen Scherer und v. d. Berghe zu M.

21. September: Schwind dankt für den ›Anakreon‹, wundert sich nur, daß M übersetzt und nicht lieber eigene Gedichte schreibt. Er kündigt seinen Besuch an.

Anfang Oktober: F. v. d. Berghe sowie zwei Söhne von Schöll besuchen M.

2. Oktober: Krais lehnt eine Miniaturausgabe des ›Anakreon‹ ab.

6. Oktober: Vischers Sohn Robert, Klara Hartlaub, Emma Märklin (Tochter von Chr. Märklin) besuchen M.

7. Oktober: M macht seine Aufwartung bei G. v. Rümelin.

8. – 9. Oktober: Schwind ist zu Besuch bei M.

8. Oktober: Altmüller schickt seine ›Gedichte‹ (Kassel 1864) oder seine Sammlung ›Deutsche Lieder‹ (Göttingen 1864[3]).

12. Oktober: M spricht bei Kabinettschef August Freiherrn von und zu Egloffstein mit einem Exemplar des ›Anakreon‹ für den König vor. – Mayer, sein Bruder Friedrich und Schwager A. Köstlin sowie Agnese Strauß besuchen M. – Schwind schickt ›Münchener Bilderbogen‹ für M's Töchter.

16. Oktober: Stirm und Dorrers kommen zu M.

18. Oktober: In der 7. Klasse erklärt M Vorbegriffe der Ästhetik.

19. Oktober: Wegen seiner Verdienste als Dichter wird M vom württembergischen König das Ritterkreuz des ›Friedrichs-Ordens‹ verliehen.

20. Oktober: M erhält Besuch von Schwabs Witwe.

22. Oktober: Die ›Schwäbische Kronik‹ (Nr. 251) meldet die Ordensverleihung. – Strauß macht einen Danksagungsbesuch für den ›Anakreon‹. – Th. F. Köstlin dankt brieflich für den ›Anakreon‹ und teilt mit, daß Eduard Sauter (Sohn eines Nürtinger Präzeptors) M-Schriften ins Englische übersetzen wolle.

23. Oktober: Strauß schickt sein 1849 entstandenes Gedicht ›Besuch‹.

24. Oktober: Grüneisen schaut bei M vorbei.

25. Oktober: M wird vom König empfangen, erhält wahrscheinlich das Ordensdiplom.

26. Oktober: Ludwig schickt als Dank für den

›Anakreon‹ ein Gedicht; er kündigt seinen Besuch an.

Anfang November: Bei der Musiklehrerin Pauline Gmelin beginnt M's Tochter Fanny mit Klavierunterricht. – A. Hartlaub kommt zu Besuch.

4. November: M berät den Theologie-Studenten Paul Lang für ein kleines episches Gedicht.

7. November: Lang schickt erneut Texte und will die von M zurückerhaltenen an Ottilie Wildermuth weitergeben.

24. November: Regierungsrat Gustav Silcher bietet M im Auftrag des Kultministeriums einige Lektionen am Stuttgarter Polytechnikum an.

28. November: M lehnt den Antrag ab.

Dezember: Im ›Weihnachtsbaum für arme Kinder‹ erscheinen von M: ›In das Album einer Dame‹, ›Corinna‹, ›An Frau Pauline von Phull-Rieppur‹, ›Auf die Nürtinger Schule‹.

Anfang Dezember: Wolff gibt M ›Das Dianenfest bei Bebenhausen‹ von Matthisson zu lesen; M macht eine Abschrift. – F. Baur besucht M.

4. Dezember: Mit seiner Frau stattet M seinen Gegenbesuch bei A. Strauß ab und lernt dort Henry Hugh Pierson kennen, der ›Schön-Rohtraut‹ vertont hat. – Sie besuchen auch P. Gmelin und unterhalten sich bei ihr mit dem Geiger Prof. Eduard Keller u. a. über Stradivari.

5. Dezember: Im Katharinenstift liest M aus ›Hamlet‹. – Fischer besucht M; von Graf Pocci erhält er zwei Photos nach dessen Bildern; abends geht er mit seiner Schwester auf eine Gesellschaft zu Wolffs.

10. Dezember: In Erinnerung an den 4. Dezember schenkt M ein Stradivari-Porträt an E. Keller mit den Versen ›Den Zauberton, den einst . . .‹.

11. Dezember: Bei Notter erhält M die Einladung zur Teilnahme an der Einweihung der Stuttgarter Liederhalle; er sagt ab mit den Versen ›Ach ich käme ja . . .‹.

14. Dezember: Löwe besucht M, um mit ihm über seine Distichen ›Aus der Zeit‹ im ›Morgenblatt‹ (1863, Nr. 36–38) zu sprechen.

15. Dezember: M liest ›Shakespearestudien eines Realisten‹ von Gustav Rümelin im ›Morgenblatt‹ (1864, Nr. 48–52).

16. Dezember: Klaibers ›Anakreon‹-Rezension erscheint in der Beilage (Nr. 351) zur ›Allgemeinen Zeitung‹. (Bernays bespricht die Ausgabe in der ›Kölnischen Zeitung‹ Nr. 357.)

17. Dezember: M rät Scherer, sich um das von M abgelehnte Amt am Polytechnikum zu bewerben.

18. Dezember: Mit G. Rümelin, der ihn besucht, unterhält sich M über die Hegelsche Ästhetik Vischers. – M macht eine Visite bei Familie Phull-Rieppur.

19. Dezember: Im Katharinenstift behandelt M ›Fiesko‹ und setzt dann wieder mit dem Unterricht aus.

31. Dezember: Vischer sucht M auf; sie diskutieren die Möglichkeit von Vischers Berufung nach Stuttgart.

Winter: M will den ›Nolten‹ revidieren.

1865

In Cambridge erscheinen ›Versions and Verses‹ von C. Dexter mit Gedichten von M.

Januar: Mit Krais, Wolff u.a. stiftet M für das geplante Grabdenkmal Waiblingers in Rom.

erste Hälfte Januar: M hat Katarrh.

4./5. Januar: Emil Kauffmann, ein Sohn von M's Freund, seit 1862 erster Geiger an der Stuttgarter Hofkapelle, spielt bei seinem Besuch seine Vertonung von ›Denk es, o Seele!‹ vor.

8. Januar: A. Strauß befragt M wegen ihrer geplanten Vorlesungen. Im Königsbau spricht sie diesen Winter über dramatischen Unterricht, rezitiert dabei auch M und Notter.

9. Januar: Der König und die Königin besichtigen das Katharinenstift.

10. Januar: Mayer sucht M's Rat bei seiner Edition von Uhland-Briefen.

19. Januar: An die Schwestern Emma und Marie Bauer sendet M die ›Blumen aus der Fremde‹ mit den Versen ›Hab' ich aus dem eignen Garten . . .‹.

20./21. Januar: M's Schwager geht ihn um eine Bürgschaft für ca 1000 fl an; M übergibt die Sache dem Rechtsanwalt Carl Walcher.

24. Januar: M nimmt den Unterricht wieder auf; er war in den letzten vier Wochen nur zweimal im Freien.

25. Januar: Von A. Strauß erhält M ein Manuskript zur Durchsicht.

27. Januar: Mit seiner Frau geht er zu Wolff; sie diskutieren die bevorstehende Neuorganisation des Katharinenstifts.

28. Januar: Löwe lädt M zu der Sängerin Pauline Viardot-Garcia ein, die selbstkomponierte M-Lieder vortragen will. (Die Gesellschaft findet nicht statt.)

29. Januar: Dorrer und Kolb besuchen M.

30. Januar: Er wird Mitglied einer Kommission zur Reorganisation des Katharinenstifts.

31. Januar: Iwan Turgenjew hält sich mit seiner Freundin Viardot-Garcia wegen deren Schubert-Abend in Stuttgart auf, wird von Moritz Hartmann, seit 1862 Redakteur der ›Freya‹, zu M geführt; M kennt keine Werke Turgenjews. – M macht Besuche bei C. Walcher, Friederike Offterdinger, der verwitweten Tochter des Ludwigsburger Dekans Chr. F. Rieger (einer Freundin von M's Schwester Luise), dem Klavierfabrikanten Apollo Klinckerfuß und dem Kaufmann Friedrich Burkhardt.

2. Februar: G. Silcher zieht bei M wegen Scherers Habilitation am Polytechnikum Erkundigungen ein. (Scherer wird 1865 Dozent für Ästhetik und Literaturgeschichte.)

5. Februar: Wolff, Pierson, Beate, die Frau von Christian Kolb, die Neuenstädter Verwandten und Scherer besuchen M, der einen Fieberanfall erleidet: Fetzer diagnostiziert Gastritis.

16. Februar: Schwind berichtet von seinen Arbeiten und lädt M nach München ein.

21. Februar: M erhält Verwandtenbesuche; P. Gmelin spielt ihm Mozart-Sonaten; er liest wieder im S. Boisserée-Briefwechsel.

25. Februar: Er fühlt sich wenigstens für einen kurzen Ausgang stark genug.

28. Februar: M bedankt sich bei Schwind für die Sendung.

erste Hälfte März: Er liest Friedrich Raumers ›Lebenserinnerungen und Briefwechsel‹ (Leipzig 1861).

6. März: Bei M erscheinen Mährlen und Bernays, der an einer kritischen Schiller-Edition für Cotta mitarbeiten will.

10. März: Notter, Gugler und Bernays kommen zu M; dieser erhält für Hemsen das Strauß-Gedicht ›Besuch‹ und Schummels ›Spitzbart‹.

12. März: Krais fragt M um Erlaubnis, in der ›Freya‹ sein Porträt mit einer Charakteristik von G. v. Rümelin bringen zu dürfen.

21. März: Notter besucht M.

22. März: Max Planck kommt vorbei; wegen der Erkrankung von dessen Schwester Eugenie fährt M's Schwester nach Feuerbach.

5. April: Mit seiner Frau hört M auf einer Gesellschaft bei M. Hartmann seine Lieder, vorgetragen von Viardot-Garcia; Turgenjew ist anwesend.

nach 5. April: Sein Gedicht ›An Eduard Weigelin‹, einen scheidenden Kollegen am Katharinenstift, schickt M an Wolff.

8. April: M. Hartlaub kommt zu Besuch; sie bleibt drei Wochen in Stuttgart.

9. April: M bittet Löwe für v. d. Berghe brieflich um Vermittlung eines Gastspiels auf der Stuttgarter Bühne.

Mitte April: Deswegen bespricht sich M mit Löwe. – Seine Töchter führt M in den Zirkus Knie.

19. April: Im Katharinenstift behandelt M ›Iphigenie‹.

23. April: Mit der Schwester hört M bei P. Gmelin eine Mozart-Sonate.

24. April: Löwe meldet die Ablehnung des v. d. Bergheschen Gesuchs durch Hoftheaterintendant Ferdinand Freiherrn von Gall. – Im Katharinenstift liest M aus ›Wilhelm Meister‹.

Ende April/Anfang Mai: Die Witwe Uhlands schenkt M ›Ludwig Uhland. Eine Gabe für Freunde‹ (Stuttgart 1865).

Mai: F. v. d. Berghe hält sich in Stuttgart auf und kommt bei M häufig vorbei, um seinen öffentlichen Auftritt vorzubereiten.

12. Mai: M erhält einen Brief von Vischer, der wegen seiner nicht erfolgten Berufung ans Polytechnikum »die Pfaffen« anklagt. – M besucht Zech, redet mit ihm über Vischer.

13. Mai: M spricht wegen Vischer bei Silcher vor und erfährt, daß Golther die Berufung zwar betrieben habe, aber nicht durchsetzen konnte.

15. Mai: Er berichtet Vischer von seiner Unterredung.

16. Mai: In der ›Schwäbischen Kronik‹ (Nr. 114) erscheint M's Anzeige der Abendunterhaltung v. d. Berghes.

17. Mai: Im Katharinenstift behandelt M ›Hamlet‹. – In seinem Brief an M glaubt Vischer, daß Golther falsch gespielt habe.

18. Mai: Bei Silcher erfährt M, daß Golther zur Berufung Vischers nach Tübingen bereit sei. – Klaiber kommt zu Besuch; M geht zu Fetzer.

20. Mai: Im großen Saal des Stuttgarter Museums deklamiert v. d. Berghe Texte von M, Notter, Fischer u. a.; M liest Theokrits ›Syrakuserinnen‹, eine Predigt von G. Schwab und ›Die Heinzelmännchen‹ von Kopisch vor; weitere Mitwirkende stammen aus M's Bekanntenkreis; der Eintritt kostet 48 x. – C. Storm stirbt.

25. Mai: M informiert wieder Vischer.

Juni: In der ›Freya‹ berichtet M. Hartmann u. a., daß eine neue Ausgabe des ›Nolten‹ zu erwarten sei.

1. Juni: Gugler hat M um Hilfe bei seiner ›Don Giovanni‹-Bearbeitung gebeten; M schickt ihm u. a. Übersetzungsversuche.

3. Juni: Storm zeigt den Tod seiner Frau an.

5. Juni: F. v. d. Berghe bittet um Vermittlung dramatischer Vorlesungen am Hoftheater.

9. Juni: Bei Egloffstein reicht M deswegen eine

Bittschrift an den König ein.

10. Juni: Egloffstein bescheidet M negativ; v. d. Berghe dürfe jedoch eine Rolle übernehmen. – M kondoliert Storm.

11. Juni: F. v. d. Berghe schickt M zwei Photos nach Zeichnungen seines Onkels Neureuther als Geschenk des Künstlers.

12. Juni: Im Katharinenstift behandelt M Schiller/Goethe-›Xenien‹. – Er erhält einen Besuch v. d. Berghes.

18. Juni: Gugler bittet erneut um Übersetzungshilfen.

19. Juni: M spricht nochmals über die ›Xenien‹.

20. Juni: Seine Tochter Marie erkrankt an Scharlach.

21. Juni: Im Katharinenstift liest M aus August Wilhelm Ifflands ›Die Jäger‹.

26. Juni: Mit der Schwester und der Tochter Fanny fährt M zu den Neuenstädter Verwandten (Abb. 10).

Anfang Juli: Von Neuenstadt aus macht M mit der Familie einen Abstecher nach Cleversulzbach.

6. Juli: Storm schickt an M ›Das Wort der Klage‹ und bittet um einen Beitrag zur Facsimile-Edition der Gebrüder Spiro in Hamburg. – Die Firma wendet sich selbst mit dem Anliegen an M.

8. Juli: Mit der Schwester und Tochter Fanny geht M zu Hartlaubs nach Stöckenburg.

17. Juli: Sie kehren nach Stuttgart zurück.

26. Juli: Im Katharinenstift beginnt wieder der Unterricht; M spricht über das Drama. – M's Frau und Tochter Marie fahren zu M. Hibschenberger.

31. Juli: M behandelt Schillers ›Wallenstein‹.

Anfang August: Hetsch sucht M auf; Friedrich Weitzmann bringt ein Lyrik-Manuskript zur Begutachtung.

2. August: F. v. d. Berghe kommt zu M. – Auf M's Anfrage beruhigt Wolff den Freund, ohne Bedenken den ›Kaufmann von Venedig‹ im Unterricht lesen zu können. – P. Gmelin spielt und singt bei M.

5. August: M geht zu Hemsen.

6. – 20. August: Guglers Aufsatz ›Zur Oper Don Juan‹ erscheint im ›Morgenblatt‹ (Nr. 32–34).

6. August: Bei den Neuenstädter Verwandten bedankt sich M mit einer chinesischen Vase aus Familienbesitz und den Versen ›Gönnt, o ihr Gastlichen . . .‹. – Klara Schmid, die Tochter von K. Neuffer, besucht M. – Gugler schickt ihm einen parodistischen Brief auf Richard Wagner.

7. August: Bei Grüneisen befürwortet M eine Versetzung Pfarrer Haueisens von Cleversulz-

bach. (Er kommt 1865 nach Untereisesheim.)

8. August: Künzel gibt Strauß-Handschriften zurück und schenkt M seine Edition der ›Avanturen des neuen Telemachs‹ Schillers mit Farbtafeln (Leipzig 1863).

ca 9. August: Hetsch ist wieder bei M und erzählt von seinen Märchen-Opern.

10. August: Mit der Schwester und Tochter Fanny besucht M die Verwandten in Feuerbach.

11. August: Unwillig korrigiert M das Manuskript von F. Weitzmann.

13. August: Mährlen besucht M.

20. August: An Hartlaub schickt M u. a. Notters Schauspiel ›Die Johanniter‹ (Stuttgart 1865) und M. Plancks Abhandlung ›Über den Grundgedanken des Äschyleischen Agamemnon‹ (Ulm 1859).

22. August: M's Frau kommt mit der Tochter aus Adelsheim zurück.

23. August: Den Gebrüdern Spiro sendet M sein Gedicht ›Jedem das Seine‹ ein; es erscheint in den ›Autographen deutscher Dichter. Nach bisher ungedruckten Dichtungen in Original-Handschriften‹ (Hamburg o. J.) u. a. neben Scherers ›An Fanny N.‹ und Fischers ›Ein Traum‹ (die M beilegt).

5. September: Dr. med. Karl Bockshammer und Bertha Beck, die Stieftochter von M's Neffen Friedrich Mörike, heiraten in Nürtingen. (F. Mörike ist Apotheker in Nürtingen.)

6. September: M erhält einen Brief Schwinds, der seinen Besuch mit den Kartons zum ›Zauberflöte‹-Zyklus ankündigt (aber dann nicht kommt).

7. September: Hemsen will sich in Stuttgart um die ›Morgenblatt‹-Redaktion sowie um ein Bibliothekariat bewerben und bittet um Auskünfte.

8. September: M verbringt seinen Geburtstag in Ludwigsburg.

9. September: Am Katharinenstift erläutert M humoristische Dichtungen.

10. September: M kann Hemsen überhaupt keine Aussichten machen. (Das ›Morgenblatt‹, zuletzt von Klaiber redigiert, stellt sein Erscheinen Ende des Jahres ein. – Hemsen wird dann Vorstand des Wallraf-Richartz-Museums in Köln.)

13. September: M geht zu G. v. Rümelin.

18. September: Hartlaub besucht ihn für fünf Tage; sie lassen sich von Hermann Kayser photographieren (Abb. 11).

22. September: Mayer kommt zu M.

23. September: Gegenüber Fischer begründet M die Ablehnung einer Rezension seiner ›Neuen Gedichte‹ (Stuttgart 1865). Wegen M's offener

Abb. 10 Stereoskopaufnahme von T. Schneider.
Von links nach rechts: Karl Abraham, Fanny, Marie Johanna,
Klara Mörike, Marie von Schott, Eduard Mörike. 1865.
49 × 35 mm.

Kritik kommt es zum Bruch der Freundschaft.
24. September: Die Neuenstädter Verwandten sind zu Besuch bei M.
25. September: W. Raabe trägt sich ins Album der Viardot-Garcia mit den Versen ein: ›Zierlich ist des Vogels Tritt im Schnee,/Singt Professor Eduard Mörike . . .‹.
27. September: Hartlaub empfiehlt Ludwig Nohls Edition ›Mozart's Briefe‹ (Salzburg 1865).
Ende September: M unternimmt mit der Familie (und v. d. Berghe) größere Spaziergänge vor die Stadt.
1. Oktober: Mährlen kommt zu M.
2. Oktober: Vischer ist in Stuttgart und bespricht sich mit M über seine Berufung ans dortige Polytechnikum.
3. Oktober: Bei der Zusammenkunft seiner Uracher Promotion in Cannstatt trifft M u. a. Mährlen, Sammet, Karl Friedrich Wagner (jetzt Stadtpfarrer in Schwäbisch Gmünd), Bruck-

mann (inzwischen Pfarrer in Trossingen); anschließend sucht er Wolff auf.
4. Oktober: M geht zu Gugler, Scherer, E. Kauffmann und ist mit Auerbach verabredet, über dessen Roman ›Auf der Höhe‹ (Stuttgart 1865) sie sprechen.
5. Oktober: M ist bei Mährlen und v. d. Berghe, erhält von Holland die von ihm besorgte 49. Auflage von Uhlands ›Gedichten‹ (Stuttgart 1865) und von Auerbach dessen Vortrag über ›Goethe und die Erzählungskunst‹ (Stuttgart 1861).
6. Oktober: Bei M. Lempp macht sich M mit Alwine Wuthenow bekannt, die ihm ihre von Fritz Reuter 1857 publizierten Gedichte ›En por Blomen ut Anmariek Schulten ehren Goren‹ schenkt.
7. Oktober: Scherer und v. d. Berghe besuchen M.
9. Oktober: M sieht sich Kartons von Karl Ale-

Abb. 11 Photographie von H. Kayser. Rechts: W. Hartlaub. 1865.
105 × 64 mm.

xander von Heideloff an.

10. Oktober: Bei M kommen E. Kauffmann (der ›Wo find ich Trost?‹ vertont hat), die Sängerin Bertha Seyffer (eine Schwester der Neuenstädter M. Mörike), v. d. Berghe, H. Kayser, A. Klinckerfuß zusammen.

Mitte Oktober: M liest Ferdinand Gregorovius' ›Euphorion‹ (Leipzig 1858); Vischer hatte ihm die Dichtung vor einigen Jahren geschenkt.

16. Oktober: Mit der Familie besucht er Pfarrer Thumm in Degerloch.

17. Oktober: Auerbach und C. Notter kommen zu ihm.

18. Oktober: M nimmt seine Unterrichtsstunden wieder auf.

19. Oktober: Mit Vischer spricht M über Auerbachs Roman.

20. Oktober: Im Unterricht behandelt er die nordische Mythologie anhand von Uhlands ›Geschichte der deutschen Dichtung und Sage‹ (Stuttgart 1865). – F. v. d. Berghe hat ein Engagement in Aschaffenburg erhalten, verabschiedet sich von M.

21. Oktober: Sein Brief an die Königin informiert über v. d. Berghe.

23. Oktober: Im Familienkreis liest er ›De Herr Heiri‹ von Johann Martin Usteri (›Dichtungen‹, Berlin 1831) vor.

26. Oktober: Mit seiner Frau hört er im Theater Adolphe Adams ›Postillon von Lonjumeau‹.

27. Oktober: M sagt Scherer Beiträge für den ›Weihnachtsbaum‹ ab.

28. Oktober: Mit seiner Schwester hört er eine Predigt von Hofkaplan Gottlieb Carl von Günther.

November: In der ›Freya‹ erscheinen die ›Bilder aus Bebenhausen‹ mit einem Holzschnitt nach M's Photoporträt.

2. November: Mit seiner Frau besucht er einen katholischen Gottesdienst.

7. November: Wolff kommt mit einer früheren Schülerin vorbei.

13. November: Der Neuenstädter Vetter K. A. Mörike schenkt M eine Ovid-Übersetzung.

21. November: Vor Familienbesuch liest M aus Usteri. (Die Lesung wird den Winter über fortgesetzt.)

24. November: G. Silcher spricht bei M wegen Vischers Berufung vor; dabei bietet er ihm erneut Lektionen am Polytechnikum an, die M wiederum ausschlägt.

25. November: M informiert Vischer über das Gespräch mit Silcher, daß man zwar Wilhelm Lübke ans Polytechnikum, Vischer aber an die

Universität Tübingen berufen wolle. – M besichtigt mit Wolff und seiner Schwester die neue Hofkapelle.

26. November: Julius Krauß, der Sohn des Mergentheimer Doktors, stellt sich als approbierter Arzt vor.

27. November: Die Königin besucht eine Unterrichtsstunde M's; er behandelt das ›Nibelungenlied‹.

30. November: M's Schwester fährt mit seiner Tochter Fanny nach Nürtingen. – Hemsen kommt zu M.

1. Dezember: M sucht Mährlen zu einem amtlichen Gespräch auf.

2. Dezember: Jean-Achille Millien hat M ins Französische übersetzt und veröffentlicht; er bittet nun um Kritik und um Informationen für eine Publikation über M. – Bei K. A. Mörike bedankt sich M mit dem zweiten Band ›Ein Jahr in Italien‹ von Stahr und Lieferungen aus dem Kraisschen Übersetzungswerk.

3.–5. Dezember: In der Beilage zur ›Allgemeinen Zeitung‹ bespricht Vischer Auerbachs ›Auf der Höhe‹; M liest die Rezension.

5. Dezember: Von Storm trifft eine Sendung ein.

8. Dezember: Ein seit Anfang Dezember auftretendes Augenleiden M's wird (bis Monatsende) mit Höllenstein behandelt.

13. Dezember: Scherer soll die Übersetzungen Milliens Cotta zum Verlag anbieten (unterläßt dies aber).

20. Dezember: Wolff liest M Fritz Reuters ›Ut mine Stromtid‹ vor.

27. Dezember: An Künzel schickt M die Faksimile-Publikation der Gebrüder Spiro.

28. Dezember: M's Frau schreibt in seinem Auftrag an Vischer, daß man ihn vielleicht nach Karlsruhe berufe.

30. Dezember: Wolff, Kolb, Chr. Schwab besuchen M. – Vischer teilt mit, daß er nicht für Tübingen entschieden sei.

1866

4. Januar: M kann seit seiner Augenkrankheit erstmals wieder ausgehen.

7. Januar: Während Scherers Besuch bei M kommen Mayer und Aimé Reinhard, dann auch Notter. (Reinhard hat 1862 ein Buch über ›Justinus Kerner und das Kernerhaus‹, Tübingen, geschrieben.) – Im Brief an Scherer zieht M das Verlagsangebot an Cotta zurück; er verlangt Milliens Schreiben. M bricht mit Scherer.

8. Januar: M hält wieder Unterricht.

12. Januar: M erhält eine Einladung von seinem Bruder Ludwig (der noch in Nördlingen ist) nach Bad Wemding.

Anfang Februar: Er revidiert seine Gedichte. – Seine Tochter Marie erkrankt: erste Anzeichen von Leukämie.

2. Feburar: Mährlen und Strauß besuchen M.

11. Februar: Wolff ist bei ihm.

12. Februar: Cotta schickt das Manuskript ›Erica‹ von einem Karl Höllensteiner aus Zweibrükken zur Begutachtung.

15. Februar: M rät von einer Veröffentlichung ab.

Mitte Februar: Im Katharinenstift behandelt M Tiersagen. – Mährlen beginnt seine regelmäßigen Sonntagsbesuche bei M.

17. Februar: Der Cotta-Verlag dankt M mit der Pracht-Ausgabe von Uhlands ›Gedichten‹ (Stuttgart 1865/66); das Begleitschreiben stammt von Ferdinand Weibert, der gleichzeitig ein eigenes Lyrik-Manuskript M zur Kritik unterbreitet (unter dem Pseudonym Rheinfels 1866 bei Kröner in Stuttgart veröffentlichte ›Gedichte‹).

Ende Februar: M's Schwager meldet sich wieder, wird aber abgewiesen.

1. März: K. Hartlaub und F. Märklin besuchen M.

2. März: M sagt dem Bruder Ludwig für den Sommer sein Kommen zu. Er liest in W. Hofakkers ›Predigten‹ (Stuttgart 1857²) und Horaz- ›Episteln‹.

3. März: Cotta schickt ein Gedichte-Manuskript von K. Siebel zur Begutachtung.

4. März: G. Silcher sucht M auf, um ihn über Vischer zu informieren: Golther wolle ihn auf den durch den Tod E. Meiers in Tübingen vakanten Lehrstuhl berufen. – M schreibt sofort an den Freund.

6. März: Vischer schildert die schwere Entscheidung, nach Tübingen zurückzukehren, und bittet M um entsprechende Vermittlung.

8. März: Golther spricht bei M wegen Vischer vor.

9. März: M sucht G. Silcher auf; er schreibt ihm auch wegen M. Planck. – Gegenüber Cotta lehnt M das Manuskript Siebels ab (›Lyrik‹, Elberfeld, Leipzig 1866); er empfiehlt dagegen Bernays Schrift ›Über Kritik und Geschichte des Goetheschen Textes‹ (Berlin 1867).

10. März: Der Ulmer Rektor Robert Kern besucht M wegen M. Planck. (M soll demnächst in der Vischerschen Sache nach Zürich fahren,

sagt ab; statt seiner fährt Kern.)

11. März: Weibert kommt zum Gespräch über seine Gedichte.

17. März: Im Katharinenstift behandelt M Reformationszeit und Barock.

19./20. März: Robert Vischer besucht M. – M geht zu G. Pressel, um mit ihm den Text seiner Oper zu besprechen.

25. März: Auf diesen Tag ist Scherers Abschrift von M's Gedicht ›Mein Vater sah hinaus . . .‹ datiert.

26. März: M sucht den gichtkranken Gugler auf.

29. März: Strauß läßt M die Neue Folge seiner ›Kleinen Schriften‹ (Berlin 1866) zugehen. Er wohnt seit einem Jahr in Darmstadt.

2. April: Der Münchner Ästhetikprofessor Moritz Carrière stellt sich M vor.

3. April: A. Strauß/Schebest bringt ihr Buch ›Aus dem Leben einer Künstlerin‹ (Stuttgart 1857).

4. April: Bei Wolff begegnet M dem Tübinger Bibliothekar Klüpfel.

9. April: Mit der Schwester geht M in ein Konzert der Musikschule, wo unter anderem Scherzers ›Schön-Rohtraut‹ auf dem Programm steht.

10. April: Mit seiner Frau hört M im Konzert Pressels Vertonung seiner ›Soldatenbraut‹.

14. April: Während Vischers Besuch kommt auch Mährlen zu M.

15. April: Scherer ist bei M. (Er schreibt wahrscheinlich jetzt an Millien, legt ein eigenes Werk und M's Photo bei.)

16. April: Prälat Carl von Kapff besucht M. – Im Katharinenstift nimmt er Klopstock durch.

18. April: Mit der Schwester macht M seinen Gegenbesuch bei A. Strauß. – Vischer teilt seinen Entschluß zur Rückkehr nach Tübingen mit.

22. April: Friedrich Strauß, der Sohn von M's Freund, Medizinstudent, ist bei M.

23. April: Heyse besucht M.

26. April: Mit seiner Schwester geht M zu Faißt; wegen Vischer sucht er G. Silcher auf, und mit Mährlen bespricht er sich wegen seinem Bruder Adolf.

erste Hälfte Mai: M hat die Absicht, seine ›Gedichte‹ für eine vierte Auflage zu revidieren; er teilt Hartlaub mit, v. a. ›An einem Wintermorgen‹, ›Erinnerung‹, ›Begegnung‹, ›Der Feuerreiter‹, ›Lose Ware‹, ›Mein Fluß‹, ›Die Schwestern‹, ›An Hermann‹, ›Wald-Idylle‹, ›Im Weinberg‹ verbessern zu wollen.

Anfang Mai: M ist durch die Kriegsgefahr beunruhigt. – Er erhält Großphotos einer Anakreon-

Statue zur Ansicht; Eduard Paulus, Architekt, später Landeskonservator, schenkt ihm seine ›Bilder aus Italien‹ (Stuttgart, Leipzig 1866).

6. Mai: Die Neuenstädter Verwandten schauen vorbei.

7. Mai: Vischer bittet um Nachricht über den endgültigen Ruf; er empfiehlt Karl Zieglers ›Oden‹ (Salzburg 1866).

10. Mai: Im Ministerium erfährt M, daß Vischer wohl noch am selben Tag ernannt werde; er teilt dies Vischer mit und rät ihm, Wohnung bei Mährlen zu nehmen. – Heyse schickt seine ›Dramatischen Dichtungen‹ (Berlin 1864/68) an M, legt Photos seiner Familie bei.

11. Mai: Mit G. Pressel bespricht M wieder die Oper. – Von Millien erhält er ›Musettes et Clairons‹, dessen Gedichte.

12. Mai: Auerbach bittet M um einen Beitrag in seinen ›Deutschen Volks-Kalender für 1867‹ (Stuttgart); er zahlt 50 Thl (= 55 fl) Honorar pro Bogen. (Dort ist wahrscheinlich nichts von M erschienen.)

13. Mai: Vischer hat die amtliche Nachricht von seiner Ernennung nach Tübingen und Stuttgart erhalten; er legt seinem Brief Zieglers ›Oden‹ bei.

14. Mai: Im Katharinenstift beginnt M mit ›Nathan der Weise‹.

18. Mai: An Millien läßt er ›Gedichte‹, ›Idylle‹, ›Vier Erzählungen‹ und ›Mozart‹ abgehen.

26. Mai: Käferle, inzwischen Pfarrer in Mössingen, meldet sich bei M wieder. – Weibert schickt seine revidierten Gedichte an M.

28. Mai: An Hartlaub sendet M ein neues Porträtphoto; er glaubt nicht an eine politische Lösung durch den Pariser Kongreß im preußisch-österreichischen Gegensatz.

30. Mai: Beim Stuttgarter Schillerfest wird M's ›Kantate‹ aufgeführt.

Juni: Preußen schickt Truppen nach Holstein; Württemberg tritt auf die Seite Österreichs.

erste Hälfte Juni: In der 8. Klasse bespricht M Werke Wielands, in der 7. Klasse gibt er eine historische Einleitung in das griechische Theater.

3. Juni: M macht eine Visite bei A. Strauß.

8./9. Juni: Vischer kommt wahrscheinlich zu M.

zweite Hälfte Juni: M erhält »verschiedene dumme« Briefe seines Bruders Adolf.

11. Juni: Mayer besucht ihn.

16. Juni: Von Vischer läuft das 5. Heft der Neuen Folge seiner ›Kritischen Gänge‹ (Stuttgart 1866) ein.

18. Juni: Die Frau von M's Bruder Ludwig stirbt in Nördlingen.

19. Juni: F. v. d. Berghe meldet sich in Stuttgart wieder. M schickt ihm kurz darauf G. Rümelins ›Shakespearestudien‹ (Stuttgart 1866).

Ende Juni — Anfang Juli: M notiert Geschehnisse vom Kriegsschauplatz in seinen Kalender.

2. — 6. Juli: Hartlaub besucht M; er nimmt seine Tochter Fanny mit nach Stöckenburg. (Sie bleibt bis 3. August.)

5. Juli: M's Neffe Eduard Mörike, der als Kaufmann in München wohnt, kommt vorbei und berichtet aus Nördlingen; er bleibt ein paar Tage.

10./11. Juli: Im Katharinenstift liest M ›Macbeth‹.

25. Juli: M besucht Notter, der als Mitglied der ›Deutschen Partei‹ für Preußen votiert. – Hartlaub empfiehlt einen Anti-Strauß-Artikel in der Beilage (Nr. 199, 200) zur ›Allgemeinen Zeitung‹ vom 18. und 19. Juli.

1. August: Württemberg schließt mit Preußen einen Waffenstillstand.

3. August: F. v. d. Berghe bittet um finanzielle Unterstützung. (Er hat vor wenigen Tagen geheiratet; seine Frau erwartet im nächsten Monat ein Kind.)

7. August: M und seine Frau treten ihre Erholungsreise an; sie fahren nach Nördlingen zu seinem Bruder Ludwig und mit diesem weiter nach Johannisbad.

8. August: Sie kommen in Bad Wemding (Bayern) an.

23. August: Der Deutsche Krieg wird durch den Frieden von Prag beendet.

bis 29. August: M nimmt 18 Bäder, fühlt sich bald erholt; er liest »nur Politica«.

Anfang September: In der 8. Klasse des Katharinenstifts behandelt M den ›Werther‹.

1. September: Schwind kommt zu M, übernachtet bei ihm; auch Walcher und Kayser stellen sich ein.

3. September: In der 7. Klasse behandelt M Sophokles.

6. September: Mit einem Exemplar seines ›Märchens von den sieben Raben‹ (München 1862) und seiner ›Wandgemälde auf der Wartburg‹ (Leipzig 1856) schickt Schwind auch Familienphotos an M.

8. September: An M's Geburtstag erscheint sein Bruder Ludwig. (Er bleibt bis 20. November.)

18. September: M läßt das Original des Cleversulzbacher Turmhahns photographieren; H. Kayser vertreibt das Bild im Visitenkartenformat. (Ein erstes Exemplar schickt M an L. Richter zum Geburtstag, am 28. September, mit den

Versen ›Dem edlen Meister . . .‹.)

19. September: M beendet seine Lehrfolge über die Tragödie.

22. September: In der 8. Klasse leitet M in Goethes ›Faust‹ ein.

23. September: M ist mit seinen Kompromotionalen Bruckmann, Schall und Mährlen verabredet.

25. September: Mährlens Tochter Auguste heiratet Dr. med. Carl Stark; M nimmt an der Feier teil und schenkt der Braut das Gedicht ›Lang, lang ists her!‹; von Notter überreicht er die Verse ›Von einem Speditionshause‹ (mit ›Orplid‹-Anspielungen).

30. September: M besucht eine Gesellschaft bei Mährlen.

1. Oktober: Schwind hat eine ›Ode an Mörike‹ begonnen und fragt, ob M sie in der ›Freya‹ veröffentlichen wolle.

4. Oktober: M will Vischer empfehlen, über Schwind zu publizieren.

13. Oktober: Die Neuenstädter Marie Mörike besucht M.

Mitte Oktober: Krais macht bankrott; seine Gläubiger wollen die ›Freya‹ retten.

16. Oktober: Am Beginn des neuen Schuljahrs meldet sich M wegen Katarrhs ab.

17. Oktober: Lübke stellt sich M vor. – Vischer kommt von einer Reise und erzählt aus Schwinds Atelier.

19. Oktober: R. Vischer besucht M.

27. Oktober: In der 8. Klasse bespricht M die ›Edda‹.

28. Oktober: Er trifft mit Vischer, Mährlen und C. Notter zusammen.

30. Oktober: M entschließt sich, um seine Entlassung aus dem Katharinenstift einzugeben.

3. November: Schwind teilt M mit, daß seine ›Ode an Mörike‹ zeichnerische Umsetzungen des ›Märchens vom sichern Mann‹, von ›Erzengel Michaels Feder‹ und einem dritten Gedicht enthalte.

9. November: M bespricht mit Wolff seine Rücktrittserklärung.

10. und 12. November: M behandelt in der 8. Klasse das ›Nibelungenlied‹.

13. November: In der 7. Klasse spricht M über Versformen. – Er sucht den Königlichen Kommissar des Katharinenstifts Gottlob von Müller auf.

14. November: In einer unmittelbaren Eingabe an den König bittet M gesundheitshalber um Pensionierung.

16. November: M bespricht sich mit Mährlen. –

Scherer fragt um Rat wegen einer Meldung um M's Nachfolge; sie söhnen sich aus. – G. v. Müller referiert der Königin.

18. November: Vischer und C. Notter kommen zu M.

19. November: In der 8. Klasse fährt M im ›Nibelungenlied‹ fort.

20. November: Er hält seine letzte Unterrichtsstunde. – Aus dem Geheimen Kabinett trifft die Nachricht ein, daß seine Amtsenthebung und Pension genehmigt worden seien. M bekommt weiterhin 350 fl jährlich; eigentlich hätten ihm nur 170 fl Ruhegehalt zugestanden; auf Antrag Müllers ist aber in Anerkennung seiner Leistung als Dichter die Summe aufgestockt worden.

22. November: Klaiber meldet sich bei M als sein Nachfolger.

23. November: M verfaßt seine Dankschreiben an den König und an Egloffstein.

27. November: Er besucht Kayser. Der Augsburger Kapellmeister Hans Michel Schletterer überreicht ihm sein op. 21, zwei Liederhefte (Stuttgart), darunter ›Ein Stündlein wohl vor Tag‹ (das M nach den Vertonungen von Hetsch und Kauffmann am höchsten schätzt) und ›Schön-Rohtraut‹.

29. November: M sucht Grüneisen, Lübke und Mährlen auf. – In der Beilage (Nr. 333) zur ›Allgemeinen Zeitung‹ wird über das Turmhahn-Photo berichtet.

5. Dezember: Mit der Schwester sucht M Notter auf, der die ›Divina Commedia‹ übersetzt.

10. Dezember: Zum Geburtstag seiner Schwester schenkt M das Gedicht ›Heut in der Frühe . . .‹.

16. Dezember: Notter stattet seinen Gegenbesuch ab.

18. Dezember: In der Beilage (Nr. 352) zur ›Allgemeinen Zeitung‹ wird Richters ›Turmhahn‹-Ausgabe erwähnt.

22. Dezember: Cotta kündigt die Notwendigkeit einer neuen ›Gedicht‹-Auflage an.

Ende Dezember: Unter Beratung durch Wolff und Klaiber beginnt M, seine Gedichte zu revidieren.

1867

Der ›Brockhaus‹ nimmt einen Artikel ›Mörike‹ auf.

2. Januar: M gibt Cotta einen vorläufigen Bescheid; da er die künftigen Buchhandelsaussichten nicht recht einschätzen kann, denkt er an ein

Honorar von ca 600 fl. – Im Brief an Hartlaub erbittet M sein Schreiben der ersten Mai-Hälfte 1866 zurück, in dem er notwendige Änderungen an seinen Gedichten skizzierte.

3. Januar: Vischer kommt aus Tübingen.

7. Januar: An Cotta schickt M Texte, die neu in die Sammlung aufzunehmen wären; die ›Gedichte‹ sollen wieder im Oktav-Format erscheinen; M erwartet bei einem Druck von 1000 Exemplaren ein Honorar in Höhe von 800 fl zuzüglich 20 Freiexemplaren. – Chr. Schwab besucht M.

9. Januar: Mayer sieht bei M vorbei.

11. Januar: Cotta sendet einen Vertrag und macht folgende Rechnung auf: Von ›Gedichte‹[1] seien 690 Exemplare verkauft, 310 makuliert worden; von ›Gedichte‹[2] seien 605 abgegangen, 395 aber stockfleckig und damit unverkäuflich. Er schlägt vor, jetzt 2000 Stück drucken zu lassen und je zur Hälfte als 4. und später als 5. Auflage herauszubringen; für beide zusammen bietet er ein Honorar von 800 fl; würde dies für ›Gedichte‹[4] allein bezahlt, so gefährde der Ladenpreis den Absatz.

12. Januar: An Schwind empfiehlt M den ›König Rother‹ als einen dem Maler angemessenen Stoff; er schickt ein Photo seines Turmhahns.

14. Januar: M gibt Cotta sein schriftliches Einverständnis; er wünscht je 15 Freiexemplare auf ein Mal bei der 4. Auflage.

Mitte Januar: M ist mit der Revision seiner Gedichte beschäftigt. – Er erkrankt und kann deshalb Scherer bei einer Vermittlung nicht behilflich sein. – M. Hartmann, seit kurzem nicht nur an der ›Freya‹, sondern auch an der ›Allgemeinen Zeitung‹ angestellt, schlägt Cotta eine von Schwind illustrierte Ausgabe des ›Turmhahns‹ vor.

15. Januar: M schreibt an Millien.

16. Januar: Cotta antwortet zustimmend.

17. Januar: M gibt Cotta den unterschriebenen Vertrag zurück. – Schwind kündigt M die Sendung seiner ›Ode an Mörike‹ an; als Publikationsort sieht er noch die ›Freya‹ vor. Er erkundigt sich nach ›König Rother‹. – Notter besucht M und berichtet, daß Grunert ›Die Johanniter‹ inszeniert.

18. Januar: M besucht die Uraufführung von Notters ›Johannitern‹.

24. Januar: In die Facsimile-Publikation der Gebrüder Spiro trägt M für Künzel die Verse ›Ein ganzes Heft Autographa! . . .‹ ein.

26. Januar: An Cotta geht ein revidiertes Exemplar der ›Gedichte‹[3] ab.

28. Januar: M erhält drei Sepiazeichnungen von Schwind: ›Der sichere Mann‹, ›Erzengel Michaels Feder‹ und (verschiedene Motive aus M's Dichtungen verarbeitend) ›Das Pfarrhaus zu Cleversulzbach‹. – Hartlaub findet den gewünschten Brief nicht und rät von Veränderungen der ›Gedichte‹ ab; bei Honorarforderungen an Cotta solle M hart bleiben.

nach 28. Januar: M beginnt seine Epistel an Schwind: ›Zuvörderst zeigt sich eine . . .‹; dieser Anfang bleibt Fragment. – Durch Kayser läßt M die Schwind-Blätter M. Hartmann und Cotta vorlegen; Kayser photographiert den ›Sichern Mann‹ (ohne vorher gefragt zu haben).

30. Januar: M ist wegen des Vertrags mit Cotta beunruhigt und stellt Mehrforderungen: 1000 fl Honorar für die 2000 Exemplare.

31. Januar: Cotta kann darauf nicht eingehen und stellt den Vertrag zur Disposition.

Ende Januar: In seiner Korrespondenz mit Gugler bringt M Korrekturen in dessen Bearbeitung des von Barthold Heinrich Brockes stammenden Textes zu Händels ›Passion‹ ein; während dieser Arbeit entstehen die Verse ›Hier sieht man eine Sonn . . .‹.

Februar: In der ›Freya‹ erscheint ›Das verlassene Mägdlein‹ mit einer Illustration von B. Vautier. – Emil Kauffmann publiziert in Stuttgart ein Heft mit Kompositionen von ›Wo find ich Trost?‹, ›Auf ein altes Bild‹, ›An den Schlaf‹, ›Seufzer‹.

1. Februar: Kayser besucht M.

2. Februar: Hartmann bringt den Vorschlag, Schwind möge etwa neun weitere Blätter (vielleicht zu M's Balladen, jedenfalls auch zum ›Turmhahn‹) für eine Mörike-Mappe zusammenstellen; der ›Turmhahn‹ müsse mit Schwind-Zeichnungen daneben gesondert herausgegeben werden; die Publikationen sollten bei Cotta erscheinen, in der ›Freya‹ könne man die Blätter nicht adäquat reproduzieren. – M informiert darüber Schwind und bespricht sich mit Kayser.

4. Februar: Im Brief an Cotta zieht M seine Nachforderungen zurück. – Ch. Späth besucht M; zu ihrem Geburtstag am folgenden Tag schreibt M die Verse ›Mit sechzehn Lenzen . . .‹.

5. Februar: Schwind ist mit dem Hartmannschen Vorschlag einverstanden, obwohl er dessen Vorbehalte gegen die Reproduktionsweise der ›Freya‹ nicht teilt.

6. Februar: ›Lang, lang ists her!‹ erscheint in der ›Allgemeinen Zeitung‹ (Nr. 6); zugleich werden die ›Gedichte‹⁴ angezeigt. – Hartmann berichtet, daß Cotta mit den Schwind-Illustrationen einverstanden sei.

7. Februar: Für ›Gedichte‹⁴ stellt M ›An einen Liebenden‹ aus zwei verschiedenen alten Texten zusammen.

8. Februar: Da der Druck der ›Gedichte‹⁴ noch nicht begonnen hat, will M auf Empfehlung Hartlaubs den ›Scherz‹ (›Einen Morgengruß . . .‹) noch überarbeiten und einschieben. (Dort enthalten.)

9. Februar: M erhält die ersten Korrekturbogen.

10. Februar: P. Gmelin, C. Walcher und Mährlen besuchen M.

11. Februar: Ein Xylograph Obermann aus Düsseldorf stellt sich M vor; er kommt wiederholt vorbei und erhält schließlich die Gedichte ›Meiner Schwester‹ und ›Corinna‹ für das von Müller von Königswinter redigierte ›Deutsche Künstler-Album‹ (1867). Wahrscheinlich gibt M an Obermann auch das Sonett ›Widmung‹, das im 2. Jg des ›Künstler-Albums‹ (1868) erscheint.

Mitte Februar: M macht Spaziergänge mit der Familie.

17. Februar: Vischer und Scherer betrachten die Schwindschen Bilder bei M. – Er liest mit seiner Frau Korrektur.

21. Februar: Mit ihr besucht M die Cottasche Druckerei.

22. Februar: Th. F. Köstlin übermittelt einen Brief August Wilhelm Grubes, der über die ›Gedichte‹ schreiben will; er legt u. a. Grubes ›Ästhetische Vorträge‹ (Iserlohn 1864, 1866) bei, in deren zweitem Band M's Theokrit-Übersetzungen gewürdigt sind.

23. Februar: Hartmann kommt mit einem Brief Schwinds, der auf sein Honorar zugunsten M's verzichtet, aber Forderungen an die Reproduktion stellt. – Auerbach berichtet, daß M für Simrock »der bedeutendste lyrische Dichter seit Göthe« sei.

24. Februar: An Hartmann schickt M neben seinem Gedicht ›Epistel‹ auch ›An einen Liebenden‹ und bittet, dieses mit einem Hinweis auf die Parodie des Horaz-Odentons zu publizieren.

26. Februar: E. Kauffmann bringt eigene Kompositionen nach M-Liedern vorbei.

28. Februar: Auf einen Vorschlag Hollands will M die Entstehungszeit seiner Texte im Inhaltsverzeichnis von ›Gedichte‹⁴ angeben; er erbittet dazu Hartlaubs Hilfe. – Die Korrektur der Sammlung ist bis zum 20. Bogen fortgeschritten.

Anfang März: M fühlt wieder rheumatische Schmerzen; Kayser und Weibert (wegen neuer Gedichte) besuchen ihn.

1. März: M bittet Wolff um Hilfe bei der Datierung seiner ›Gedichte‹⁴. – In einer Abendgesellschaft trägt M den ›Verwunschenen Prinzen‹ von Adolf Bäuerle vor.

2. März: Im ›Staats-Anzeiger für Württemberg‹ (Nr. 52) werden die Schwind-Blätter geschildert; der Bericht (vom 26. Februar) stammt von Scherer oder Klaiber. – Wolff schickt das Blatt an M. – Seine Frau nimmt mit den beiden Töchtern an einem Maskenzug bei Dorrers teil. (Danach entsteht das Gedicht ›An Gretchen‹.)

3. März: Hartlaub schickt ein Datierungsverzeichnis der Gedichte, das bis 1847 reicht.

5. März: An Schwind gehen spontan geschriebene Bemerkungen über die drei Blätter ab.

6. März: P. Kauffmann befürchtet wegen seines Aufenthalts in einer Nervenheilanstalt die Suspension von seinem Amt als Präzeptor; M erhält seine Bitte um Intervention, der ein Gedicht auf den Geburtstag des Königs beiliegt.

7. März: M überreicht Kauffmanns Brief und Gedicht an Egloffstein. – Von Cotta laufen dringende Korrekturen ein.

9. März: Egloffstein teilt mit, daß der König sich Kauffmanns annehmen wolle. – An Wolff schickt M u. a. drei Schattenriß-Porträts.

11. März: Weibert legt M seine Gedicht-Sammlung erneut vor (wahrscheinlich die unter dem Pseudonym Wilhelm Stein 1868 in Stuttgart erschienene ›Us 'm Neckardhal‹). – Notter besucht M, der Kritik an den ›Johannitern‹ übt.

13. März: P. Kauffmann bedankt sich. (Die Korrespondenz wird weitergeführt.)

Mitte März: M bittet auch Th. F. Köstlin um Hilfe bei der Datierung seiner ›Gedichte‹⁴.

15. März: Wegen Unterleibsbeschwerden wird M Bettruhe verordnet.

20. März: Köstlin informiert über seine Antwort an Grube; er berichtet von ungedruckten Hölderlin-Manuskripten im Schelling-Nachlaß und verweist auf seinen Aufsatz ›Zur Schelling'schen Philosophie‹ in der Beilage (Nr. 83–87) zur ›Allgemeinen Zeitung‹.

21. März: ›An einen Liebenden‹ erscheint in der Wochenausgabe (Nr. 12) der ›Allgemeinen Zeitung‹ als Abdruck aus den ›Gedichten‹⁴.

22. März: Gegenüber Hartlaub, der ihm J. T. Becks Predigt vom August 1866 empfohlen hatte, bekennt M seinen Gesinnungswandel bezüglich Bismarcks und seine Hoffnung, »daß doch einmal ein Deutschland nolens volens zusam-

Abb. 12 Photographie von H. Kayser. 1867.
95 × 59 mm (Porträt).

menkommen soll«. ›Gedichte‹[4], die bis aufs Inhaltsverzeichnis gedruckt seien, sollen nun auf
Kaysers Vorschlag auch M's Porträt enthalten.

24. März: Die Neuenstädter Verwandten besuchen M.

25. März: M läßt sich von Kayser für ›Gedichte‹[4]
photographieren (Abb. 12).

26. März: Hartmann besucht M. – Wegen dem
»Spiegelvers« (den Kayser neu publizieren
will?) schreibt M an seinen Bruder Ludwig nach
München.

28. März: M hat Bilder der Genremalerin Luise
von Martens zur Ansicht.

29. März: Mit seiner Frau besucht M eine Cor-
nelius-Ausstellung.

30. – 31. März: Schwind hält sich bei M auf, erzählt von Cornelius, Kaulbach u. a., ist über
Kaysers unerlaubtes Photo aufgebracht.

31. März: M lernt Schwinds Frau kennen.

Anfang April: Er teilt Hartmann neue Bedingungen Schwinds mit (z. B. 1000 fl Honorar für die
drei Blätter) und erfährt, daß Cotta frühestens
im Herbst zum Druck bereit sei, daß die ›Freya‹
nicht mehr in Frage komme. (Sie stellt ihr Erscheinen Ende des Jahres ein.) – M hilft Scherer
bei der Redaktion seiner ›Volkslieder‹ und Gugler bei seinem Aufsatz über ›Don Juan‹. Wegen
der angegriffenen Gesundheit seiner Frau plant
M eine Erholungsreise.

2. April: Bei Hartmann trifft M mit Gugler zusammen; Mährlen besucht M.

4. April: Martens hat M eine Tizian-Kopie geschenkt; M und seine Frau machen eine Dankvi-
site. – Charlotte Hildebrand, eine Urenkelin des
Onkels Planck, kommt aus Nürtingen für ein
paar Tage zu Besuch.

5. April: Löwe sucht M auf.

6. April: M schickt Schwinds Blätter zurück nach
München und legt seine ›Vier Erzählungen‹ sowie das ›Hutzelmännlein‹ bei.

8. April: Seine Tochter Fanny erkrankt an Pok-
ken.

11. April: Notter bespricht sich mit M wegen der
Umarbeitung seiner ›Johanniter‹.

13. April: Pierson besucht M mit neuen Kompositionen.

15. April: C. Notter und Wolff kommen zu ihm.

16. April: M lernt bei Mährlen K. B. Stark kennen.

17. April: Stark sucht M auf. – Klaiber kündigt
M seinen öffentlichen Vortrag über M an.

18. April: M erhält das Inhaltsverzeichnis zur
Revision; er sendet an Klaiber Auszüge aus Eduard von Sackens und Friedrich Kennens Be-

schreibung der ›Sammlungen des K. K. Münz-
und Antiken-Cabinetts‹ (Wien 1866). R. Vischer
kommt zu Besuch.

22. – 23. April: Vischers ›Macbeth in Venedig‹
erscheint in der Beilage (Nr. 112, 113) der ›Allgemeinen Zeitung‹; Hartlaub macht M darauf
aufmerksam.

23. April: P. Gmelin trägt für M und seine
Schwester Lieder von Kauffmann und Robert
Schumann vor.

24. April: M's Schwester fährt mit seinen Töchtern zu L. Walther nach Esslingen.

27. April: Schwind hat M's Prosa gelesen und
trägt ihm seine Bereitschaft zu Illustrationen für
›Schatz‹, ›Lucie Gelmeroth‹ oder ›Hutzelmännlein‹ an.

29. April: Zugunsten des Invaliden-Fonds hält
Klaiber im Museum einen Vortrag ›Über Eduard Mörike's lyrische Dichtung‹; er geht von der
vierten Auflage der ›Gedichte‹ aus, die er in den
Fahnen einsehen konnte.

30. April: Wolff begleitet M zu Hallberger; dort
treten sie mit Hartmann, Löwe und Hackländer
dem Comité zur Unterstützung Freiligraths bei.

Anfang Mai: M's Bruder Ludwig hat sich wiederholt brieflich gemeldet; er erhält von Hartlaub finanzielle Unterstützung. – Wolff publiziert eine ›Kurze Einleitung in das alte und neue
Testament‹ (Stuttgart 1867), die M aus dem Manuskript kennt.

1. Mai: Die Neuenstädter Verwandten und der
Redakteur des ›Staats-Anzeigers‹ Prof. Otto
Seyffer sind bei M.

2. Mai: Strauß stellt sich mit dem Münchner
Kunsthistoriker Julius Meyer ein; er erzählt von
seinem Besuch bei Schwind. – M geht wegen der
Freiligrath-Unterstützung zu Mährlen, Kayser,
Scherer, F. Märklin, Chr. Schwab.

4. Mai: Notter bespricht den Klaiber-Vortrag in
der ›Schwäbischen Kronik‹ (Nr. 106).

5. Mai: M hat Auseinandersetzungen mit seiner
Frau.

6. Mai: Er zieht sich innerhalb der Wohnung in
ein anderes Zimmer zurück.

7. Mai: Von Vischer erhält M eine Darstellung
San Marcos in Venedig.

8. Mai: Gegenüber Heyse äußert sich M sehr positiv über dessen Dramen. – Er bedankt sich bei
Notter für den Artikel. – F. v. d. Berghe stellt
sich wieder ein.

9. Mai: M bittet Vischer, für F. v. d. Berghe eine
Deklamation in Tübingen zu vermitteln. – Martens bringt ein weiteres Bild zum Geschenk.

11. – 24. Mai: Guglers Aufsatz ›Die Handlung

im »Don Juan«< erscheint in der Wochenausgabe der ›Allgemeinen Zeitung‹ (Nr. 19–21).

13. Mai: M's Schwester fährt nach Nürtingen.

14.–17. Mai: Klaibers Vortrag vom 29. April erscheint in der Beilage (Nr. 134–137) zur ›Allgemeinen Zeitung‹.

14. Mai: Hallberger verschickt Zirkulare mit dem Aufruf ›An die deutsche Nation‹ zur Unterstützung Freiligraths, unterschrieben u. a. von M, Vischer und Raabe. Ein paar dieser Aufrufe läßt M an Künzel gehen. – Notter sucht M auf.

15. Mai: Im Rahmen von Klaibers Vortrag wird ›Der Gärtner‹ abgedruckt.

18. Mai: Von einem Unbekannten erhält M eine französische Übersetzung des ›Gärtners‹ mit einer Flasche Wein übersandt.

19. Mai: M besucht Mährlen. – C. Notter berichtet von Grunert und Vischers Frau.

21. Mai: E. Kauffmann überbringt eine ›Hamlet‹-Bearbeitung Lohbauers (nach Schlegel) mit dessen Brief. – Mit der Schwester besucht M eine Aufführung von Notters überarbeiteten ›Johannitern‹ in der Inszenierung Grunerts und mit ihm in der Hauptrolle.

22. Mai: Im ›Schwäbischen Merkur‹ (Nr. 121) dankt M dem unbekannten Übersetzer des ›Gärtners‹. – Mit seiner Schwester besucht M Notter. – F. v. d. Berghe tritt in Tübingen mit Köstings ›Columbus‹ auf.

23. Mai: M erhält Mayers ›Ludwig Uhland, seine Freunde und Zeitgenossen‹ (Stuttgart 1867), wo auch M zitiert wird. (Er liest den ersten Band sofort.)

25. Mai: Cotta überweist 400 fl (abzüglich 22 fl 19 x für 17 Exemplare) Honorar für ›Gedichte‹[4], schickt 30 Freiexemplare und teilt mit, daß er das Buch an die angegebenen Adressen versende. (Es geht in kurzer Zeit an 58 von M notierte Stellen.) Diese vierte Auflage bringt 30 neue und kappt vier alte Stücke; sie kostet geheftet 1 fl 45 x, in Leinwand gebunden 2 fl 24 x und mit Goldschnitt 2 fl 36 x.

27. Mai: M teilt Hallberger mit, daß er für Freiligrath 29 fl eingenommen habe (von Hartlaub). – Er bedankt sich bei Mayer für das Uhland-Buch mit seinen ›Gedichten‹[4] und dem Turmhahnphoto. (Die Sendung geht über Holland.) – M liest Adolf Bacmeisters ›Deutsche Sonette‹ (Ulm 1860 unter dem Pseudonym Theobald Lernoff).

28. Mai: Seinem Brief an Hopfen legt M die ›Gedichte‹[4] bei.

31. Mai: An Klaiber gehen die ›Gedichte‹[4] mit den Versen ›Was Du Gutes . . .‹; an Lohbauer und E. Kauffmann schickt er das Buch mit einer Widmung. – F. v. d. Berghe und Vischer kommen zu Besuch.

Anfang Juni: Holland erhält ›Gedichte‹[4] mit einem Turmhahn-Photo; M legt sie seinem Brief an Simrock bei als Dank für dessen Übersetzung von Shakespeares ›Gedichten‹ (Stuttgart 1867). – In das Exemplar für Fischer trägt M ›. . . Es kümmert der Haufen . . .‹ und in jenes für Scherzer ›Nur wenn der treffliche . . .‹ ein.

1. Juni: Die ›Gedichte‹[4] gehen an Grüneisen und E. Uhland. – Mit seiner Frau besucht er Christian Kolb.

2. Juni: Bei einem Spaziergang mit der Familie nach Cannstatt trifft er M. Hartmann.

3. Juni: M sendet die ›Gedichte‹[4] an Vischer.

4. Juni: Mit Vischer sucht er Max Planck auf.

5. Juni: L. Walther kommt zu M. – Mayer schickt ihm drei neue Gedichte, darunter ›An Mörike‹.

6. Juni: G. v. Rümelin und Wolff besuchen M.

7. Juni: An Egloffstein gehen drei Exemplare der ›Gedichte‹[4] ab mit Begleitschreiben an den König und die Königin. M. Lempp, L. v. Martens besuchen M. – Notter bedankt sich für die ›Gedichte‹[4].

8. Juni: C. Notter, M. Planck, Fetzer u. a. sind bei M.

9. Juni: M sendet die ›Gedichte‹[4] an Prinzessin Marie.

10. Juni: Zum Geburtstag seiner Frau schenkt M die Verse ›Zu Fünfzigen fehlt nur noch . . .‹, wahrscheinlich auch ›Das Weib ein Evangelio . . .‹. – Die Frau von M's Bruder Adolf (der sich in Paris aufhält) kommt mit ihren Eltern zu Besuch. – M schickt die ›Gedichte‹[4] an Scherer und gibt ihm ein Buch Linggs zurück. – Ignaz Hub wendet sich wegen seines zugunsten Freiligraths unternommenen Albums ›Deutsche Dichter-Gaben‹ (Leipzig 1868) an M (in das er aber keine Beiträge liefert).

11. Juni: Eine letzte Konsultation bei Fetzer trägt zur Entscheidung für einen Umzug bei.

12. Juni: Grüneisen kommt zu Besuch. – M's Frau fährt nach Lorch, um eine Wohnung zu suchen.

13. Juni: Eduard Paulus bringt seine Gedichte ›Aus meinem Leben‹ (Stuttgart 1867) und die ›Erklärung der Peutinger Tafel‹ seines Vaters (Stuttgart 1866).

14. Juni: M's Schwester fährt nach Lorch, um die Wohnung zu mieten: bei Dorothea Friz in der ehemaligen Wirtschaft ›Zum Rößle‹ (= heute: Stuttgarter Str. 12).

15. Juni: In einem Brief an Vischer beklagt Strauß die »vermeintlichen Verbesserungen« M's bei seiner Revision für die ›Gedichte‹[4].

zweite Hälfte Juni: M liest Terenz in Übersetzungen, Paulus' ›Peutinger Tafel‹ und Emerich Madáchs ›Die Tragödie des Menschen‹ (Pest 1865).

16. Juni: Guglers Tochter Hedwig und Dr. med. Wilhelm Camerer (der spätere Mörike-Biograph) stellen sich als Brautleute vor. (Sie heiraten zwei Tage später.) – Mit Mährlen geht M zu Prof. O. Seyffer.

18. Juni: M sucht die absolute Ruhe und zieht mit seiner Frau heimlich nach Lorch im Remstal; seine Schwester bleibt mit den Töchtern in Stuttgart. – Th. F. Köstlin teilt mit, daß er Exzerpte aus Klaibers Vortrag an Grube für dessen ›Chr. Oeser's Briefe an eine Jungfrau‹ (Leipzig 1865–1869) gesandt habe.

20. Juni: Mit seiner Frau geht M zum Fronleichnamsfest nach Schwäbisch Gmünd.

22. Juni: Er besichtigt das Kloster Lorch.

26. Juni: M beginnt mit kalten Waschungen.

29. Juni: M besucht erstmals den Lorcher Oberförster Adolph Carl Paulus, mit dessen Familie sich enge freundschaftliche Beziehungen ergeben.

30. Juni: M wandert auf die Burg Kirneck.

Sommer: Er überarbeitet den ›Maler Nolten‹ »ein Stück«. – M sieht zum erstenmal eine Töpferwerkstatt; er ist fasziniert, bestellt sich bei dem Hafnermeister Johann Georg Groß Vasen nach seinen Entwürfen, verziert sie mit Gravuren.

Juli: M liest Oetingers ›Leben und Briefe‹ (Stuttgart 1859), dessen ›Sämmtliche Predigten‹ (Reutlingen 1852 Bd 1) und Albert Knapps ›Hohenstaufen‹ (Stuttgart, Tübingen 1839).

erste Hälfte Juli: M erhält Briefe von Agnes Simrock, A. Wuthenow (mit ihrer ›Nige Blomen‹, 1861) und H. Grimm (mit seinen ›Unüberwindlichen Mächten‹, Berlin 1867).

1. Juli: Er verspricht Hartlaub, A. de Lamartines ›Geschichte der Restauration‹ (Stuttgart 1852–1858) zu senden.

3. Juli: Auerbach, Hemsen und R. v. Hornstein laden M in getrennten Briefen nach Bingen ein. (M sagt krankheitshalber ab.)

4. Juli: Hopfen schickt das Roman-Manuskript ›Verdorben in Paris‹ mit der Bitte um Vermittlung an Cotta.

11. Juli: M wandert zum Brucker-Hof.

12. Juli: Strauß teilt M seine Freude über die neuen Stücke in ›Gedichte‹[4] mit; er tadelt aber manche der Überarbeitungen. – Cotta schickt Adolf Grimmingers ›Mei' Derhoim‹ (Stuttgart: Cotta 1868) zur Begutachtung.

13. Juli: M's Tochter Fanny besucht ihn auf der Durchreise in die Ferien.

Mitte Juli: M's Schwester kommt mit seiner Tochter Marie nach Lorch. – M graviert seinen ersten Blumentopf – für Wolff.

20. Juli: M schickt Hopfens Roman mit einem positiven Gutachten an Cotta (Stuttgart: Kröner 1868) und informiert Hopfen.

23. Juli: Hopfen bittet M, sein Manuskript nach einer möglichen Zurückweisung durch Cotta an den Kröner-Verlag weiterzuleiten.

24. Juli: In seinem Brief an Strauß über M's ›Gedichte‹[4] konstatiert Vischer eine Wandlung: »Er ist ganz Epigrammatist geworden«.

29. Juli: M's Tochter Fanny kommt nach Lorch.

31. Juli: Mit der Familie wandert M nach Bruck.

August: Er liest K. F. Schnitzers Übersetzung von ›Pindar's Siegesgesängen‹ (Stuttgart 1860/66).

3. August: Mit seiner Familie wandert M nach Wäschenbeuren.

9. August: Er besichtigt wieder das Kloster.

11. August: Er wandert zum Klotzenhof.

13. August: M sendet den Blumentopf an Wolff mit den Versen ›Ich bin ein schlecht Gefäß . . .‹. – Durch Kayser erhält er die Druckfahnen von August Wintterlins Lustspiel ›Die Bürgermeisterin von Schorndorf‹; er korrigiert das Buch, das noch 1867 in Stuttgart bei Grüninger erscheint mit der gedruckten Zueignung: »Eduard Mörike in aufrichtiger Verehrung gewidmet vom Verfasser«.

14. August: M's Schwester fährt mit den Kindern wieder nach Stuttgart; sie war länger als geplant in Lorch.

15. August: M gibt Wintterlins Lustspiel an Kayser zurück.

zweite Hälfte August: Mährlen und Wolff besuchen M.

16. August: M erhält einen Brief Schwinds, der u. a. die Hochzeit seiner Tochter anzeigt; für dieses Fest plant M ein tönernes Geschenk, zu dem er die Verse ›Wie mag ich armer Topf . . .‹ schreibt.

18. August: Er wandert nach Bruck.

7. September: Auf M's Wunsch schickt ihm Mährlen die ›Beschreibung des Oberamts Welzheim‹ (Stuttgart, Tübingen 1845) zu.

8. September: M's Schwester kommt mit den Töchtern und A. Hartlaub nach Lorch; sie bleiben kaum eine Woche.

Abb. 13 Federzeichnung. Selbstbildnis. 1867.
55 × 32 mm.

12. September: Beim Jahresfest des Katharinenstifts spricht Wolff Dankesworte für M.

15. September: M bezieht eine neue Wohnung in Lorch, bei Gottlieb Bühler (= heute: Hauptstr. 27).

21. September: Er wandert nach Unterkirneck.

22. September: Kayser und der Verleger Carl Grüninger kommen zu M, ebenso Vischer, der seine ›Epigramme aus Baden-Baden‹ (Stuttgart 1868) vorliest.

ca 23. September: Mayer bittet M wegen einer vierten Auflage seiner Gedichte um Vermittlung bei Cotta.

27. September: M's Töchter kommen nach Lorch. – M macht schriftliche Verbesserungsvorschläge zu den ›Epigrammen aus Baden-Baden‹, die Vischer zum Teil im Druck berücksichtigt.

1. Oktober: Schweizerbart verkauft seinen Verlag an Eduard Koch. Aus einem Zirkular, das M dieser Tage deswegen erhält, erfährt er auch, daß von beiden Auflagen der ›Idylle‹ nur je die Hälfte verkauft sei.

2. Oktober: M's Schwester kommt nach Lorch.

12. Oktober: Sie fährt mit den Kindern nach Stuttgart zurück.

Mitte Oktober: M hat wieder Nervenschmerzen.

25. Oktober: Im Brief an Schwind schreibt er die Verse ›So alt ich bin . . .‹; er schickt ihm die ›Gedichte‹[4].

26. Oktober: Cotta sendet M den ›Neuen Parcival‹ von Joseph Victor Widmann zur Begutachtung und schenkt ihm ›Das Nibelungenlied‹ mit Holzschnitten von J. Schnorr von Carolsfeld (Stuttgart 1868).

28. Oktober: Mährlen besucht M.

29. Oktober: M's Schwester kommt mit M. Lempp zu Besuch, der er eine Vase schenkt mit den (vor dem 19. September entstandenen) Versen ›Nimm hier mit Gunst . . .‹.

1. November: M rät Cotta vom Druck Widmanns ab. (Das Buch scheint nie erschienen zu sein.)

11. November: Wolff kommt zu Besuch.

12. November: M zieht in das gegenüberliegende Haus Bühlers (= heute: Hauptstr. 24). Bühler hatte das erste Haus inzwischen weiterverkauft; eine Wirtschaft sollte eingerichtet werden.

Ende November/Anfang Dezember: Seine Frau fährt mehrmals nach Schwäbisch Gmünd. – Notter und Stirm besuchen M.

2. Dezember: Er graviert vier irdene Töpfe für seine Töchter: ›Wenn die Amseln . . .‹.

8. Dezember: In Geschirr für seine Schwester graviert M ›So heiß, wie dieser . . .‹.

10. Dezember: M zeichnet sein Selbstporträt mit Vollbart ins Hausbuch (Abb. 13).

19. Dezember: An A. Hartlaub schickt er die Verse ›O Rockebuß . . .‹.

20. Dezember: Mit seiner Frau fährt er nach Stuttgart.

1868

Otto Lange druckt in seinem ›Sprachschatz der deutschen Literatur‹ (Berlin) ›Die schöne Buche‹ ab. – Henri Blaze schreibt erneut über M: ›Les Ecrivains modernes de l'Allemagne‹ (Paris). – M-Texte erscheinen in einer Anthologie »für Schule und Haus« ›Schwäbische Dichter‹ (Freiburg).

Januar—April: M arbeitet wenig am ›Maler Nolten‹; er bemüht sich aber um die Revision, weil er jedenfalls nicht den Wiederabdruck der ersten Ausgabe wünscht. (Sein früherer Entschluß »zu einer durchgreifenden Umarbeitung des ganzen ersten und theilweise des zweiten Bandes« kommt aber in Lorch zur Ausführung; M strebt dabei hauptsächlich »mehr Wahrheit und Natur, zugleich mehr Fülle im Einzelnen« an.)

Januar: M hält seinen Stuttgart-Aufenthalt für unbehaglich und nutzlos. – Er bestimmt, daß aus den ›Entrochiten‹ nichts veröffentlicht werden darf, was nicht schon publiziert sei.

15. Januar: M's Frau richtet in Lorch die Wohnung her. – M porträtiert den Hafner Groß.

22. Januar: An Wolff sendet M für Hallbergers Zeitschrift ›Über Land und Meer‹ elf in ›Gedichte‹[4] nicht enthaltene Texte, darunter ›An einen Freund‹, ›Ein Gesellschäftlein . . .‹, ›Auf die Reise‹ und ›Wo sind die neuen Eheleute . . .‹.

23. Januar: Wolff läßt M Abschriften von Michelangelo-Gedichten in der Übersetzung von Hermann Harrys (Hannover 1868) zugehen.

25. Januar: An Vischer schickt M dessen Jugendgedicht ›Diffugere nives‹. Er fährt mit der Schwester nach Lorch; seine Frau bleibt diesmal in Stuttgart.

31. Januar: Schwind sendet seinen ›Almanach von Radierungen‹ (Zürich 1844) und zehn Feder- und Bleistiftzeichnungen zu M's Erzählung ›Der Bauer und sein Sohn‹.

Februar: M töpfert; in der ersten Monatshälfte wird der Topf für Schwinds Tochter fertig. – Eine Brustgeschwulst seiner Schwester ist Anlaß für zunehmende Sorgen.

3. Februar: Raabe sagt Hallberger eine Biographie M's ab und rät zu Klaiber oder Fischer; falls diese sich nicht bereit fänden, bäte er um Material für den Aufsatz.

6. Februar: Schwind schickt an M eine Kiste mit Zeichnungen zu seinen Kreuzwegstationen in Bad Reichenhall und Pausen von seinen Fresko-Entwürfen für Schloß Hohenschwangau.

7. Februar: In der Beilage (Nr. 38) der ›Allgemeinen Zeitung‹ erscheint eine Rezension Felix Dahns von Hopfens ›Verdorben in Paris‹, die M für musterhaft hält.

10. Februar: Wolff bittet M um eine Kantate zum bevorstehenden Jubiläum des Katharinenstifts; Faißt hat sich zur Komposition angeboten.

12. Februar: Zur Verlobung Kaysers mit Helene Morgenstern schenkt M die Distichen ›Amor führte . . .‹.

13. Februar: Dorrer kommt zu Besuch.

18. Februar: M schickt Schwinds Kiste weiter an eine angegebene Adresse und sendet dem Maler selbst die Vase für seine Tochter. – Er verfaßt das Gedicht ›An Moritz von Schwind‹.

20. Februar: M's Frau kommt mit der Tochter Marie nach Lorch. – Er sagt Wolff die Kantate ab und schlägt Gugler dazu vor.

23. Februar: ›Über Land und Meer‹ (Nr. 22) hat als Titelbild ein Porträt M's (als Holzstich von E. Helm nach einem Photo von H. Kayser) und bringt einen Aufsatz Klaibers über ihn mit den Erstdrucken von ›Auf die Reise‹ und ›An einen Freund‹.

26. Februar: M läßt ›An Moritz von Schwind‹ dem Freund zugehen.

28. Februar: Mit der Schwester besucht M das Kloster. – Schwind bedankt sich und erklärt, seine drei Zeichnungen jetzt endlich als ›Der Pfarrhof von Cleversulzbach. Epistel an E. Mörike‹ veröffentlichen zu wollen.

März: M nimmt sich Geschichtsdarstellungen als Lektüre vor.

erste Hälfte März: M's Bruder Ludwig sendet ihm Ansichten von hohenstaufischen Denkmälern.

2. März: M will ›An Moritz von Schwind‹ gleichzeitig mit dessen ›Epistel an E. Mörike‹ publizieren; im Brief an den Freund befürchtet er einen Qualitätsverlust der beiden kleineren Zeichnungen durch die photographische Reproduktion. – M bittet seinen Bruder Ludwig um ein Treffen.

9. März: Drei österreichische Schülerinnen haben M geschrieben; er antwortet ihnen und legt Albumblätter bei u. a. mit den Versen ›Es sei nur wenig . . .‹. – M's Schwester fährt nach Stuttgart.

10. März: An Hartlaub schickt M sein Groß-Porträt und Schwind-Gedicht; er lobt H. Grimms Roman ›Unüberwindliche Mächte‹. – Wolff bittet M um Verse für ein Photoalbum der Schülerinnen des Katharinenstifts, das beim Jubiläum der Königin überreicht werden soll.

15. — 17. März: M's Frau ist mit der Tochter Marie in Lorch.

18. März: Mährlen und seine Tochter besuchen M.

23. März: Klara Hartlaub kommt zu Besuch.

24. März: Über die Wahl zum Zollparlament notiert M in den Kalender: »Undeutsches Resultat in Württemberg!!«

29. März: M liest seinen Hausleuten Hebels ›Statthalter von Schopfheim‹, ›Karfunkel‹ u. a. vor.

30. März: Schwind berichtet, daß er seine M-Zeichnungen einem Buchhändler angeboten und als »unverkäuflich« zurückerhalten habe; er hält die Nixe Lau aus dem ›Hutzelmännlein‹ für »eine schöne malerische Aufgabe«.

Ende März: M muß wegen Kopfweh und Gliederschmerzen liegen.

April: Er liest in Georg Webers ›Allgemeiner Weltgeschichte‹ (Leipzig 1857 ff).

3. April: In ›Über Land und Meer‹ (Nr. 27) rezensiert Vischer die ›Traduzioncelle e imitazioni‹ von Fr. L. Benelli (Zürich 1868) mit Übersetzungen von M's ›Agnes‹ und ›Denk es, o Seele!‹.

9. April: An Schwind schickt M eine Abschrift des ›König Rother‹ aus Simrocks ›Altdeutschem Lesebuch‹; er schlägt dem Maler vor, vorläufig wenigstens ›An Moritz von Schwind‹ zu publizieren und dabei auf dessen ›Epistel an E. Mörike‹ hinzuweisen.

11. April: M's Tochter Fanny kommt nach Lorch.

12. April: Er liest wieder Hebel vor.

13. April: Bei der Neuenstädter M. Mörike bedankt sich M für Arznei für seine Schwester und Arthur Lutzes Schrift ›Hahnemann's Todtenfeier‹ (Cöthen 1867).

20. April: Mit seiner Tochter Fanny fährt M nach Stuttgart.

23. April: Seine Tochter Marie begleitet ihn nach Lorch zurück.

29. April: M porträtiert seinen Hausherrn Gottlieb Bühler.

1. Mai: Scherer sucht M auf; von Faißt erhält er drei Kompositionen.

4. Mai: M nimmt seine Arbeit am ›Nolten‹ wieder auf.

5. Mai: Pfarrer Otto Rothacker zeigt seine Verlobung mit Klara Schmidt (der Nichte von K. Neuffer) an.

6. Mai: Karl Planck besucht M.

7. Mai: Zur Verlobung der Verwandten sendet M das Gedicht ›Daß wahrsagende Träume . . .‹ ab.

10. — 12. Mai: C. Hartlaub hält sich in Lorch auf.

12. Mai: Schwind teilt mit, sechs Blätter zum ›Hutzelmännlein‹ gezeichnet zu haben, an ›Lucie Gelmeroth‹ und ›Bauer und sein Sohn‹ zu arbeiten; er verspricht eine Illustration zu ›Schön-Rohtraut‹.

15. — 18. Mai: M's Schwester ist mit seiner Tochter Marie (wegen deren Krankheit, die durch ein Mittel einer Weilheimer Somnambulen kuriert wird) in Stuttgart bei Dr. Fetzer.

20. Mai: An Hartlaub schreibt M vom Fortschreiten der ›Nolten‹-Revision, die er bis Herbst abzuschließen hofft; er legt u. a. Kaulbachs ›Zeitalter der Reformation‹ (München 1863) bei.

22. Mai: Schwind hat inzwischen acht Zeichnungen zum ›Hutzelmännlein‹ fertig und schickt M eine Pause; er fordert ihn auf, mit Hartmann wieder wegen einer Publikation bei Cotta zu verhandeln: Zwölf Bilder zum ›Hutzelmännlein‹ seien garantiert, vielleicht ergäbe sich auch eine illustrierte Ausgabe von M's Märchen. — Major Christian Heinrich von Schwarz, ein Schwager O. Rothackers, besucht M.

26. Mai: M äußert gegen Schwinds Vorschlag Bedenken, weil seine Erzählungen nicht bei Cotta erschienen sind.

29. Mai: Schwind sendet eine Pause des ›Dritten Lachens‹ der Lau und erklärt sich damit einverstanden, die Illustrationen einem anderen Verleger als Cotta anzubieten.

31. Mai: Für die Pfingsttage kommen M's Frau und Tochter Fanny sowie Carolina Hibschenberger nach Lorch; zur Begrüßung seiner Frau hat M die Verse ›Verehrteste! Du wirst verzeihn . . .‹ geschrieben, auf einen Topf für C. Hibschenberger ›Schüsselchen, wie lang . . .‹.

erste Hälfte Juni: M wird zu den Liederfesten in Esslingen und Solothurn eingeladen. (Er sagt ab.)

1. Juni: Mit der Familie spaziert M nach Unterkirneck.

2. Juni: Für das Jubiläumsalbum des Katharinenstifts sendet er die Verse ›Mit einer Gabe‹ an Wolff. — Mit seinem Gedicht ›An Moritz von Schwind‹ läßt M dessen zwei ›Hutzelmännlein‹-Blätter Hartmann zugehen; er berichtet von Schwinds Vorhaben und erinnert an den früheren Plan einer Publikation bei Cotta. — Wolff schildert die Vorbereitungen zum Jubiläum.

3. Juni: M schickt Wolff eine Revision der Jubi-

läums-Verse nach. – Hartlaub sendet eine Abschrift von Schletterers M-Komposition.

4. Juni: Wolff legt M seine Vorrede der Jubi-
läums-Schrift vor.

5. Juni: Th. F. Köstlin berichtet, daß Grube keinen Zugang zum ›Nolten‹ gefunden habe; er
schickt seine eigene Rezension von Heinrich
Stadelmanns ›Tibur und Teos‹ (Halle 1868) im
›Correspondenz-Blatt für die Gelehrten- und
Realschulen Württembergs‹ (15. Jg, 1868, Nr.
3/4) und fordert M auf, im selben Organ Stadelmanns lateinische Übersetzungen von M-Gedichten zu besprechen, die Köstlins Brief beilie-
gen. (M hat sie wahrscheinlich nicht rezensiert.)

8. Juni: M schreibt für den Geburtstag seiner
Frau die Verse ›Dieses ist mein permanen-
ter . . .‹.

9. Juni: Für die Tochter Fanny entsteht ›Spar-
samkeit ist eine Tugend . . .‹.

10. Juni: Ch. Krehl stirbt in Nürtingen.

13. – 15. Juni: Martin Greif (von dessen sensa-
tioneller Reise nach Spanien M weiß) sucht ihn
auf; M sieht seine Lyrik durch (und empfiehlt sie
über Klaiber an Cotta): ›Gedichte‹ (Stuttgart:
Cotta 1868).

15. Juni: Fritz Rau, der Bruder seiner ehemaligen Braut, kommt bei M vorbei.

16. Juni: M trifft den Archäologen Eduard Paulus.

28. Juni: Ferdinand Lempps gleichnamiger
Sohn, Kaufmann in Schwäbisch Gmünd,
kommt zu Besuch.

29. Juni: Im Brief an Wolff wünscht M, daß die
Verse ›Mit hundert Fenstern‹ in die Jubiläums-
Schrift, ›Mit einer Gabe‹ ins Photo-Album (dort
nicht erhalten) aufgenommen werden.

5. Juli: Scherer und Gottlob Tafel besuchen M. –
Wolff wünscht, daß die Verse ›Mit einer Gabe‹
von einer Schülerin vorgetragen werden. – Fritz
Rau stirbt.

6. Juli: M's Frau kommt mit der Tochter Fanny
und Marie Ehmann (der Frau eines Stuttgarter
Postangestellten) nach Lorch.

8. und 24. Juli: In der Beilage (Nr. 190, 206) zur
›Allgemeinen Zeitung‹ erscheint ein Aufsatz
über ›Die Nachkommen Luthers‹, den M liest.

12. Juli: Schwind sendet erneut drei Zeichnungen zum ›Hutzelmännlein‹ und eine zur ›Lucie
Gelmeroth‹; den Plan einer Publikation hat er
aufgegeben.

17. Juli: ›An Moritz von Schwind‹ erscheint in
der Wochenausgabe (Nr. 29) der ›Allgemeinen
Zeitung‹.

18. Juli: M beschreibt für Schwind dessen neue
Zeichnungen und legt dem Brief u. a. Hartlaubs
Schletterer-Abschrift bei.

19. Juli: Mit seiner Familie sucht er in Schwäbisch Gmünd Lempp auf; er geht auch zu Stadtpfarrer Wagner.

24. Juli: M's Schwester fährt über Stuttgart nach
Nürtingen ab.

27. Juli: O. Rothacker und K. Schmidt heiraten,
kommen am nächsten Tag zu Besuch.

3. August: M's Schwester kehrt aus Nürtingen
zurück mit dem Vorschlag, dorthin umzuzie-
hen. (Er wird der Kinder wegen abgelehnt.)

10. August: M fährt mit seiner Frau und den Kindern zum Jubiläum des Katharinenstifts nach
Stuttgart.

zweite Hälfte August: Seine Frau muß sich wegen
Magenkrämpfen in Behandlung von Dr. Fetzer
begeben; auch M's Neuralgie wird (mit einer
Prießnitzschen Wickelkur) ärztlich kuriert; deswegen bleiben M und seine Frau länger als geplant in Stuttgart. – Er trifft sich in diesen Tagen
u. a. mit Auerbach. – Seine Schwester kommt
nach Stuttgart.

16. – 17. August: M nimmt am Fest des Katharinenstifts teil; vom König wird ein Erweiterungs-
bau eingeweiht. In der ›Denkschrift zu der
50jährigen Jubelfeier des Catharinenstifts zu
Stuttgart‹ (Stuttgart) erscheint M's Gedicht ›Mit
hundert Fenstern‹. Die Verse ›Mit einer Gabe‹
werden bei der Überreichung eines Photo-Al-
bums der Schülerinnen an die Königin rezitiert.

19. August: Im Rahmen eines Berichts über die
Feier wird M's Gedicht ›Mit einer Gabe‹ in der
›Schwäbischen Kronik‹ (Nr. 197) gedruckt.

21. und 22. August: M besucht Notter.

24. August: Schwind schickt eine weitere ›Hutzelmännlein‹-Zeichnung und kündigt seinen
Besuch an.

27. August: M lehnt den Besuch wegen seiner
Krankheit ab.

28. August: Mit seiner Frau begibt er sich nach
Lorch zurück.

September: Er liest in der ›Poetik‹ des Aristoteles
und der ›Ilias‹, studiert Georg Friedrich Dau-
mers ›Das Geisterreich‹ (Dresden 1867).

erste Hälfte September: M macht mit seiner Frau
Spaziergänge u. a. nach Weitmars.

13. September: Mährlen kommt zu Besuch. –
Schwind kündigt eine weitere ›Hutzelmännlein‹-Zeichnung an.

15. September: Hemsen teilt den Tod seiner
Mutter (Vischers Schwester) mit.

18. September: Karl Josef Schuler, ein Freund

von Mayer, läßt M seine ›Jahreszeiten‹ (Würzburg 1869) zugehen.

19. September: Mährlen schickt M eine Rezension des Daumer in der ›Allgemeinen Zeitung‹ (Nr. 251 vom 7. September).

24. September: M's Tochter Marie kommt nach Lorch.

26. September: Auch seine Schwester und Tochter Fanny beginnen die Ferien in Lorch.

30. September: M kondoliert Hemsen.

Anfang Oktober: Er hat vermehrtes Kopfweh.

2. Oktober: Er lädt Schwind ein.

10. Oktober: Die Verse ›So viel emsige Bienlein . . .‹ entstehen für Lina Lade, Erzieherin am Katharinenstift.

14. Oktober: M's Schwester geht mit den Töchtern wieder nach Stuttgart.

18. Oktober: Mährlen, Scherer und Walcher suchen M auf: E. Koch hat die von Schweizerbart übernommenen Rechte an M's Schriften Cotta (vergebens) angeboten. Auch Weibert, der den Göschen-Verlag kaufen will, zeigte sich interessiert; doch waren die Transaktionen noch nicht weit genug gediehen. Nun zeichnen sich Verhandlungen mit C. Grüninger ab (der mit Weibert befreundet ist).

19. Oktober: Kayser kommt nach Lorch, um für Grüninger zu plädieren. – Durch Cotta erhält M von Geibel dessen Tragödie ›Sophonisbe‹ (Stuttgart 1868).

20. Oktober: E. Koch verkauft die Rechte an M's Schriften an Grüninger; dabei wird insgesamt ein Restbestand von 700–1000 Exemplaren festgestellt. – M wird über den Verlagswechsel informiert.

23. Oktober: M's Frau fährt nach Stuttgart, um mit Scherer wegen des Verlagswechsels zu sprechen; der will sich darum kümmern (unternimmt aber nichts).

25. Oktober: Grüninger und Kayser besuchen M; er bittet Grüninger, bei Cotta anzufragen, ob man nicht zur Übernahme aller seiner Schriften bereit sei. – Mährlen rät M, dem Verlagswechsel zu Grüninger zuzustimmen.

November: In der ›Gartenlaube‹ erscheint ein illustrierter Artikel Klaibers über M (der eine Reihe von falschen Angaben enthält).

1. November: Die G. J. Göschen'sche Verlagshandlung geht von Cotta an Ferdinand Weibert über.

9. November: Klaiber spricht sich für Grüninger aus; M gibt ihm sein schriftliches Einverständnis zum Verlagswechsel; er erbittet Vorschläge von Grüninger. M hofft, daß alle seine Schriften endlich in einem Verlag zusammengefaßt werden können und sich dadurch auch leichter vertreiben lassen.

16. November: Grüninger teilt mit, daß er wegen der Übernahme der ›Gedichte‹ bereits in Verhandlungen mit Cotta stehe und verschiedene Zeitungen wegen eines Vorabdrucks der überarbeiteten Ausgabe des ›Nolten‹ angeschrieben habe. (Das war ein Vorschlag Auerbachs.)

19.—20. November: Schwind ist zu Besuch in Lorch; er zeigt M zwei Zeichnungen ›Ad personas‹, Aquarelle zum ›Aschenbrödel‹-Zyklus und Kartons zur ›Zauberflöte‹ in der Wiener Oper; sie lesen zusammen im Daumer.

20. November: M porträtiert den schlafenden Freund.

28. November: Seine Tochter Fanny kommt nach Lorch.

30. November: Seine Frau bringt die Tochter Fanny wieder nach Stuttgart. An Hartlaub schreibt M, daß er den ›Nolten‹ bereits kopieren lasse, da er im Frühjahr in Druck gehen soll; M kann sich die geplante Zeitungsveröffentlichung nicht vorstellen. (Offensichtlich wird auch erwogen, beide Fassungen des ›Nolten‹ nacheinander zu publizieren.)

4. Dezember: M ist erstmals bei Forstmeister Christian Wilhelm Dietlen, mit dem sich ein enger familiärer Verkehr entwickelt.

5. Dezember: Cotta informiert M, daß der Verlag seiner ›Gedichte‹ und des ›Mozart‹ an Grüninger übergehen könnte.

9. Dezember: Zum Geburtstag seiner Schwester schreibt ihr M einen Brief aus der Sicht des »Hutzelmanns«.

11. Dezember: Grüninger bittet um definitive Antwort. – Chr. Ziegler schickt seine Editionen von ›Theognidis elegiae‹ (Tübingen 1868), ›Theocriti carmina‹ (Tübingen 1867) u. a.

13. Dezember: In Briefen an Cotta und Grüninger gibt M sein Einverständnis zu dem Verlagswechsel; gegenüber Cotta zeigt er sich zu weiterer Zusammenarbeit bereit.

zweite Hälfte Dezember: M's Gesundheit verschlechtert sich.

21. Dezember: Mährlen kommt zu Besuch.

23. Dezember: M's Schwester und Töchter treffen wieder in Lorch ein.

25. Dezember: Cotta teilt M mit, daß seine Schriften endgültig an Grüninger übergingen.

29. Dezember: Cotta verkauft seine M-Bestände an Grüninger zum 1. Januar.

31. Dezember: M stattet dem Vikar Jakob Friedrich Lörcher seinen Silvester-Besuch ab.

1869

4. Januar: M's Schwester und Töchter gehen wieder nach Stuttgart.

19. Januar: Schwind schickt seine J. Joachim gewidmete ›Katzen-Symphonie‹ an M, eine Blei- und Federzeichnung von 1866.

21. Januar: M bittet Grüninger um weniger Eile mit der Neuausgabe des ›Nolten‹; er kann ihm den Druck erst für August versprechen, will auch so lange mit einem neuen Vertrag warten.

8. Februar: Mährlen und Wolff besuchen M; sie gehen zusammen aufs Kloster.

14. Februar: Gugler kommt, um seine neue ›Don Juan‹-Übersetzung mit M zu besprechen.

19. Februar: Gugler dankt M auch für schriftliche Verbesserungsvorschläge.

21.—22. Februar: M's Schwester hält sich in Lorch auf.

25. Februar: Major von Schwarz besucht M.

26. Februar: Grüninger sucht M auf.

März: Wolff läßt sich pensionieren.

15. März: Die Verse ›Ich hatt ein Röslein‹ entstehen.

24. März: M's Töchter kommen für die Osterferien nach Lorch.

28. März: Der Xylograph Ludwig Ruff, der mit Weibert (Göschen) arbeitet, sucht M wegen Schwinds Illustrationen zu ›Der Bauer und sein Sohn‹ auf.

April: M befindet sich häufig nicht wohl und nicht zur Arbeit aufgelegt.

1. April: Seine Schwester kommt nach Lorch.

3. April: Mit seiner Familie spaziert M nach Unterkirneck; dort treffen sie Klaiber mit dem Maler Paul Konewka; M bewundert dessen Scherenschnitte ›Ein Sommernachtstraum‹ (Berlin 1868) und ›Zwölf Blätter zu Goethes Faust‹ (Berlin 1861/62). Konewka porträtiert M (Abb. 14).– Schwind informiert M's Schwester, daß er ›Das Pfarrhaus von Cleversulzbach‹ als Kunstblatt veröffentlichen werde.

5. April: M's Schwester bringt seine Töchter wieder nach Stuttgart.

12. April: Zu ihrem Geburtstag erhält M's Tochter Fanny das Gedicht ›Mögest du mit achtzig . . .‹.

Mitte April: Ruff teilt mit, daß es verlegerische Schwierigkeiten mit einer illustrierten Märchen-Ausgabe gebe.

27. April: Mährlen besucht M.

1. Mai: Gegenüber Karl Weitbrecht äußert sich M positiv über dessen Lyrik-Manuskript (viel-

leicht ›Was der Mond bescheint‹, Stuttgart 1873).

10. Mai: Lörcher stellt M seinen Nachfolger Julius Knapp, einen Neffen von Albert Knapp, vor.

11. Mai: Wolff stirbt. – Schwind kündigt ›Das Pfarrhaus von Cleversulzbach‹ an (gedruckt und verlegt bei Bruckmann in München); er hat auch ›Das dritte Lachen‹ aus dem ›Hutzelmännlein‹ koloriert.

15. Mai: M's Töchter kommen nach Lorch.

18. Mai: Seine Schwester trifft ein; seine Frau fährt mit den Töchtern nach Stuttgart.

19. Mai: M. Planck ist bei M.

22. Mai: Bei Ruff sagt M seine (von Schwind) illustrierte Märchen-Ausgabe ab.

Juni: M liest Longfellows ›Lied von Hiawatha‹. – ›Über Land und Meer‹ bringt zu M's Gedicht ›Die Schwestern‹ eine Reproduktion von Charles Baxters berühmtem Bild ›The Sisters‹.

4. Juni: Die Dauer des Aufenthalts von M's Frau in Stuttgart ist nicht festgelegt; sie erwartet die Bestimmungen von M's Schwester.

7. Juni: Vischer und seine Freundin Wilhelmine von Hövel (Tochter eines Obristen), Auerbach und Notters besuchen M; die Männer verabreden mit Notter das Du.

8. Juni: M erhält Schwinds Blatt ›Das Pfarrhaus von Cleversulzbach‹; er erhofft sich dadurch einen besseren Absatz seiner Schriften.

10. Juni: Er fährt mit der Schwester zum Geburtstag seiner Frau nach Stuttgart.

11. Juni: Nach einem Besuch bei Mährlen und M. Wolff fährt M mit seiner Frau wieder nach Lorch.

14. Juni: Er teilt Grüninger mit, daß die Überarbeitung des ›Nolten‹ in diesem Jahr nicht mehr abgeschlossen werde.

15. Juni: Als Dank für sein Kunstblatt schickt M das Fragment ›Zuvörderst zeigt sich eine . . .‹ an Schwind; er erkundigt sich u. a. nach Hans Makart.

24. Juni: Pfarrer Ernst Rapp, seit 1867 in Stuttgart als Pensionär, besucht M.

29. Juni: M sucht Vikar Knapp auf.

30. Juni: In seinem Brief an M schreibt Schwind u. a. sehr kritisch über Makart.

5. Juli: Gustav Mörike und seine Frau besuchen M.

12. Juli: M zeichnet seine Tochter ›Mariele am Briefschalter‹.

14. Juli: Seine Schwester kommt mit den Töchtern nach Lorch.

17. Juli: Klaiber hat von dem »deutschen Fami-

Abb. 14 Scherenschnitt von P. Konewka. 1869.
100 × 42 mm (Porträt).

lienblatt« ›Daheim‹ den Auftrag zu einer Charakteristik M's erhalten und bittet dazu um biographische Informationen; der Herausgeber Robert König will sich um Illustrationen an Schwind wenden.

20. Juli: Klaiber spricht wegen seines ›Daheim‹-Artikels bei M vor.

21. Juli: M kondoliert Mährlen wegen seines verstorbenen Bruders Matthäus, Bauinspektor in Biberach.

22. Juli: An Oberstleutnant Julius Ernst von Günthert gibt M ein Lyrik-Manuskript zurück (›Gedichte‹, Ulm 1869).

27. — 28. Juli: M besucht mit der Familie seinen Vetter G. Mörike in Börtlingen, der von dort versetzt wird.

August: Da Schwind an einem ›Melusina‹-Zyklus arbeitet, liest M das Märchen wieder nach in Schwabs ›Deutschen Volksbüchern‹ (Stuttgart 1842[3]).

1. — 10. August: Hartlaub ist zu Besuch in Lorch.

8. August: Chr. Kolb und A. v. Dorrer suchen M auf.

9. August: Für den Hauptpostmeister Franz August von Scholl in Stuttgart graviert M die Verse ›Des Dampfes Pfeife . . .‹ in einen Topf.

15. August: Marie Hirt kommt bei M vorbei; sie ist die neue Klavierlehrerin seiner Töchter.

Mitte August: Die Frau des Generalmajors Adolf von Starkloff, eine Nichte E. Uhlands, besucht M.

17. August: M's Schwester geht mit seinen Töchtern wieder nach Stuttgart.

25. August: Er teilt Schwind mit, daß er seinen Abzug aus Lorch plane: »Nachgerade vermißt man doch sehr das ungetheilte Familienleben und der doppelte Haushalt macht sich zu lästig.«

27. August: M. Chr. Mörike kommt nochmals von Börtlingen.

30. August: Schwind erwägt, M seine ›Melusina‹-Entwürfe zuzusenden.

5. September: Gugler schickt Alfred von Wolzogens ›Don Juan. Oper von Mozart. Auf Grundlage der neuen Text-Übersetzung von Bernh. v. Gugler neu sceniert‹ (Breslau 1869) und bittet um weitere Auskünfte zur Revision des Textes in seiner Ausgabe ›Mozart's Don Giovanni. Partitur‹ (Breslau 1869); er legt u. a. auch Rezensionen seiner Arbeit bei.

7. September: Anläßlich seines Geburtstags kommen M's Schwester und seine Töchter nach Lorch.

8. September: Von Hemsen erhält M das Photo eines Tieck-Porträts von Carl Küchler zum Geschenk.

Mitte September: M unternimmt Spaziergänge.

22. September: Hartlaub schickt Bauers Roman ›Die Überschwänglichen‹, den M wieder liest.

27. September: Gustav Mörike besucht M.

28. September: Karl Grunert stirbt.

Anfang Oktober: M's Schwester und Töchter halten sich in Nürtingen auf.

1. Oktober: Mährlen kommt zu M.

6. Oktober: Robert Vischer besucht ihn.

7. Oktober: M's Schwester hat in Nürtingen eine geeignete Wohnung gefunden und informiert in Lorch; die Familie beschließt den Umzug.

8. Oktober: M's Schwester geht wieder nach Stuttgart.

9. Oktober: M's Töchter folgen ihr nach. – R. Vischer schickt Verse von Wilhelm Busch.

11. Oktober: M und seine Frau machen ihren ersten Abschiedsbesuch (in Kirneck).

13. Oktober: Er stellt sich dem neuen Lorcher Stadtpfarrer Christian Friedrich Weizsäcker vor (mit dem er im Laufe der nächsten Wochen wiederholt zusammentrifft).

November: M liest das ›Handwerkerleben zur Zeit Jesu‹ von Franz Delitzsch (Erlangen 1868).

Anfang November: Der Umzug nach Nürtingen wird vorbereitet.

12. November: Bei A. C. Paulus verabschiedet sich M mit den Versen ›Nimm, o nimm mich . . .‹. Er zieht in Lorch aus; mit seiner Frau fährt er nach Stuttgart.

13. November: M kündigt seine Stuttgarter Wohnung.

14. November: Er erhält Besuche von Kolb, Künzel, M. Lempp, Mährlen und Rothacker; Ch. Hildebrand kommt aus Nürtingen.

zweite Hälfte November: C. Notter und M. Wolff besuchen M; er geht zu seiner Tante Georgii und zu M. Lempp, sucht Ch. Späth auf.

18. November: Er ordnet die Manuskripte seines Vaters und bestimmt ihre Erhaltung durch seine Erben.

22. November: Mit Vischer besucht er dessen (derzeit engen) Freund Notter.

23. November: M schickt drei Hölderlin-Manuskripte an R. Vischer, darunter ›An Zimmern‹ und ›An eine Verlobte‹.

26. November: Seine Frau fährt nach Nürtingen.

28. November: Notter erwidert den Besuch.

erste Hälfte Dezember: M ist erklältet. – Er hört von Gerüchten, daß Grüninger Teile seines Verlags, darunter M's Schriften weiterverkaufen will; M erkundigt sich durch Kolb, bricht mit Grüninger. – M liest Ludwig von Güldenstubbes ›Positive Pneumatologie‹ (Stuttgart 1870) und Eduard von Hartmanns ›Philosophie des Unbewußten‹ (Berlin 1869).

5. Dezember: Mährlen und Gugler kommen zu M.

6. Dezember: M's Rechtsanwalt Walcher verhandelt mit Grüninger wegen des Verlagswechsels; Notter und Kolb beraten M.

12. Dezember: Die Frau von I. Lachner, der seit 1861 als Dirigent in Frankfurt lebt, kommt zu Besuch.

13. Dezember: Schwinds Freund, der Münchner Musikdirektor Franz Lachner, sieht bei M vorbei.

Mitte Dezember: Wegen des Schulwechsels von M's Töchtern wird Prälat Müller konsultiert. – M bricht erneut mit Scherer.

zweite Hälfte Dezember: M liest Rousseaus ›Bekenntnisse‹.

19. Dezember: Vischer bespricht mit M sein Verhältnis zu W. v. Hövel.

20. Dezember: Auf seinem ersten Ausgang nach der Erkältung besucht er Kolb.

24. Dezember: F. A. v. Scholl, M. Lempp, Max Hildebrand (ein Urenkel von M's Onkel Planck) und R. Vischer besuchen ihn.

25. Dezember: Kolb kommt vorbei.

26. Dezember: Mährlen bringt Weihnachtsgeschenke für M's Töchter.

29. Dezember: Von Künzel erhält M einen Kupferstich nach Tizian.

31. Dezember: Gugler sucht M auf.

1870

Januar: Von Vischer erhält M die ›Collection des histoires en estampes‹ (Leipzig 1846) und ›Essais d'Autographie‹ von Rodolphe Töpffer. – M liest erneut in ›Sulpiz Boisserée‹.

Anfang Januar: M besucht Walcher, erhält Besuche von Kolb und Mährlen.

3. Januar: Notter kommt zu M, der ihm – wie so oft – Geistergeschichten erzählt.

6. Januar: Mährlen ist bei M.

9. Januar: Notter und M. Hirt besuchen ihn.

10. Januar: Grüneisen sieht vorbei.

13. Januar: M schreibt sein Gartengrundstück zum Verkauf aus. – L. Walther, Amalie von Batz (Tochter von E. und F. v. Batz) und Mährlen suchen ihn auf.

14. Januar: M. Lempp ist bei M.

Mitte Januar: Durch Notter lernt M den Dichter Ludwig Dill kennen (den Vater des gleichnamigen Malers).

16. Januar: M. Lempp, Mährlen, Burkhardt kommen zu ihm.

17. Januar: Vischer und Notter sind bei M; er liest ihnen Heyses ›Terzinen‹ vor. – In Stöckenburg heiraten Theodor Hahn, Gasingenieur in Stuttgart, und Marie Hartlaub.

zweite Hälfte Januar: Hahns stellen sich als Eheleute vor; Mährlen, sein Sohn Johannes, A. Strauß und Gugler besuchen M.

18. Januar: Mit Walcher verhandelt M wegen des Gartenverkaufs.

21. Januar: O. Seyffer kommt zu M.

22. Januar: Der ehemalige Heidelberger Theater-Intendant Georg Köberle will in Stuttgart dramatische Vorlesungen halten; er bittet (wie schon Notter) auch M um Vermittlung.

24. Januar: M's Schwager Wilhelm Speeth stirbt in Würzburg.

26. Januar: Mit seiner Schwester fährt M nach Nürtingen voraus; sie wohnen vorerst bei Friederike Hildebrand.

27. Januar: M's Frau kommt mit dem Hausrat nach.

28. Januar: Schwind berichtet vom Abschluß seiner ›Melusina‹; er hat Aquarelle als Illustrationen zu einer Prachtausgabe des ›Don Juan‹ begonnen.

29. Januar: M zeigt seinen Umzug in der ›Schwäbischen Kronik‹ an. – In Nürtingen bezieht er sein eigentliches Quartier: Neckarsteige (= heute: Nr. 36) bei Johann Heinzelmann im 2. Stock.

31. Januar: M besucht F. Payer und seine Schwägerin D. Mörike. – Aus Wien schreibt Emil Kuh an M mit der Bitte um Informationen für seine ›Biographie Friedrich Hebbel's‹ (Wien 1877); er legt einige seiner Schriften (u. a. über L. Richter) bei.

erste Hälfte Februar: Hallberger wünscht Gedichte für ›Über Land und Meer‹; M bietet ihm den Verlag seiner Schriften an.

1. Februar: M meldet seine Töchter bei Dekan Wilhelm August Klemm zum Konfirmationsunterricht an.

11. Februar: Er macht Schwind auf die Guglerschen ›Don Juan‹-Arbeiten aufmerksam.

14. Februar: Von Kolb erhält M die durch G. L. Plitt besorgte Edition ›Aus Schellings Leben‹ (Leipzig 1869–1870); Kolb bittet um Rat wegen eines Textes zu einer Zeichnung von Max Haider, die er beilegt.

Mitte Februar: M lernt Adolf Rümelin, inzwischen Gymnasialprofessor, persönlich kennen; er stellt sich dem Diakon Hermann Weiß vor. – Die neue Wohnung zeigt ihre ersten Mängel.

17. Februar: M rät Kolb zu Versen und macht dazu Vorschläge. Einen Brief von E. Wächter an Chr. Dreizler über den Wert akademischen Zeichenunterrichts will M abschreiben und publizieren (wahrscheinlich nicht ausgeführt).

25. Februar: Mayer stirbt in Tübingen.

26. Februar: Wegen M's Augenentzündung fährt seine Schwester nach Stuttgart zu Dr. Fetzer.

27. Februar: Sie bringt beruhigende Nachrichten mit. – A. Rümelin besucht M zusammen mit K. Bockshammer.

März: Zwischen M, seiner Frau und Schwester treten wieder Spannungen auf.

7. März: Künzel schickt ein Autograph von A. v. Humboldt und bittet um Echtheitsbestätigung der beiliegenden Hölderlin-Handschriften (›Maulbronner Gedichte‹).

15. März: Scholl bittet M um ein versprochenes Autograph von Wekhrlin.

17. März: M gibt das beglaubigte Heft von Hölderlin an Künzel zurück.

20. März: Mit A. Rümelin begeht M den 100. Geburtstag Hölderlins.

26. März: Im Brief an Kuh berichtet M von seinen Begegnungen mit Hebbel und seiner Achtung vor dessen ›Nibelungen‹.

Anfang April: M besucht die Witwe von Th. Eisenlohr, nimmt Kontakt mit Kaysers Schwester Marie Hofmann auf; der Oberamtsarzt Dr. Eduard Wiedersheim stellt sich ihm vor.

3. April: Mährlen kommt nach Nürtingen.

4. April: Gugler besucht M. – M fragt erneut bei Hallberger an. – Von H. Stadelmann erhält er wieder lateinische Übersetzungen seiner Gedichte.

5. April: M sendet u. a. zwei Wekhrlin-Briefe an Scholl.

7. April: Schwind kündigt sein Kommen anläßlich einer Ausstellung seiner ›Melusina‹ in Stuttgart an.

10. April: Mit seiner Frau fährt M nach Stuttgart, besichtigt die ›Melusina‹, trifft sich mit Schwind und kehrt nach Nürtingen zurück.

19. April: Mährlen kommt mit seinem Schwiegersohn Carl Stark, um über dessen Manuskript ›König Lear. Eine psychiatrische Shakespeare-Studie‹ (Stuttgart 1871) zu sprechen.

21. April: In Nürtingen heiraten die Stieftochter von M's Neffen F. Mörike, Julie Beck, und Staatsanwalt Dr. Paul Bockshammer; M hat aus diesem Anlaß die Verse ›Ein Blumenstrauß auf einer Zeitungsmappe . . .‹ geschrieben.

23. — 24. April: Schwind besucht M in Nürtingen.

24. April: An der Konfirmationsfeier von M's Tochter Fanny nehmen M. Lempp, L. Walther, A. Hartlaub, M's Schwägerin D. Mörike und deren Sohn Friedrich teil. (A. Hartlaub bleibt zwei Tage.)

Mai: M liest wieder in Hartmanns ›Philosophie des Unbewußten‹.

5. Mai: Seine Schwester fährt nach Stuttgart; Stirm, Bauers Sohn Alexander (Diakon in Metzingen) und Walcher besuchen M. (Walcher hat M's Garten in Stuttgart verkauft für ca 1800 fl.)

7. Mai: M wandert nach Frickenhausen.

8. Mai: Er geht nach Oberboihingen.

13. Mai: M's Schwester schreibt von der Möglichkeit eines Umzugs nach Ludwigsburg; M geht durch ein Mißverständnis auf den Vorschlag nicht ein.

Mitte Mai: Mit seiner Frau wandert er auf den Galgenberg; er besucht Marie Hofmann.

21. Mai: M. Planck sucht M auf.

3. Juni: M's Schwester kehrt aus Stuttgart zurück.

6. Juni: Mährlen besucht M.

11. Juni: Hartlaub kommt aus Stuttgart (von seiner Tochter Marie).

13. Juni: M. Bauer sieht vorbei; auch Storms Sohn Ernst, der in Tübingen Jura studiert, sucht M auf. – M erhält einen Brief von Heyse, der seinen zusammen mit Kurz unternommenen ›Deutschen Novellenschatz‹ schildert.

14. Juni: Hartlaub fährt wieder nach Stuttgart; M hat ihm aus dem ›Nolten‹ gelesen.

15. Juni: M erhält eine (offensichtlich negative) Antwort von Hallberger auf sein Verlagsangebot.

16. Juni: M's Frau erkrankt an Gesichtsrose; Dr. Wiedersheim kommt im folgenden fast täglich vorbei.

20. Juni: In seiner Antwort an Heyse begrüßt M, daß »die schönen gediegenen Sachen von Kurz« durch den ›Novellenschatz‹ endlich bekannt gemacht würden; von der eigenen Arbeit schreibt er, daß er »keine Anmuthung dazu« verspüre.

Sommer: Ein Stuttgarter Buchhändler bietet die ›Iris‹, ›Classische Blumenlese‹ und das ›Hutzelmännlein‹[2] zusammen für 1 fl 45 x an. (Bei einem anderen sind im kommenden Winter die ›Idylle‹, ›Vier Erzählungen‹ und das ›Hutzelmännlein‹ für 2 fl 42 x erhältlich.)

Anfang Juli: M und seine Familie können sich nicht zu einem Umzug nach Ludwigsburg entschließen; der Plan wird am 6. Juli aufgegeben.

3. Juli: M liest bei seiner Schwägerin D. Mörike aus dem ›Nolten‹. – Seine Tochter Fanny geht nach Owen.

5. Juli: M's Schwester fährt nach Stuttgart, wohnt im folgenden bei M. Hirt; sie will für sich allein nach einem Logis in Ludwigsburg sehen.

7. Juli: M besucht die Tochter in Owen.

9. Juli: Strauß kommt zu M.

12. Juli: M fährt mit seiner Familie nach Salach bei Göppingen; sie sind mit der Familie des Pfarrers Wilhelm Bühler verabredet.

13. Juli: Grüninger bietet Weibert die Rechte an M's Schriften für 1500 fl an; früher hat er 2500 fl gefordert.

14. Juli: Mährlen holt M zu seiner Frau und Schwägerin Conradi nach Oberensingen.

15. Juli: M trägt in seinen Kalender ein: »Der Krieg entschieden«.

zweite Hälfte Juli: M liest eine Biographie Napoleons I. und Caesars ›De bello gallico‹; er fühlt Gliederschmerzen.

19. Juli: Frankreich erklärt Preußen den Krieg. (Die süddeutschen Staaten schließen sich Preußen an.)

20. Juli: Mährlen berichtet, daß er öffentlich zum »patriotischen« Dienst aufgerufen und ein entsprechendes Comité begründet habe, dem auch Vischer beigetreten sei; Mährlens Sohn Johannes ging an die Front.

24. Juli: August, ein Sohn von M's Bruder Ludwig, kommt zu Besuch.

Anfang August: M trägt in den Kalender ein: »eine Siegesbotschaft nach der andern!!«: Schlachten von Weißenburg und Wörth.

1. August: Mährlen sieht auf der Fahrt nach Oberensingen bei M vorbei. – M erhält einen Brief seiner Schwester, die ihre Übersiedlung nach Lorch erwägt.

2. August: Mährlen holt M und seine Frau nach Oberensingen.

3. August: M versucht, seine Schwester umzustimmen.

5. August: Mit der Familie wandert er nach Zizishausen.

6. August: M erfährt von seiner Schwester, daß sie auf der Trennung beharrt.

7. August: Er besucht M. Conradi in Oberensingen.

8. August: M schreibt erneut an die Schwester.

Mitte August: Er notiert im Kalender: »Schrekkensbotschaft durch Max Hildebrand von einer angeblichen Niederlage unserer Armeen vor Metz.« – Er geht mit seiner Tochter Fanny nach Oberensingen.

18. August: Strauß publiziert in der Beilage (Nr. 230) der ›Allgemeinen Zeitung‹ seinen Brief ›An Ernst Renan‹, den M durch Mährlen erhält.

29. August: Hartlaub bittet M, die Trennung von der Schwester zu verhindern; er bietet ihr einen Zwischenaufenthalt in Stöckenburg an.

30. August: Aus Lorch langt ein Brief von M's Schwester an, der ihre Rückkehr ankündigt.

Anfang September: M ist öfters mit Mährlen zusammen.

1. September: Mit der Familie wandert er nach Hardt.

8. September: Hemsen (seit Sommer Vorstand der Hofbibliothek in Stuttgart) besucht M.

10. September: Hemsen schickt versprochene Lektüre, u. a. ›Goethes Unterhaltungen mit dem Kanzler Friedrich von Müller‹ (Stuttgart 1870), H. Grimms ›Goethe und Suleika‹ (in den ›Preußischen Jahrbüchern‹, Jg 24, 1869), den zweiten Band von Plitts Schelling-Edition und Bernays ›Über Kritik und Geschichte‹. – Hemsen kündigt seinen nächsten Besuch in Begleitung des Konzertsängers Julius Stockhausen an.

18. September: Hartlaub lädt M zur Hochzeit seiner Tochter Agnes ein.

26. September: M's Tochter Fanny fährt zu einer Freundin nach Stuttgart.

28. September: Hemsen kommt wieder nach Nürtingen.

7. Oktober: Notter (vom Krieg begeistert) und sein Sohn Richard besuchen M.

8. Oktober: Hemsen kommt mit Stockhausen;

dazu erscheinen auch M. Hirt und C. Notter.

9. Oktober: A. Klinckerfuß sucht M auf.

11. Oktober: An der Hochzeit von Agnes Hartlaub mit Dr. med. Hermann Hartlaub nimmt von M's Familie niemand teil.

17. Oktober: Strauß schickt seinen ›Voltaire‹ (Bonn 1870) und berichtet, daß sein Sohn im Feld stehe; seine Tochter hat (wie mit M verabredet) Schwind gesprochen und Illustrationen zum ›Schatz‹ angeregt.

23. Oktober: E. Storm besucht M wieder.

25. Oktober: Marie Wüst, die Frau des Mergentheimer Stadtpfarrers, kommt zu Besuch.

10. November: Th. Storm schickt »Eduard Mörike mit herzlichem Gruß« sein ›Hausbuch aus deutschen Dichtern seit Claudius‹ (Hamburg 1870) mit Beiträgen von M.

18. November: M besucht Dekan Klemm.

20. November: Wegen A. Rümelins Kandidatur als Landtagsabgeordneter nimmt M an einer nationalen Versammlung teil.

21. November: M erhält ›Krieg und Friede‹ (Leipzig 1870) von Strauß durch den Autor zugeschickt.

25. November: Württemberg tritt dem Norddeutschen Bund bei.

erste Hälfte Dezember: M leidet unter Rheuma auf der linken Brustseite.

2. Dezember: Mährlens Sohn Johannes fällt bei Champigny, wo die württembergischen Truppen einen Ausbruchsversuch des französischen Heers vereiteln.

12. Dezember: Grüninger schickt Weibert einen Vertragsentwurf über die Rechte an M's Schriften; er rät ihm, die vorgesehene neue »Auflage« der ›Gedichte‹ nochmals zu halbieren.

14. Dezember: M erhält einen Brief von Weibert, der sich für die Rechte an M's Schriften interessiert und bereits detaillierte Vorschläge für den Vertrieb unterbreitet.

17. Dezember: M ist mit der Übernahme seiner Schriften durch Göschen einverstanden und stimmt auch Weiberts Vorschlag zu, die für ›Gedichte‹[5] vorgesehenen Bestände als zwei neue Ausgaben auf den Markt zu bringen (für je 200 fl Honorar); für die revidierte Fassung des ›Nolten‹, die M bis Herbst 1871 abschließen will, fordert er 500 fl.

18. Dezember: M's Frau fährt mit der Tochter Marie nach Stuttgart.

22. Dezember: A. Strauß stirbt.

23. Dezember: Hemsen schenkt M ein Medaillon-Porträt Lichtenbergs.

31. Dezember: Er schickt ihm den dritten Band

von Plitts Schelling-Edition und Maximilian Pertys ›Mystische Erscheinungen der menschlichen Natur‹ (Leipzig, Heidelberg 1861).

1871

Bernays nimmt in die fünfte Auflage von Schwabs ›Fünf Bücher deutscher Lieder und Gedichte‹ (Leipzig) fünf weitere Texte von M auf; M erhält die Ausgabe.

2. Januar: Grüninger überläßt Weibert das Debit an M's Schriften vertraglich für sechs Jahre. – Im Laufe des Monats druckt Grüninger für Weibert neue Titelblätter zu M's Büchern und zwar 350 für die ›Idylle‹, 220 für das ›Hutzelmännlein‹, 250 für die ›Gedichte‹[4] sowie diverse Firmenschildchen.

3. Januar: Als Gegengeschenk schickt M die Shakespeare-Abhandlung C. Starks an Hemsen mit der Bitte um Rezension (vielleicht durch Vischer).

4. Januar: Seine Tochter Fanny fährt nach Stuttgart; sie wohnt künftig (wie bereits im letzten Jahr) bei L. Walther, wird im Laufe der nächsten sechs Wochen von ihr porträtiert.

9. Januar: M kündigt seine Wohnung.

10. Januar: Weibert unterrichtet M von der Übernahme der Rechte an M's Schriften; er legt eine von ihm korrigierte Bilanz Grüningers vor; danach waren im November 1870 noch vorhanden: 352 Exemplare der ›Gedichte‹[4], 928 ›Vier Erzählungen‹, 480 ›Idylle‹[1], 431 ›Idylle‹[2], 266 ›Hutzelmännlein‹, 456 ›Mozart‹; ›Iris‹ und ‹Classische Blumenlese‹ wurden verramscht. – M's Schwester fährt mit F. Hildebrand nach Tübingen.

12. Januar: M kondoliert Mährlen und berichtet u. a. von seiner Lektüre: Karl Friedrich Ledderhoses ›Leben und Schriften des M. J. F. Flattich‹ (Heidelberg 1856[3]).

13. Januar: M's Schwester fährt nach Stuttgart und weiter nach Neuenstadt zum Besuch der dortigen Verwandten.

14. Januar: In seiner Antwort an Weibert wünscht M für seine Arbeiten den Begriff »Schriften« statt »Werke«.

18. Januar: Der preußische König wird in Versailles zum Kaiser proklamiert.

28. Januar: Weibert besucht M. – Paris kapituliert.

29. Januar: Mährlen schickt M einen seiner Artikel über seinen letzten Frankreich-Besuch im ›Schwäbischen Merkur‹.

1.–17. Februar: M's Schwester hält sich in Stökkenburg auf, dann wieder in Neuenstadt.

4. Februar: M dankt Weibert für seine Buchgeschenke, darunter Freiligraths ›Gesammelte Dichtungen‹ (6 Bde, Stuttgart 1871) und Weiberts eigene unter dem Pseudonym Wilhelm Stein erschienene ›Gedichte‹ (Stuttgart 1869).

7. Februar: Ch. Späth stirbt.

8. Februar: Schwind stirbt.

19. Februar: M kondoliert Frau Schwind.

22. Februar: Julius Naue, ein Schüler Schwinds, will seinem Lehrer ein Denkmal in Bernried am Starnberger See errichten; er bittet um M's Unterschrift auf einen Aufruf »An das deutsche Volk« zu Spenden in diesem Sinn.

24. Februar: M besucht Dekan Klemm und Diakon Weiß.

26. Februar: In Versailles wird ein Vorfrieden geschlossen.

März: Die Verse ›In Gedanken an unsre deutschen Krieger‹ und ›Mein Wappen ist nicht . . . .‹ entstehen.

2. März: Gegenüber Naue erklärt sich M zur Unterschrift bereit.

4. März: Er nimmt an der Friedensfeier teil. – Gugler besucht ihn und begleitet seine Tochter Marie nach Stuttgart.

5. März: M sucht A. Rümelin auf.

17. März: Seine Schwester kehrt zurück.

19. März: Mährlen stirbt.

21. März: Für einen patriotischen Frauenverein in München schickt M die Verse ›Mein Wappen ist nicht . . . .‹ ab.

29. März: Er zieht innerhalb Nürtingens um; die neue Wohnung im ersten Stock des Hauses von Kaufmann Moritz Ebner liegt am Marktplatz (= heute: Marktstraße 6).

12. April: Zum Geburtstag seiner Tochter Fanny kommen L. Walther und ihre Familie nach Nürtingen.

13. April: Weibert informiert M über einen Besuch Adolf Kröners wegen Aufnahme des ›Mozart‹ in Heyses ›Deutschen Novellenschatz‹ (der als Intervention für H. Kurz unternommen werde). Weibert legt Georg Herweghs ›Gedichte eines Lebendigen‹ (Stuttgart 1871[9]) bei. – M gibt sein bedingungsloses Einverständnis zum Wiederabdruck des ›Mozart‹; er macht Weibert für den Sommer Aussichten auf die Überarbeitung des ›Nolten‹; die wiederholten Auslassungen des Kritikers R. Gottschall (z. B. in dessen ›Deutscher Nationalliteratur‹ 3. Bd, Breslau 1872[3]) gegen seine Schriften hält M für »verdrießlich«.

Mitte April: M schickt ›In Gedanken an unsre deutschen Krieger‹ an Kolb.

15. April: Aus Mährlens Besitz hat er u. a. noch C. M. Rechenbergs Vortrag ›Der Spiritismus‹ (Leipzig 1870) und eine Übersetzung von Silvio Pellicos ›Gefängnissen‹.

zweite Hälfte April: Prof. Albert Vogelmann läßt M die Komposition seines ›Er ists‹ zugehen.

16. April: C. Hartlaub kommt für zwei Tage zu Besuch.

21. April: Von Kurz läuft ein Brief mit der Abhandlung über das Leben Gottfrieds von Straßburg ein; Kurz will die Neuausgabe des ›Nolten‹ ankündigen.

23. April: An der Konfirmationsfeier von M's Tochter Marie nehmen u. a. L. Walther, M. Lempp, D. und F. Mörike, Thekla Hildebrand (eine weitere Urenkelin von M's Onkel Planck) und A. Rümelins Frau Marie teil. – Kolb sendet Autographen zur Ansicht.

Anfang Mai: M's Tochter Fanny fährt nach Stuttgart zurück.

3. Mai: Er schenkt Kolb Handschriften von sich und Mährlen.

10. Mai: In seinem Dankschreiben an Kurz spricht er u. a. von einer »stillen Absolution« durch den ehemaligen Freund; er lehnt eine biographische Einleitung in seinen ›Mozart‹ für den ›Novellenschatz‹ ab (die Kurz jedoch schreibt: 4. Bd, München 1872). – Der Deutsch-Französische Krieg wird durch den Frieden von Frankfurt endgültig beendet.

Mitte Mai: Wegen des Gesundheitszustandes seiner Tochter Marie fährt seine Schwester nach Stuttgart, um Dr. Fetzer zu konsultieren.

zweite Hälfte Mai: M notiert im Kalender: »Greuelthaten der Aufständischen in Paris. Mord u. Brand«: Pariser Kommune.

24. Mai: Käferle besucht M wieder einmal.

26. Mai: Naue informiert M, daß der Großherzog von Weimar das Protektorat für den Schwind-Aufruf übernommen habe; Naue legt eine Reproduktion seiner ›Germania‹ bei.

27. Mai: M's Tochter Fanny kommt für drei Tage nach Nürtingen.

Ende Mai: Ernst Storm besucht M.

5. Juni: M's Schwester fährt mit seiner kranken Tochter Marie nach Stuttgart; sie wohnen bei L. Walther; regelmäßige Besuche bei Dr. Fetzer sind nötig. – L. Walther porträtiert M's Schwester.

Mitte Juni: Fetzer rät dringend, von Nürtingen wegzuziehen.

17. Juni: In seinem Dankschreiben an Naue deu-

tet M dessen ›Germania‹ als den »deutschen Genius«; M legt seine Epistel ›An Moritz von Schwind‹, ein Turmhahn-Photo u. a. bei.

18. Juni: Mit seiner Frau fährt M nach Stuttgart zu Walthers und Fetzer; sie mieten eine Wohnung in der Reinsburgstraße.

19. Juni: Zurück in Nürtingen, kündigen sie die dortige Wohnung.

28. Juni: M's Frau fährt nach Stuttgart, um dem Truppeneinzug beizuwohnen.

30. Juni: Naue kündigt eine Schwind-Ausstellung in Stuttgart an; vom ›Hutzelmännlein‹-Zyklus berichtet er, daß nur ein Blatt, ›Das dritte Lachen‹ der Lau, vollendet sei.

Juli: In Franz Lipperheides ›Lieder zu Schutz und Trutz‹ (Berlin, 4. Sammlung) erscheint ›In Gedanken an unsre deutschen Krieger‹ als Faksimile.

9. Juli: M's Schwester kommt für zwei Tage nach Nürtingen.

14. Juli: Sie fährt mit seiner Tochter Marie zu einem längeren Aufenthalt nach Neuenstadt.

Mitte Juli: Seine Frau bekommt wieder Magenkrämpfe.

15. Juli: M's Tochter Fanny darf L. Walther für die Ferien nach Bebenhausen begleiten.

16. Juli: M besucht seinen Neffen F. Mörike und wandert auf den Galgenberg.

zweite Hälfte Juli: Der Zustand von M's Frau verschlechtert sich; der Arzt wird konsultiert.

20. Juli: M ruft seine Tochter Fanny zurück.

22. Juli: Sie kommt aus Bebenhausen.

25. Juli: Notter, der Reichstagsabgeordneter geworden ist, besucht M.

4. August: Bei F. Mörike liest M aus dem ›Nolten‹.

6. – 9. August: M macht Abschiedsbesuche.

10. August: Er verläßt Nürtingen; die neue Stuttgarter Adresse lautet: Reinsburgstraße 67/II (Haus des Hofmusikers Gustav Wilhelm Emil Ferling).

11. August: M besucht Plancks.

12. August: Seine Schwester und Tochter Marie kommen nach Stuttgart.

zweite Hälfte August: M unternimmt Spaziergänge.

19. August: Hemsen und Notter besuchen ihn.

20. August: M lädt M. Hirt, L. Walther, Rothakkers, den Architekten Julius Mährlen (einen Neffen seines Freunds) zu sich.

21. August: Er besucht Weibert, Kolb und F. Offterdinger.

23. August: Mit der Schwester sucht M in der Bibliothek Hemsen auf; sie gehen in die Schwind-

Ausstellung und begegnen Fischer.

24. August: Weibert, Ferling und Kolb kommen zu M; er geht zu Hahns, Georgii und Neeffs.

26. August: Kolb sucht wieder M auf; bei L. Walther (von wo aus er die Festbeleuchtung der Stadt betrachtet) lernt M den Kaufmann August Wolff, einen Bruder seines verstorbenen Freunds, kennen, der in Italien lebt.

Anfang September: M verkehrt mit Ehmanns.

4. September: Der Übersetzer Ferdinand Löwe, ehemals Bibliothekar der Petersburger Akademie, stellt sich M vor. – Hartlaub kommt zu Besuch.

5. September: M geht mit dem Freund in die Schwind-Ausstellung.

6. September: Seine Frau wagt ihren ersten Ausgang.

13. September: Hartlaub reist wieder ab. – Mit der Schwester und seinen Töchtern begeht M bei Walthers deren Hochzeitstag.

14. September: Notters laden M ein; er trifft dort auch A. Reinhard.

17. September: Er spaziert nach Bad Berg.

18. September: Mit der Schwester besieht er sich neue Stadtteile.

21. September: Eduard Zeller, Philosophieprofessor in Heidelberg, besucht ihn.

22. September: M geht zu P. Zech; von Weibert erhält er den ersten Band des ›Deutschen Novellenschatzes‹ (München 1871).

23. September: Bei Bergrat Valentin Schübler betrachtet M den Fackelzug anläßlich der Silbernen Hochzeit des Königs.

24. September: Günthert besucht M.

25. September: M macht Spaziergänge mit seiner Frau, sucht August Wintterlin, den Direktor der Öffentlichen Bibliothek, auf.

28. September: M's Tante Georgii stirbt.

29. September: Bei Walthers mustert M den Nachlaß Kielmeyers.

30. September: Er ist wieder bei Plancks; die familiären Begegnungen werden in den nächsten Monaten häufiger.

4. Oktober: Lübke sucht ihn auf.

7. Oktober: In seinen Kalender trägt M ein: »Perturb⟨atio⟩ domest⟨ica⟩«.

8. Oktober: E. und A. v. Batz kommen zu Besuch; mit M. Planck geht M spazieren.

9. Oktober: Bei Günthert bespricht M dessen Lyrik-Manuskript (›Das hohe Lied von 1870‹, Ulm).

Mitte Oktober: Bei Plancks lernt M den Oberstabsarzt Johann August Schöner und die Frau eines Obersten, Agnes von Haas, kennen; mit

M. Planck sucht er E. Uhland und Gugler auf, bei dem sie K. Planck treffen.

15. Oktober: Hahns besuchen M.

17. Oktober: Er macht seinen Gegenbesuch bei Batz.

18. Oktober: Nach einem Gang zu F. Offterdinger gratuliert er Scherer, der sich am nächsten Tag mit der New Yorker Kaufmannstochter Marie von Seht verheiratet.

19. Oktober: M geht spazieren, sieht bei Hahns vorbei.

20. Oktober: Mit seiner Frau fährt er nach Ludwigsburg; von Hemsen erhält er einen ›Romeo und Julia‹-Kupferstich geschenkt.

22. Oktober: Elise Mährlen stirbt.

23. Oktober: An Louise Abel, eine entfernte Verwandte, schreibt M wegen eines Porträts der ersten Frau seines Onkels Georgii, einer Schwester seines Vaters. (Das Gemälde von Philipp Friedrich von Hetsch hängt während seiner letzten Jahre in M's Wohnung.)

24. Oktober: M besucht Hemsen.

25. Oktober: Er hilft Ferdinand Löwe bei der Entzifferung eines französischen Briefs von Friedrich König von Württemberg.

27. Oktober: Kolb und Mährlens Sohn Hermann kommen zu M; er sieht bei L. Walther wieder Kielmeyer-Papiere durch.

7. November: Er besucht eine Vorlesung Vischers über ›Faust‹; deswegen geht M im kommenden Winter öfters ins Polytechnikum.

13. November: Er ist bei Vischer, erhält Besuch von F. Burkhardt und M. Hirt.

14. November: Die Neuenstädter Verwandten kommen bei M vorbei.

16. November: Die Schwestern A. v. Batz und P. v. Phull-Rieppur besuchen M.

17. November: Hemsen und Hornstein sind bei ihm.

19. November: Günthert und Familie sehen vorbei.

20. November: Mit seiner Schwester und der Kusine M. Neeff geht M zu O. Seyffer und F. Offterdinger.

24. November: Die Neuenstädter M. Mörike und ihre Schwester B. Seyffer kommen zu ihm.

26. November: E. Paulus und E. Rapp besuchen M.

27. November: Ferdinand Löwe ist wieder bei M.

29. November: F. A. v. Scholl sucht M auf.

erste Hälfte Dezember: Durch Ferdinand Löwe erhält M den Vortrag ‹Welche Auffassung der lebenden Natur ist die richtige?› von Carl Ernst von Bär (Berlin 1862).

1. Dezember: Julius Mährlen stattet einen Besuch ab.

2. Dezember: Hemsen sieht vorbei.

3. Dezember: F. und R. Vischer sowie Günthert sind bei ihm. (R. Vischer studiert in Tübingen Kunstgeschichte.)

6. Dezember: Aus Mährlens Nachlaß erhält M eine Büste Hegels.

12. Dezember: Albert von Hügel sucht ihn auf.

13. Dezember: M geht zu Ferdinand Löwe, der ihm aus seiner Übersetzung der Fabeln von Iwan Andreevič Krylóv vorliest; die Übertragung hat M angeregt.

17. Dezember: M's Frau begleitet ihn zu Günthert und Scherer.

20. Dezember: Naue schickt Lukas R. v. Führichs ›Moritz von Schwind‹ (Leipzig 1871).

21. Dezember: Fischer besucht M.

22. Dezember: E. Ade und Notter suchen ihn auf.

23. Dezember: Kolb kommt zu ihm.

24. Dezember: Hemsen schenkt M eine Reproduktion des Schwind-Porträts von Rietschel.

26. Dezember: M macht Weihnachtsbesuche bei Vischer und Kolbs.

27. Dezember: Mit seiner Frau sucht er den Xylographen Ade auf; Wintterlin bringt sein Lustspiel ›Der Geisterbanner‹ (Stuttgart 1872).

29. Dezember: Kolb führt den Maler Karl Ebert zu M.

31. Dezember: Er erhält ›Das hohe Lied‹ von Günthert.

Ende: M's Schriften gehen endgültig und vollständig an Weibert über.

1872

Januar: M liest die von G. Waitz herausgegebenen Karoline Schelling-Briefe (Leipzig 1871). – Mit der Wohnung und der Gesundheit seiner Familie ist M immer unzufriedener.

1. Januar: Er besucht Günthert und Ferdinand Löwe.

3. Januar: Mit seiner Frau geht er zu M. Lempp und L. Walther.

4. Januar: Carrière hat ihn um Autographen gebeten; M schickt ihm Handschriften Mayers und Wekhrlins. – Der Aufruf zur Errichtung eines Schwind-Denkmals erscheint mit den Unterschriften von M, Hackländer, Schack u. a.

6. Januar: Günthert sieht bei M vorbei.

7. Januar: Bei Weibert liest M aus der Neufassung des ersten Bands ›Nolten‹.

9. Janaur: Er besucht Hemsen.

10. Januar: Mit seiner Frau geht er zu L. Walther.

11. Januar: M unterhält den kranken Gugler.

12. Januar: Von Th. Kerner erhält M ein Andenken an Weinsberg.

14. Januar: Löwes Übersetzung von ›Krylofs sämmtliche Fabeln‹ (Leipzig 1874) wird von M während der folgenden Tage korrigiert.

15. Januar: M besucht Scherer.

21. Januar: Eine poetische Zuschrift des Schöntaler Professors Ludwig Mezger läuft ein.

22. Januar: M besucht den an Gesichtsrose erkrankten Hemsen.

25. Januar: An Mezger sendet M die Verse ›Den besten Dank . . .‹.

28. Januar: Der Privatgelehrte und Autographensammler Max Wüstemann sucht M auf. (Er kommt im Februar wiederholt vorbei.)

erste Hälfte Februar: Weibert schenkt M seine Prachtausgabe von Wielands ›Oberon‹ (Stuttgart 1869).

1. Februar: M besucht mit seiner Frau und Schwester L. Walther.

4. Februar: Er liest bei Plancks den ›Verwunschenen Prinzen‹ von Bäuerle.

5. Februar: Er besucht Hemsen.

6. Februar: M ist bei Hahns.

7. Februar: Mit Günthert bespricht er dessen Trauerspiel.

9. Februar: M nimmt die Arbeit am ›Nolten‹ wieder auf.

10. Februar: Bei einem Besuch Hemsens liest M aus dem ›Nolten‹.

11. Februar: Kolb und Günthert sind bei M.

15. Februar: Mezger sucht ihn auf.

16. Februar: Notter kommt zu ihm.

18. Februar: F. und R. Vischer sind bei ihm.

19. – 20. Februar: Hartlaub ist zu Besuch

20. Februar: Weibert spricht bei M wegen des Verlags von Schwind-Bildern zu M-Gedichten und wegen dessen ›Hutzelmännlein‹-Illustrationen vor; Naue sollte sie in Radierungen umsetzen.

21. Februar: Gestört durch Musik-Übungen in seiner Nachbarschaft, bezieht M ein Zimmer im dritten Stock desselben Hauses. – Aus Nördlingen wird ein Pfarrer wegen M's Bruder Ludwig vorstellig.

22. Februar: Mit seiner Frau und der Tochter Marie geht M zu Ruff, bespricht sich mit dem Xylographen wahrscheinlich wegen Reproduktionsmöglichkeiten der Schwind-Bilder. – Oberstleutnant von Schwarz stirbt.

23. Februar: Günthert kommt wegen seines Aufsatzes über Grillparzer.

26. Februar: M sucht Günthert und L. Walther auf.

27. Februar: Den Geburtstag Eugenie Plancks feiert M mit.

März: Er liest in Hegels ›Geschichte der Philosophie‹. – Seine Gliederschmerzen nehmen zu.

1. März: C. Notter kommt zu ihm.

5. März: M eröffnet Weibert, daß seine Gesundheit die Weiterarbeit am ›Nolten‹ behindere.

8. März: Er bezieht ein Zimmer außerhalb des Hauses.

10. März: M liegt erkältet zu Bett. – Seine Schwester fährt nach Nürtingen.

12. März: Wüstemann und Günthert kommen zu ihm.

Mitte März: C. Stark besucht M.

15. März: M. Carrière sucht ihn auf; sie sprechen über das Schwind-Denkmal, für das bereits 3500 fl zusammengekommen seien. (Der Plan wurde nicht realisiert.)

17. März: Bei M sehen Vischer, Fischer und Faißt vorbei, der ihm zwei Briefe E. Wächters schenkt.

19. März: Strauß besucht M.

22. März: Günthert ist bei M. – M schreibt an Naue wegen der beiden Schwind-Publikationen nach M-Texten; er argumentiert gegen Weiberts Vorschlag, die Zeichnungen mit dem Storchschnabel auf die Kupferplatte zu übertragen, und plädiert für die Photographie (wenn dadurch auch ein Mehraufwand von 70 fl entstünde); M verzichtet auf ein eigenes Honorar.

23. März: Strauß ist wieder bei M.

24. März: Da die Pausen von Schwinds ›Hutzelmännlein‹-Zeichnungen, die M besitzt, im Verhältnis zu den Originalen in München verbessert sind, bittet M Naue um deren Übersendung; er legt seinem Schreiben zwei Lichtdrucke nach seinen Kartons zur ›Geschichte der Völkerwanderung‹ bei.

26. März: Notter besucht M.

April: M liest Pertys ›Mystische Erscheinungen‹ zum zweiten Mal.

Anfang April: In seinen Kalender trägt er ein: »Dies tristissimi«. – Weibert schenkt ihm Hermann Linggs ›Dunkle Gewalten‹ (Stuttgart 1872) und Gottfried Kellers ›Sieben Legenden‹ (Stuttgart 1872).

2. April: M sendet die sieben Schwind-Zeichnungen an Naue, der sie erneut durchpausen und dann für den Druck photographisch verkleinern will.

4. April: An Weibert schickt M Text-Korrektu-

ren zur »Historie von der Wasserfrau« (die offensichtlich bereits aus dem ›Hutzelmännlein‹ ausgelöst werden soll); M will auch bei diesem Separatdruck nicht auf die Anmerkungen verzichten. (Sie werden jedoch nicht wiedergegeben.) Er plant noch eine Ausgabe mit den übrigen Schwind-Zeichnungen; Göschen hat auch dazu das Publikationsrecht übernommen. Diese Ausgabe wird aber vom Erfolg der ›Lau‹ abhängig gemacht, deshalb verschoben und schließlich aufgegeben. – Grüneisen besucht M.

12. April: Walthers, Günthert u. a. sind bei ihm.

zweite Hälfte April: Georg Jäger schickt M seine Gedichte, wahrscheinlich ›Metrische Übertragungen‹ (Stuttgart 1866), die bereits Notter vorlagen.

17. April: Naue sendet die Schwind-Blätter zurück.

22. April: Günthert wendet sich wegen Vischers Verhältnis zu W. v. Hövel an M.

25. April: M geht zu Vischer und rät ihm von einer Heirat ab.

28. April: Fischer bringt ihm seine Gedichte ›Aus frischer Luft‹ (Stuttgart 1872).

29. April: L. Walther zeigt M ein Album mit Silhouetten der Emma Eggel, der Tochter des Dekans M. E. Eggel. – Weibert kommt zu M.

30. April: Bei Walthers lernt M die Witwe von Dekan Eggel kennen.

1. Mai: Mit Neeffs, dem Vetter G. Mörike u. a. fährt M nach Neckarrems. – Vischer bespricht sich mit ihm wegen W. v. Hövel. – Breitkopf & Härtel schließen ihre Fabrik; M's Bruder Adolf wird arbeitslos.

2. Mai: Von Hemsen erhält M die im Druck der ›Tagebücher‹ Varnhagens von Ense (Hamburg 1863/70) kassierten Partien (die nach Ansicht des Herausgebers Varnhagen hätten belasten können).

4. Mai: Mit der Tochter Marie geht M zu Ade; sie begegnen Walther und E. Eggel. – M's Vetter Karl Planck stirbt.

5. Mai: M erhält Korrekturbogen von Vischers Rede ›Der Krieg und die Künste‹ (Stuttgart 1872).

6. Mai: Er nimmt an der Beerdigung Plancks teil; F. Hildebrand kommt dazu aus Nürtingen.

7. Mai: M's Vetter Gustav Mörike und M. Planck besuchen ihn; bei E. Planck trifft er E. Uhland.

12. Mai: R. Vischer bringt die Rede seines Vaters.

13. Mai: Von Hemsen entleiht sich M u. a. ›Herders Reise nach Italien‹ (Gießen 1859), den ›Litterarischen Nachlaß‹ Friedrich von Raumers (Berlin 1869), ›Frau Rath‹ (Leipzig 1871) und Otto Heinemanns Edition ›Zur Erinnerung an G. E. Lessing‹ (Leipzig 1870).

14. Mai: M geht mit seiner Frau spazieren. – Hemsen schenkt ihm die ›Gedichte‹ Höltys in der Ausgabe von Karl Halm (Leipzig 1869).

15. Mai: Weibert bringt ihm das Drama ›Der entfesselte Prometheus‹ von Richard Paul im Manuskript zur Begutachtung (Stuttgart: Göschen 1874).

16. Mai: Mit der Schwester und Tochter Marie sucht M die Witwe Schwarz auf.

17. Mai: Als Andenken an den verstorbenen Vetter Planck erhält er von dessen Kindern Max und Eugenie einen ägyptischen Krug.

18. Mai: M geht zu Weibert; Mayers Tochter Emilie besucht ihn.

19. Mai: Er bedankt sich bei Plancks.

21. Mai: Wilhelm Hertz sucht M wieder auf. – Hartlaub lädt M nach Stöckenburg ein.

23. Mai: M schenkt Hemsen eine Sammlung von 22 Gelegenheitsgedichten ›Potpourri verlorener Verslein‹. L. Walther besucht ihn; mit M. Planck spricht er über mystische Erscheinungen.

24. Mai: M. Planck ist wieder bei M; Hemsen bedankt sich; M sucht (vergeblich) Hertz auf.

27. Mai: M nimmt M. Planck mit zu Hemsen in die Bibliothek. Sie unterhalten sich über die ›Inschriften in meine neueren Werke‹ von Strauß.

29. Mai: Bei M. Planck begegnet M dem Ulmer E. Breitschwerdt.

31. Mai: Vischer besucht M.

Ende Mai: Vor seiner Reise nach Stöckenburg verabschiedet sich M bei den Stuttgarter Freunden.

1.–22. Juni: Mit seiner Schwester und der Tochter Marie hält sich M bei Hartlaub in Stökkenburg auf; er wendet kalte Waschungen an, macht Spaziergänge, liest Nohls Ausgabe von Mozart-Briefen.

22. Juni: Auf dem Rückweg macht M in Weinsberg bei Th. Kerner Station; er trifft u. a. den Juristen Albert Schmidlin, einen Sohn des verstorbenen Freundes, und schreibt für Else Kerner, die zweite Frau Theobalds, die Verse ›Alle Leute sagen . . .‹.

25. Juni: Günthert und L. Walther besuchen M.

28. Juni: Hetsch stirbt.

Anfang Juli: C. Hartlaub und R. Vischer suchen M auf.

7. Juli: Hemsen verabschiedet sich vor einer Reise.

11. Juli: Günthert ist wieder bei M.

14. Juli: Marie Wüst besucht M's Frau.

16. Juli: An Julius Lohmeyer, den Herausgeber der »Illustrirten Monatshefte« ›Deutsche Jugend‹ (Leipzig), sendet M die Gedichte ›Corinna‹ und ›Ich hatt ein Röslein‹.

25. Juli: Er trägt in den Kalender ein: «Dies pertrist⟨is⟩. Discord⟨ia⟩ dom⟨estica⟩».

26. Juli: M's Frau und Tochter Fanny fahren mit M. Wüst nach Mergentheim. – Seine Schwester und Tochter Marie begleiten ihn zur Base M. v. Hügel; sie nehmen an einer Sitzung mit einer Hellseherin teil.

27. Juli: M geht zu Günthert, seine Schwester wieder zur Hellseherin.

28. Juli: Vischer sucht M erneut wegen eines Gesprächs über W. v. Hövel auf.

31. Juli: M spaziert nach Cannstatt zu Hahns.

3. August: M's Bruder Adolf besucht angeheiratete Verwandte in Stuttgart; M trifft sich dort mit ihm.

4. August: In der ›Schwäbischen Kronik‹ (Nr. 184) steht der Hetsch-Nekrolog von Strauß, der die »tiefste und nachhaltigste Einwirkung« M's hervorhebt.

6. August: Hartlaub besucht M mit seiner Tochter Hahn.

7. August: Günthert bringt ein Manuskript zur Begutachtung.

12. August: M geht mit Hartlaub auf die Silberburg.

13. August: Hartlaub fährt nach Hause. – Strauß besucht M. (Er zieht im Herbst wieder nach Ludwigsburg.)

14. August: M's Frau und Tochter Fanny kehren zurück. – Strauß kommt mit seiner Tochter vorbei. – Naue schickt an M und Weibert die ersten Abzüge der ›Lau‹-Radierungen.

zweite Hälfte August: M fühlt sich schwach, gebraucht Chinarinde. In seiner Familie gibt es Auseinandersetzungen, Verstimmungen. – E. Eggel und L. Walther besuchen ihn.

16. August: Ade sucht ihn auf. M liest Güntherts Manuskript (vielleicht ›Barbablanca‹, Stuttgart 1881).

18. August: Gegenüber Naue erklärt sich M mit den Radierungen einverstanden; der Text für die ›Lau‹-Ausgabe ist zum Teil schon gesetzt; M schickt u. a. ein Exemplar des ›Mozart‹ an Naue.

24. August: M's Frau fährt nach Salach bei Göppingen.

25. August: Mit der Schwester, der Tochter Fanny und Georg Hildebrand (deren späterem Mann) geht M spazieren. (Hildebrand ist ein

Urenkel von M's Onkel Planck.)

30. August: Er erhält Besuch von Fischer, hört ein Konzert in der Stiftskirche (unter Mitwirkung Ferlings).

1. September: L. Walther besucht M; er trifft Neeffs.

5. September: Er macht einen Gegenbesuch bei Walthers.

6. September: E. Zeller sucht M wieder auf. – M geht zu Hauffs.

8. September: Hemsen schenkt M die Illustrationen Eduard Steinles zu Clemens Brentanos ›Ausgewählten Schriften‹ (Freiburg 1873); E. Kuh und A. Keller gratulieren telegraphisch zum Geburtstag; Walthers und Walchers kommen vorbei. – In der ›Wiener Zeitung‹ (Nr. 206) erscheint E. Kuhs Geburtstagsartikel für M.

13. September: M schenkt Walther die Verse ›Eine Rose auf der Dose . . .‹.

14. September: Ferdinand Löwe verabschiedet sich von M; er geht nach Darmstadt.

Mitte September: M besucht M. Hahn nach ihrer Niederkunft.

16. September: Er sucht Chr. Schwab auf, begegnet H. Kayser; ein Brief seiner Frau an die Töchter läuft ein.

18. September: Kuh schickt seinen Geburtstagsartikel und bittet um ein Exemplar des ›Nolten‹.

20. September: Mit L. Walther geht M zu Eggels. – Naue und seine Freunde stiften einen »Kronenorden für zu erringende Verdienste« und wollen M zum »Ritter« ernennen; Naue fragt deshalb an.

21. September: M nimmt die Auszeichnung an. – An Weibert schickt er die letzten Korrekturbogen der ›Lau‹ zurück.

23. September: M erhält Besuche von Weibert, Günthert und M. Bauer, die ihm ihr Manuskript ›Eine Herzensgeschichte‹ vorlegt.

24. September: Naue schickt das Ordens-Diplom.

25. September: M bespricht mit M. Bauer deren Manuskript; er wird von Fischer besucht.

26. September: Fischer wünscht sich von M (oder von Vischer) eine Entgegnung auf einen Verriß in einer Leipziger Zeitung.

27. September: Notter besucht M; sie sprechen »über die höchsten Fragen«.

28. September: M korrigiert das Manuskript der M. Bauer.

1. Oktober: Günthert kommt vorbei; M begegnet Fischer.

2. Oktober: M macht einen Familienbesuch bei Neeffs.

3. Oktober: Hartlaub kommt für eine Woche zu M, der sich schwach fühlt.

6. Oktober: M gehört zur Taufgesellschaft bei Hahns in Cannstatt. – Seine Tochter Marie erkrankt an Gelbsucht; Fetzer wird deshalb konsultiert (er kommt in den folgenden Wochen fast täglich).

7. Oktober: Weibert bringt das erste Exemplar von M's letzter Buchveröffentlichung: ›Die Historie von der Schönen Lau. Mit sieben Umrissen von Moriz von Schwind; in Kupfer radiert von Julius Naue‹, Stuttgart, vordatiert auf 1873. – Das Buch kostet 12 M in Leinen und 17 M mit Goldschnitt, wird bald auf 3 M bzw. 5 M herabgesetzt.

8. Oktober: Von M. Wüst kommt eine »traurige Nachricht« über M's Frau. M's Bruder Adolf schaut vorbei; mit Hartlaub geht M zu Walthers.

13. Oktober: C. Notter und ihr Sohn Richard (später Jurist) besuchen M.

15. Oktober: Mit M. Bauer bespricht M erneut das Manuskript; von Eduard Paulus erhält er dessen ›Bilder aus Deutschland‹ (Stuttgart 1873 – oder ›Die Cisterzienser-Abtei Maulbronn‹, Stuttgart 1873).

16. Oktober: M stattet Paulus einen Dankbesuch ab; C. Hartlaub kommt, und M. Wüst bringt Nachrichten von M's Frau, die sich inzwischen in Eutingen aufhält.

17. Oktober: M erhält eine Reihe von Besuchen, darunter von Bernhard Bauer, Th. Kerner und seiner Frau, G. Hildebrand, J. Mährlen.

18. Oktober: Von J. Lohmeyer läuft das erste Heft der ›Deutschen Jugend‹ ein.

19. Oktober: M's Bruder Adolf und Tochter Fanny fahren nach Nürtingen.

20. Oktober: M sucht mit der Schwester bei Hahns C. Hartlaub auf. – In der ›Schwäbischen Kronik‹ (Nr. 250) rezensiert Fischer den vierten Band der ›Geschichte der deutschen Literatur‹ von Heinrich Kurz (Leipzig 1872), der negativ auf M eingeht; Fischer verteidigt M.

21. Oktober: M's Bruder Adolf verabschiedet sich; Notter, M. Lempp und M. Planck besuchen M; er bedankt sich bei Fischer für den Artikel.

23. Oktober: In einer Gesellschaft bei P. Zech, die er mit der Schwester und Tochter Marie besucht, trifft M u. a. Emma Märklin.

25. Oktober: Emilie Zech sucht M auf, der unwohl zu Bett liegt.

27. Oktober: Er macht einen Familienausflug auf den Hasenberg und begegnet Wintterlin.

29. Oktober: M schreibt sein Testament.

30. Oktober: Fischer besucht ihn.

November: M liest E. v. Hartmanns ›Abhandlungen zur Philosophie des Unbewußten‹ (Berlin 1872), J. H. W. Tischbeins ›Aus meinem Leben‹ (Braunschweig 1861) und Köstings Drama ›Ein Weltgericht‹ im Manuskript.

2. November: M schreibt seiner Frau.

3. November: Hauptmann Georg Jäger sucht M auf.

4. November: Vischer überreicht M ein Reisegeschenk aus Italien.

5. November: M bringt Hemsen ein Exemplar der ›Lau‹; er besucht Walthers, Günthert und Kolbs.

6. November: Seine Frau kehrt nach Stuttgart zurück.

11. November: Ch. Hildebrand kommt zu Besuch.

12. November: Beim Kabinettschef überreicht M je zwei Exemplare der ›Lau‹ und des ›Hutzelmännleins‹ für König Karl und Königin Olga mit einem Begleitschreiben, in dem M eine größere Arbeit (die ›Nolten‹-Revision) ankündigt.

14. November: Er sendet die ›Lau‹ und das ›Hutzelmännlein‹ an Ludwig II. König von Bayern.

15. November: Günthert besucht M.

17., 21., 25. November: In der Beilage (Nr. 322, 326, 330) der ›Allgemeinen Zeitung‹ erscheint ein Artikel gegen den ›Neuen Glauben‹ von Strauß, den M an E. Rapp gehen läßt.

18. November: Bei Vischer trifft M auch Strauß, dessen »Bekenntnis« ›Der alte und der neue Glaube‹ (Stuttgart 1872) er bereits gelesen hat; M besucht E. Rapp.

19. November: M's Bruder Adolf kommt mit seiner Frau wieder nach Stuttgart; er will hier ein Piano-Geschäft gründen.

22. November: M geht zu seinem Bruder, der bei seinen Schwiegereltern wohnt.

23. November: Ch. Hildebrand reist wieder ab. – M's Frau konsultiert wegen der Töchter Dr. Fetzer.

25. November: Mit seiner Frau macht M einen Spaziergang zur Karlslinde; sie treffen dort Walther; Fischer besucht M.

26. November: Günthert bringt ein neues Drama vorbei: ›Der Eremit von S. Juste‹ (wahrscheinlich unveröffentlicht).

27. November: M macht eine Visite bei M. Wüst.

28. November: Von Strauß erhält er dessen »Bekenntnisse« in der zweiten Auflage.

3. Dezember: Mit seiner Frau geht M zu L. Walther, die seine Tochter Marie porträtiert hat.

4. Dezember: M besucht Günthert, um über das Drama zu sprechen.

7. Dezember: Günthert und Hemsen kommen.

8. Dezember: Mit der Schwester, den Töchtern und G. Hildebrand wandert M zum Jägerhaus; sie begegnen Notter und A. Köstlin.

10. Dezember: L. Walther bringt das Porträt von M's Tochter Marie. – B. Seyffer und C. Notter besuchen M. – An Strauß schickt er die ›Lau‹ für dessen Tochter Georgine.

11. Dezember: Bei Hemsen bedankt sich M für die Schwind-Biographie von Hyacinth Holland (Stuttgart 1873).

Mitte Dezember: Wegen M's Halsentzündung wird fünfmal Dr. Fetzer bemüht.

15. Dezember: Notter und Walther besuchen ihn.

17./18. Dezember: M notiert in den Kalender: »Dies pertristis«.

18. Dezember: Von Jäger erhält er dessen Gedichte ›Nachklänge‹ (Stuttgart 1872).

24. Dezember: Hemsen schenkt ihm den Holzschnitt-Zyklus ›Aschenbrödel‹ von Schwind (Leipzig 1873) und Robert Vischers Dissertation ›Über das optische Formgefühl‹ (Leipzig 1873).

25. Dezember: Von Scherer bekommt M wieder eine Volkslieder-Ausgabe.

26. Dezember: Der Kaufmann Wilhelm Martz (der im selben Haus wohnt) und G. Ferling besuchen M.

27. Dezember: G. Hildebrand fährt nach Neuenstadt.

28. Dezember: M geht erstmals wieder aus. Wegen seiner Tochter Marie wird Dr. Fetzer konsultiert.

Ende Dezember: M macht viele Weihnachtsbesuche.

1873

M's Bruder Adolf wird Klavierbauer bei Blüthner in Leipzig.

Anfang Januar: M liest Otto Seemanns ›Wohin? Eine Unterhaltung aus dem 19. Jahrhundert‹ (Berlin 1870[2]).

1. Januar: Günthert besucht M.

2. Januar: E. Rapp kommt vorbei; M sucht Charlotte Reiniger, die Schwester von M. Lempp, auf.

3. Januar: Seine Tochter Marie beginnt eine homöopathische Behandlung.

5. Januar: Fetzer verordnet Bäder und Wa-

schungen gegen M's erneut auftretende Haut-
krankheit (Blutflecken) an den Schenkeln.

6. Januar: M erhält Besuche von Chr. Schwab,
Hemsen, L. Walther, M. Lempp.

7. Januar: A. Köstlin sucht ihn auf.

8. Januar: Fischer kommt vorbei. – Das Dankschreiben des bayrischen Königs wird abgefaßt.

10. Januar: Mit der Schwester und Tochter Fanny überbringt M zum Geburtstag der L. Walther Heyses ›Novellen und Terzinen‹ (Berlin
1867).

Mitte Januar: Er hat wieder rheumatische
Schmerzen.

15. Januar: Notter besucht ihn.

21. Januar: Auch M's Frau wird von Fetzer behandelt; er verordnet Imnauer Wasser.

23. Januar: M's Schwester hat Ohnmachtsanfäl-
le; sie wird geschröpft. (Der Arzt kommt mehrmals vorbei.)

24. Januar: M besucht Günthert.

26. Januar: Vischer kommt zu M.

27. Januar: Hemsen sucht ihn auf.

Februar: In der ›Deutschen Jugend‹ erscheinen
›Corinna‹ und (mit der Reproduktion einer L.
Walther-Silhouette) ›Ich hatt ein Röslein‹. – M
liest wieder in Hartmanns ›Abhandlungen‹.

1. Februar: Mit seiner Frau geht er zu Scherer.

3. Februar: Im Museum, wo M mit seiner Frau
sich die ›Abundantia‹ von Makart anschaut, treffen sie Walthers; M besucht anschließend Notter.

5. Februar: G. Hildebrand war mehrere Tage bei
M.

9. Februar: M erhält Besuche von Walther, M.
Hirt, Ruff, Kolb.

12. Februar: Seine ›Zerstreuten Kapitel‹ (Berlin
1873) sendet Storm »Seinem alten lieben Mörike«.

14. Februar: Günthert kommt zu M.

17. Februar: Vischer besucht M; sie sprechen
über das neue Buch von Strauß und Güntherts
Mißverständnis des Vischer/Hövelschen Ver-
hältnisses.

18. Februar: E. Rapp ist bei M.

19. Februar: Notter kommt und liest aus seiner
philosophischen Arbeit vor.

22. Februar: Günthert besucht M.

24. Februar: G. Hildebrand ist wieder in Stuttgart; Scherer sucht M auf.

26. Februar: M korrigiert Scherers Sammlung
›Die schönsten deutschen Volkslieder‹, die als
›Jungbrunnen‹ in der dritten Auflage erscheinen
(Berlin 1874).

März: M liest C. Beyers ›Neue Mittheilungen

über Friedrich Rückert‹ (Leipzig 1873), Fr. J.
Frommanns ›Das Frommann'sche Haus‹ (Jena
1870), F. Försters ›Kunst und Leben‹ (Berlin
1873), H. Grimms ›Das Leben Raphaels‹ (Berlin
1872), ›Das Unbewußte vom Standpunkt der
Physiologie und Descendenztheorie‹ (Berlin
1872), ›Schillers Briefwechsel mit Körner‹ (Berlin 1847).

2. März: M trifft Wintterlin.

3. März: Er besucht Klaiber, Notter und Hemsen.

4. März: Weibert teilt mit, daß er in etwa einem
Vierteljahr die ›Gedichte‹[5] ausliefern wolle; dazu kämen noch etwa 50 Remittenden der 4. Auflage (von der noch 236 Stück vorhanden seien)
mit neuem Umschlag und Titel; M erhalte 400 fl
Honorar (in zwei Raten); der Ladenpreis werde
erhöht. Die ›Lau‹ hat sich nach dieser Mitteilung des Verlegers schlecht abgesetzt.

5. März: M erklärt sich mit Weiberts Vorschlägen einverstanden, obwohl er wegen des Preis-
aufschlags für den Absatz fürchtet. Diesen Ein-
wand widerlegt Weibert in einem Schreiben
vom gleichen Tag; hier informiert er auch darüber, daß er die vorhandenen Exemplare je zur
Hälfte (500 Stück) als sogenannte fünfte und
sechste Auflage ausliefern wolle.

6. März: Günthert spricht M wieder auf das Verhältnis zwischen Vischer und Hövel an.

7. März: Mit seiner Frau und der Tochter Marie
geht M zu Hemsen; im Museum betrachten sie
Führichs Bild ›Der verlorene Sohn‹. – M's
Schwester fährt mit seiner Tochter Fanny nach
Nürtingen.

9. März: Wegen der Blutfleckenkrankheit konsultiert M Dr. Leopold Ellinger; während Dr.
Fetzer Peliosis rheumatica konstatiert hat, diagnostiziert Ellinger Morbus maculosus Werlho-
fii und verordnet achttägige Bettruhe. – M
macht einen Kondolenzbesuch bei W. Martz
wegen dem Tod von dessen Frau.

10. März: Mit seiner Frau ist M bei Verleger
Krais.

11. März: M befolgt Ellingers Rat und hütet das
Bett.

Mitte März: Kolb, M. Lempp, L. Walther, Günthert besuchen ihn; seine Schwester und Tochter Fanny kehren aus Nürtingen zurück.

19. März: Mit der Schwester besucht M den
kranken E. Rapp und Günthert.

21. März: Mit seiner Frau und der Tochter Marie ist M erneut bei Rapp.

22. März: Notter verabschiedet sich vor seiner
Reise nach Berlin.

24. März: Mit der Schwester geht M zu Walthers.

25. März: Er liest in ›Ludwig Uhland's Leben‹ (Stuttgart 1874) und Hermann von Pückler-Muskaus ›Briefwechsel und Tagebüchern‹ (Hamburg 1873).

26. März: M fühlt wieder rheumatische Schmerzen auf der Brust und legt sich zu Bett.

29. März: Mit seiner Frau geht M zu Rapp; M. Planck kommt zu ihm, und Dr. Fetzer schaut wegen des Hustens seiner Tochter Marie vorbei.

30. März: Maximilian Perty, der mit Notter korrespondiert hat, nimmt brieflichen Kontakt zu M auf.

April: M liest Joachim Nettelbecks ›Bürger zu Kolberg‹ (Leipzig 1862³).

erste Hälfte April: Er bemüht sich mit dem Manuskript der M. Bauer.

3. April: In Cannstatt besucht er mit der Schwester und Tochter Marie den kranken Christian Schmid (den Witwer seiner Kusine K. Neuffer) und Hahns.

4. April: L. Walther kommt vorbei, M geht zu Günthert und Rapp.

6. April: Er sucht Fischer auf.

7. April: M besucht Vischer, der sich von W. v. Hövel getrennt hat; C. Stark verabschiedet sich.

8. April: Mit seiner Frau besucht M den Lehrer Kolb; durch Weibert erhält er eines seiner Gedichte in englischer Übersetzung von Käthe Freiligrath-Kröker (›A Century of German Lyrics‹ London 1894).

9. April: Hemsen kommt zum Gespräch über F. und R. Vischer, Rückert u. a.

11. April: Während M's Besuch bei M. Hirt spielt sie Karl Hauers Komposition ›Denk es, o Seele!‹.

14. April: Scherer führt einen Sohn Storms zu M; M. Hirt, Hahns u. a. kommen vorbei.

15. April: M besucht Kolb; er begegnet Ebert; M kondoliert M. Lempp wegen ihres verstorbenen Neffen, des Malers Ernst Reiniger.

18. April: Die Neuenstädter Verwandten und E. Rapp besuchen M.

22. April: M. Lempp führt die Frau des Bankiers Friedrich Schulz zu M.

23. April: Wolfgang Menzel stirbt.

24. April: Friedrich Storck schickt sein ›Liederbuch‹ (Leipzig 1873). – Über E. Rapp läßt M die zweite Originalausgabe von ›Hermann und Dorothea‹ an Strauß vermitteln.

27. April: Walthers und Vischer besuchen M.

28. April: Weibert weist eine Abschlagszahlung von 200 fl für die ›Gedichte‹⁵ an; die Ausgabe ist damit im Buchhandel erhältlich; sie ist fast textgleich mit ›Gedichte‹⁴, weil außer dem Titelblatt nur bei wenigen Exemplaren einige Seiten neu gedruckt wurden. Die Auflage beträgt 500 Stück. (Die übrigen vorliegenden Exemplare erscheinen 1876 als sechste Auflage.) – M hütet das Bett; Auerbach und Hemsen sehen nach ihm; Auerbach rät wieder von einer Umarbeitung des ›Nolten‹ ab. (M kennt seinen ›Diethelm‹ aus dem ›Deutschen Novellenschatz‹.)

30. April: F. Hildebrand besucht M mit ihren Töchtern.

Mai: M liest Adolf Wilbrandts Hölderlin-Aufsatz im ›Historischen Taschenbuch‹ (5. Folge, 1. Jg), Grillparzers Selbstbiographie in den ›Sämmtlichen Werken‹ (10. Bd, Stuttgart 1872), Herman Grimms ›Zehn ausgewählte Essays‹ (Berlin 1871), Henry Crabb Robinsons ›Ein Engländer über deutsches Geistesleben‹ (Weimar 1871), Shakespeares ›Southampton-Sonette‹ (Leipzig 1872) und betrachtet Bonaventura Genellis ›Satura‹ (Leipzig 1871).

1. Mai: Zur Familie des Königsberger Kaufmanns Carl Durand, mit der M während seines Lorcher Aufenthaltes bekannt wurde, haben sich die Beziehungen (vor allem über M's Frau) gefestigt; M macht Frau Laura Durand ein Geburtstagsgeschenk.

2. Mai: Er schickt das Manuskript der M. Bauer endgültig ab. – Theodor Kolb, als Kaufmann im Ausland tätig, Sohn des mit M befreundeten Präzeptors, verabschiedet sich.

3. Mai: Storms jüngster Sohn Karl besucht M.

6. Mai: Kolb schaut vorbei.

7. Mai: E. Rapp bringt als Gegengeschenk von Strauß die ›Epistolae obscurorum virorum‹.

11. Mai: Von Ferdinand Löwe läuft die Anfrage ein, ob er M ›Krylóf's sämmtliche Fabeln‹ zueignen dürfe. (In der Ausgabe steht dann: »Den Herren Eduard Moerike und Iwán Turgénief achtungsvoll gewidmet.«)

13. Mai: An Hemsen verschenkt M das zweite Hölderlin-Porträt Schreiners und Hölderlins ›An Zimmern‹ in der Handschrift; er bittet Hemsen um H. Grimms ›Zur Abwehr gegen Herrn Prof. Dr. A. Springer's Raphaelstudien‹ (Berlin 1873) und um Auerbachs ›Zur guten Stunde‹ (Stuttgart 1874/75).

14. Mai: Hemsen stattet seinen Dankbesuch ab.

Mitte Mai: M's Frau erkundigt sich in seinem Namen bei E. Rapp nach dem kranken Strauß.

15. Mai: Rudolf Lohbauer stirbt.

zweite Hälfte Mai: L. Walther bringt Anastasius Grüns ›Robin Hood‹ (Stuttgart 1864).

19. Mai: Ch. Hildebrand, F. Buttersack besuchen M.

23. Mai: Auf seinem ersten Ausgang nach etwa einem Monat besucht M Günthert.

25. Mai: Er macht seinen Kondolenzbesuch bei Frau Menzel.

26. Mai: Er sucht Vischer und Hemsen auf.

28. Mai: Wegen einer Buchhandelsanfrage nach dem ›Nolten‹ schreibt M an Weibert, daß er »für dieses Jahr auf Nichts als die Vollendung meines Buches denke«.

29. Mai: Mit der Schwester geht M in ein Konzert J. Stockhausens, der ›Scenen aus Goethe's Faust‹ von R. Schumann singt. – Weibert macht M den Vorschlag, die Revision des ›Nolten‹ in drei Bänden erscheinen zu lassen und entsprechend besser auszustatten; er bittet ihn um eine Auswahl von Klopstock-Oden für den Schulgebrauch (auf der Basis einer vorbereiteten Ausgabe von A. L. Back) und legt ein Exemplar der ›Oden‹ bei.

Juni: M liest Lessing und G. Kramers Biographie über Carl Ritter (Halle 1873).

erste Hälfte Juni: Er besorgt den Auftrag Weiberts und verbringt dafür halbe Tage auf dem Museum. Die Ausgabe erscheint ohne eine Notiz über M's Anteil in der ›Sammlung Göschen‹: ›Klopstocks Oden in Auswahl. Schul-Ausgabe mit erklärenden Anmerkungen von A. L. Back‹ (Stuttgart o. J.). (Auch die sechsbändige Werk-Ausgabe bei Göschen von 1876 erscheint nur unter dem Namen Backs, wegen dessen Tod M der Auftrag für die Auswahl gegeben wurde.)

1. Juni: Ch. Hildebrand stellt ihren Bräutigam, den Techniker Karl Ludwig Bruckmann, vor; Friedrich Durand, ein Neffe des Kaufmanns, noch Student der Chemie in Heidelberg, macht M's Tochter Fanny einen Heiratsantrag.

2. Juni: In seiner Antwort an Weibert erklärt sich M mit der Dreiteilung des ›Nolten‹ einverstanden; er stellt die Bände für Spätherbst, Neujahr 1874 und Anfang 1874 in Aussicht; mit der Klopstock-Auswahl hat M schon begonnen.

3. Juni: Weibert schenkt M die sechsbändige Werkausgabe Klopstocks (Stuttgart 1869).

4. Juni: M's Tochter Fanny eröffnet ihm den Heiratsantrag Durands. – Günthert sucht ihn auf.

7. Juni: M's Frau reist für unbestimmte Zeit nach Nürtingen. – E. Zech und Pauline Buttersack, die Frau von Dr. med. Th. Buttersack, besuchen M.

9. Juni: Vischer kommt zu M, um ihm aus seinem »Heldengedicht« ›Der deutsche Krieg

1870–71‹ vorzulesen (Nördlingen 1873 unter dem Pseudonym Philipp Ulrich Schartenmayer). – M's Schwester geht zu Durands.

11. Juni: M sieht bei L. Walther, Eggels und M. Hirt vorbei.

12. Juni: Er sucht F. Offterdinger auf.

13. Juni: Mit seiner Tochter Marie besucht er eine Aufführung von Cherubinis ›Wasserträger‹.

15. Juni: M trifft Günthert, erhält Besuche von Kolb u. a.

18. Juni: Mit der Schwester besucht M die kranke Witwe von F. Rau.

19. Juni: In derselben Begleitung fährt M nach Ludwigsburg zu dem kranken Strauß; er begegnet E. Rapp.

20. Juni: Wegen Strauß sucht er Vischer auf; er geht auch zu M. Lempp.

22. Juni: L. Walther ist mit ihren Kindern bei M.

26. Juni: Für Pauline Weiler, die Frau eines Stuttgarter Buchdruckers, schreibt M die Albumverse ›Schönheit gab Dir . . .‹.

29. Juni: Mit der Schwester und Tochter Marie macht M seinen ersten Besuch bei Durands; bei Günthert spricht er mit Vischer erneut über dessen »Heldengedicht«.

30. Juni: M's Frau kehrt zurück; die Tochter Fanny hat sie offensichtlich in Eutingen abgeholt.

1. Juli: M liest ein Vorspiel Güntherts zu einem seiner Dramen. (Vielleicht in ›Dramatische Dichtungen‹, Stuttgart 1891.)

2. Juli: M's Tochter Fanny und Friedrich Durand feiern Verlobung. (An den folgenden Tagen treffen viele Gratulationsbesuche ein.)

4. Juli: Mit der Familie und Durands besichtigt M Schloß Rosenstein. (Mit Durands ist er in nächster Zeit häufig zusammen.)

5. Juli: Eine Einladung zur Einweihung des Uhland-Denkmals in Tübingen kann er nicht annehmen.

10. Juli: Mit seiner Frau bespricht M die Trennung der Ehe auf Zeit; er will sich vorerst zu Hartlaub begeben.

11. Juli: M schreibt Abschiedsbriefe an die Stuttgarter Freunde Notter, E. Rapp, Gugler, Vischer, Hemsen.

12. Juli: Gegenüber Weibert beteuert M, den ›Nolten‹ nicht liegen zu lassen. – Mit der Schwester und der Tochter Marie fährt M nach Stökkenburg ab.

zweite Hälfte Juli: M arbeitet an seiner ›Nolten‹-Revision, liest den ersten Teil vor, macht Spaziergänge und vertieft sich in Shakespeare.

August: M liest K. Rosenkranz' ›Autobiographie‹ (Berlin 1873) und ›Goethe's Briefe an Frau von Stein‹ (Weimar 1848–1851).

Anfang August: Er ist sich unschlüssig, ob er nicht nach Stuttgart zurückkehren solle; seine Frau scheint die Trennung für endgültig zu halten.

4. August: M entscheidet sich für eine »Trennung auf unbestimmte Zeit« und teilt seiner Frau die Gründe mit.

6. – 11. August: M's Schwester ist in Stuttgart, um mit seiner Frau darüber zu sprechen.

11. August: M's Base Friederike Payer geb. Planck stirbt in Nürtingen.

23. August: Mit der Schwester und Tochter Marie wendet sich M wieder nach Lorch; sie logieren zunächst in der ›Sonne‹.

25. August: Sie mieten in Lorch eine möblierte Dreizimmer-Wohnung für 6 fl wöchentlich.

31. August: M hat L. Durand nach Lorch bestellt, um ihre Vermittlung bei seiner Frau zu erbitten. – Der Stuttgarter Buchhändler Karl Aue und E. Ade wünschen M's Korrektur von Carl Reinhardts Märchen ›Radix des Wurzelmann's Reise ins Land‹ (mit Illustrationen von Reinhardt, xylographiert von Ade, Stuttgart 1874); M erhält die ersten Bogen.

September: M liest u. a. Alexandre Dumas' ›Memoiren eines Arztes‹ (Wien 1873/74), ›Griechische Geschichte‹ von Ernst Curtius (Berlin 1857–1867).

2. September: Bei der Sedansfeier begegnet M dem Maler Wilhelm Pilgram.

3. September: M hat das Märchen Reinhardts bearbeitet und gekürzt, gibt die Korrekturen an Aue zurück.

5. September: Frau Durand teilt mit, daß sich M's Frau entschlossen habe, die Stuttgarter Wohnung zu behalten; seine Schwester fährt nach Fellbach, um eine neue Bleibe zu suchen, und dann weiter nach Stuttgart.

7. September: Seine Schwester kehrt zurück nach Lorch.

8. September: Sie fährt zu den Umzugsvorbereitungen nach Stuttgart.

9. September: L. Walther versucht vergeblich, mit M's Frau zu sprechen, die auch ein Gespräch mit seiner Schwester verweigert.

10. September: In Fellbach bei Stuttgart, im sogenannten Breyerschen Landhaus (= heute: Lindenstr. 17) richtet M's Schwester eine Wohnung ein.

11. September: M fährt mit seiner Tochter Marie nach Fellbach.

12. September: Der Kaufmann Heinrich Breyer

stellt sich ihm vor.

15. September: M's Tochter Fanny und F. Durand sehen bei M vorbei.

zweite Hälfte September: M unternimmt Spaziergänge. – An Hemsen schreibt er »aus der Verbannung«.

17. September: Walther sucht M auf; seine Tochter Marie geht für vierzehn Tage nach Stuttgart.

21. September: Notter kommt nach Fellbach.

23. September: L. Walther und M. Lempp besuchen M.

28. September: Hemsen (der M zur Zeit mit Lektüre versorgt) und Hahns sind bei ihm.

29. September: Hartlaub kommt zu Besuch.

Oktober: M liest wieder in ›Goethe's Briefen an Frau von Stein‹ sowie das sechste Heft der Neuen Folge von Vischers ›Kritischen Gängen‹ (Stuttgart 1873) und ›Eine Nachlese‹ von F. v. Hardenberg (Gotha 1873).

1. Oktober: Mit seiner Schwester geht M nach Cannstatt zu Hahns (bei denen Hartlaub ist) und zu Chr. Schmid.

2. Oktober: M ist mit Hartlaub auf dem Rotenberg verabredet.

3. Oktober: Er wird wieder von Walther beraten.

4. Oktober: Seine Tochter Marie bringt keine guten Nachrichten von seiner Frau.

6. Oktober: Hemsen und Auerbach kommen bei M vorbei.

7. Oktober: Notter und seine Frau besuchen ihn.

10. Oktober: Hermann Kurz stirbt.

11. Oktober: M bevollmächtigt Walther zu Verhandlungen mit seiner Frau über die Teilung des Einkommens. (Walther berät sich deshalb auch mit Walcher.) M ist entschlossen, wieder nach Stuttgart zu ziehen; L. Walther sucht für ihn eine Wohnung. M kündigt brieflich seine bisherige Wohnung auf.

14. Oktober: Von Hartlaub wünscht M, den zweiten Teil des ›Nolten‹ auf änderungsbedürftige Stellen hin durchzusehen.

16. Oktober: M erfährt, daß seine Frau nicht mit Walther spreche.

17. Oktober: Er sendet wieder Korrekturen an Aue ab.

18. Oktober: Walther berichtet von seinen Ergebnissen.

20. Oktober: M besucht Hahns (und C. Hartlaub) in Cannstatt, versäumt dadurch einen Besuch Weiberts.

23. Oktober: Er teilt Weibert mit, daß er in den letzten Monaten nicht mehr am ›Nolten‹ arbeiten konnte; er stellt dennoch den Druckbeginn für Februar 1874 in Aussicht. – C. Hartlaub besucht M mit ihrer Tochter Marie. – Hartlaub rät von einem Umzug nach Stuttgart ab, weil er den Einfluß von Vischer, Strauß und Günthert fürchtet; er möchte M lieber die Lektüre von O. Funckes ›Reisebildern und Heimathklängen‹ (Bremen 1871³) empfehlen.

24. Oktober: M's Schwester, von L. Walther wegen der neuen Wohnung gerufen, fährt nach Stuttgart und mietet in der Forststraße 35 an.

26. Oktober: H. Kayser besucht M.

27. Oktober: Erneute Korrekturen gehen an Aue ab.

Anfang November: M nimmt die Arbeit am ›Nolten‹ wieder auf.

3. November: C. Hartlaub und ihre Tochter Marie kommen nochmals nach Fellbach.

9. November: M schickt die letzten Korrekturen an Aue.

Mitte November: Seine Schwester und Tochter Marie bereiten in Stuttgart den Umzug vor.

16. November: M fährt nach Stuttgart, übernachtet bei Walthers.

17. November: Er besucht Hemsen.

18. November: M bezieht eine Wohnung im zweiten Stock der Forststraße 35; seine Töchter sind bei seiner Frau. – Hemsen besucht M. – Mit Walthers schließt M Duzfreundschaft.

19. November: M geht zu Walcher und mit der Schwester und Tochter Marie zu O. Seyffer; er erhält Besuch von dem Stuttgarter Hofmaler Freidrich Erhardt.

20. November: M trifft sich mit Notter.

23. November: Der Notar Ernst Kurz sucht M wegen des Nachlasses seines Bruders Hermann auf. (Die Edition übernimmt Heyse: ›Gesammelte Werke‹, Stuttgart 1874). – Die Neuenstädter Verwandten und C. Notter besuchen M. – H. Kayser stirbt.

26. November: Walther ist bei M: Für M's Frau sind jährliche Bezüge von 700 fl festgesetzt (etwa zwei Fünftel seines Einkommens).

27. November: M geht zu Walther, erhält Besuch von Günthert und A. Klinckerfuß.

30. November: K. Hartlaub und M. Hirt besuchen M.

erste Hälfte Dezember: Er hat wieder rheumatische Schmerzen auf der Brust. – Seine Frau will nach Mergentheim verziehen. – Aus der Reinsburgstraße werden immer noch Utensilien in die neue Wohnung gebracht.

2. Dezember: Vischer übergibt M seinen ›Deutschen Krieg‹ gedruckt.

3. Dezember: Günthert und Hemsen besuchen M. – Marie Wolff stirbt.

4. Dezember: M. Hibschenberger versucht, zwischen M und seiner Frau zu vermitteln.

9. Dezember: M. Hahn sieht bei M vorbei.

10. Dezember: M's Schwester und Tochter Marie machen einen Kondolenzbesuch bei Walthers.

11. Dezember: Notter und Günthert sind bei M. – Hartlaub rät, am zweiten Teil des ›Nolten‹ nichts zu ändern.

12. Dezember: M mahnt sein Honorar bei Ade an.

15. Dezember: Günthert sieht wieder bei ihm vorbei.

16. Dezember: Walthers kommen zu ihm; Ade bringt 50 fl Honorar.

17. Dezember: M's Tochter Fanny (die bei seiner Frau wohnt) besucht ihn.

18. Dezember: E. Rapp erwähnt, daß Strauß über M's Ehetrennung empört sei.

19. Dezember: M berichtet Hartlaub, nicht viel am ›Nolten‹ gearbeitet zu haben; er benötigt die Entstehungsgeschichte seines Gedichts ›Schön-Rohtraut‹, die er dem Freund einmal schilderte.

20. Dezember: Dr. Fetzer wird zu M gerufen. (Er kommt im folgenden häufig).

21. Dezember: R. Vischer und C. Notter besuchen M.

22. Dezember: Notter ist bei ihm.

24. Dezember: Walther, Hemsen und M. Lempp besuchen M.

26. Dezember: M's Tochter Fanny kommt bei ihm vorbei.

28. Dezember: Walther und Kolb besuchen ihn.

29. Dezember: M. Hirt und P. Schulz sind bei M.

1874

M's Bruder Adolf wird Klavierbauer bei Kaps in Dresden.

Januar: M korrespondiert mit Wüsts in Mergentheim.

10. Januar: L. Walther erhält zu ihrem Geburtstag von M die Verse ›Hole der Henker . . .‹.

15. Januar: M. Hibschenberger besucht M; sie will den Umzug seiner Frau nach Mergentheim verhindern.

28. Januar: Am Geburtstag seiner Tochter Marie reisen M's Frau und Tochter Fanny nach Mergentheim.

Anfang Februar: M geht wegen des Kielmeyerschen Nachlasses häufig zu Walthers.

1. Februar: Gegen Schmerzen in der Hüfte verordnet Fetzer für M Fetteinreibungen.

Abb. 15 Aquarell von L. Walther. 1874.
188 × 158 mm.

8. Februar: Bei Walthers liest M einer kleinen Gesellschaft aufs dem ›Nolten‹ vor. – David Friedrich Strauß stirbt.

15. Februar: M liest bei Walthers wieder aus dem ›Nolten‹.

16. Februar: Robert Waldmüller schickt seine »Alpen-Idylle« ›Walpra‹ (Leipzig 1871) und bittet, M besuchen zu dürfen. – Friederike Offterdinger stirbt.

27. Februar: M sucht Waldmüller auf.

März: L. Walthers Aquarell-Porträt von M entsteht (Abb. 15).

1. März: Waldmüller kündigt M die versprochene Sendung seiner Tennyson-Übertragung ›Enoch Arden‹ an (Hamburg 1867).

6. März: Dr. Fetzer, der M inzwischen häufiger besucht hat, wird jetzt auch wegen einer Augenentzündung zu Rate gezogen.

7. März: Elsäßer stirbt.

13. März: An Eduard Schröder, den späteren Göttinger Germanisten, schickt M auf dessen wiederholte Bitte eine Handschrift von ›Gefunden‹, zugleich in einer Übersetzung durch Stadelmann.

28. März: Waldmüller, mit dem M mehrmals zusammentraf, verabschiedet sich.

29. März: Vischer sendet M die ›Märchen‹ von Ch. Perrault mit Illustrationen von Gustave Doré (Stuttgart 1872³) und lädt ihn zur Hölderlin-Feier in Lauffen am 24. Juni ein.

18. April: Durch Vermittlung Fischers und Waldmüllers erhält M aus der Serreschen ›Schiller-Lotterie‹ eine Ehrengabe von 200 fl.

19. April: M liest bei Notter aus dem ›Nolten‹.

23. April: Im Dankschreiben an Waldmüller berichtet M, daß er wieder am ›Nolten‹ arbeite.

26. April: Bei Notters liest M vor Hemsen, J. Klaiber, Fischer, F. Schulz, L. Walther, P. Gmelin sowie vor seiner ehemaligen Freundin Friederike Faber u. a. aus ›Nolten‹.

27. April: Nach wiederholten Einladungen von P. Phull-Rieppur sagt M seinen Besuch in Mönsheim zu, um in Ruhe arbeiten zu können.

30. April: Walther schenkt ihm Kielmeyers Schrift ›Über die Verhältniße der organischen Kräfte‹ (Tübingen 1814).

Anfang Mai: Hartlaub besucht M. (Er ist vom 3.–6. Mai in Cannstatt.)

7. Mai: Walther, Kolb und Hemsen kommen zu M. – Dr. Fetzer rät trotz M's Katarrh zur Reise.

8. Mai: Mit seiner Schwester und Tochter Marie fährt M nach Obermönsheim.

9. Mai: Er erkrankt und muß für acht Tage das Bett hüten.

18. Mai: Er kann erstmals wieder ins Freie.

20. Mai: Mit den Verwandten besucht M Wimsheim, den ehemaligen Pfarrsitz Hartlaubs.

23. Mai: M kehrt nach Stuttgart zurück.

Ende Mai: Er verkauft Hofers Cicero-Büste für 300 fl an Königin Olga.

6. Juni: In Begleitung L. Walthers fährt M mit der Schwester und Tochter Marie nach Bebenhausen. – Dort liest er u. a. Rousseaus ›Bekenntnisse‹, den dritten und vierten Teil von E. Devrients ›Geschichte der deutschen Schauspielkunst‹ (Leipzig 1848, 1861), eine alte Übersetzung von L. Sternes ›Yoricks empfindsame Reise‹, Gustav Reuschles ›Philosophie und Naturwissenschaft‹ (Bonn 1874), Ed. Zellers ›D. F. Strauß‹ (Bonn 1874) und Ferdinand Christian Baurs ›Die tübinger Schule‹ (Tübingen 1859). – In Bebenhausen erhält M u. a. Besuch von M. Hirt, H. Kayser und Isolde Kurz mit ihrer Mutter, der Witwe von H. Kurz.

12. Juni: Hemsen teilt u. a. mit, daß Paul Lindau für seine Berliner Zeitschrift ›Gegenwart‹ M um seine Autobiographie bitten wolle. (Lindau publiziert seit Mai eine Folge von Selbstdarstellungen; M beteiligt sich nicht.)

18. Juni: M ist überzeugt, am zweiten Teil des ›Nolten‹ noch viel ändern zu müssen, damit er das Niveau des ersten erreiche.

23. Juni: Wegen seiner erkrankten Tochter Marie fährt M's Schwester nach Stuttgart zu Dr. Fetzer.

24. Juni: Emil Kuh sucht M auf, der ihm einen für die Revision überarbeiteten Band des ›Nolten‹ mitgibt.

26. Juni: M erbittet sich von Hartlaub den ›Deutschen Novellenschatz‹.

14. Juli: Walthers kommen nach Bebenhausen. In den nächsten Tagen schneidet L. Walther M's Silhouette.

19. Juli: Holland und Keller besuchen ihn von Tübingen aus.

23. Juli: M skizziert das Kloster.

25. Juli: Er fährt mit den Seinen nach Stuttgart zurück.

Anfang August: M arbeitet fortwährend am ›Nolten‹; die Wohnung behagt ihm nicht, er denkt an Umzug. M ist mehrmals bei Walthers in deren neuem Haus.

1. August: Hemsen schenkt M die achtbändige Ausgabe von ›Lichtenberg's vermischten Schriften‹ (Göttingen 1867) und ›Goethe's Sprüche in Prosa‹, herausgegeben von G. v. Loeper (Berlin 1870). – In Heilbronn stirbt Karl Abraham Mörike.

11. August: Hemsen und Bernays besuchen M; er lernt bei Gugler den Theaterintendanten A. v. Wolzogen kennen.

31. August: M ist mit Hemsen bei F. Märklin.

5. — 6. September: Seine Schwester besucht die Verwandten in Neuenstadt.

8. September: M trifft sich mit Hartlaub in Cannstatt.

9. September: Seiner Schwester schenkt M als »Erinnerung an Richard Larkens« (eine Gestalt aus ›Nolten‹) das Lustspiel ›Donna Diana‹ von Don Agustin Moreto (Stuttgart 1868). – Wegen seines Rheumas muß M das Bett hüten.

12. September: Über K. Wüst erfährt M, daß F. Durand die Verlobung mit seiner Tochter Fanny gelöst hat.

Mitte September: M mietet eine Wohnung in der Moserstr. 22.

Oktober: M und seine Tochter Marie sind krank; Dr. Fetzer wird wiederholt bemüht. – Der Hamburger Historiker Adolf Wohlwill recherchiert für seine Arbeit über ›Weltbürgerthum und Vaterlandsliebe der Schwaben‹ (Hamburg 1875); M gibt ihm ein Buch über Ludwigsburg mit.

5. November: M zieht in den dritten Stock des Hauses Moserstr. 22.

7. November: Dr. med. F. Strauß schickt Lyrik- und Autobiographie-Manuskripte seines Vaters und bittet um eine Auswahl der Gedichte für ein Gedenkbuch; E. Rapp empfiehlt M diesen Plan.

8. November: M nimmt den Auftrag an; er beschäftigt sich während der nächsten Tage mit der Zusammenstellung.

Mitte November: M liegt wegen seines Rheumas zu Bett.

16. November: Er schließt seine Arbeit mit den Strauß-Manuskripten ab: ›Poetisches Gedenkbuch. Gedichte aus seinem Nachlasse für die Freunde ausgewählt und als Manuscript ausgegeben von dem Sohne‹ (Stuttgart 1876).

18. November: Notter und F. Buttersack (seit kurzem Professor in Augsburg) besuchen M.

22. November: Hartlaubs Enkelin Fanny Hahn wird geboren.

25. November: F. Strauß hat Einwände gegen M's Zusammenstellung des Manuskripts.

15. Dezember: Hemsen schickt ›Die Gegenwart‹ (Nr. 46–54) mit der Autobiographie Vischers ›Mein Lebensgang‹.

19. Dezember: Hartlaub, wegen der Taufe seiner Enkelin in Stuttgart, besucht M.

30. Dezember: M dankt Feodor Löwe für dessen »Freimaurerische Dichtungen« ›Den Brüdern‹ (Leipzig 1874²).

Ende Dezember: Dr. Fetzer ist jeden zweiten Tag bei M.

1875

10. Januar: L. Walther erhält zum Geburtstag von M die Verse ›Wenn es mit guten . . .‹.

14. Januar: M's Tochter Fanny kommt aus Mergentheim.

29. Januar: Holland schickt den dritten Band seiner Ausgabe der ›Briefe der Herzogin Elisabeth Charlotte von Orleans‹ (Stuttgart 1874).

Februar: Fetzer ist 18mal bei M.

März: Fetzer kommt achtmal vorbei. Marie Mörike, die Neuenstädter Verwandte, kümmert sich um M; M. Hirt kommt regelmäßig, um ihn mit Klavierspiel zu unterhalten.

Anfang März: M kann wieder aufstehen, fühlt sich aber äußerst schwach, bekommt einen Rückfall.

1. — 4. März: M's Neffe Eduard Mörike ist zu Gast, berichtet vom Unfalltod der Frau von M's Bruder Adolf im letzten Jahr.

3. März: Naue bittet um den Begleittext zu einem Bildband mit Schwind-Zeichnungen und -Aquarellen. – M läßt durch seine Schwester absagen und auf Bernays und Heyse verweisen. (Das Buch erscheint wahrscheinlich nicht.)

Mitte März: M's Tochter Fanny kommt zu Besuch.

Frühjahr: M's Bruder Adolf sucht den Freitod im Gardasee.

April: Fetzer besucht M siebenmal; er verordnet Bäder (die nicht anschlagen). – M läßt Weibert rufen und erklärt ihm, daß die Bearbeitung des ›Nolten‹ bis auf die Überleitung der beiden Teilbände fertiggestellt sei.

zweite Hälfte April: M muß Salzbäder anwenden.

Mai: Fetzer ist 14mal bei M.

erste Hälfte Mai: Nach Beruhigungsspritzen durch Dr. Fetzer fühlt sich M besser; auch die Lähmungserscheinungen an Arm und Fuß gehen langsam zurück; die Brust wird mit Jodtinktur behandelt.

13. Mai: Hemsen bringt 100 Thl (= 300 RM) Zulage aus der Schiller-Stiftung.

zweite Hälfte Mai: M redet irr.

18. Mai: Waldmüller teilt mit, daß M's Jahrespension aus der Schiller-Stiftung von 900 RM (= 325 fl) auf 1500 RM erhöht werde.

21. Mai: Von M gerufen, kommt seine Frau nach Stuttgart.

23. Mai: Prälat Kapff besucht M auf dessen Wunsch.

24. — 26. Mai: Hartlaub sieht zum letzten Mal nach dem Freund.

30. Mai: Man schickt nach Albert Zeller.

1. Juni: Zeller untersucht M.

4. Juni: M stirbt morgens 8.00 Uhr. Neben den Familienangehörigen ist auch Hemsen anwesend.

6. Juni: M wird auf dem Stuttgarter Pragfriedhof beerdigt. Das geistliche Amt versieht Kapff; Vischer und Fischer halten Reden. Die Trauergesellschaft ist klein; Hartlaub kommt erst am nächsten Tag.

29. Juni: Gottfried Keller schreibt an Vischer: »Wenn sein Tod nun seine Werke nicht unter die Leute bringt, so ist ihnen nicht zu helfen, nämlich den Leuten!«

Verzeichnis der Schriften

Aufgenommen sind auch geplante oder abgebrochene und verschollene Schriften, ebenso die verschiedenen (Gedicht-)Sammlungen. Die einzelnen Gedichte erscheinen im folgenden Register. – Undatierbare Schriften hat die Chronik nur teilweise erfaßt.

Verzeichnis der Gedichte

Die von Mörike oder zu seinen Lebzeiten veröffentlichten Gedichte erscheinen mit ihrer Überschrift. Die posthum oder noch nicht publizierten werden mit dem Beginn des ersten Verses und anschließenden drei Punkten aufgeführt.

Verzeichnis der Editionen

Aufgenommen sind auch Pläne und Ausgaben, bei denen der Umfang von Mörikes Mitarbeit nicht gesichert ist.

Verzeichnis der Periodika,
in denen von oder über Mörike publiziert wurde

Personenverzeichnis

Lebensdaten werden nur bei den Personen angegeben, die Mörike nachweislich persönlich gekannt hat; waren die Daten nicht zu ermitteln, steht (–). Da die übrigen Namen sehr häufig die Autoren von Mörikes Lektüre nennen, nimmt dieses Register auch die Titel anonymer Schriften auf. Einige wenige Ortsnamen werden mit einem Verweis auf die dort lebenden Personen eingeschaltet.

Hoffmann, E. T. A. 37
Hoffmann, Gustav (1806–1889) 20
Hoffmann, Heinrich (1783–1842) 57
Hoffmann, Wilhelm (1806–1873) 50, 232
Hofmann, Friedrich 168, 180
Hofmann, Marie (1844–?) 334f.
Hohenlohe → Ernst 4. Fürst
Holland, Hyacinth 354
Holland, Wilhelm (1822–1891) 228, 237, 244, 269, 272, 278, 281, 284f., 294, 307, 313f., 368, 370
Holtei, Karl von 136
Homer 22f., 39, 41f., 48, 98, 113f., 119f., 190, 324
Hopfen, Hans 277, 313, 315f., 320
Horaz 23, 26, 62, 105, 110f., 113, 120, 263, 299, 307
Hornstein, Robert von (1833–1890) 257, 271, 315, 344
Hoven, Friedrich Wilhelm von 126
Hub, Ignaz 120, 314
Hübner, Julius 173, 214f., 218, 220, 242
Hügel, Albert von (1803–1865) 146f.
Hügel, Albert von (1809–1884) 157, 198f., 345
Hügel, Elisabeth von 118, 133f., 146ff.
Hügel, Ernst Eugen von 118
Hügel, Julius von (–) 146
Hügel, Marie von (1815–1892) 157, 198, 200, 350
Hügel, Marie von → Kerner, M.
Humboldt, Alexander von 145, 151, 161, 169, 186, 334
Humboldt, Wilhelm von 68, 192
Hutten, Johann Georg von (1755–1834) 21, 23
Hutten, Ulrich von 271, 277, 358

Iffland, August Wilhelm 291
Immermann, Karl 113
Irving, Washington 64

Jacobs, Friedrich 118, 129, 171
Jacoby, Georg Heinrich 268
Jäger, Georg (1826–1904) 348, 353f.
Jäger, Gottlieb Friedrich (1783–1843) 27f., 30
Jäger, Karl Friedrich (1794–1842) 142
Jahn, Otto 235, 256f.
Jan, Ernst Karl von (1821–1882) 136
Jan, Johann Friedrich von (1802–1871) 121f., 136f., 139f., 221, 239
Jan, Ludwig Friedrich von (1747–1828) 47

Jean Paul 24f., 31, 46, 180
Jesaja 28
Joachim, Joseph (1831–1907) 233, 239, 327
Johann von Österreich 52
Johann Erzherzog von Österreich 186
Jona 26
Josua 22, 131
Jung, Ferdinand (1803–1849) 17, 21, 25, 30, 35, 42, 53, 57, 65, 137f., 155f., 159, 163, 167, 182, 189
Jung Stilling 171, 251

Käferle, Christian (1805–1885) 18, 25, 48, 301, 341
Kaim, Franz Anton 81
Kapff, Carl von (1805–1879) 300, 371f.
Kapff, Sixt Jacob 130, 144
Kapff, Wilhelm 172
Kaps, Ernst 364
Karadschitsch, Wuk Stephanowitsch 233
Karajan, Theodor Georg von 262
Karg, Joseph Maximilian 154
Karl V. Deutscher Kaiser 353f.
Karl I. König von Württemberg (1823–1891) 145, 165, 167–172, 185f., 232, 234, 242, 286, 288, 291, 303f., 308, 314, 324, 343, 353
Katharina Königin von Württemberg 22
Kauffmann, Emil (1836–1909) 288, 294, 297, 306f., 313f.
Kauffmann, Emilie Auguste → Mörike, E. A.
Kauffmann, Ernst Friedrich (1803–1856) 17, 26f., 31f., 34f., 37f., 42–45, 51, 54ff., 75, 80ff., 84, 86, 90, 103, 106, 110, 112, 115, 135, 142–146, 153, 180, 188, 191, 210, 212, 216ff., 225, 227, 231, 234, 239, 288, 304, 312
Kauffmann, Marie (1805–1861) 55, 110, 145, 234
Kauffmann, Paul (1830–1869) 180, 308
Kaufmann, Alexander (1817–1893) 210
Kaulbach, Wilhelm von 212, 247, 272, 283, 311, 322
Kausler, Rudolf (1811–1874) 105, 108, 111, 219
Kayser, Helene (1846–?) 320
Kayser, Hermann (1836–1874) 282, 292, 295ff., 302, 304ff., 308–314,

316f., 320, 325, 334, 342, 351, 363, 368
Keller, Adelbert von (1812–1883) 104f., 121, 175, 182, 191, 206, 257, 351, 368
Keller, Eduard (1815–1904) 287
Keller, Gottfried 240, 347, 372
Kemmler, Gottlob (1823–1907) 270
Kennen, Friedrich 311f.
Kepler, Johannes 94, 131
Kern, Heinrich (1808–1885) 65, 90, 171
Kern, Robert (1813–1886) 299f.
Kerner, Else (1847–1931) 349, 352
Kerner, Emma (1822–1895) 97, 131
Kerner, Justina (1846–?) 269
Kerner, Justinus (1786–1862) 19, 35, 38, 45, 49f., 62, 64, 67, 71, 78, 87, 90, 93, 95, 97f., 104ff., 108, 111, 114, 116, 118f., 122, 125f., 129–137, 140, 143, 146–149, 172, 175, 187, 210, 213, 218, 221, 226, 229, 268, 272, 298
Kerner, Karl von (1775–1840) 74, 112
Kerner, Marie (1811–1862) 133, 145–149, 152, 269
Kerner, Theobald (1817–1907) 108, 133, 145ff., 152, 163, 167, 169f., 188, 206f., 216, 218f., 240, 244, 269f., 272, 346, 349, 352
Kielmeyer, Karl Friedrich von 277, 343f., 364, 367
Kielmeyer, Marie Charlotte → Wolff, M. Ch.
Kies, Ludwig 243
Kilzer, Wilhelm (1799–1864) 187
Kinkel, Gottfried 174f., 194
Kirchhoff, Wilhelm (?–1854) 88f.
Klaiber, Christian Friedrich (1782–1850) 23, 79
Klaiber, Julius (1834–1892) 207, 211f., 214, 278, 282ff., 287, 290, 292, 304, 308, 311ff., 315, 319f., 323, 325, 327ff., 356, 367
Klaiber, Sophie (1807–1858) 211f., 219
Klemm, Wilhelm August (1817–1884) 334, 338, 340
Klett, Carl Maximilian von 141
Klett, Christoph August (1766–1851) 63
Klinckerfuß, Apollo (1840–1923) 289, 297, 338, 363
Klopstock, Friedrich Gottlieb 25, 182, 200, 300, 359
Klüpfel, Karl (1810–1894) 232, 261, 300
Klumpp, Friedrich Wilhelm (1790–1868) 197, 234

Bildnachweis

Die Vorlagen der Reproduktionen wurden nach den Originalen des Deutschen Literaturarchivs durch Herrn Mathias Müller hergestellt. Abb. 2 erlaubte Herr Hans Joachim Kauffmann, Abb. 3 Frau Ilse Weiß-Widmann und Abb. 4 das Stadtarchiv Stuttgart nach den Originalen in ihrem Besitz. Ihnen allen weiß sich der Autor dankbar verpflichtet.